看護師国試2026
必修問題完全予想550問

別冊付録

必修模試

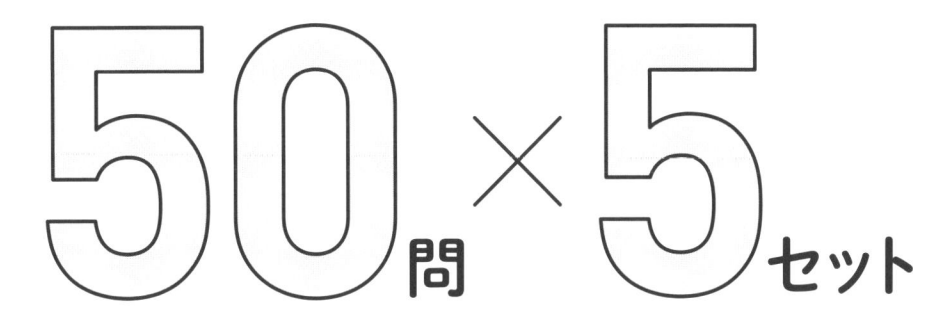

50問×5セット

本体とは違う問題です。解答・解説は本体のP.179～です。
解答用紙を使って、本番のつもりで解いてみましょう。
解答時間は1問あたり1分、模試1回につき、50分です。

模試の内容

	問題（別冊）	解答・解説（本体）	問題数	解答時間
必修模試①	P.2～	P.180～	50問	50分
必修模試②	P.12～	P.190～	50問	50分
必修模試③	P.22～	P.201～	50問	50分
必修模試④	P.32～	P.211～	50問	50分
必修模試⑤	P.42～	P.224～	50問	50分
解答用紙	P.52	※縦型と横型があります。コピーしてご利用ください		

必修模試①

問題▶ 1 令和5（2023）年の年少人口が占める割合はどれか。

1.　8%
2.　11%
3.　15%
4.　19%

頻出

問題▶ 2 令和5（2023）年の0歳男児の平均余命はどれか。

1.　75.09年
2.　78.09年
3.　81.09年
4.　84.09年

頻出

問題▶ 3 令和5（2023）年の日本の女性における外来受療率が最も高い年齢階級はどれか。

1.　50～54歳
2.　60～64歳
3.　70～74歳
4.　80～84歳

頻出

問題▶ 4 健康日本21（第三次）の基本的な方向に含まれるのはどれか。

1.　平均寿命の延伸
2.　健康格差の縮小
3.　国民医療費の減少
4.　学童期・思春期から成人期に向けた保健対策

問題▶ 5 病気やけがなどで自覚症状のある者の割合を指すのはどれか。

1.　罹患率
2.　有病率
3.　有訴者率
4.　通院者率

頻出

問題 ▶ 6

日本肥満学会による判定基準で、成人の普通体重の範囲はBMI[　　　]以上25未満であるとされる。

[　　　]内に入るのはどれか。

1. 16.5
2. 18.5
3. 20.5
4. 22.5

頻出

問題 ▶ 7

HACCP（Hazard Analysis and Critical Control Point）の目的はどれか。

1. 食品衛生の管理
2. 大気汚染対策
3. 土壌汚染対策
4. 水道水の管理

 問題 ▶ 8

白ろう病の原因となるのはどれか。
white finger disease

1. 粉　塵
2. 騒　音
3. 局所振動
4. 有機溶剤

頻出

 問題 ▶ 9

母性保護のために法律で規定されているもののうち、本人の請求がない場合にも事業主に義務付けられているのはどれか。

1. 産前休暇
2. 育児時間
3. 育児のための休業
4. 妊婦の危険有害業務の制限

頻出

問題 ▶ 10

介護保険法施行令により、特定疾病に指定されている疾病数はどれか。

1. 16
2. 36
3. 56
4. 106

問題▶11 医療機関における倫理委員会の役割はどれか。
1. チーム医療を推進する。
2. 麻薬取扱者を任命する。
3. 医療事故に対して対応する。
4. 研究や医療行為を審査する。

問題▶12 倫理原則において、「患者を差別しない」が含まれるのはどれか。
1. 善　行
2. 正　義
3. 無危害
4. 自律尊重

問題▶13
新規項目
医療従事者が行う治療やケアの内容について、患者や家族に説明する責任を指すのはどれか。
1. アドボケーター
2. エンパワメント
3. 倫理的ジレンマ
4. アカウンタビリティ

問題▶14 保健師助産師看護師法において、業務独占の規定がなく、名称独占であるのはどれか。
1. 助産師
2. 保健師
3. 看護師
4. 准看護師

問題▶15 高校卒業後に准看護師の資格を取得し、看護師となるために通信制の学校に進学するにあたり必要な准看護師としての実務経験年数はどれか。
1. 3年
2. 5年
3. 7年
4. 10年

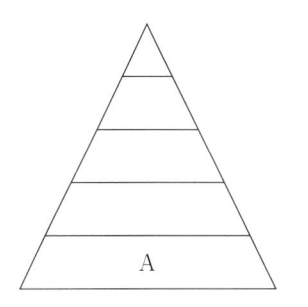
 **問題 ▶ 16**

⭐頻出　◆五肢

右図はマズロー，A. H. の欲求階層である。
Maslow, A. H.
Aの階層で求めるのはどれか。

1. 生命維持
2. 危険の回避
3. 自分の可能性の追求
4. 社会集団への所属
5. 他人からの承認

問題 ▶ 17

胎盤が完成する妊娠週数はどれか。
1. 11〜12週末
2. 15〜16週末
3. 19〜20週末
4. 24〜25週末

問題 ▶ 18

⭐頻出

正期産の新生児の生理的体重減少の正常範囲の上限はどれか。
1. 　5%
2. 10%
3. 15%
4. 20%

問題 ▶ 19

⭐頻出

30〜49歳の成人女性の基礎代謝量に最も近いのはどれか。
体重は53kg、基礎代謝基準値21.9kcal/kg体重/日とする。
1. 　900kcal/日
2. 1,200kcal/日
3. 1,500kcal/日
4. 1,800kcal/日

問題 ▶ 20

⭐頻出

フレイルについての説明で正しいのはどれか。
1. エリクソンが基準を発表した。
2. 自立と要介護状態の中間である。
3. 加齢による不可逆的な変化である。
4. 社会的な脆弱化を中心に判定する。

問題▶21 令和6（2024）年3月末に完全廃止されたのはどれか。

1. 老人福祉センター
2. 介護療養型医療施設
3. 特別養護老人ホーム
4. 認知症対応型共同生活介護

問題▶22 体性神経について正しいのはどれか。

1. 中枢神経に属する。
2. 骨格筋の運動に関与する。
3. 交感神経と副交感神経がある。
4. 皮膚の感覚を伝える神経は含まれない。

頻出

問題▶23 脳幹に**含まれない**のはどれか。

1. 橋
2. 小　脳
3. 中　脳
4. 延　髄

頻出

問題▶24 左右の＿＿＿＿が合流して上大静脈となる。
＿＿＿＿内に入る静脈で最も適切なのはどれか。

1. 奇静脈
2. 腕頭静脈
3. 肋間静脈
4. 鎖骨下静脈

問題▶25 長期にわたる胃液の吸引で生じるのはどれか。

1. 呼吸性アルカローシス
2. 代謝性アルカローシス
3. 呼吸性アシドーシス
4. 代謝性アシドーシス

問題▶ 26 頻出

解糖系において、酸素がない場合にピルビン酸が変換されるのはどれか。
1. 乳　酸
2. 尿　素
3. ケトン体
4. アデノシン二リン酸

問題▶ 27

特殊感覚はどれか。
1. 触　覚
2. 味　覚
3. 痛　覚
4. 温度感覚

問題▶ 28 頻出

徐脈性不整脈となりやすいのはどれか。
1. 心室細動
2. 心房細動
3. 心室性頻拍
4. 完全房室ブロック

問題▶ 29

認知症の行動・心理症状はどれか。
dementia
1. 妄　想
2. 記憶障害
3. 見当識障害
4. 実行機能の障害

問題▶ 30

アンジオテンシン変換酵素阻害薬の作用はどれか。
1. 強心作用
2. 降圧作用
3. 止血作用
4. 抗不整脈作用

問題▶31 ベンゾジアゼピン系抗不安薬の副作用はどれか。
1. 脱　毛
2. 多　尿
3. 骨粗鬆症
4. 筋弛緩

問題▶32 浣腸で使用するグリセリン液の濃度はどれか。

1. 　2%
2. 10%
3. 25%
4. 50%

問題▶33 T字杖を使って平地を移動する場合、歩き始めで最初に行うのはどれか。
1. T字杖を出す。
2. 健側の脚を出す。
3. 麻痺側の脚を出す。
4. 健側、麻痺側の脚のどちらでもよいので出す。

問題▶34 筋肉内注射をするときに看護師が触れてはいけない部分は図のア〜エのどれか。

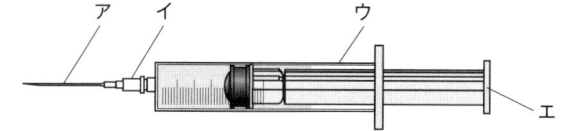

1. ア
2. イ
3. ウ
4. エ

問題▶35 個人防護具の脱衣手順で最後に外すのはどれか。

1. 手　袋
2. ガウン
3. サージカルマスク
4. フェイスシールド

問題▶ 36 頻出

成人の正常な血小板の説明で正しいのはどれか。
1. 球状の細胞である。
2. 脾臓で破壊される。
3. 寿命は約120日である。
4. 血球のなかでは最も大きい。

問題▶ 37 頻出

膵液に含まれるのはどれか。
1. グルカゴン
2. アミラーゼ
3. インスリン
4. ビリルビン

問題▶ 38 頻出

イラストの矢印で指しているのはどれか。
1. 尺　骨
2. 脛　骨
3. 腓　骨
4. 寛　骨

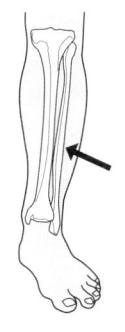

問題▶ 39 五肢

健康な成人男性の呼吸気量の区分のうち、最も多いのはどれか。
1. 残気量
2. 肺活量
3. 予備呼気量
4. 予備吸気量
5. 1回換気量

問題▶ 40 頻出

結核の一般的な潜伏期間はどれか。
tuberculosis
1. 7〜10日
2. 14〜20日
3. 1〜3か月
4. 6か月〜2年

問題▶41

糖尿病網膜症の発症に最も関係しているのはどれか。

1. 眼圧の上昇
2. 水晶体の混濁
3. 毛細血管の変化
4. 毛様体筋の萎縮

問題▶42

脂質異常症を診断する検査項目のうち、基準値より低いことが問題となるのはどれか。
dyslipidemia

1. トリグリセライド〈中性脂肪〉
2. LDLコレステロール
3. HDLコレステロール
4. non-HDLコレステロール

問題▶43

成人の体重のうち、血液が占める割合はどれか。

1. 4%
2. 8%
3. 16%
4. 32%

問題▶44

眼を閉じている患者に対する意識レベルの観察で最初に行うのはどれか。

1. 身体を揺さぶる。
2. 対光反射をみる。
3. 患者に呼びかける。
4. 手を握るよう指示する。

問題▶45

原始反射はどれか。

1. 自動歩行反射
2. パラシュート反射
3. 視性立ち直り反射
4. ホッピング反応

問題▶ 46

中耳にあるのはどれか。

1. 蝸　牛
2. 鼓　膜
3. 前　庭
4. 半規管

問題▶ 47

頻出

腹腔内に分布している脳神経はどれか。

1. 副神経
2. 舌咽神経
3. 滑車神経
4. 迷走神経

問題▶ 48

呼びかけに反応はないが正常な呼吸がみられる傷病者に対して、最初に行うべき対応はどれか。
ただし、頸椎損傷はないものとする。

1. 回復体位にする。
2. 下顎を挙上する。
3. 反応するまで痛み刺激を与える。
4. 自動体外式除細動器〈AED〉を装着する。

問題▶ 49

下図の三方活栓で、薬液の流れはどれか。

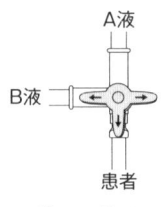

1. A液のみ注入
2. B液のみ注入
3. A液、B液ともに注入
4. A液、B液ともに中断

問題▶ 50

創傷の治癒過程で最も短いのはどれか。

1. 出血・凝固期
2. 成熟期
3. 炎症期
4. 増殖期

必修模試②

問題▶ 1

頻出

令和5（2023）年の死亡数に最も近いのはどれか。

1. 98万人
2. 118万人
3. 138万人
4. 158万人

問題▶ 2
頻出

令和5（2023）年における日本の高齢化率に最も近いのはどれか。

1. 20%
2. 30%
3. 40%
4. 50%

問題▶ 3
頻出

令和5（2023）年における65歳以上の者のいる世帯が全世帯に占める割合はどれか。

1. 40%
2. 50%
3. 60%
4. 70%

問題▶ 4
頻出

令和5（2023）年における自殺による死亡数はどれか。

1. 1万人
2. 2万人
3. 3万人
4. 4万人

問題▶ 5
頻出

健康日本21（第三次）における1日の塩分摂取量の目標値で正しいのはどれか。

1. 5.0g
2. 7.0g
3. 9.0g
4. 11.0g

問題 ▶ **6**

後腹膜器官はどれか。
1. 胃
2. 肝　臓
3. 空　腸
4. 十二指腸

問題 ▶ **7**

最も自由度の高い関節の構造はどれか。
1. 鞍関節
2. 球関節
3. 蝶番関節
4. 車軸関節

問題 ▶ **8**

看護師免許付与時の欠格事由として保健師助産師看護師法に規定されているのはどれか。
1. 18歳未満の者
2. 海外に居住している者
3. 素行が著しく不良である者
4. 罰金以上の刑に処せられた者

問題 ▶ **9**

退院調整の目的として最も適切なのはどれか。
1. 入院中・退院後の医療費を抑制する。
2. 退院後の療養生活について自己決定する。
3. 入院中と同じスタッフが継続したケアを行う。
4. 入院生活を振り返り、体験を肯定的に受け止める。

問題 ▶ **10**

心電図で心房の収縮を表すのはどれか。
1. P波
2. Q波
3. R波
4. T波

問題▶11 手根管を通る神経はどれか。

1. 橈骨神経
2. 尺骨神経
3. 正中神経
4. 腋窩神経

問題▶12 直腸と肛門について正しいのはどれか。

頻出

1. 直腸は下行結腸と連続している。
2. 肛門には骨格筋が存在する。
3. 直腸には内容物が常に停滞している。
4. 直腸には内腔の狭い膨大部がある。

問題▶13 周手術期の生体反応を分類したのは誰か。

1. ロ　イ,S.C.
   Roy, S. C.
2. ムーア,F.D.
   Moore, F. D.
3. アギュララ,D.C.
   Aguilera, D. C.
4. ハインリッヒ,H.W.
   Heinrich, H. W.

問題▶14 パーキンソン症候群の症状はどれか。

1. 多　動
2. 肝機能低下
3. 筋肉の弛緩
4. 安静時の振戦

問題▶15 フェンタニルクエン酸塩の薬理作用はどれか。

1. 血圧を上げる。
2. 痛みを軽減する。
3. 炎症を抑制する。
4. 血糖値を下げる。

問題▶16

令和3（2021）年の国民医療費の総額はどれか。

1. 5兆円
2. 15兆円
3. 45兆円
4. 90兆円

問題▶17

ある慢性肺気腫の患者の看護目標は「呼吸困難が軽減し、夜間よく眠れたという言動がある」である。現在、よく眠れるようになり、この計画を終了しようとしている。
chronic pulmonary emphysema

看護過程のどの段階に該当するか。

1. アセスメント
2. 計画立案
3. 実 施
4. 評 価

問題▶18

聴診時、呼吸音が消失している場合に最も考えられる病態はどれか。

1. 肺水腫
   pulmonary edema
2. 肺梗塞
   pulmonary infarction
3. 無気肺
   atelectasis
4. 胸水貯留

問題▶19

吸引カテーテルの太さの単位はどれか。

1. ゲージ
2. トール
3. フレンチ
4. バイアル

問題▶20

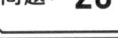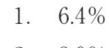

ヘモグロビンA1cの基準値内にあるのはどれか。

1. 6.4％
2. 8.0％
3. 10.4％
4. 12.4％

生体内の電解質のうち、陰イオンはどれか。

1. カリウムイオン
2. クロールイオン
3. ナトリウムイオン
4. カルシウムイオン
5. マグネシウムイオン

五肢

問題 ▶ 22

深達度による褥瘡分類で、組織欠損が真皮にまで及ぶのはどれか。

1. ステージⅠ
2. ステージⅡ
3. ステージⅢ
4. ステージⅣ

問題 ▶ 23

令和5（2023）年の日本の人口ピラミッドはどれか。

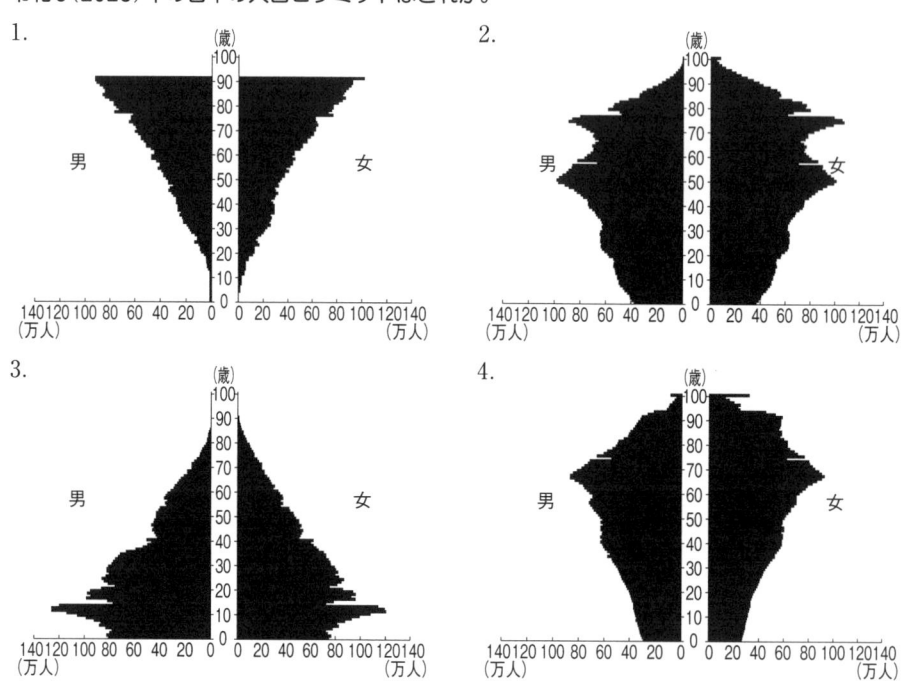

問題 ▶ 24

看護師等の人材確保の促進に関する法律の規定により、新たに業務に従事する看護師に対する臨床研修を実施するのはどれか。

1. 保健所
2. 看護師養成所
3. 病院等の開設者
4. 都道府県ナースセンター

問題▶25
頻出

雇用の分野における男女の均等な機会及び待遇の確保等に関する法律で規定されているのはどれか。

1. 介護休業
2. 産前産後の休業
3. 性別による差別の禁止
4. 男性が取得する育児休業

問題▶26

胎児期に母体から受け取る免疫グロブリンはどれか。

1. IgA
2. IgE
3. IgG
4. IgM

問題▶27
頻出

チアノーゼの際の皮膚の色に最も近いのはどれか。

1. 白
2. 黄
3. 紫
4. 赤

問題▶28

アルブミン製剤で治療するのはどれか。

1. 熱　傷
　　burn
2. 脳　炎
　　encephalitis
3. 免疫機能の低下
4. 急性アルコール中毒
　　acute alcohol intoxication

問題▶29

深部感覚の受容器が存在する部位はどれか。

1. 耳
2. 筋　肉
3. 粘　膜
4. 皮　膚

問題▶30
頻出

心筋梗塞の放散痛が起こる部位はどれか。
myocardial infarction

1. 右　肩
2. 左上肢
3. 両下肢
4. 右下腹部

問題▶31 頻出

情報機器作業による健康障害について正しいのはどれか。

1. 精神的な症状は含まれない。
2. 照明や採光を調整することで軽減できる。
3. 作業の連続時間は2時間までとするのがよい。
4. 椅子には浅く腰かけ、背もたれはないほうがよい。

問題▶32

令和4(2022)年の国民生活基礎調査で、同居の主な介護者の続柄で割合が最も多いのはどれか。なお、続柄は要介護者等からみるものとする。

1. 子
2. 父　母
3. 配偶者
4. 子の配偶者

問題▶33

典型的な統合失調症の症状はどれか。
schizophrenia

1. 妄　想
2. 感情失禁
3. 予期不安
4. 理由のない爽快感

問題▶34

小脳失調で考えられるのはどれか。

1. 呼吸が困難になる。
2. 姿勢保持が困難になる。
3. 眼球運動が障害される。
4. 四肢の麻痺が認められる。

問題▶35 頻出

分泌によって胎児の肺機能を成熟させる物質はどれか。

1. グリコーゲン
2. サーファクタント
3. プロスタグランジン
4. トロンボプラスチン

問題▶ 36

感染制御チームについて適切なのはどれか。
1. アウトブレイク後に結成する。
2. 感染症に関するサーベイランスを行う。
3. 1か月に一度医療施設内をラウンドする。
4. 医療機関内の抗菌薬の使用を増やす指導をする。

問題▶ 37

頻出

黄体形成ホルモン〈LH〉を分泌するのはどれか。
1. 卵　巣
2. 下垂体前葉
3. 下垂体後葉
4. 視床下部

問題▶ 38

頻出

滅菌物の取り扱いで正しいのはどれか。
1. 鑷子の先端を開いた状態で取り出す。
2. 滅菌パックはハサミを用いて開封する。
3. 滅菌包みは布の外側の端を手でつまんで開く。
4. 鉗子の先端は水平より上に向けるようにする。

問題▶ 39

幼児期における呼吸の型はどれか。
1. 肩呼吸
2. 胸式呼吸
3. 腹式呼吸
4. 胸腹式呼吸

問題▶ 40

バイオハザードマークは色によって収集する感染性医療廃棄物が区別されているが、色の種類の数はどれか。
1. 2
2. 3
3. 4
4. 5

問題▶ 41

胃で吸収されるのはどれか。

1. 脂　質
2. 糖　質
3. 蛋白質
4. アルコール

問題▶ 42

過呼吸の定義はどれか。

1. 呼吸が不規則である。
2. 1回換気量が増加する。
3. 努力呼吸がみとめられる。
4. 呼吸数が通常よりも増加する。

問題▶ 43

休憩時間を除いた1日の労働時間で、超えてはならないと労働基準法で定められているのはどれか。

1. 8時間
2. 10時間
3. 12時間
4. 14時間

問題▶ 44

小泉門が閉鎖する時期に最も近いのはどれか。

1. 3か月
2. 12か月
3. 18か月
4. 36か月

問題▶ 45

心臓の刺激伝導系で最も末梢の部位はどれか。

1. 房室結節
2. 洞房結節
3. His〈ヒス〉束
4. Purkinje〈プルキンエ〉線維

問題▶46

頻出

成人の上腕動脈で行う血圧測定で適切なのはどれか。

1. 聴診器はマンシェット下にもぐりこませて固定する。
2. マンシェットの幅は測定周囲長の80%とする。
3. マンシェットのゴム嚢の中央を上腕動脈の上に置く。
4. マンシェットの下縁が肘関節にかかるようにする。

 問題▶47

頻出

異常な呼吸音のうち、断続性副雑音はどれか。

1. いびきのような音〈類鼾音〉
2. ヒューヒューという高い音〈笛声音〉
3. 耳元で髪をねじるような音〈捻髪音〉
4. ギュッギュッというこすれる音〈胸膜摩擦音〉

問題▶48

頻出

●の位置を聴診して得られるのはどれか。

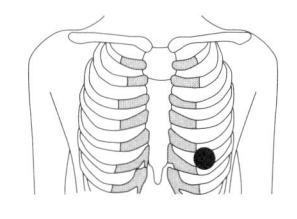

1. 三尖弁の音
2. 僧帽弁の音
3. 大動脈弁の音
4. 肺動脈弁の音

問題▶49

成人の気道の異物除去時に救助者の両手で圧迫するのはどれか。

1. 胸　　部
2. 背　　部
3. 腹　　部
4. 腰　　部

問題▶50

呼吸不全の定義はどれか。

1. 動脈血酸素分圧〈PaO_2〉30 Torr 未満
2. 動脈血酸素分圧〈PaO_2〉40 Torr 未満
3. 動脈血酸素分圧〈PaO_2〉50 Torr 未満
4. 動脈血酸素分圧〈PaO_2〉60 Torr 未満

必修模試③

問題▶1

頻出　五肢

令和5（2023）年の国民生活基礎調査で次の世帯構造のうち最も少ないのはどれか。
1. 単独世帯
2. 三世代世帯
3. 夫婦のみの世帯
4. 夫婦と未婚の子のみの世帯
5. ひとり親と未婚の子のみの世帯

問題▶2

令和4（2022）年における看護職員の就業者数はどれか。
1. 約97万人
2. 約117万人
3. 約137万人
4. 約157万人

問題▶3

令和5（2023）年における男性の平均初婚年齢に最も近いのはどれか。
1. 27歳
2. 29歳
3. 31歳
4. 33歳

問題▶4

頻出

わが国の令和5（2023）年の死因順位の第1位はどれか。
1. 老衰
2. 脳血管疾患
3. 悪性新生物〈腫瘍〉
4. 不慮の事故

問題▶5

わが国の令和5（2023）年の新型コロナウイルス感染症による死亡数に最も近いのはどれか。
COVID-19 infection
1. 1万8,000人
2. 3万8,000人
3. 5万8,000人
4. 6万8,000人

問題 ▶ 6

頻出

胎児循環で臍静脈と下大静脈の間にあるのはどれか。

1. 卵円孔
2. 動脈管
3. ミューラー管
4. アランチウス管

問題 ▶ 7

頻出

心静止についての説明で正しいのはどれか。

1. AEDの効果が高い。
2. アドレナリンは禁忌である。
3. 心電図の波形は平坦となる。
4. 心停止の中で最も軽症である。

問題 ▶ 8

頻出

副腎髄質ホルモンによって起こるのはどれか。

1. 炎症抑制
2. 乳汁産生
3. 気管支拡張
4. 中心性肥満

問題 ▶ 9

頻出

脳死の状態はどれか。

1. 低体温である。
2. 脳幹反射がある。
3. 脳波で徐波がみられる。
4. 自発呼吸が停止している。

問題 ▶ 10

頻出

1日の平均尿量として正常範囲にあるのはどれか。

1. 100mL
2. 400mL
3. 800mL
4. 1,000mL

問題 ▶ 11

血漿浸透圧の単位はどれか。

1. ％
2. mmHg
3. mg/L
4. mOsm/L

問題 ▶ 12

以下は日本高血圧学会（2019）による成人の血圧値（診察室血圧）の分類である。
「Ⅰ度高血圧は収縮期血圧が（　　　）〜159かつ／または拡張期血圧が90〜99であるものを指す」
（　　　）内に入るのはどれか。

1. 120
2. 130
3. 140
4. 150

問題 ▶ 13

出血性ショックで起こるのはどれか。
hemorrhagic shock

1. 体温の上昇
2. 喉頭の浮腫
3. 皮膚の紅潮
4. 血圧の低下

問題 ▶ 14

鷲手の原因はどれか。

1. 尺骨神経麻痺
2. 正中神経麻痺
3. 橈骨神経麻痺
4. 腓骨神経麻痺

問題 ▶ 15

神経麻痺症状のおそれがある食中毒の原因菌はどれか。

1. 腸炎ビブリオ
2. ボツリヌス菌
3. 黄色ブドウ球菌
4. サルモネラ属菌

問題▶16 令和3（2021）年の国民医療費における65歳以上の医療費が占める割合はどれか。

1. 40%
2. 50%
3. 60%
4. 70%

問題▶17 膝関節を屈曲させる筋肉はどれか。

★頻出

1. 三角筋
2. 大腿二頭筋
3. 大腿四頭筋
4. 下腿三頭筋

問題▶18 日内リズムにしたがって睡眠に関係するホルモンを分泌する部位はどれか。

★頻出

1. 腎　臓
2. 心　臓
3. 松果体
4. 上皮小体

問題▶19 咳やくしゃみで起こるのはどれか。

1. 溢流性尿失禁
2. 腹圧性尿失禁
3. 切迫性尿失禁
4. 機能性尿失禁

問題▶20 禁煙しようとしているがうまくいかない成人への理解的な対応はどれか。

1. 「どうして禁煙したいのですか」
2. 「意志を強くもって頑張りましょう」
3. 「禁煙が成功したときの自分へのごほうびを決めましょう」
4. 「タバコの本数が減らなくて困っているのですね」

問題▶21 抗コリン薬の作用を受けて生じる眼の変化はどれか。

1. 眼圧が低下する。
2. 瞳孔が拡大する。
3. 水晶体の厚みが増す。
4. 角膜反射が低下する。

問題▶22 不足が膝蓋腱反射の低下に関係しているのはどれか。

1. ビタミンA
2. ビタミンB₁
3. ビタミンB₂
4. ビタミンK

頻出

問題▶23 ヒトパピローマウイルスが発症に関与しているのはどれか。

1. 帯状疱疹
   herpes zoster
2. 子宮頸癌
   cancer of the uterine cervix
3. 無菌性髄膜炎
4. 成人T細胞性白血病
   adult T-cell leukemia

頻出

問題▶24 レム睡眠の特徴はどれか。

1. 夢をみない周期である。
2. 入眠時にみられることが多い。
3. バイタルサインが変化しやすい。
4. 成人の睡眠のほとんどを占める。

問題▶25 対光反射の中枢はどれか。

1. 小　脳
2. 中　脳
3. 延　髄
4. 視床下部

頻出

問題▶26

血液中で薬物と結合し、薬効に影響するのはどれか。

1. 鉄
2. 赤血球
3. アルブミン
4. ナトリウムイオン

問題▶27

男性ホルモンを分泌するのはどれか。

1. 精　囊
2. 精　巣
3. 精　索
4. 前立腺

問題▶28

がんの組織型で扁平上皮癌が多いのはどれか。

1. 胃　癌
   gastric cancer
2. 乳　癌
   breast cancer
3. 食道癌
   esophageal cancer
4. 大腸癌
   colon cancer

問題▶29

成人への心臓マッサージを行う際に手を置く部位で適切なのはどれか。

1. 胸骨の下端
2. 鎖骨中央部から2横指下
3. 胸骨の下端から2横指上
4. 胸骨下端と臍の間の中点

問題▶30

小児期にボールを蹴ることができるようになる時期はどれか。

1. 1歳ころ
2. 2歳ころ
3. 3歳ころ
4. 4歳ころ

医療法に定められる特定機能病院の承認要件で適切なのはどれか。
1. 救急外来をもつ。
2. 200人以上の患者を入院させる施設である。
3. 都道府県知事の承認を得た施設である。
4. 高度の医療を提供できる施設である。

令和4（2022）年の国民生活基礎調査における通院者率が男女ともに最も高いのはどれか。
1. 歯周病
2. 糖尿病
3. 高血圧症
4. 脂質異常症

細菌感染による急性炎症で最初に反応する白血球はどれか。
1. 好酸球
2. 好中球
3. 好塩基球
4. リンパ球

ケトアシドーシス昏睡で起こる呼吸はどれか。
1. 口すぼめ呼吸
2. Biot〈ビオー〉呼吸
3. Kussmaul〈クスマウル〉呼吸
4. Cheyne-Stokes〈チェーン–ストークス〉呼吸

総胆管と合流して大十二指腸乳頭〈ファーター乳頭〉に開口するのはどれか。
1. 膵管
2. 肝管
3. 総肝管
4. 胆囊管

問題▶ 36

糖尿病のシックデイについて正しいのはどれか。
diabetes mellitus

1. 水分の摂取を控える。
2. 食べ過ぎによるものである。
3. 血糖コントロールが乱れやすい。
4. シックデイへの対応は自己判断で行う。

問題▶ 37

アルコール性肝障害で上昇する血液検査項目はどれか。

1. γGT
2. 尿素窒素
3. クレアチニン
4. ヘモグロビン

問題▶ 38

高齢者が脱水を起こしやすい理由はどれか。

1. 唾液分泌が増加する。
2. 渇中枢の感受性が上昇する。
3. 尿濃縮能が亢進している。
4. 加齢に伴い筋肉量が減少しやすい。

問題▶ 39 頻出

1日の大半を車椅子に座っている患者の褥瘡好発部位はどれか。

1. 外果部
2. 坐骨部
3. 耳介部
4. 肩峰突起部

問題▶ 40

欠乏により骨粗鬆症の発症に関与するのはどれか。
osteoporosis

1. パラソルモン
2. エストロゲン
3. 副腎皮質ホルモン
4. オキシトシン

問題▶41

止痢薬に分類されるのはどれか。

1. トロンビン
2. ビサコジル
3. ロペラミド塩酸塩
4. 酸化マグネシウム

問題▶42

ハヴィガースト,R.J.が提唱する老年期の発達課題はどれか。
Havighurst, R. J.

1. 経済力を確保し維持する。
2. 健康の衰退に適応する。
3. 社会的責任を伴う行動を望んで成し遂げる。
4. 男性あるいは女性としての社会的役割を獲得する。

問題▶43

予防活動とその具体例で正しいのはどれか。

1. 一次予防———がん検診
2. 二次予防———生活習慣の改善
3. 三次予防———社会復帰のためのリハビリテーション
4. 三次予防———早期治療

問題▶44

介護保険の地域密着型サービスはどれか。

1. 訪問リハビリテーション
2. 介護医療院
3. 介護老人福祉施設
4. 介護老人保健施設
5. 認知症対応型共同生活介護

問題▶45

令和5(2023)年度の学校保健統計調査における学童期の異常被患率で最も高いのはどれか。

1. むし歯(う歯)
2. 摂食障害
3. 心電図異常
4. 裸眼視力1.0未満

問題▶ 46 頻出

胆嚢を収縮させる消化管ホルモンはどれか。

1. ガストリン
2. セクレチン
3. ソマトスタチン
4. コレシストキニン

問題▶ 47 頻出

緩和ケアの説明で最も適切なのはどれか。

1. 入院が原則である。
2. 家族はケアの対象である。
3. 余命の延長を目的としている。
4. 患者が疼痛を訴えた時点から開始する。

問題▶ 48 頻出

メタボリックシンドロームの診断基準に含まれる女性の腹囲〈ウエスト周囲径〉で正しいのはどれか。
metabolic syndrome

1. 80cm以上
2. 85cm以上
3. 90cm以上
4. 95cm以上

問題▶ 49

McBurney〈マックバーネー〉圧痛点を調べるのはどれか。

1. 急性膵炎
   acute pancreatitis
2. 尿管結石症
   ureterolithiasis
3. 急性虫垂炎
   acute appendicitis
4. 子宮内膜症
   endometriosis

問題▶ 50 頻出

図の器具を使うのはどれか。

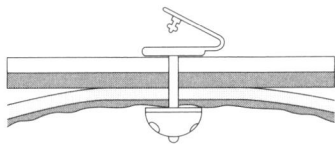

1. 胃　瘻
2. 人工肛門
3. 中心静脈栄養
4. 脳室-腹腔シャント

必修模試④

問題 ▸ 1

ウェルネスの定義はどれか。
1. 病気や障害がない状態
2. 輝くように生き生きしている状態
3. 身体的・精神的・社会的に健康上の問題がない状態
4. 自分で健康をコントロールし、改善することができる状態

問題 ▸ 2

令和5（2023）年の国民生活基礎調査で、世帯構造別にみた世帯数の割合で最も多いのはどれか。
1. 単独世帯
2. 夫婦のみの世帯
3. 夫婦と未婚の子のみの世帯
4. 三世代世帯

問題 ▸ 3

令和5（2023）年の出生数に近いのはどれか。
1. 63万人
2. 73万人
3. 83万人
4. 93万人

問題 ▸ 4 頻出

主要死因別にみた死亡率の推移を右図に示す。
老衰を示すのはどれか。
1. ①
2. ②
3. ③
4. ④

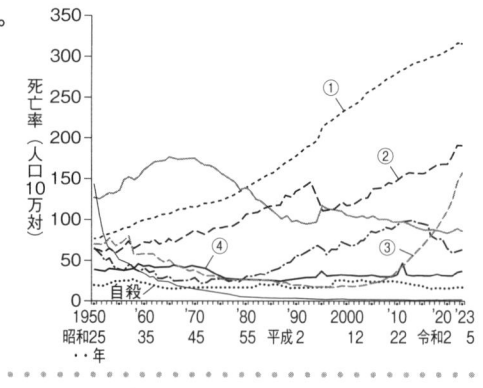

問題 ▸ 5

令和4（2022）年の女性の健康寿命に近いのはどれか。
1. 73歳
2. 75歳
3. 77歳
4. 79歳

問題 ▶ 6 頻出

「国民健康・栄養調査」において、運動習慣のある者とは、1回30分以上の運動を、週（　　）回以上実施し1年以上持続している者としている。

（　　）内に入るのはどれか。

1. 1
2. 2
3. 3
4. 4

 問題 ▶ 7 頻出

男性の飲酒で、生活習慣病のリスクを高める純アルコール摂取量（1日あたり）とされるのはどれか。

1. 10g/日以上
2. 20g/日以上
3. 30g/日以上
4. 40g/日以上

 **問題 ▶ 8** 新規項目 頻出

労働衛生の3管理のうち、作業管理に該当するのはどれか。

1. 作業姿勢の改善
2. 特殊健康診断の実施
3. 有害物質の作業環境測定
4. 騒音の許容基準の遵守

問題 ▶ 9

医療保険制度の被用者保険はどれか。

1. 厚生年金保険
2. 国民健康保険
3. 共済組合保険
4. 雇用保険

問題 ▶ 10

介護保険法に基づく地域支援事業はどれか。

1. 要介護者の訪問看護
2. 介護予防ケアマネジメント
3. 訪問入浴介護
4. 短期入所療養介護

問題▶11 終末期の医療やケアに関する意思決定を支援するために、患者・家族等と医療者が繰り返し話し合うプロセスを指すのはどれか。

1. アドバンス・ケア・プランニング
2. アドバンスディレクティブ
3. リビングウィル
4. DNR

問題▶12 ノーマライゼーションについて適切なのはどれか。

1. 障害者の保護
2. 障害の原因追求と治療の促進
3. 障害者収容施設の充実
4. 障害者についての一般市民の理解の促進

問題▶13 保健師助産師看護師法に定める守秘義務で適切なのはどれか。

1. 退職すれば守秘義務はなくなる。
2. 違反者に罰則規定はない。
3. 助産師の規定はない。
4. 保健師の規定はない。

頻出

問題▶14 看護師等免許保持者の届出制度を規定するのはどれか。

1. 保健師助産師看護師法
2. 医療介護総合確保推進法
3. 医療法
4. 看護師等の人材確保の促進に関する法律

問題▶15 コーン，N. の示す障害受容過程で最初にみられるのはどれか。
Cohn, N.

1. 防　衛
2. 悲　嘆
3. ショック
4. 回復への期待

 **問題▶16**

頻出

スキャモンの各器官別発育曲線を右図に示す。
神経系型はどれか。

1. ①
2. ②
3. ③
4. ④

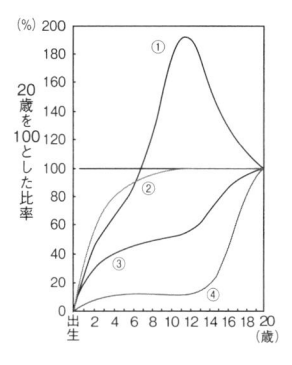

問題▶17

頻出

老年期の身体機能の変化で、増加あるいは上昇するのはどれか。

1. 心拍数
2. 残気量
3. 尿の濃縮力
4. 発汗量

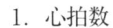

必修模試❹

問題▶18

家族の機能で、老いた両親を介護するのはどれか。

1. 情緒的機能
2. 社会化機能
3. ヘルスケア機能
4. 生殖機能

問題▶19

頻出

医療法に基づく臨床研究中核病院の要件はどれか。

1. 病床数600床以上
2. 都道府県知事の承認
3. 高度の医療提供
4. 他病院・診療所への情報提供・助言

 問題▶20

訪問看護ステーションの人員に関する基準で適切なのはどれか。

1. 看護職員は常勤換算で2.5名以上であること。
2. 看護職員のうち2名は常勤であること。
3. 管理者は医師であること。
4. 理学療法士は配置できない。

問題▶21 頻出

保健所の業務はどれか。

1. 乳幼児健康診査
2. エイズの予防
   acquired immunodeficiency syndrome
3. 予防接種
4. 介護認定審査

問題▶22

学校において感染症の罹患または罹患の疑いのある児童生徒等に出席停止を命じるのは誰か。

1. 学校医
2. かかりつけ医
3. 校　長
4. 保健主事

問題▶23 頻出

動脈の特徴はどれか。

1. 弁がある。
2. 静脈壁に比べて動脈壁は厚い。
3. 静脈に比べて内腔は広い。
4. 心臓に戻る血液を運ぶ血管である。

問題▶24 頻出

体重60kgの成人男性の血液量に近いのはどれか。

1. 3L
2. 5L
3. 7L
4. 9L

問題▶25 頻出

胃の主細胞で分泌されるのはどれか。

1. 粘　液
2. 胃　酸
3. ペプシノゲン
4. ペプシン

問題▶26 甲状腺の傍濾胞細胞から分泌されるのはどれか。

1. サイロキシン
2. トリヨードサイロニン
3. グルカゴン
4. カルシトニン

問題▶27 失語症で、話し言葉は流暢でないが、人の話は理解できるのはどれか。
aphasia
1. Broca〈ブローカ〉失語症
2. Wernicke〈ウェルニッケ〉失語症
3. 全失語症
4. 構音障害

問題▶28 水欠乏性脱水（一次脱水）でみられるのはどれか。

1. 強い口渇
2. 血圧上昇
3. 頭　痛
4. 血清ナトリウム濃度の低下

問題▶29 乾性咳嗽を主徴とするのはどれか。

1. 結　核
   tuberculosis
2. 間質性肺炎
   interstitial pneumonia
3. 気管支拡張症
   bronchiectasis
4. 肺水腫
   pulmonary edema

問題▶30 心房細動によって、発症リスクが高くなるのはどれか。

1. 脳梗塞
2. 肺血栓塞栓症
3. 閉塞性動脈硬化症
4. 深部静脈血栓症

問題▶31 空腹時に心窩部痛を自覚し、食事摂取で軽減することがあるのはどれか。

1. 胃食道逆流症
   gastro-esophageal reflux disease
2. 十二指腸潰瘍
   duodenal ulcer
3. 胆石症
   cholelithiasis
4. 急性膵炎
   acute pancreatitis

問題▶32 乏尿をきたすのはどれか。

1. 脱　水
2. 尿崩症
3. 糖尿病
4. 膀胱炎

問題▶33 経皮感染するのはどれか。

1. コレラ
2. マイコプラズマ肺炎
3. B型肝炎
4. 百日咳

問題▶34 ウイルス感染が発症のリスク因子と考えられるのはどれか。

1. 胃　癌
   gastric cancer
2. 大腸癌
   colon cancer
3. 肺　癌
   lung cancer
4. 子宮頸癌
   cancer of the uterine cervix

問題▶35 ロタウイルス感染症について適切なのはどれか。
rotavirus infection
1. 経産道感染する。
2. 嘔吐・発熱・水様性下痢がみられる。
3. 肺炎を合併する。
   pneumonia
4. 予防接種は開発されていない。

問題▶36 脂質異常症を疑うのはどれか。
dyslipidemia
1. 総コレステロール————180mg/dL
2. LDLコレステロール————118mg/dL
3. HDLコレステロール—— 36mg/dL
4. トリグリセライド————138mg/dL

問題▶37 有害事象（副作用）として、呼吸抑制がみられるのはどれか。
1. 抗がん薬
2. 副腎皮質ステロイド薬
3. 麻薬性鎮痛薬
4. 硝酸薬

問題▶38 脳梗塞発症直後（4.5時間以内）に血栓を溶解する目的で使用するのはどれか。
cerebral infarction
1. アスピリン
2. ワルファリンカリウム
3. ヘパリンナトリウム
4. 組織型プラスミノーゲンアクチベータ〈rt-PA〉

問題▶39 止痢薬はどれか。
1. ロペラミド塩酸塩
2. 酸化マグネシウム
3. センノシド
4. グラニセトロン塩酸塩

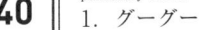

問題▶40 肺水腫の発症により聴取される呼吸音はどれか。
pulmonary edema
1. グーグー
2. ヒューヒュー
3. ブクブク
4. ギュッギュッ

問題▶41 小脳機能を評価するのはどれか。
1. バレー徴候
2. リンネテスト
3. ロンベルグ試験
4. ウェーバーテスト

問題▶42 認知症患者の転倒・転落予防対策として、最も適切なのはどれか。
dementia
1. 4点ベッド柵を設置する。
2. 離床センサーを設置する。
3. 手足を抑制する。
4. ベッドの高さを高くする。

頻出

問題▶43 哺乳瓶に使用する消毒薬はどれか。
1. グルタラール
2. 次亜塩素酸ナトリウム（0.01％）
3. エタノール
4. ポビドンヨード

頻出

問題▶44 前腕内側部に皮膚とほぼ水平に刺入する注射法はどれか。
1. 皮内注射
2. 皮下注射
3. 筋肉注射
4. 静脈注射

頻出

問題▶45 新鮮凍結血漿の取り扱いで適切なのはどれか。
1. 室温で保存する。
2. 恒温槽で30～37℃のぬるま湯で融解して投与する。
3. 融解後は3日以内に投与する。
4. 融解後、投与しなかった新鮮凍結血漿は再凍結する。

問題▶ 46 静脈血採血の穿刺部位の選択として適切なのはどれか。

1. 太く、浅く、弾力性が少ない血管を選ぶとよい。
2. 麻痺がある場合は麻痺側で行う。
3. 橈側皮静脈、肘正中皮静脈、尺側皮静脈から選ぶとよい。
4. 拍動が感じられる血管を選択するとよい。

問題▶ 47 酸素ボンベを別に示す（**視覚素材No.7**）。
酸素の残量を計算するのにみるのはどれか。

1. ア
2. イ
3. ウ
4. エ

問題▶ 48 鼻腔内吸引で適切なのはどれか。

1. カテーテルは5cm程度挿入する。
2. カテーテル挿入時は陰圧にする。
3. 吸引圧は150〜400mmHgの範囲に調整する。
4. 吸引圧をかけて吸引する時間は10秒以内とする。

問題▶ 49 点眼法で適切なのはどれか。

1. 複数の点眼薬の指示があれば、1分の間隔で点眼する。
2. 眼軟膏の指示があれば、点眼薬より先に投与する。
3. 点眼は1滴でよい。
4. 上眼瞼を拭き綿で軽く引き上げ、眼球に触れないように点眼する。

問題▶ 50 創傷の治癒過程の最初にみられるのはどれか。

1. 炎　症
2. 出血・凝固
3. 肉芽形成
4. 瘢　痕

必修模試⑤

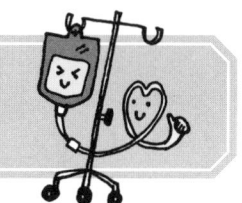

問題▶ 1 頻出

令和5（2023）年10月1日現在の日本の人口ピラミッドである。
下の膨らみの部分（←）の年齢はどれか。
1. 45〜48歳
2. 49〜52歳
3. 53〜56歳
4. 57〜60歳

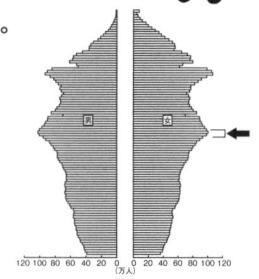

資料：総務省統計局「令和5年10月1日現在推計人口」

問題▶ 2 頻出

令和5（2023）年の日本の年少人口割合に近いのはどれか。
1. 11%
2. 13%
3. 15%
4. 17%

問題▶ 3 頻出

部位別悪性新生物〈腫瘍〉の死亡数の推移で、近年増加傾向にあるのはどれか。
1. 胃
2. 肝および肝内胆管
3. 膵
4. 気管、気管支および肺

問題▶ 4 頻出 五肢

令和5（2023）年の患者調査おける傷病分類別にみた外来の受療率で最も高いのはどれか。
1. 筋骨格系及び結合組織の疾患
2. 精神及び行動の障害
3. 呼吸器系の疾患
4. 消化器系の疾患
5. 循環器系の疾患

問題▶ 5 頻出

環境基本法に基づき、大気汚染に係る環境基準が定められているのはどれか。
1. 浮遊粒子状物質〈SPM〉
2. 水銀およびアルキル水銀化合物
3. シアン化合物
4. カドミウムおよびその化合物

問題▶ **6**

頻出

令和4（2022）年の労働者の定期健康診断において有所見率が最も高いのはどれか。

1. 血　圧
2. 肝機能
3. 血中脂質
4. 血糖検査

問題▶ **7**

ワーク・ライフ・バランスによってめざす社会はどれか。

1. 仕事を犠牲にしてでも生活を充実させる社会
2. 働き方の二極化を推進する社会
3. 多様な働き方・生き方が選択できる社会
4. 育児休業を取得しやすくして女性が家で子育てしやすい社会

問題▶ **8**

通勤途上、凍結した道路で転倒し、病院に搬送された場合に適用されるのはどれか。

1. 医療保険
2. 介護保険
3. 労働者災害補償保険
4. 年金保険

必修模試❺

問題▶ **9**

後期高齢者医療制度について適切なのはどれか。

1. 対象は65歳以上の高齢者である。
2. 保険者は全国健康保険協会である。
3. 根拠法令は老人保健法である。
4. 自己負担割合は1割（一定以上の所得がある人は除く）である。

問題▶ **10**

介護保険の地域密着型サービスはどれか。

1. 訪問入浴介護
2. 短期入所療養介護
3. 看護小規模多機能型居宅介護
4. 住宅改修費の支給

問題▶11 災害時トリアージは倫理原則のどれに基づくものか。

1. 善行の原則
2. 公正・正義の原則
3. 誠実・忠誠の原則
4. 無危害の原則

問題▶12 業務従事者届の提出先はどれか。

1. 住居地の市町村
2. 住居地の保健所
3. 就業地の市町村
4. 就業地の都道府県

問題▶13 原始反射はどれか。

1. モロー反射
2. 立ち直り反射
3. パラシュート反応
4. ランドー反射

問題▶14 女子の第二次性徴で最初にみられるのはどれか。

1. 陰毛の発生
2. 乳房の発育
3. 初　経
4. 骨端線の閉鎖

問題▶15 更年期にみられる特徴的な症状はどれか。

1. 血圧低下
2. 浮　腫
3. ほてり
4. 不整脈

| 問題▶ 16 | 加齢による心・血管の変化のうち心拍数の減少に直結するのはどれか。 |

問題▶ 16

加齢による心・血管の変化のうち心拍数の減少に直結するのはどれか。

1. 洞結節の細胞の減少や変性
2. 大動脈弁の石灰化
3. 大動脈の弾力性の低下
4. 心筋細胞の減少

問題▶ 17

医療法に規定される医療提供施設で入院・入所者総数が9人以下なのはどれか。

1. 地域医療支援病院
2. 病　院
3. 診療所
4. 助産所

問題▶ 18

事業者に雇入時の健康診断を義務づけているのはどれか。

1. 労働基準法
2. 労働安全衛生法
3. 健康保険法
4. 労働者災害補償保険法

問題▶ 19

退院調整における看護師の役割について適切なのはどれか。

1. 1日も早く退院できるようにする。
2. 自宅での療養生活が望めない場合は、施設を決める。
3. 入院中に自宅を訪問して、療養生活に必要な物品等を準備する。
4. 患者・家族の望む在宅療養生活を継続するために、病院と地域をつなぐ。

問題▶ 20

血圧を示す次の式のアにあてはまるのはどれか。

　　　血圧＝心拍出量×（　ア　）

1. 心拍数
2. 総末梢血管抵抗
3. 静脈還流量
4. 血液の粘稠度

嚥下機能の「食塊を咽頭に送り込む」運動に重要な役割を果たすのはどれか。

1. 滑車神経
2. 三叉神経
3. 顔面神経
4. 舌下神経

眼房水を産生するのはどこか。

1. 角　膜
2. 網　膜
3. 毛様体
4. シュレム管

血管外に出るとマクロファージになるのはどれか。

1. 好中球
2. 好塩基球
3. 単　球
4. リンパ球

血糖値の上昇と抗炎症作用を併せもつのはどれか。

1. バソプレシン
2. サイロキシン
3. グルカゴン
4. 糖質コルチコイド

膵液の分泌を促進するのはどれか。

1. ガストリン
2. セクレチン
3. カルシトニン
4. ソマトスタチン

問題▶ 26 突然の胸痛と呼吸困難を生じた患者で最も考えられるのはどれか。

1. 自然気胸
2. 食道静脈瘤
3. 肺気腫
4. 癌性胸膜炎

問題▶ 27 多尿になるのはどれか。

1. 糸球体濾過量の減少
2. バソプレシンの分泌過剰
3. 高血糖状態の持続
4. 水欠乏性脱水

問題▶ 28 浮腫のある患者に特徴的に観察されるのはどれか。

1. 皮膚の圧痕
2. 体重の低下
3. 血圧の低下
4. 尿量の増加

問題▶ 29 生活習慣病はどれか。
lifestyle related diseases

1. 高血圧症
   hypertension
2. 百日咳
   pertussis
3. 1型糖尿病
   type 1 diabetes mellitus
4. 関節リウマチ
   rheumatoid arthritis

問題▶ 30 ノロウイルス感染症について適切なのはどれか。
norovirus infection

1. 春先から夏にかけて流行する。
2. 飛沫感染する。
3. ワクチンが開発されている。
4. 消毒には次亜塩素酸ナトリウムが有効である。

問題▶31 せん妄と認知症を鑑別する際の認知症の特徴はどれか。
deliria　dementia　dementia

1. 発症は緩徐で漸進的である。
2. 経過は可逆的である。
3. 幻覚がしばしば観察される。
4. 見当識障害は早期からみられる。

問題▶32 腎機能の低下を疑う血液生化学検査のデータはどれか。

頻出

1. 血清アルブミン値の低下
2. 血清カルシウム値の増加
3. 血清クレアチニン値の増加
4. 血清ビリルビン値の増加

問題▶33 尿検査で尿比重の低下がみられるのはどれか。

1. 水分の過剰摂取
2. 糖尿病
diabetes mellitus
3. 発汗多量
4. ネフローゼ症候群
nephrotic syndrome

問題▶34 免疫増強薬はどれか。

新規項目

1. インターフェロン製剤
2. 副腎皮質ステロイド薬
3. シクロスポリン
4. オセルタミビルリン酸塩

問題▶35 ニトログリセリン舌下錠について適切なのはどれか。

1. 副反応には血圧上昇がある。
2. 初回通過効果を強く受ける。
3. 仰臥位または座位で服用する。
4. 噛まずに飲み込む。

問題▶ 36

インスリン10単位はどれか。

1.　0.1 mL
2.　1　mL
3.　10　mL
4. 100　mL

問題▶ 37

副反応に出血傾向がみられるのはどれか。

1. アスピリン
2. アトロピン
3. イソニアジド
4. フロセミド

問題▶ 38

フォーカスチャーティングについて適切なのはどれか。

1. 問題に沿って経過記録を書く。
2. 看護師独自の記録様式である。
3. 日々の経過記録はSOAP形式で書く。
4. その日の患者の特記すべき事柄を、焦点化して書く。

問題▶ 39

成人の安静時のバイタルサインで基準値内と判断するのはどれか。

1. 脈拍　80/分
2. 呼吸　26/分
3. 腋窩温　37.5℃
4. 血圧　130/92mmHg

問題▶ 40

ジャパン・コーマ・スケール〈JCS〉で10−Rと判断された状態で適切なのはどれか。

1. 痛み刺激で払いのける動作をする。
2. 不穏状態である。
3. 尿失禁がみられる。
4. 自発性が喪失している。

問題▸41 便秘を訴える患者に、摘便の適応と判断するのはどれか。

1. 頭蓋内圧亢進症状がみられる場合
2. 痔核があり、排便に困難を伴う場合
3. 下剤や浣腸では排便がみられない場合
4. 出血傾向がある場合

問題▸42 ノンレム睡眠時の生体の状態を表すのはどれか。

1. 眼球運動がみられる。
2. 成長ホルモンが分泌される。
3. 抗利尿ホルモンの分泌は低下する。
4. 呼吸は不規則である。

問題▸43 褥瘡発生を予測するスケールはどれか。

1. ブレーデンスケール
2. DESIGN-R
3. チャイルド・ピュー分類
4. アップルコアサイン

問題▸44 高水準消毒薬はどれか。

1. グルタラール
2. 次亜塩素酸ナトリウム
3. エタノール
4. 塩化ベンザルコニウム

問題▸45 飛沫感染予防策について適切なのはどれか。

1. 個室管理は不要である。
2. 患者が室外に出るときはN95マスクを着用する。
3. 患者は咳エチケットの必要はない。
4. 医療従事者はサージカルマスクを着用する。

問題 ▶ **46**

頻出

15%塩化カリウム注射液の投与方法で適切なのはどれか。

1. 希釈して点滴による静脈内注射
2. 原液の静脈注射
3. 筋肉注射
4. 皮下注射

問題 ▶ **47**

頻出

臼歯と頬の間に挿入して口腔内与薬するのはどれか。

1. 舌下錠
2. トローチ
3. バッカル錠
4. チュアブル錠

問題 ▶ **48**

新規項目

針を刺入したときに「採血部位の強い痛みや手のしびれがないか」を問うのは、採血に関連する有害事象の何を確認するものか。

1. 神経損傷
   nerve injury
2. 血管迷走神経反応〈VVR〉
   vasovagal reaction
3. 感染症
   infection
4. 皮下血腫
   subcutaneous hematoma

問題 ▶ **49**

包帯法で亀甲帯を用いるのはどの部位か。

1. 下　腿
2. 手　首
3. 肘
4. 前　腕

問題 ▶ **50**

頻出

一次トリアージに用いられるスタート〈START〉法で最初に評価するのはどれか。

1. 簡単な指示に応じるかの確認
2. 呼吸の有無の確認
3. 橈骨動脈触知の確認
4. 歩行の確認

必修模試 解答用紙

	よい解答例	悪い解答例
	●	⊙ ⊖

試験問題数50問　　解答時間50分　　※コピーしてご利用ください

〈縦型〉

問題	1	2	3	4	5	6	7	8	9	10	11	12	13	14	15	16	17	18	19
	①	①	①	①	①	①	①	①	①	①	①	①	①	①	①	①	①	①	①
	②	②	②	②	②	②	②	②	②	②	②	②	②	②	②	②	②	②	②
	③	③	③	③	③	③	③	③	③	③	③	③	③	③	③	③	③	③	③
	④	④	④	④	④	④	④	④	④	④	④	④	④	④	④	④	④	④	④
	⑤	⑤	⑤	⑤	⑤	⑤	⑤	⑤	⑤	⑤	⑤	⑤	⑤	⑤	⑤	⑤	⑤	⑤	⑤

問題	20	21	22	23	24	25	26	27	28	29	30	31	32	33	34	35	36	37	38
	①	①	①	①	①	①	①	①	①	①	①	①	①	①	①	①	①	①	①
	②	②	②	②	②	②	②	②	②	②	②	②	②	②	②	②	②	②	②
	③	③	③	③	③	③	③	③	③	③	③	③	③	③	③	③	③	③	③
	④	④	④	④	④	④	④	④	④	④	④	④	④	④	④	④	④	④	④
	⑤	⑤	⑤	⑤	⑤	⑤	⑤	⑤	⑤	⑤	⑤	⑤	⑤	⑤	⑤	⑤	⑤	⑤	⑤

問題	39	40	41	42	43	44	45	46	47	48	49	50
	①	①	①	①	①	①	①	①	①	①	①	①
	②	②	②	②	②	②	②	②	②	②	②	②
	③	③	③	③	③	③	③	③	③	③	③	③
	④	④	④	④	④	④	④	④	④	④	④	④
	⑤	⑤	⑤	⑤	⑤	⑤	⑤	⑤	⑤	⑤	⑤	⑤

採点＿＿＿＿問／50問

※合格基準：8割（40問）以上

〈横型〉

問題	問題	問題	問題	問題
1 ①②③④⑤	11 ①②③④⑤	21 ①②③④⑤	31 ①②③④⑤	41 ①②③④⑤
2 ①②③④⑤	12 ①②③④⑤	22 ①②③④⑤	32 ①②③④⑤	42 ①②③④⑤
3 ①②③④⑤	13 ①②③④⑤	23 ①②③④⑤	33 ①②③④⑤	43 ①②③④⑤
4 ①②③④⑤	14 ①②③④⑤	24 ①②③④⑤	34 ①②③④⑤	44 ①②③④⑤
5 ①②③④⑤	15 ①②③④⑤	25 ①②③④⑤	35 ①②③④⑤	45 ①②③④⑤
6 ①②③④⑤	16 ①②③④⑤	26 ①②③④⑤	36 ①②③④⑤	46 ①②③④⑤
7 ①②③④⑤	17 ①②③④⑤	27 ①②③④⑤	37 ①②③④⑤	47 ①②③④⑤
8 ①②③④⑤	18 ①②③④⑤	28 ①②③④⑤	38 ①②③④⑤	48 ①②③④⑤
9 ①②③④⑤	19 ①②③④⑤	29 ①②③④⑤	39 ①②③④⑤	49 ①②③④⑤
10 ①②③④⑤	20 ①②③④⑤	30 ①②③④⑤	40 ①②③④⑤	50 ①②③④⑤

採点＿＿＿＿問／50問

※合格基準：8割（40問）以上

※実際の国家試験では、5肢問題の位置は固められており、マークシートの解答欄は5肢問題のみ5つになっています。

目標Ⅰ

目標Ⅱ

目標Ⅲ

目標Ⅳ

必修模試❶

必修模試❷

必修模試❸

必修模試❹

必修模試❺

看護師国試2026

必修問題
完全予想
550問

編集 看護師国家試験対策プロジェクト

照林社

編集

看護師国家試験対策プロジェクト

執筆（執筆箇所）

大塚　真弓 看護師国家試験対策アドバイザー
（必修予想問題 300 問、必修模試①〜③）

池西　靜江 Office Kyo-Shien・代表
（必修模試④〜⑤）

は じ め に

　看護師国家試験では、第93回（2004年実施）から「必修問題」が30問、導入されました。必修問題は、「看護師として特に基本的かつ重要な知識および技術」を問う問題です。従来から出題されている一般問題・状況設定問題は、平均点との標準偏差で合否を判定する"相対基準"が適用されていますが、必修問題は"8割"以上正答できないとほかの問題が解けても合格することができない"絶対基準"が適用されています。この8割が壁となり、導入後、必修問題の1問に泣く人が少なからずおられ、必修問題8割をクリアすることが国試合格のカギを握っています。

　さらに、第99回（2010年実施）より、30問の必修問題が50問へと大幅に増加しました。看護師国家試験の出題数240問自体は変わりませんので、必修問題のウエイトが増すことになりました。

　同じく第99回から、一般問題・状況設定問題に5肢択一・択二問題が導入されましたが、5肢択一問題は第100回（2011年実施）から必修問題にも導入され、従来の4肢択一問題と比べ、難易度も上がってきています。もちろん、必修問題自体はごく基本的な知識を問う問題で、難問ではありません。基本的な知識さえ確実におさえ、多くの問題を解いて慣れていれば、8割はクリアできるはずです。

　また、2022年3月に「看護師国家試験出題基準 令和5年版」が発表され、第112回看護師国家試験（2023年実施）から適用されています。必修問題の小項目数は269項目から253項目とほとんど変化はありませんが、次のような変更がありました。

- ●「中項目（出題基準）」、「小項目（キーワード）」という構成となった。
- ●小項目（キーワード）から、受療行動、性行動、雇用形態、国民皆保険、エンパワメント、入院のオリエンテーション（入院相談）、気分〈感情〉障害、体温管理、包帯法などが外れた。

　そこで本書は第115回看護師国家試験必修問題対策として、改定出題基準と最新出題傾向に対応できるよう、改定出題基準の小項目の全範囲を網羅し5肢問題も含めた予想問題を300問作成しました。また、50問という本番の問題数にも慣れることができるように、300問とは別の予想問題で50問模試を5セット用意しました。合計550問すべてを予想問題で構成していますので、お手持ちの過去問題集と重複することなく、実力をつけることができます。

　いずれも繰り返し問題を解いて解説を読むことで、国試合格に必要な知識を身につけられるように解説を充実させました。

　多くの受験生のみなさんに本書をご活用いただき、国試合格の一助となることを願っています。みなさんの国試合格を心よりお祈り申し上げます。

2025年7月
看護師国家試験対策プロジェクト

国試に受かるための
本書の活用法

本書の構成

- **視覚素材** ——————— P.xii〜
- **本体**
  必修予想問題300問 ——— P.1〜
- **別冊付録**
  必修模試 50問×5セット ——— 巻頭
- **別冊付録**
  必修模試 解答・解説 ——— P.179〜
- **別冊付録** 必修模試 解答一覧 ——— P.239

特に重要な問題について

- 令和5年版出題基準で新しく加わった項目については 新規項目 マークがついています
- 頻出項目の問題には、頻出 マークがついています
- 5肢択一問題には、五肢 マークがついています
- 視覚素材を用いた問題には、視覚 マークがついています

＼この本の使い方／

STEP 1 本体 必修予想問題300問を解く

必修問題出題基準の小項目を網羅しています。
まず、この300問を解いて、解説を読むことで、国試合格に必要な知識を身につけます。

「プチナース看護師国試過去問解説集2026」とのリンク。過去問解説集で関連する過去問をチェックできます。
- Ⓐ：人体の構造と機能
- Ⓓ：疾病の成り立ちと回復の促進
- Ⓢ：健康支援と社会保障制度
- Ⓚ：基礎看護学
- Ⓢ：成人看護学
- Ⓞ：老年看護学
- Ⓜ：母性看護学
- Ⓢ：小児看護学
- Ⓢ：精神看護学
- Ⓩ：地域・在宅看護論（在宅看護論）
- Ⓩ：看護の統合と実践
- 114回：114回別冊

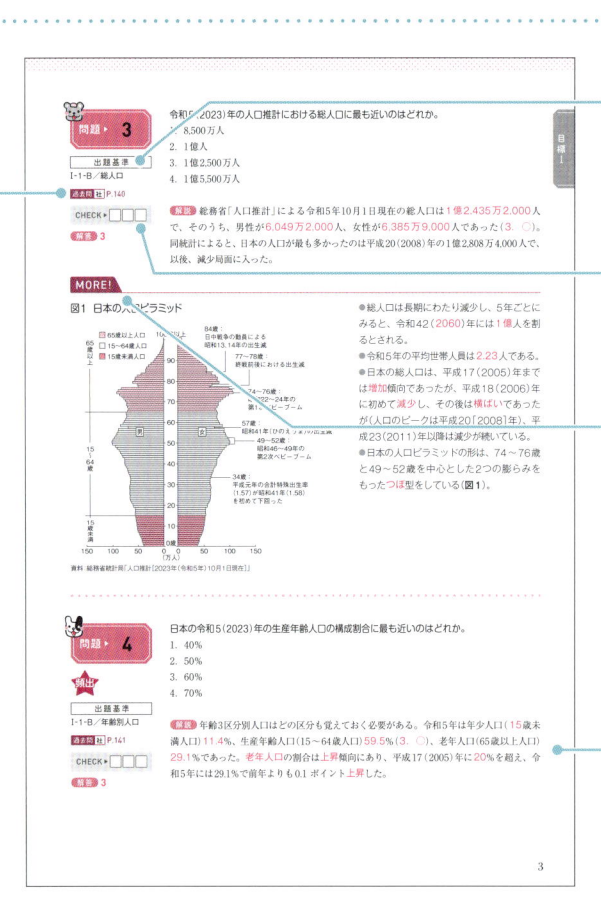

該当する出題基準の項目

チェック欄。解けたかどうかをチェックして、解けなかった問題には繰り返しチャレンジ！

MORE! には関連する知識が盛り込まれているので、解説と併せてチェック！

解答と○×、解説の重要語句は色文字になっているので、付属の赤シートで隠れます。
解説には、国試合格に必要な知識が盛り込まれているので、じっくり読みましょう！

STEP 2　別冊付録 必修模試にチャレンジ！

巻頭についている別冊付録「必修模試50問×5セット」を取り外します。
最後のページの解答用紙を使って、試験本番のつもりで解いてみます。
解いたあとは、巻末の解答一覧で答え合わせし、本体の「必修模試 解答・解説」で復習しましょう。

模試5回分、巻頭から取り外して使います。5肢問題も入った、本体の300問とは違うオール予想問題で、実力試しができます！

縦型・横型と両方用意しました。コピーして、解答用紙を使って、試験本番のつもりでチャレンジ！ 試験時間は1セット50分。

解き終わったあとは、本体の解答・解説で答え合わせ。こちらも解説をじっくり読んで知識を確認しましょう！

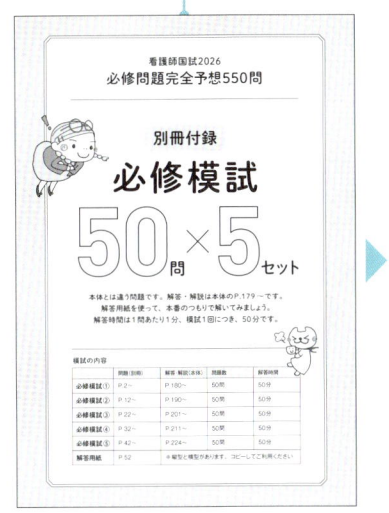

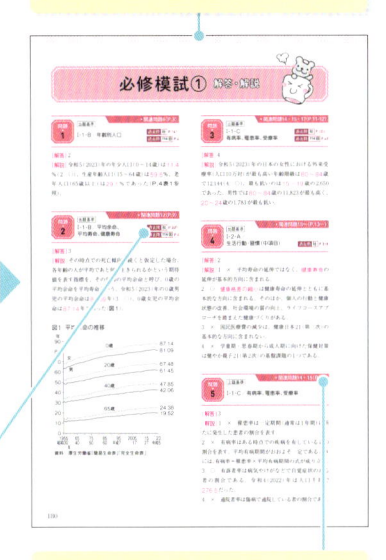

＊第114回までの国家試験では、必修問題と考えられる問題が午前に25問、午後に25問配置されています。

「プチナース看護師国試過去問解説集2026」とのリンク。過去問解説集で関連する過去問をチェックできます。

「必修予想問題300問」の関連する問題を記載。気になった問題は関連問題もチェックして、さらに知識を確実に！

STEP 3　繰り返し解いて知識を確実に！

STEP1、STEP2で間違ってしまった問題など、苦手なところは
繰り返し解いて、解説をじっくり読んで知識を確実に。
「必修予想問題300問」「必修模試」ともに8割クリアできればカンペキです！

〈 解説の○×の表記について 〉

- 解説中の○×は、各選択肢の正誤を表示しています。したがって、「**誤っているのはどれか**」のような否定形の設問の場合、誤っている文章を×、正しい文章を○としていますので、×の文章が答えとなります。

- 「優先度が**低い**のはどれか」のような、正誤ではなく優先度を問う設問の場合、優先度が最も低い文章を×、それ以外を○としてありますので、特にご注意ください。

※本書ではおもに『国民衛生の動向2024/2025』（厚生労働統計協会）から統計データを掲載しています。概数は確定数が出ているものは確定数に変更しています。
※本文中の製品の商標登録マークは省略しています。

必修問題対策のポイント

必修問題50問中40問以上正答できるようになろう！

必修問題は看護師として特に基本的かつ重要な知識および技術を問う問題で、8割以上正答できないと合格できない絶対基準が設けられています。まず、50問出題される必修問題を40問以上正答できるようになりましょう！

国試では、どの問題が必修問題かは公開されていませんが、午前・午後の最初の25問が必修問題であると考えられています。

理想の時間配分としては、1問あたり1分で解けるようにめざしましょう。必修問題・一般問題に1問1分、状況設定問題に1問2分使うと、10分見直しの時間がとれる計算になります。

●国試の構成（第99回〜第114回）

	形式	出題数	時間
午前	必修問題	25問	2時間40分
	一般問題	65問	
	状況設定問題	30問	
午後	必修問題	25問	2時間40分
	一般問題	65問	
	状況設定問題	30問	

＊出題位置などは変更になる可能性があります。

第114回（2025年実施）の出題状況、合格率を知ろう！

第114回では、必修問題50問中、5肢択一問題は出題されませんでした。視覚素材を用いた問題は以前は出題されていましたが、最近では出題がありませんでした。

また、選択肢から正答を選ぶのではなく直接解答を記入する計算問題の非選択式形式は、いまのところ必修問題では出題されていません。

●過去6年の推移

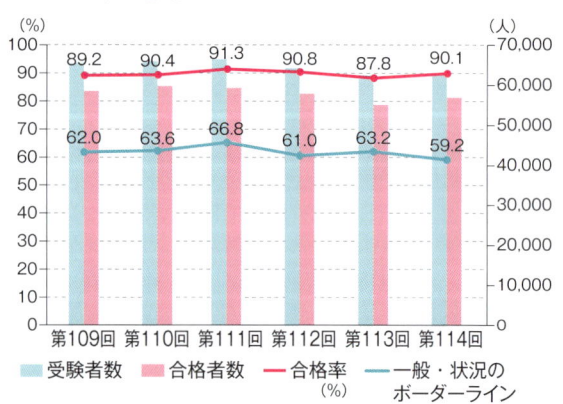

	第109回	第110回	第111回	第112回	第113回	第114回
合格率（%）	89.2	90.4	91.3	90.8	87.8	90.1
一般・状況のボーダーライン	62.0	63.6	66.8	61.0	63.2	59.2

受験者数　合格者数　合格率（%）　一般・状況のボーダーライン

●問題の構成

	第112回	第113回	第114回
5肢択一問題 （必修問題の5肢択一）	26問 （1問）	21問 （2問）	15問 （0問）
5肢択二問題	15問	17問	21問
視覚素材 （必修問題の視覚素材）	1問 （0問）	1問 （0問）	3問 （1問）

「看護師国家試験出題基準」を活用しよう！

　看護師国家試験には出題（試験）範囲があり、「看護師国家試験出題基準」をもとに試験問題がつくられています。出題基準には、「必修問題」「人体の構造と機能」など単元ごとに、目標、大項目、中項目（出題範囲）、小項目（キーワード）という構成になっています。

　2022年3月には、改定された出題基準「看護師国家試験出題基準　令和5年版」が発表になりました。全体的な改定事項は次のとおりです。

- 看護を取り巻く状況の変化に伴い、**より重要となる教育内容に関する項目の精選と充実**を図った。
- **中項目**が実際の「出題の範囲」であることから、具体的に**示す内容や求める知識・能力が明確**となるような表現の工夫を行った。**小項目**は中項目の内容をわかりやすくするために示したキーワードであることから、**限定的にならないよう内容の精査**を行った。
- 改正前のカリキュラムで学んだ受験者と改正後のカリキュラムで学んだ受験者が混在する時期に使用されることから、**双方のカリキュラムで学び得る内容**となるよう配慮した。

　また、「必修問題」に関する改定内容は次のとおりです。

- 習熟度や難易度を考慮して、必修問題として問うべき内容の精査を行った。また、近年の教育現場及び臨床現場の実態を踏まえ、**感染防止対策**に関する項目の充実を図った。

　そのほかでは、「在宅看護論」については「在宅看護論／地域・在宅看護論」と併記されたこと、「看護の統合と実践」については看護基礎教育を修了した時点で備えているべき基本的な事項として問う内容が明確となるよう全体的に整理されたことなどが大きな改定点となっています。

　具体的に「必修問題」に新たに追加された小項目については下に挙げました。

　新しい出題基準は第112回看護師国家試験から適用されていますので、最新の出題基準に準拠した参考書や問題集で学習するとよいでしょう。

　本書は、最新の「看護師国家試験出題基準　令和5年版」に準拠して作成しています。必修問題出題基準は、「CONTENTS」（P.xvi〜）にてご確認ください。

● 令和5年版出題基準で「必修問題」に新たに追加されたおもな小項目の例

- 健康寿命
- 説明責任〈アカウンタビリティ〉
- 嚥下障害
- 言語障害
- 止痢薬
- 免疫療法薬
- コミュニケーションエラーの防止
- 感染経路別予防策
- 手指衛生
- 必要な防護用具（手袋、マスク、ガウン、ゴーグル）の選択・着脱
- 採血後の観察内容、採血に関連する有害事象

「保健師助産師看護師国家試験出題基準　令和5年版」については厚生労働省ホームページから閲覧・ダウンロードできます！
https://www.mhlw.go.jp/stf/shingi2/0000159020_00001.html

「既出問題」（過去問）も注視しよう！

　看護師国家試験では、既出問題（以下、過去問）をアレンジした問題が出題されています。質のよい過去問を活用する流れは今後も続きますので、過去問の出題傾向には注視していく必要があります。本問題集は、最新の国試の出題傾向に則って作成していますので、過去問を解いた後の必修固めに最適です。

オススメ過去問集はこちら
プチナースらしい、わかりやすい解説と、見やすくかわいい誌面展開で勉強しやすい

プチナース看護師国試過去問解説集2026
編集／看護師国家試験対策プロジェクト
B5判／1,528頁
定価6,160円（本体5,600円＋税）

実際の国試問題をみてみよう！

では、実際に第114回に出題された問題をみてみましょう。その前に知っておきたいのが、タキソノミー（評価領域分類）による問題のタイプです（**右図**）。医道審議会の答申では、必修問題では単純想起型、一般問題では単純想起型・解釈型、状況設定問題では解釈型・問題解決型を中心とした出題に改善するようにとなっており、必修問題では単純想起型の出題が多いのが特徴です。

●タキソノミーによる問題のタイプ

Ⅰ型　単純想起型
丸暗記した知識で解くことができる問題。

Ⅱ型　解釈型
検査値や症状など、与えられた情報が何を表しているか解釈する問題。

Ⅲ型　問題解決型
解釈するだけでなく、その問題を解決するためにはどうすればよいかを問われる問題。

第114回午前問題8 `単純想起型`
永久歯が生え始める目安となる年齢はどれか。
1. 3歳
2. 6歳
3. 9歳
4. 12歳

`出題基準` Ⅱ-7-C ／（乳児期）身体の発育
`解答` 2
`解説` 乳歯が抜けたあと、永久歯が生え始めるのは6歳ころである。覚えた知識や自分の経験で解くことができる。

第114回午後問題4 `単純想起型`
国民健康保険の保険者に含まれるのはどれか。
1. 後期高齢者医療広域連合
2. 共済組合
3. 都道府県
4. 国

`出題基準` Ⅰ-3-A ／医療保険の種類
`解答` 3
`解説` 国民健康保険の保険者は市町村および都道府県である。覚えた知識で解くことができる。

第114回午前問題23 `単純想起型`
成人の持続点滴静脈内注射の方法で適切なのはどれか。
1. 点滴筒には1/5の薬液を満たす。
2. 刺入部が見えないように固定する。
3. 刺入部は関節などの活動を妨げる部位を避ける。
4. 液面が刺入部から30cmの高さになるように輸液バッグをかける。

`出題基準` Ⅳ-16-C ／点滴静脈内注射
`解答` 3
`解説` 持続点滴静脈内注射の手技に関する知識を想起することで解ける。これまで必修問題では点滴が血管外に漏れたときの対応が複数回出題されたが、この設問は初めてであった。

第114回午前問題16 `解釈型`

前立腺肥大症患者の頻尿の原因はどれか。

1. 多　尿
2. 残尿量の増加
3. 膀胱刺激症状
4. 器質的膀胱容量の減少

出題基準 Ⅲ-11-A／乏尿、無尿、頻尿、多尿

解答 2

解説 前立腺が肥大して尿道が圧迫されることにより、排尿が困難になり、膀胱内に尿が残る。尿が残った状態からまた尿を溜めるため、新たに溜められる尿は少なく、尿意が早く訪れる頻尿となる。単純な知識の想起では正答にたどりつくのが難しく、頻尿という症状から原因を解釈する必要のある問題である。

第114回午後問題25 `解釈型`

創傷の治癒過程でマクロファージによる貪食が行われるのはどれか。

1. 出血・凝固期
2. 炎症期
3. 増殖期
4. 成熟期

出題基準 Ⅳ-16-G／創傷管理

解答 2

解説 最初の出血・凝固期で創傷がふさがり、次にマクロファージや白血球が細菌や創傷内の異物を貪食する炎症期となる。創傷の治癒で生じることがらを解釈して解く問題である。

第114回午後問題32 `問題解決型`

> 第114回必修問題では問題解決型の問題がなかったため、ここでは一般問題から紹介します

入院して間もない片麻痺がある患者から「着替えがうまくできない。ひとりでできるようになりたい」と訴えがあった。

　最初に行う看護師の対応で最も適切なのはどれか。

1. 「繰り返し練習しましょう」
2. 「できないところは手伝います」
3. 「着替えるところを見せてください」
4. 「着替えのパンフレットを参考にしましょう」

出題基準 基礎看護学Ⅱ-4-F／清潔と衣生活のアセスメント

解答 3

解説 「最初に行う看護師の対応」なので、指導するためにはどの段階でどうして着替えができないのかを把握する必要がある。着替えるところを見せてもらい、アセスメントする3が最も適切である。問題を解決するためにその時点で何をすべきかを考える必要がある問題解決型の問題である。

必修問題はとても基本的な問題です。そのぶん、過去問は答えを覚えてしまって、知識が身についたのか確認ができないため、この問題集が役に立ったという先輩の声がたくさんありました！
また、まだ出題されていない小項目（キーワード）もたくさんあるので、本書での対策がオススメです！
出題内容は基本的内容なので、1年生のときから早めに対策するのもいいでしょう。

いっしょに使おう！
プチナース国試シリーズ

プチナース国試シリーズとして、いっしょに使いたい書籍をご紹介します。

国試対策の基盤となる過去問を攻略
プチナース看護師国試過去問解説集2026

編集／看護師国家試験対策
プロジェクト
B5判/1,528頁
定価6,160円（本体：5,600
円＋税）

- 過去10回を中心に問題を厳選。最新試験（114回）と合わせて約2,000問を収載。
- 必修・一般・状況設定から、問題を看護師国家試験出題基準ごとに分類。
- 解説は「解法のポイント」と「各選択肢の解説」で構成し、要点を絞りつつ国試合格に必要な知識が盛りだくさん。
- 解答と、解説中の重要な語句は色文字になっているので、付属の赤シートで隠れます。
- 誤答肢も含め、すべての選択肢をくわしく解説。根拠もしっかり理解できます。

＼ 過去問解説集　4つのポイント ／

1. 600点以上の図表、「いっしょに覚える」で知識を深く、広げて覚えられる！
2. 「必修」「頻出」「正答率70％以上」などマークつき
3. 問題ごとに正答率を掲載。難易度がひとめでわかる！
4. 看護roo! 国試アプリと連携。QRコードからアプリの類似問題が解ける

スキマ時間の学習や、直前の暗記対策まで
看護師国試2026　ここだけ覚える！

編集／看護師国家試験対策
プロジェクト
A5判/256頁
定価1,980円（本体：1,800
円＋税）

- 過去28年分の看護師国家試験の内容から、何度も問われている事項をまとめ、さらに最新の令和5年版出題基準や第114回国試を含めた最新傾向から、重要事項を「次ねらわれる項目」として解説しました。
- 覚えておきたい必須事項を簡潔にまとめた、国試対策のスタートから国試直前まで役立つ参考書です。第114回国試の必修問題は約82％的中しました！
- 3回以上出題されている重要内容は★マーク、必修問題で問われた内容は「必」マークつき！
- 実際に問われた内容は必ず赤字で表記。赤シートで隠せば暗記にも便利！

＼ ここだけ覚える！　3つのポイント ／

1. 「ここだけ覚える！」は全部覚えるつもりで繰り返し読む！　コツコツ覚えていくのにも、直前期に詰め込むのにも使えます。
2. 「次ねらわれる項目」は目新しい内容を問われても対応できるようにしっかり読む！　頭に入れておけば、国試本番で差がつきます。
3. 覚えているかどうかの確認に、試験会場でも直前まで読み返す！　開始直前に読んだところが出題されるかも。

過去問をひととおり解いたら、予想問題集で地固め

看護師国試2026 パーフェクト予想問題集

＊書影は昨年のものです

編集／看護師国家試験対策プロジェクト　B5判
定価1,650円（本体：1,500円＋税）

- ●令和5年版出題基準・最新傾向を分析して第115回国試用に作成した予想問題を、必修問題100問・一般問題140問・状況設定問題60問の計300問収載しました。長文の状況設定文、視覚素材、図表問題など、内容も充実しています。
- ●別冊の解答・解説集では、イラストや図表を多用してわかりやすく解説。しっかり読み込めば、基礎知識の復習にも！
- ●過去問をアレンジした問題も含まれているので、知識が本当に身についたかどうかチェックするのに最適です。

\ パーフェクト予想問題集　3つのポイント /

❶ "ぜんぶ入り"の問題集。これ1冊で必修問題・一般問題・状況設定問題の対策ができます。

❷ 国試本番では、見慣れない問題に出合う可能性も。予想問題集でさまざまなタイプの問題に慣れておけば、応用力を養えます。

❸ 解き終わったらそのままにせず、解説をしっかり読む！　なぜその選択肢が○なのか、×なのか、考えながら復習していきましょう。

看護師国家試験のためのオンデマンド講義動画シリーズ

プチナース国試スクール「必修対策講座」

定価：10,900円（10％税込）

くわしくはQRコードからチェック！
https://petitnurse.share-wis.com/

- ●絶対落とせない必修を確実にする動画講義＆オンライン必修模試の"安心パック"
- ●オンデマンド講義動画約7時間＋確認テスト＋必修模試（50問×2セット）＋質問解説講義（2026年1月配信予定）
- ●114回国試に基づく115回国試向け特別講義を追加

\ プチナース国試スクール　5つのポイント /

❶ ログインしてスマホで好きなときに視聴OK
❷ "本当に出たところ"からつくった講座だから、コスパよく対策できる
❸ 15分くらいの動画だから、ザセツすることなく"やりきれる"
❹ 確認テストで実力アップを実感
❺ プチナースのわかりやすさはそのまま！

「必修対策講座」モニターの声※　　※114回国試向け講座を受講したモニターの感想から抽出して掲載しています。学年は当時のものです

大学4年生
Nさん

Q. 使ってみてどうでしたか？
A.国試対策は12月から始めたばかり。模試は必修で合格点にいかないことがあったけれど、「国試スクール」をみたあとに模試があって、45点に上がっていました。やってよかった！

Q. どんなふうに視聴していますか？
A.寝る前の15分とかでみることも多いです。
1本が長くなると、参考書に戻って復習する量が増えるので、1本の長さは15分くらいがちょうどいい！
過去問を解いて、知識がついているのを実感しました。

視覚素材

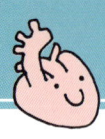

問題に掲載されている視覚素材の写真です。
それぞれ対応する問題は、この視覚素材を見て解答してください。

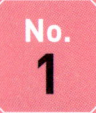
No. 1

問題232（本体P.137）

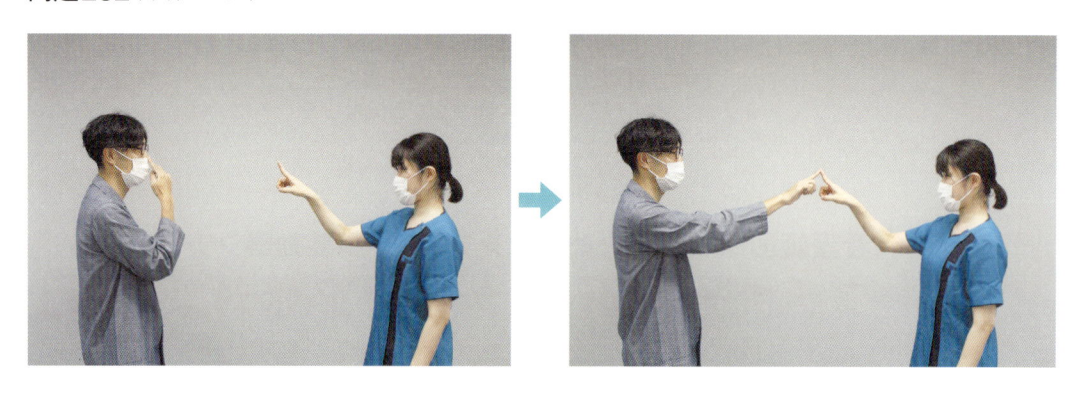

No. 2

問題277（本体P.164）

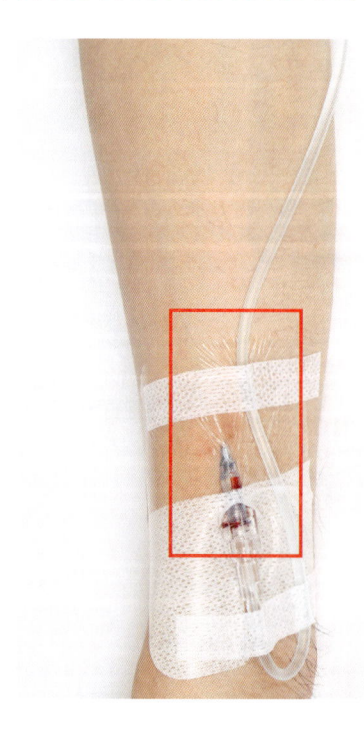

No. 3

問題281
（本体P.167）

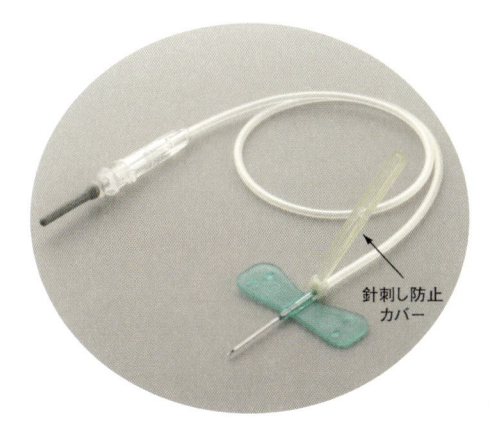

針刺し防止
カバー

（画像提供：テルモ株式会社）

No. 4

問題295（本体P.175）

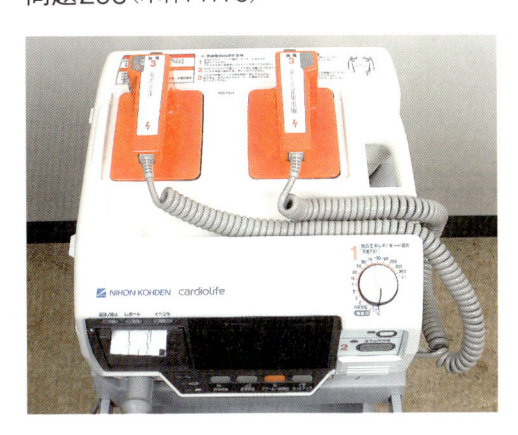

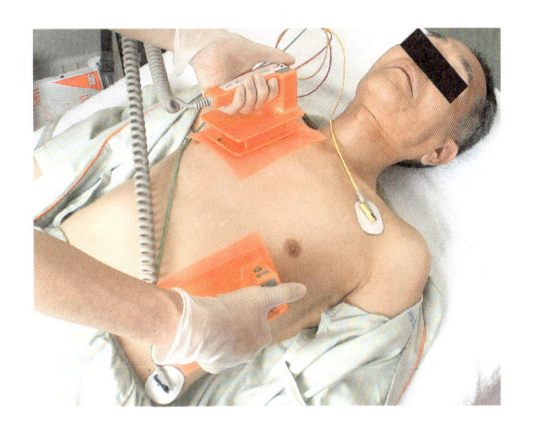

No. 5

問題298
（本体P.176）

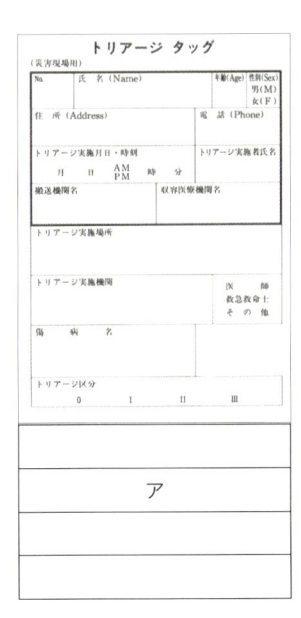

必修模試③ 問題32
（別冊付録P.28）

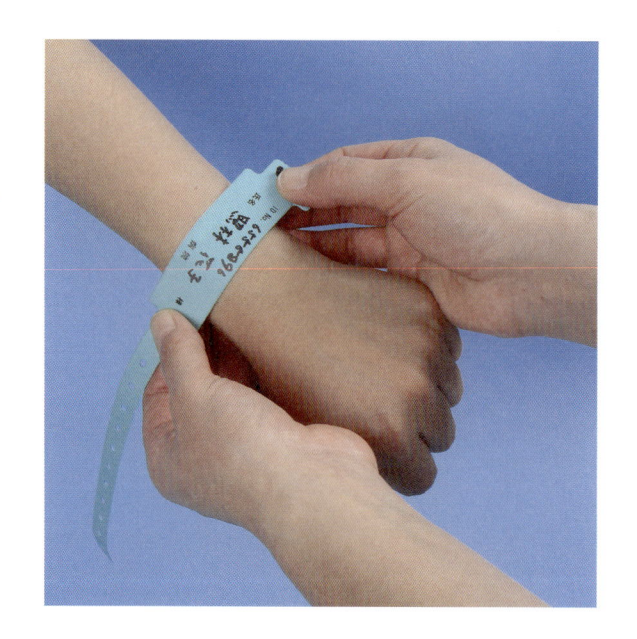

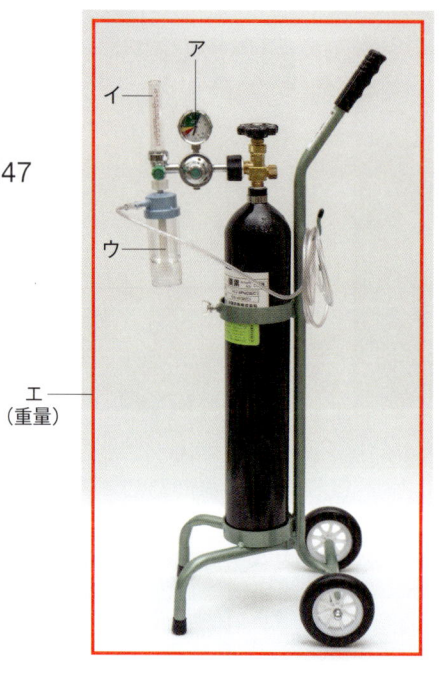

必修模試④ 問題47
（別冊付録P.41）

資料 覚えておきたい国試に出た検査画像

❶立位腹部X線画像
（ニボー像）

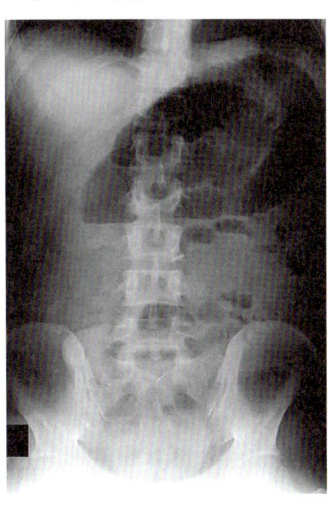

（第103回午前問題40）

- イレウスに特徴的な所見である
  ニボー像（鏡面形成像）である。
  腸の内容物（液体）がたまること
  でできるものである。肺にでき
  ることもある。

❷胸部X線画像
（心拡大）

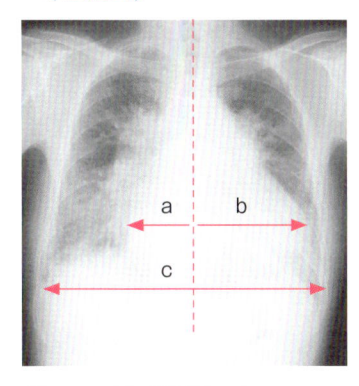

（第104回午前問題29）

- 心胸郭比（正常では50％未満）
  は大きく、心拡大がみられる。

心胸郭比（CTR）（％）

$$=\frac{\text{心臓の最大横径（a＋b）}}{\text{胸郭の最大横径（c）}}\times 100$$

50％以上で心拡大と判定

❸頭部CT画像：
硬膜外血腫

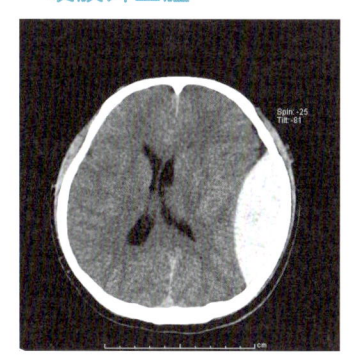

（第105回午前問題68）

- 頭部CT画像である。硬膜外血
  腫では凸レンズ型の画像がみら
  れる。脳出血の部分は白く（高
  吸収域）、脳梗塞の部分は黒く
  なる（低吸収域）ので違いをおさ
  えておきたい。

❹頭部CT画像：
硬膜下血腫（小児）

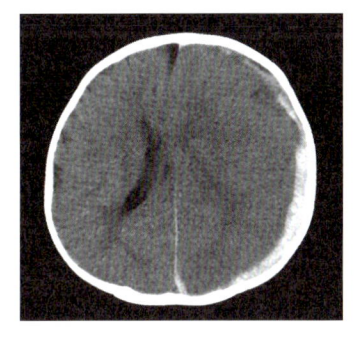

（第107回午前問題53）

- 硬膜下血腫では三日月〜半月型
  になる。❸の硬膜外血腫では凸
  レンズ型になるので比較して覚
  えておこう。

❺腹部CT画像：
胆石の嵌頓

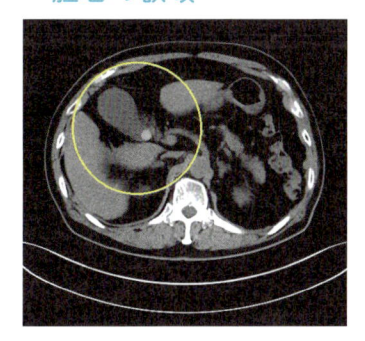

（第107回午前問題70）

- 胆石が胆嚢の出口にはまり込ん
  で動かない状態である。

❻胸部X線画像
（気胸）

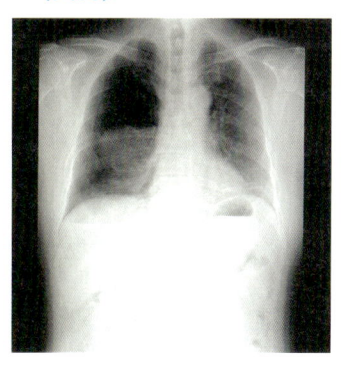

（第110回午前問題41）

- 右肺の虚脱が進み肺野の透過性
  が亢進し（血管陰影がみられず
  黒くなっている）気胸を起こし
  ている。

看護師国試2026 必修問題 完全予想550問
CONTENTS

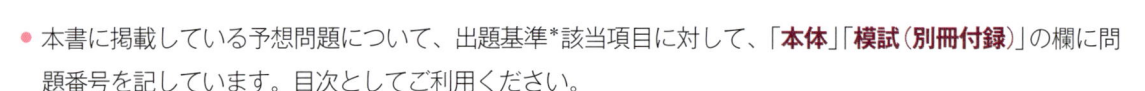

- 本書に掲載している予想問題について、出題基準*該当項目に対して、「**本体**」「**模試（別冊付録）**」の欄に問題番号を記しています。目次としてご利用ください。
- 過去5年分の看護師国家試験の出題状況も記していますので、併せてご活用ください。必修問題は午前・午後に分けて配置されています。午前はA、午後はPで記しています。
- 令和5年版に新たに出題基準に加わったり変更があった項目については ☐ で示しています。

*出題基準は目標I〜IVに分けられており、目標達成に求められる教育内容を、大項目、中項目（出題範囲）、小項目（キーワード）に分けて示しています。

I 健康および看護における社会的・倫理的側面について基本的な知識を問う　　P.2

大項目	中項目（出題範囲）		110回	111回	112回	113回	114回	本体	模試（別冊付録）
1. 健康の定義 と理解	A.健康の定義								
	小項目（キーワード）	世界保健機関＜WHO＞の定義						問1（P.2）	
		ウェルネスの概念						問2（P.2）	④-1
	B.健康に関する指標								
	小項目（キーワード）	総人口	A1					問3（P.3）	②-23
		年齢別人口					A1	問4（P.3）	①-1、②-2、⑤-1、⑤-2
		労働人口		A1*1				問5（P.4）	
		将来推計人口		P1				問6（P.5）	
		世帯数	A9	A10		A1	A10	問7（P.6）	②-3、③-1、④-2
		婚姻、家族形態			A1	P9		問8（P.6）	③-3
		出生と死亡の動向	P1	A2		A2、P10		問9（P.7）、問10（P.8）	②-1、②-4、④-3
		死因の概要					P1	問11（P.9）	③-4、③-5、④-4、⑤-3
		平均余命、平均寿命、健康寿命		P9	P1	P1	A2	問12（P.9）	①-2、④-5
	C.受療状況								
	小項目（キーワード）	有訴者の状況			A2			問13（P.10）	
		有病率、罹患率、受療率	A2				P2	問14（P.11）、問15（P.11）	①-3、①-5、⑤-4
		外来受診の状況						問17（P.12）	③-32
		入院期間						問16（P.12）	
2. 健康に影響 する要因	A.生活行動・習慣				A15				①-4
	小項目（キーワード）	食事と栄養			P2	P2*2		問18（P.13）、問19（P.13）、問20（P.14）	①-6、③-48
		排泄						問21（P.15）	
		活動と運動、レクリエーション	P2				A3	問22（P.15）	④-6
		休息と睡眠						問23（P.16）	③-24
		清潔と衣生活						問24（P.16）	
		ライフスタイル						問28（P.18）	
		ストレス						問26（P.17）、問27（P.18）	
		喫煙、嗜好品				A3	A6	問25（P.17）	④-7
	B.生活環境								
	小項目（キーワード）	水質、大気、土壌	A3		P3		P3	問29（P.19）、問30（P.19）	⑤-5
		食品衛生				A3		問31（P.20）	①-7、③-15
		住環境		A3				問32（P.21）	
	C.社会環境								
	小項目（キーワード）	職業と健康障害		P3				問33（P.21）	①-8、②-31、⑤-6
		労働環境				A4	P3	問34（P.22）、問35（P.23）	①-9、②-25、②-43、④-8
		ワーク・ライフ・バランス						問36（P.24）、問37（P.24）	⑤-7

大項目	中項目（出題範囲）		国試出題状況					本体	模試（別冊付録）
			110回	111回	112回	113回	114回		
3. 看護で 活用する 社会保障	A.医療保険制度の基本								
	小項目（キーワード）	医療保険の種類					P4	問38（P.25）	④-9
		国民医療費	P3					問39（P.26）、 問40（P.26）	②-16、③-16
		高齢者医療制度		A4				問41（P.27）	⑤-9
		給付の内容		P4	P4			問42（P.29）、 問43（P.29）	⑤-8
	B.介護保険制度の基本								
	小項目（キーワード）	保険者						問44（P.30）	
		被保険者						問45（P.30）	①-10
		給付の内容				A5		問46（P.31）	③-44、⑤-10
		要介護・要支援の認定			A5			問47（P.33）	
		地域支援事業					A4	問48（P.34）	④-10
4. 看護に おける倫理	A.基本的人権の擁護								
	小項目（キーワード）	個人の尊厳			(A6)	P4		問49（P.35）	
		患者の権利	P4			A5※2		問50（P.35）	
		自己決定権と患者の意思	A5					問51（P.36）	④-11
		インフォームド・コンセント						問52（P.36）	
		ノーマライゼーション						問53（P.36）	④-12
		情報管理（個人情報の保護）						問54（P.37）	
	B.倫理原則								⑤-11
	小項目（キーワード）	自律尊重						問55（P.37）	
		善行						問56（P.38）	
		公正、正義						問57（P.38）	①-12
		誠実、忠誠						問58（P.38）	
		無危害						問59（P.39）	
	C.看護師等の役割								
	小項目（キーワード）	説明責任〈アカウンタビリティ〉						問60（P.39）	①-13
		倫理的配慮						問61（P.40）	①-11
		権利擁護〈アドボカシー〉				P4		問62（P.40）	
5. 看護に 関わる 基本的法律	A.保健師助産師看護師法			P5					②-8
	小項目（キーワード）	保健師・助産師・看護師の定義	A5				P5	問64（P.41）	①-14
		保健師・助産師・看護師の業務						問63（P.40）、 問65（P.41）	
		保健師・助産師・看護師の義務 （守秘義務、業務従事者届出 の義務、臨床研修等を受ける努 力義務）			P5	P5		問66（P.42）	④-13、⑤-12
		養成制度						問67（P.42）	①-15
	B.看護師等の人材確保の促進に関する法律								
	小項目（キーワード）	目的、基本方針						問68（P.43）	②-24
		ナースセンター	P5					問69（P.44）	④-14

※1 「問題として適切であるが、必修問題としては妥当でないため」という理由で採点除外になっている。
※2 「正解した受験者については採点対象に含め、不正解の受験者については採点対象から除外する」となっている。

出題基準を
チェックして勉強を
スタートさせよう！

大項目	中項目(出題範囲)		国試出題状況					本体	模試(別冊付録)
			110回	111回	112回	113回	114回		
6. 人間の特性	A.人間と欲求								
	小項目(キーワード)	基本的欲求					A6	問70(P.45)	①-16
		社会的欲求		A6※1				問71(P.45)	
	B.対象の特性							問73(P.46)	
	小項目(キーワード)	QOL			A6	A6		問72(P.46)	
		健康や疾病に対する意識					P6	問74(P.47)	③-43
		疾病・障害・死の受容	A13	P6※1				問75(P.47)	④-15
7. 人間の ライフ サイクル 各期の特徴 と生活	A.胎児期								
	小項目(キーワード)	形態的発達と異常	P6	A7			P7	問76(P.48)	①-17、②-35、③-6
	B.新生児・乳児期			P7					
	小項目(キーワード)	発達の原則	A6		P7	P7		問77(P.49)	①-45、④-16、⑤-13
		身体の発育			P6	P6		問78(P.50)	①-18、②-44
		運動能力の発達						問79(P.50)	
		栄養			A25	A25		問80(P.51)	
		親子関係						問81(P.52)	
	C.幼児期								
	小項目(キーワード)	身体の発育	P7				A8	問82(P.53)	②-39
		運動能力の発達			A7	A7		問83(P.53)	③-30
		言語の発達						問84(P.54)	
		社会性の発達		P7※1				問85(P.54)	
		基本的生活習慣の確立						問86(P.55)	
	D.学童期			A8					③-45
	小項目(キーワード)	運動能力の発達、体力の特徴	A7	(A8)			A9	問87(P.55)	
		社会性の発達			P8	P8		問88(P.56)	
		学習に基づく行動						問89(P.56)	
	E.思春期								
	小項目(キーワード)	第二次性徴	P8					問90(P.57)	⑤-14
		アイデンティティの確立						問91(P.57)	
		親からの自立						問92(P.57)	
		異性への関心						問93(P.58)	
	F.成人期						A8		
	小項目(キーワード)	社会的責任と役割			A8			問94(P.58)	
		生殖機能の成熟と衰退		A9				問95(P.60)	⑤-15
		基礎代謝の変化		P8				問96(P.60)	
	G.老年期								
	小項目(キーワード)	身体的機能の変化					P8	問97(P.61)	①-20、③-38、④-17、⑤-16
		認知能力の変化						問98(P.62)	
		心理社会的変化						問99(P.62)	③-42、④-18
8. 看護の対象 としての 患者と家族	A.家族の機能								
	小項目(キーワード)	家族関係						問100(P.63)	②-32
		家族構成員			P9	P9		問101(P.63)	
		疾病が患者・家族に与える 心理・社会的影響						問102(P.64)	
	B.家族形態の変化								
	小項目(キーワード)	家族の多様性						問103(P.64)	
		構成員の変化						問104(P.65)	
9. 主な看護 活動の場と 看護の機能	A.看護活動の場と機能・役割				A9	A9			③-2
	小項目(キーワード)	病院、診療所	P9				P10	問105(P.66)、 問106(P.67)	③-31、④-19
		助産所						問107(P.67)	⑤-17
		訪問看護ステーション		P10				問108(P.68)	④-20
		介護保険施設						問109(P.68)、問110 (P.68)、問119(P.74)	①-21
		地域包括支援センター					P9	問111(P.69)	
		市町村、保健所	A10		P10	P10		問112(P.70)、問113 (P.71)、問116(P.72)	④-21
		学校						問114(P.71)、問121 (P.76)	④-22
		企業						問115(P.72)	⑤-18
		チーム医療	(A16) P10					問117(P.73)、問120 (P.75)	
		退院調整						問118(P.74)	②-9、⑤-19

※1 「問題として適切であるが、必修問題としては妥当でないため」という理由で採点除外になっている。

大項目	中項目（出題範囲）		110回	111回	112回	113回	114回	本体	模試（別冊付録）
			国試出題状況						
10. **人体の構造** **と機能**	A.人体の基本的な構造と正常な機能								
	小項目（キーワード）	内部環境の恒常性						問122（P.77）	①-25、②-13
		神経系	A11	(P13)	P11	A12	A11	問123（P.78）	①-22、①-23、①-47、③-25
		運動系		A1		A11		問124（P.79）	①-38、①-46、②-7、②-11、③-17
		感覚器系			A10			問125（P.80）	①-27、②-29、⑤-22
		循環器系	P11	P11	P12	P11※1	A7、P11	問126（P.80）	①-24、②-10、②-45、④-23、⑤-20
		血液、体液			A1、A11、P13	(A13)		問127（P.81）	①-36、①-43、②-21、③-11、④-24、⑤-23
		免疫系				A13		問128（P.82）	②-26、③-33
		呼吸器系		(P13)				問129（P.82）	①-39
		消化器系	(P12)A12		A18	P12	A12、P12	問130（P.83）	①-37、②-6、②-12、②-41、③-35、④-25、⑤-25
		栄養と代謝系	(A14)(P25)	A12				問131（P.83）	①-19、①-26、③-22
		泌尿器系	(P12)					問132（P.84）	
		体温調節			A12			問133（P.84）	
		内分泌系	(A12)	P12				問134（P.85）	②-37、③-8、③-18、③-27、③-46、④-26、⑤-24
		性と生殖器系						問135（P.86）	
		妊娠・分娩・産褥の経過				P13		問136（P.86）、問137（P.88）、問138（P.89）	
		遺伝						問139（P.89）	
	B.人間の死								
	小項目（キーワード）	死の三徴候						問140（P.90）	
		死亡判定						問141（P.91）	
		脳死				P13		問142（P.91）	③-9
11. **徴候と疾患**	A.主要な症状と徴候				P18				
	小項目（キーワード）	意識障害	A14		(A24)	A24		問144（P.92）	①-44
		嚥下障害						問143（P.92）	⑤-21
		言語障害						問145（P.92）	④-27
		ショック		P14				問146（P.93）	③-13
		高体温、低体温	P13	P15				問147（P.93）	
		脱水						問148（P.94）	④-28
		黄疸		A13		A14		問149（P.95）	
		頭痛						問150（P.96）	
		咳嗽、喀痰						問151（P.97）	④-29
		吐血、喀血	A15			P15		問152（P.98）	
		チアノーゼ			P14	P14		問153（P.98）	②-27
		呼吸困難			(A24)			問154（P.99）	②-50
		胸痛		(A14)				問155（P.99）	⑤-26
		不整脈				A13		問156（P.100）、問157（P.100）	①-27、③-7、④-30
		腹痛、腹部膨満						問158（P.101）	③-49、④-31
		悪心、嘔吐						問159（P.102）、問160（P.103）	
		下痢						問161（P.103）	
		便秘		P19				問162（P.104）	
		下血			A13	A13		問163（P.105）	
		乏尿、無尿、頻尿、多尿	A19			A16		問164（P.105）	③-10、④-32、⑤-27
		浮腫						問165（P.105）	⑤-28
		貧血	P25	P16				問166（P.106）	
		睡眠障害						問167（P.106）	
		感覚過敏・鈍麻						問168（P.107）	
		運動麻痺	P14			A15		問169（P.107）	③-14
		けいれん		P17				問170（P.108）、問171（P.108）	

※1　「正解した受験者については採点対象に含め、不正解の受験者については採点対象から除外する」となっている。

大項目	中項目（出題範囲）		国試出題状況					本体	模試（別冊付録）
			110回	111回	112回	113回	114回		
11. 徴候と疾患	B.主要な疾患による健康障害								
	小項目（キーワード）	生活習慣病	P15	(A14)、 P2	A14	P15	P14	問172（P.108）、問173（P.109）、 問174（P.109）、問175（P.109）、 問176（P.110）	①-42、②-5、②-30、 ③-12、③-36、⑤-29
		がん		A16			P16	問177（P.110）、問178（P.111）、 問179（P.112）、問180（P.112）	③-23、③-28、③-47、 ④-34
		感染症		A25、 (P14)	P15	A15		問181（P.112）、問182 （P.113）、問183（P.113）、問 184（P.113）、問185（P.114）	①-40、④-33、⑤-30
		精神疾患						問186（P.114）、問187 （P.115）、問188（P.115）	②-33
		小児の疾患						問189（P.115）、問190 （P.116）、問191（P.116）	④-35
		高齢者の疾患						問192（P.117）、問193 （P.117）、問194（P.118）	①-29、①-41、②-14、 ③-40、⑤-31
	C.基本的な臨床検査値の評価								
	小項目（キーワード）	血液学検査		A15				問195（P.118）	
		血液生化学検査			A16	P25		問196（P.119）、問197 （P.119）	②-20、③-37、④-36、 ⑤-32
		免疫血清学検査						問198（P.119）	
		尿検査					A17	問199（P.120）	⑤-33
12. 薬物治療に 伴う反応	A.主な薬物の作用と副作用（有害事象）				A17				
	小項目（キーワード）	抗感染症薬				A16		問200（P.120）	
		抗がん薬				A18		問201（P.120）	
		強心薬、抗不整脈薬				A25		問202（P.121）	
		狭心症治療薬						問203（P.121）	⑤-35
		抗血栓薬				P16		問204（P.121）	④-38、⑤-37
		降圧薬、昇圧薬		P21				問205（P.122）、問206 （P.122）	①-30
		利尿薬	P16					問207（P.124）	
		消化性潰瘍治療薬						問208（P.124）	
		下剤、止瀉薬						問209（P.124）	③-41、④-39
		抗アレルギー薬						問210（P.125）	
		免疫療法薬						問211（P.125）	⑤-34
		副腎皮質ステロイド薬						問212（P.125）	
		糖尿病治療薬				P17		問213（P.126）	⑤-36
		中枢神経作用薬						問214（P.127）	①-31、③-21
		麻薬			P16			問215（P.128）	②-15、④-37
		消炎鎮痛薬				A17		問216（P.128）	
	B.薬物の管理								
	小項目（キーワード）	禁忌				(A17)、 P25		問217（P.129）、問218 （P.129）	
		保存・管理方法						問219（P.130）	
		薬理効果に影響する要因	A17、 P17、 P22					問220（P.130）	③-26

大項目	中項目(出題範囲)	小項目(キーワード)	110回	111回	112回	113回	114回	本体	模試(別冊付録)
13. 看護における基本技術	A.コミュニケーション								③-20
		言語的コミュニケーション		A18				問221(P.131)	
		非言語的コミュニケーション						問222(P.131)	
		面接技法						問223(P.131)	
	B.看護過程								⑤-38
		情報収集、アセスメント	A18		P17	P18		問224(P.132)	
		計画立案						問225(P.133)	
		実施						問226(P.133)	
		評価						問227(P.133)	②-17
	C.フィジカルアセスメント				P25	A19、P18			
		バイタルサインの観察		A17	P17			問228(P.134)	②-46、②-48、⑤-39
		意識レベルの評価						問229(P.135)	⑤-40
		呼吸状態の観察		A18		A18、A25※2		問230(P.135)	②-18、②-42、②-47、③-34、④-40
		腸蠕動音聴取	P19					問231(P.136)	
		運動機能の観察	P19					問232(P.137)	②-34、④-41
14. 日常生活援助技術	A.食事								
		食事の環境整備、食事介助	P18					問233(P.138)	
		誤嚥の予防		A18				問234(P.139)	
	B.排泄								
		排泄の援助(床上、トイレ、ポータブルトイレ、おむつ)				P20		問235(P.140)、問236(P.141)、問237(P.141)	
		導尿				P19		問238(P.142)	
		浣腸		P18				問239(P.143)	①-32
		摘便						問240(P.143)	⑤-41
		失禁のケア					A19	問241(P.144)	③-19
	C.活動と休息								
		体位、体位変換				P19		問242(P.144)	
		移動、移送			P21※1			問243(P.145)	①-33
		ボディメカニクス					A20	問244(P.145)	
		廃用症候群の予防		P19				問245(P.147)	
		睡眠						問246(P.147)	⑤-42
	D.清潔								
		入浴、シャワー浴			P20			問247(P.148)	
		清拭					A19	問248(P.148)	
		口腔ケア		A19				問249(P.148)	
		洗髪	P20					問250(P.149)	
		手浴、足浴	A20					問251(P.150)	
		陰部洗浄						問252(P.150)	
		整容						問253(P.151)	
		寝衣交換		P20			P20	問254(P.151)	
15. 患者の安全・安楽を守る看護技術	A.療養環境				P25				
		病室環境					A21	問255(P.151)	
		共有スペース		(P25)				問256(P.153)	
		居住スペース						問257(P.153)	
	B.医療安全対策								
		転倒・転落の防止				A4、P20		問258(P.153)	④-42
		誤薬の防止						問259(P.154)	
		患者誤認の防止						問260(P.154)	
		誤嚥・窒息の防止						問261(P.155)	
		コミュニケーションエラーの防止						問262(P.155)	

※1 「設問が不十分で正解が得られないため」という理由で採点除外になっている。
※2 「正解した受験者については採点対象に含め、不正解の受験者については採点対象から除外する」となっている。

大項目	中項目(出題範囲)		国試出題状況					本体	模試(別冊付録)
			110回	111回	112回	113回	114回		
15. 患者の 安全・安楽 を守る 看護技術	C.感染防止対策								②-36
	小項目(キーワード)	標準予防策 <スタンダードプリコーション>	P21					問263(P.155)	
		感染経路別予防策			(P15)		A22	問264(P.156)	⑤-45
		手指衛生	A21					問265(P.156)	
		必要な防護用具(手袋、マスク、 ガウン、ゴーグル)の選択・着脱			A20、 P22			問266(P.158)、問267 (P.158)	①-35
		無菌操作				A21		問268(P.158)	②-38
		滅菌と消毒			A21			問269(P.160)	④-43、⑤-44
		針刺し・切創の防止						問270(P.160)	
		感染性廃棄物の取り扱い		A20				問271(P.161)、問272 (P.161)	②-40
16. 診療に伴う 看護技術	A.栄養法								
	小項目(キーワード)	経管・経腸栄養法	A22			P22		問273(P.162)	③-50
		経静脈栄養法						問274(P.163)	
	B.薬物療法								
	小項目(キーワード)	与薬方法	P22	A22	A22			問275(P.164)	①-34、④-44、④-49、 ⑤-46、⑤-47
		薬効・副作用(有害事象)の観察						問276(P.164)	
	C.輸液・輸血管理								①-49
	小項目(キーワード)	刺入部位の観察						問277(P.164)	
		点滴静脈内注射	P23	P23			A23	問278(P.165)	
		輸血					P23	問279(P.165)	④-45
	D.採血								
	小項目(キーワード)	刺入部位						問280(P.166)	④-46
		採血方法		A21	P23	P23		問281(P.167)	
		採血後の観察内容、 採血に関連する有害事象						問282(P.167)	⑤-48
	E.呼吸管理								
	小項目(キーワード)	酸素療法の原則			A23	A23※1		問283(P.168)	
		酸素ボンベ						問284(P.168)	④-47
		酸素流量計						問285(P.169)	
		鼻腔カニューラ						問286(P.169)	
		酸素マスク						問287(P.170)	
		ネブライザー						問288(P.171)	
		口腔内・鼻腔内吸引	A24				P24	問289(P.171)	②-19、④-48
		気管内吸引		A22				問290(P.172)	
		体位ドレナージ					A24	問291(P.172)	
	F.救命救急処置					P21			①-48
	小項目(キーワード)	気道の確保			P21			問292(P.173)	②-49
		人工呼吸		A24				問293(P.174)	
		胸骨圧迫	A25	A24	P24	P24		問294(P.174)	③-29
		直流除細動器						問295(P.175)	
		自動体外式除細動器〈AED〉	P24					問296(P.175)	
		止血法		A23				問297(P.175)	
		トリアージ						問298(P.176)	⑤-50
	G.皮膚・創傷の管理								
	小項目(キーワード)	創傷管理					P25	問299(P.176)	①-50、②-22、②-28、 ④-50、⑤-49
		褥瘡の予防・処置		P24				問300(P.177)	③-39、⑤-43

※1 「正解した受験者については採点対象に含め、不正解の受験者については採点対象から除外する」となっている。

[表紙・本文イラストレーション] ウマカケバクミコ

[表紙・本文デザイン] ビーワークス

[本文DTP制作] 明昌堂

[メディカルイラストレーション] 今崎和広

[本文イラストレーション] ウマカケバクミコ、中村知史、松井晴美、日の友太、まつむらあきひろ、カネコシオリ、コルシカ

xxii

必修予想問題

300問

出題基準の全範囲を網羅した300問の予想問題。
これを解いて8割を確実に!

CONTENTS

問題▶ 1

出題基準
I-1-A／
世界保健機関〈WHO〉の定義

過去問 社 P.187

CHECK▶ □□□

解答 3

世界保健機関〈WHO〉憲章における健康の定義に含まれるのはどれか。
1. 障害や疾病の有無に関係なく生活できる。
2. 個人の考えや選択が尊重された生き方ができる。
3. 肉体的、精神的、社会的に完全に満たされている。
4. いつでもアクセス可能な医療サービスのもとで生活している。

解説 世界保健機関〈WHO〉憲章（1948年発効）において、「健康とは、完全な肉体的、精神的および社会的福祉（原文ではwell-beingで、「良好である」「満たされた」等の表現で訳されることもある）の状態であり、単に疾病または病弱の存在しないことではない」と提唱した（3. ○）。ここでいう福祉とは幸福や充足のことである。その後、憲章全体の見直し作業のなかで「肉体的、精神的および社会的に、健康と疾病は別個のものではなく連続したものであり、健康は単に疾病または病弱の存在しないことではない」といった意味にしようという提案がなされ、このような定義で論じられることも多い。
1. × ノーマライゼーションの考え方に近い。
2. × 個人の考えや選択が尊重された生き方ができることは健康の定義には含まれない。
4. × いつでもアクセス可能な医療サービスのもとで生活していることは健康の定義には含まれない。

問題▶ 2

出題基準
I-1-A／
ウェルネスの概念

CHECK▶ □□□

解答 4

ウェルネスの概念について正しいのはどれか。
1. 疾病や病弱ではない。
2. 介護が必要ではない。
3. 健康と疾病は連続している。
4. 生きがいを求めて活動している。

解説 アメリカの医学博士であるHalbert L. Dunn（ハルバートL.ダン）が1960年代に提唱したのがウェルネス（Wellness）の概念であり、健康（Health）よりも総合的な意味をもつ概念であるとされる。生きがいや自己実現を求めて活動している状態およびこれを自発的に達成する行動を指し、これを展開するには「身体のウェルネス」「精神のウェルネス」「環境のウェルネス」の枠組みが必要であるとした（4. ○）。わが国ではウェルネスを「自分の人生には自分で責任を持つことを知り、幸福でより充実した人生を送るために、自分の現在の生活習慣（ライフスタイル）を点検し、自分で変えなければならないことに気づき、これを変革していく過程である」（野崎康明、1994年）と論じた。
1. × 世界保健機関〈WHO〉による健康の定義に出てくるが「単に疾病または病弱の存在しないことではない」と否定されている。
2. × 介護が必要ではないことがウェルネスの概念ではない。
3. × 世界保健機関〈WHO〉による憲章の見直しのなかで提案された内容で、ウェルネスの概念ではない。

問題▶ 3

令和5（2023）年の人口推計における総人口に最も近いのはどれか。

1. 8,500万人
2. 1億人
3. 1億2,500万人
4. 1億5,500万人

出題基準
I-1-B／総人口

過去問 社 P.140

CHECK▶ □□□

解答 3

解説 総務省「人口推計」による令和5年10月1日現在の総人口は1億2,435万2,000人で、そのうち、男性が6,049万2,000人、女性が6,385万9,000人であった（3. ○）。同統計によると、日本の人口が最も多かったのは平成20（2008）年の1億2,808万4,000人で、以後、減少局面に入った。

MORE!

図1 日本の人口ピラミッド

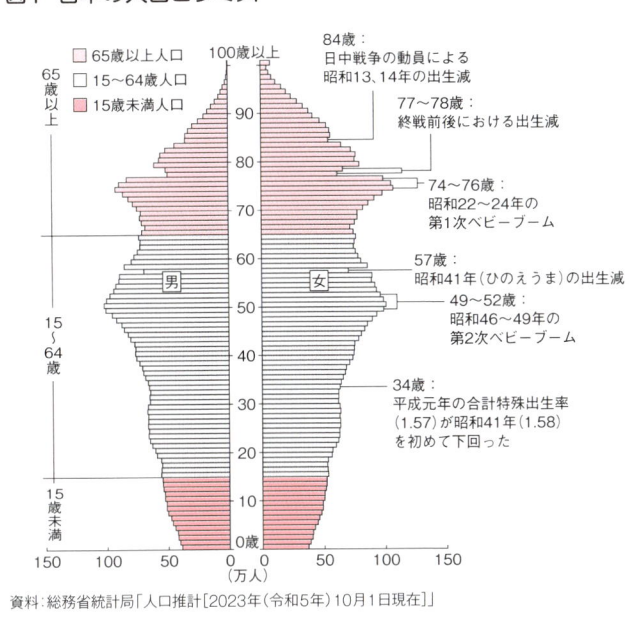

84歳：
日中戦争の動員による
昭和13、14年の出生減

77～78歳：
終戦前後における出生減

74～76歳：
昭和22～24年の
第1次ベビーブーム

57歳：
昭和41年（ひのえうま）の出生減

49～52歳：
昭和46～49年の
第2次ベビーブーム

34歳：
平成元年の合計特殊出生率
（1.57）が昭和41年（1.58）
を初めて下回った

資料：総務省統計局「人口推計［2023年（令和5年）10月1日現在］」

● 総人口は長期にわたり減少し、5年ごとにみると、令和42（2060）年には1億人を割るとされる。

● 令和5年の平均世帯人員は2.23人である。

● 日本の総人口は、平成17（2005）年までは増加傾向であったが、平成18（2006）年に初めて減少し、その後は横ばいであったが（人口のピークは平成20［2008］年）、平成23（2011）年以降は減少が続いている。

● 日本の人口ピラミッドの形は、74～76歳と49～52歳を中心とした2つの膨らみをもったつぼ型をしている（図1）。

問題▶ 4

日本の令和5（2023）年の生産年齢人口の構成割合に最も近いのはどれか。

1. 40%
2. 50%
3. 60%
4. 70%

頻出

出題基準
I-1-B／年齢別人口

過去問 社 P.141

CHECK▶ □□□

解答 3

解説 年齢3区分別人口はどの区分も覚えておく必要がある。令和5年は年少人口（15歳未満人口）11.4%、生産年齢人口（15～64歳人口）59.5%（3. ○）、老年人口（65歳以上人口）29.1%であった。老年人口の割合は上昇傾向にあり、平成17（2005）年に20%を超え、令和5年には29.1%で前年よりも0.1ポイント上昇した。

表1 年齢3区分別人口構成割合（%）

	年少人口 （0〜14歳）	生産年齢人口 （15〜64歳）	老年人口 （65歳以上）	従属人口指数
平成29（'17）年	12.3	60.0	27.7	66.8
平成30（'18）	12.2	59.7	28.1	67.6
令和元（'19）	12.1	59.5	28.4	68.1
令和2（'20）	11.9	59.5	28.6	68.0
令和3（'21）	11.8	59.4	28.9	68.5
令和4（'22）	11.6	59.4	29.0	68.4
令和5（'23）	11.4	59.5	29.1	68.2

資料：総務省統計局「国勢調査報告」「人口推計（各年10月1日現在）」
※従属人口指数＝（年少人口＋老年人口）÷生産年齢人口×100

問題▶5

出題基準
I-1-B／労働人口

過去問 社 P.146

CHECK▶ ☐ ☐ ☐

解答 3

労働力調査による労働力人口の令和5（2023）年平均に最も近いのはどれか。

1. 1,400万人
2. 3,600万人
3. 6,900万人
4. 1億1,000万人

解説 1. × 1,420万人に近いのは年少人口である。

2. × 3,620万人に近いのは老年人口である。

3. ○ 労働力人口は15歳以上人口のうち、就業者と完全失業者の合計である。6,925万人であった。過去に出題され採点除外となっているが、再び出題された例もあるので、労働力人口は総人口の半分強（約56%）であることはおさえておきたい。

4. × 1億1,000万人に近いのは15歳以上人口である※。

※労働力調査の「15歳以上人口」（毎月末現在）は「人口推計」（総務省統計局）の翌月1日現在の概算値を用いている。なお、「人口推計」では概算値が当月の下旬に公表され、確定値はその5か月後に公表されている。

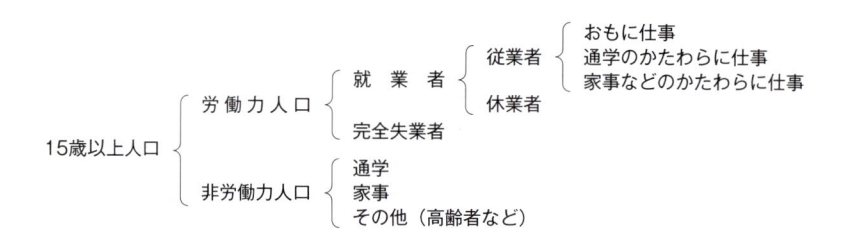

MORE!

●令和5年平均では、労働力人口は6,925万人（前年に比べ増加）で、15歳以上人口は約1億1,017万人であった。

●令和5年平均の労働力人口は前年に比べ23万人増加しており、男性は3,801万人（前年に比べ減少）、女性は3,124万人（前年に比べ増加）で、男性は減少したが、女性はやや増加した（総務省統計局「労働力調査」基本集計より）。

問題 ▶ **6**

出題基準
I-1-B／将来推計人口

過去問 社 P.142

CHECK ▶ ☐☐☐

解答 **3**

令和52（2070）年の将来推計人口に最も近いのはどれか。

1. 4,800万人
2. 6,700万人
3. 8,700万人
4. 1億700万人

解説 人口は令和5（2023）年で1億2,435万2,000人であるが、令和52（2070）年には**8,699万6,000**人程度になると推計される（**3. ○**）。令和52（2070）年に予測される年齢3区分別人口は0〜14歳が9.2%、15〜64歳が52.1%、**65歳以上が38.7%**とされている。従属人口指数は「**（年少人口＋老年人口）÷生産年齢人口×100**」なので、老年人口の増加により急速に**上昇**すると予想されている。

MORE!

● 将来推計人口は、令和42（2060）年に**約9,615万人**、令和52（2070）年には**約8,700万人**となるものとされている（**表2**、令和5年推計。なお、将来推計人口は年度によって変動する）。

● 年齢構成はしだいに高齢化し、令和52年で、老年人口（65歳以上）の総人口に占める割合は**38.7%**（増加）、年少人口（0〜14歳）の割合は**9.2%**（減少）、生産年齢人口（15〜64歳）の割合は**52.1%**（減少）になると推計されている（**図2**）。

● 将来推計人口では、生産年齢人口の扶養負担の程度を表す従属人口指数は、令和2年の68.0%から令和52年には91.8%になるとされ、今後かなり急速に**高まる**と予想される。年少人口指数は横ばいだが、老年人口指数の伸びが目立っている。

● 純再生産率が1（合計特殊出生率では2.1程度）以上であれば将来人口は増加し、1を下回ると減少する。

▶ **純再生産率**：母の年齢別出生率を女児だけについて合計した**総再生産率**に、さらにこの女児が妊娠可能な年齢を過ぎるまでの死亡を見込んだもの（令和4年は**0.61**）

▶ **期間合計特殊出生率**：その年次の15〜49歳までの女性の年齢別出生率を合計したもの（令和5年は**1.20**［実数］）

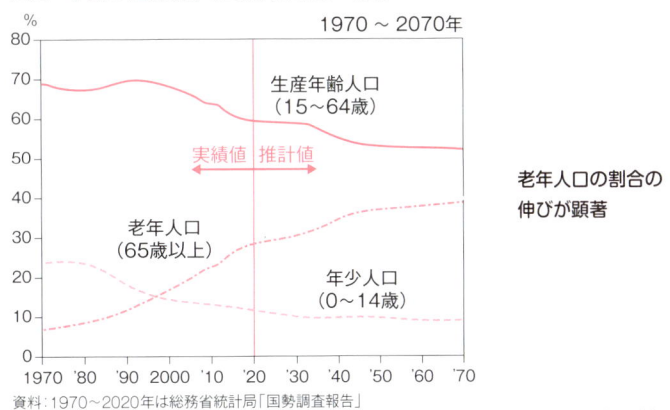

図2 年齢3区分別人口構成割合の推移

1970 〜 2070年

資料：1970〜2020年は総務省統計局「国勢調査報告」
2021年以降は国立社会保障・人口問題研究所「日本の将来推計人口」（令和5年推計）の推計値（出生中位・死亡中位仮定）

老年人口の割合の伸びが顕著

表2　将来推計人口（出生中位［死亡中位］推計）

総人口は、5年ごとにみると2060年ごろには1億人を割る

	人口（千人）		年齢3区分割合（%）			指数（%）		
	総数	うち65歳以上	0〜14歳	15〜64歳	65歳以上	年少人口	老年人口	従属人口
令和2（2020）年	126,146	36,027	11.9	59.5	28.6	20.0	48.0	68.0
12（ '30）	120,116	36,962	10.3	58.9	30.8	17.5	52.2	69.8
22（ '40）	112,837	39,285	10.1	55.1	34.8	18.4	63.2	81.6
32（ '50）	104,686	38,878	9.9	52.9	37.1	18.8	70.2	89.0
42（ '60）	96,148	36,437	9.3	52.8	37.9	17.6	71.8	89.3
52（ '70）	86,996	33,671	9.2	52.1	38.7	17.6	74.2	91.8

資料：国立社会保障・人口問題研究所「日本の将来推計人口」（令和5年推計）
注：年齢3区分割合は、年齢不詳をあん分補正した人口を分母として算出している。

減少　　　増加　　　　　　　急速に高まる

問題▶7

出題基準
I-1-B／世帯数

過去問 社 P.145

CHECK▶ ☐☐☐

解答 **3**

令和5（2023）年の国民生活基礎調査における家族の世帯構造割合で核家族の占める割合に最も近いのはどれか。

1. 20%
2. 40%
3. 60%
4. 80%

解説 国民生活基礎調査における世帯構造別の分類では、核家族世帯、単独世帯、三世代世帯、その他の世帯に分けられている。核家族世帯は、世帯構造の1つの分類として扱われており、夫婦のみの世帯、夫婦と未婚の子のみの世帯、ひとり親と未婚の子のみの世帯のことで、56.3%を占める。選択肢のなかでは3の60%が最も近い（3. ○）。

MORE!

●令和5（2023）年の世帯総数は5,445万2,000世帯であった。

●三世代世帯は平成22～24年は7%台で推移していたが、平成25年には6.6%になり、令和5年は3.8%であった。

●令和5年の65歳以上の者のいる世帯数は、2,695万1,000世帯で、全体の49.5%を占める。内訳は、①夫婦のみの世帯（32.0%）、②単独世帯（31.7%）、③親と未婚の子のみの世帯（20.2%）、④三世代世帯（7.0%）となっている。

表3 世帯構造別の割合の推移

		令和元（2019）年	令和3（2021）年	令和4（2022）年	令和5（2023）年	
単独世帯		28.8%	29.5%	32.9%	34.0%	
核家族世帯	夫婦のみの世帯	24.4%	24.5%	24.5%	24.6%	⎫ ⎪ 56.3% ⎪ ⎭
	夫婦と未婚の子のみの世帯	28.4%	27.5%	25.8%	24.8%	
	ひとり親と未婚の子のみの世帯	7.0%	7.1%	6.8%	6.9%	
三世代世帯		5.1%	4.9%	3.8%	3.8%	
その他の世帯		6.3%	6.5%	6.2%	6.0%	

資料：厚生労働省「国民生活基礎調査」
注：令和2年は、調査を実施していない

問題▶8

出題基準
I-1-B／婚姻、家族形態

過去問 社 P.149

CHECK▶ ☐☐☐

解答 **3**

令和5（2023）年の人口動態統計における女性の平均初婚年齢に最も近いのはどれか。

1. 26歳
2. 28歳
3. 30歳
4. 32歳

解説 令和5（2023）年における平均初婚年齢は男性が31.1歳、女性が29.7歳（3. ○）であった。

MORE!

●令和5年における日本の婚姻件数は47万4,741組で前年より減少し、婚姻率は人口千対3.9で、前年に比べ0.2ポイント低下した（図3）。一方、離婚件数は18万3,814組で前年より増加し、離婚率は人口千対1.52で前年より上昇した（図4）。

図3 婚姻件数・率の推移

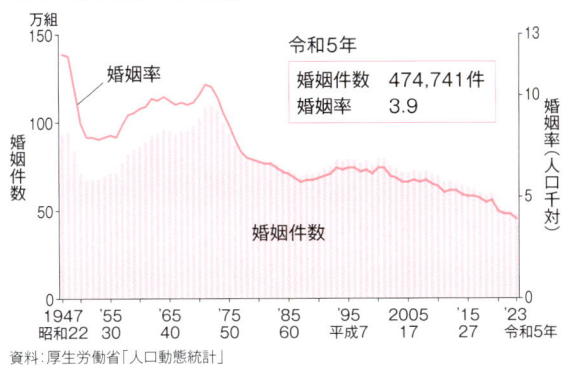

令和5年
婚姻件数 474,741件
婚姻率 3.9

資料：厚生労働省「人口動態統計」

図4 離婚件数・率の推移

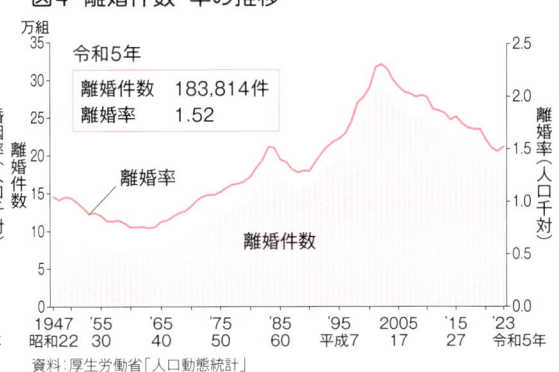

令和5年
離婚件数 183,814件
離婚率 1.52

資料：厚生労働省「人口動態統計」

図5 50歳時の未婚割合の推移

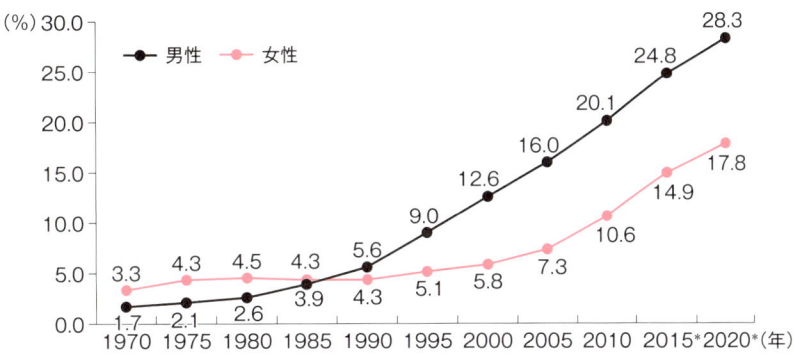

総務省統計局「国勢調査報告」により算出。45〜49歳と50〜54歳における割合の平均値。*配偶関係不詳補完結果に基づく。
資料：国立社会保障・人口問題研究所「人口統計資料集」
こども家庭庁「令和6年版こども白書」
https://www.cfa.go.jp/resources/white-paper/r06（2025/04/25閲覧）

問題 ▶ 9

頻出

出題基準
I-1-B／
出生と死亡の動向

過去問 社 P.191

CHECK ▶ ☐ ☐ ☐

解答 2

令和5（2023）年の合計特殊出生率はどれか。

1. 1.10
2. 1.20
3. 1.30
4. 1.40

解説 出生数は昭和50年以降減少傾向であったが、平成18年に6年ぶりに増加に転じた後、平成22年までは増減を繰り返した。平成23年からは減少を続け、令和5年は72万7,288人であった（**P.8表4・5**）。

令和5年の合計特殊出生率は1.20（前年より低下）で過去最低であった（2. ○）。平成24〜30年は小さい増減を繰り返し、令和に入ってからは減少が続いている。

目標 I

表4 出生に関する統計の推移

	出生数（人）	出生率[1] （人口千対）	合計特殊出生率[2]	総再生産率	純再生産率[※]
平成30（'18）年	918,400	7.4	1.42	0.69	0.69
令和元（'19）	865,239	7.0	1.36	0.66	0.66
2（'20）	840,835	6.8	1.33	0.65	0.64
3（'21）	811,622	6.6	1.30	0.64	0.63
4（'22）	770,759	6.3	1.26	0.61	0.61
5（'23）	727,288	6.0	1.20	—	—

資料：厚生労働省「人口動態統計」、国立社会保障・人口問題研究所「人口統計資料集」
注：1）日本人人口を分母に用いている。
　　2）15～49歳の各歳別日本人女性人口を分母に用いている。
※純再生産率については問題6の **MORE!**（P.5）も参照のこと。

表5 人口動態統計の概況

	実数		率	
	令和4（'22）年	令和5（'23）年	令和4（'22）年	令和5（'23）年
出生（人）	770,759	727,288	6.3	6.0
死亡（人）	1,569,050	1,576,016	12.9	13.0
乳児死亡（人）	1,356	1,326	1.8	1.8
自然増減（人）	△798,291	△848,728	△6.5	△7.0
死産（胎）	15,179	15,534	19.3	20.9
周産期死亡（胎）	2,527	2,404	3.3	3.3
婚姻（組）	504,930	474,741	4.1	3.9
離婚（組）	179,099	183,814	1.47	1.52

資料：厚生労働省「人口動態統計」

問題 ▶ 10

頻出

日本の令和5（2023）年における出生数に最も近いのはどれか。

1. 53万人
2. 73万人
3. 93万人
4. 113万人

出題基準
I-1-B／
出生と死亡の動向

CHECK ▶ □ □ □

解答 2

解説 令和5（2023）年の出生数は72万7,288人であった（2. ○）。最近10年間をみると、2014年から2015年にかけて増加した以外は減少している。10年間で30万人あまり減少した。なお、令和5年の死亡数は157万6,016人であった。出生数とセットで覚えておきたい。

表6 出生数と合計特殊出生率の推移

	出生数（人）	合計特殊出生率
2012年	1,037,232	1.41
2018年	918,400	1.42
2019年	865,239	1.36
2020年	840,835	1.33
2021年	811,622	1.30
2022年	770,759	1.26
2023年	727,288	1.20
2040年（推計）	718,000	1.33

資料：厚生労働省「人口動態統計」2019年までは厚生労働省政策統括官付参事官付人口動態・保健社会統計室「人口動態統計」、2040年推計値は国立社会保障・人口問題研究所「日本の将来推計人口（令和5年推計）」（令和5年8月31日）における死亡中位仮定に基づく数値

問題 ▶ 11

頻出

出題基準
I-1-B／死因の概要

過去問 社 P.193

CHECK ▶ □□□

解答 3

令和5（2023）年の人口動態統計による死因のうち、老衰の順位はどれか。

1. 第1位
2. 第2位
3. 第3位
4. 第4位

解説 1. × 第1位は悪性新生物〈腫瘍〉で、24.3%を占める。

2. × 第2位は心疾患で、14.7%を占める。

3. ○ 老衰は12.1%となり第3位である。

4. × 第4位は脳血管疾患で、6.6%を占める。

MORE!

表7 粗死亡率・年齢調整死亡率（人口千対）の推移

	粗死亡率[1]			年齢調整死亡率[2]	
	総数	男	女	男	女
平成30（'18）	11.0	11.6	10.4	13.8	7.6
令和元（'19）	11.2	11.7	10.6	13.5	7.5
2（'20）	11.1	11.8	10.5	13.3	7.2
3（'21）	11.7	12.4	11.1	13.6	7.4
4（'22）	12.9	13.5	12.3	14.4	7.9
5（'23）	13.0	13.6	12.4	14.1	7.8

資料：厚生労働省「人口動態統計」
注：1）年齢調整死亡率と併記したので粗死亡率と表したが、単に死亡率といっているものである。
　　2）年齢調整死亡率の基準人口は「平成27年モデル人口」であり、年齢5歳階級別死亡率により算出した。

図6 主要死因別にみた死亡率（人口10万対）の推移

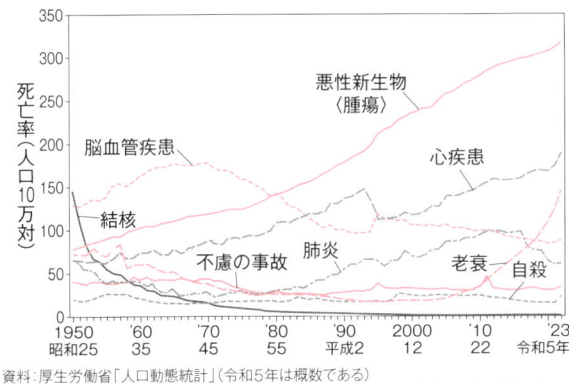

資料：厚生労働省「人口動態統計」（令和5年は概数である）
注：死因分類はICD-10（2013年版）準拠（平成29年適用）による。なお、平成6年まではICD-9による。

表8 死因順位（令和5年）

	死因	死亡数（人）	死亡率（人口10万対）	割合（%）
1位	新生悪生物〈腫瘍〉	382,504	315.6	24.3
2位	心疾患	231,148	190.7	14.7
3位	老衰	189,919	156.7	12.1
4位	脳血管疾患	104,533	86.3	6.6
5位	肺炎	75,753	62.5	4.8
6位	誤嚥性肺炎	60,190	49.7	3.8
7位	不慮の事故	44,440	36.7	2.8
8位	新型コロナウイルス感染症	38,086	31.4	2.4
9位	腎不全	30,208	24.9	1.9
10位	アルツハイマー病	25,453	21.0	1.6
総数	全死因	1,576,016	1300.4	100.0

資料：厚生労働省「人口動態統計」

死因の上位3位までで約51%、
4位までで約58%を占める

問題 ▶ 12

頻出　新規項目

出題基準
I-1-B／平均余命、平均寿命、健康寿命

令和4（2022）年における男性の健康寿命に近いのはどれか。

1. 72.6年
2. 77.6年
3. 82.6年
4. 87.6年

過去問 社 P.200

CHECK ▶ ☐ ☐ ☐

解答 1

解説 健康に生活できる期間のことを健康寿命という。平均寿命と健康寿命の差である期間は、介護や医療が必要となる期間ということもできる。

1. ○ 令和4年の男性の健康寿命は72.57年であった。平均寿命は81.05歳であるため、約8.5年の差がある。

2. ～4. × いずれも誤りである。

なお、令和4年の女性の健康寿命は75.45年で、平均寿命は87.09歳であるため、約11.6年の差がある。

図7 健康寿命の推移

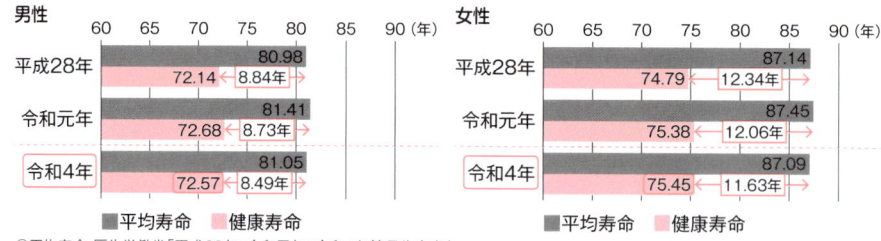

○平均寿命:厚生労働省「平成28年/令和元年/令和4年簡易生命表」
○健康寿命:厚生労働省「平成28年/令和元年/令和4年簡易生命表」
厚生労働省「平成28年/令和元年/令和4年人口動態統計」
厚生労働省「平成28年/令和元年/令和4年国民生活基礎調査」
※平成28年(2016)調査では熊本県は震災の影響で調査なし
資料:厚生労働省「健康寿命の令和4年値について」

問題 ▶ 13

出題基準
Ⅰ-1-C／有訴者の状況
過去問 社 P.202

CHECK ▶ ☐ ☐ ☐

解答 1

令和4(2022)年の国民生活基礎調査で人口千人当たりの有訴者率の自覚症状で最も高いのはどれか。

1. 腰　痛
2. 肩こり
3. 手足の関節が痛む
4. せきやたんが出る

解説 有訴者率は年齢に従って上昇する。令和4年の有訴者率は276.5(男性246.7、女性304.2)であった。10歳以降は全年齢層(10歳きざみ)で女性のほうが高い(**図8**)。

有訴者率の高い症状(複数回答あり)は、前回調査では男性では「腰痛」が最も高く、女性は「肩こり」が最も高かったが、令和4(2022)年は男女ともに「腰痛」「肩こり」の順となり、全体でも同様となった(1. ○)。

MORE!

● 有訴者率とは病気やけが等で自覚症状のある者の人口千人当たりの割合で、基本的に成人以降は年齢が高くなるに従って上昇する。

図8 性・年齢階級別にみた有訴者率(人口千対)

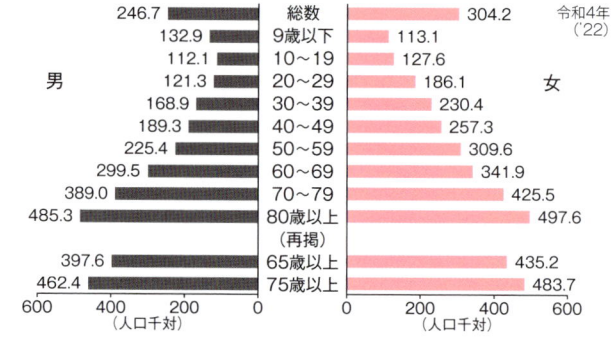

資料:厚生労働省「国民生活基礎調査」
注:総数には年齢不詳を含む。

目標I

問題▶14

頻出 新規項目

出題基準
I-1-C／有病率、罹患率、受療率

過去問 社 P.203

CHECK▶ □ □ □

解答 4

令和5（2023）年の患者調査における入院受療率（人口10万対）が最も高い傷病はどれか。
1. 悪性新生物〈腫瘍〉
2. 循環器系の疾患
3. 消化器系の疾患
4. 精神及び行動の障害

解説 入院受療率を傷病分類別でみると、高い順に4の「精神及び行動の障害」（4. ○）、2の「循環器系の疾患」、「損傷、中毒及びその他の外因の影響」となっている。

問題▶15

頻出 新規項目

出題基準
I-1-C／有病率、罹患率、受療率

過去問 社 P.203

過去問 114回 P.40

CHECK▶ □ □ □

解答 1

令和5（2023）年の患者調査における外来受療率（人口10万対）が最も高い傷病はどれか。
1. 消化器系の疾患
2. 循環器系の疾患
3. 精神及び行動の障害
4. 筋骨格系及び結合組織の疾患

解説 外来受療率を傷病分類別でみると、選択肢のなかでは高い順に1の「消化器系の疾患」（1. ○）、2の「循環器系の疾患」、4の「筋骨格系及び結合組織の疾患」となっている。

MORE!

●令和5年の患者調査では、入院受療率（人口10万対）は945で、年齢階級別にみると男女ともに90歳以上が最も高い。

●外来受療率（人口10万対）は5.850であった。年齢階級別にみると、男女とも80～84歳が最も高い。

●傷病分類別では、消化器系の疾患には「う蝕」、「歯肉炎及び歯周疾患」が、循環器系の疾患には「高血圧性疾患」、「脳血管疾患」が含まれる点に注意する。

表9 傷病分類別にみた受療率（令和5年10月）

	入院	外来
1位	精神及び行動の障害	消化器系の疾患
2位	循環器系の疾患	健康状態に影響を及ぼす要因及び保健サービスの利用
3位	損傷、中毒及びその他の外因の影響	循環器系の疾患

資料：厚生労働省「患者調査」

表10 性・年齢階級別にみた受療率（令和5年10月）

	入院	外来
性別	女（995）＞男（893）	女（6544）＞男（5118）
高い	90歳以上	80～84歳

資料：厚生労働省「患者調査」

令和5（2023）年9月中の患者調査で病院における退院患者の平均在院日数に最も近いのはどれか。

1. 10日
2. 20日
3. 30日
4. 40日

解説 令和5年9月中の患者調査で病院における平均在院日数は29.3日（3. ○）、一般診療所では14.2日で、令和2年に比べ、ともに短くなっている（図9）。

「病院報告」による平均在院日数の統計もあり、同じ令和5年では全病床26.3日、一般病床15.7日で、最も長いのは精神病床263.2日、介護療養病床295.7日であった（令和5・4年のデータはP.244を参照）。

MORE!

● 令和5年9月中の退院患者の平均在院日数を傷病分類別にみると、長い順に「V　精神及び行動の障害」290.4日、「VI　神経系の疾患」93.3日、「IX　循環器系の疾患」34.6日である。なお、呼吸器系の疾患は26.6日、消化器系の疾患は10.3日である。

図9　病床種類別にみた退院患者の平均在院日数

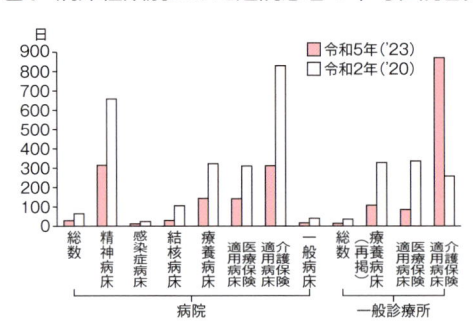

各年9月中
資料：厚生労働省「患者調査」
注　令和2年の退院患者の平均在院日数の数値には注意を要する。詳細は厚生労働省「令和2年（2020）患者調査の概況」の「調査の概要」利用上の注意を参照。

問題 ▶ **17**

出題基準
I-1-C／外来受診の状況

過去問 社 P.292

CHECK ▶ ☐ ☐ ☐

解答 **4**

令和5（2023）年の患者調査で女性における外来受療率が最も高い年齢階級はどれか。

1. 55～59歳
2. 65～69歳
3. 75～79歳
4. 80～84歳

解説 1. ✕　55～59歳の女性の外来受療率は5,860であった。
2. ✕　65～69歳の女性の外来受療率は8,401であった。
3. ✕　75～79歳の女性の外来受療率は11,428であった。
4. ○　80～84歳の女性の外来受療率は12,144で最も高い。

男性の外来受療率は80～84歳（11,823）が最も高く、次いで85～89歳（11,740）となる。

P.11表10のとおり、総数で最も高いのも80～84歳である。

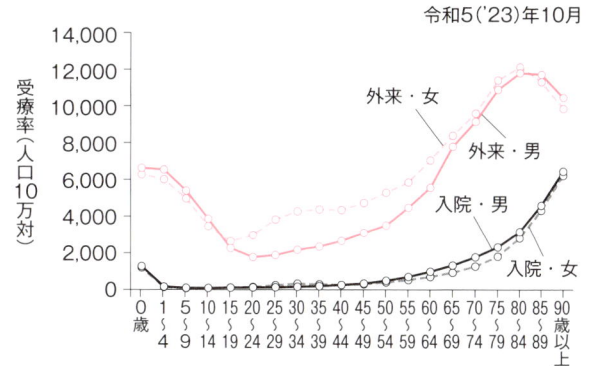

図10 性・年齢階級別にみた受療率（人口10万対）－入院・外来－

令和5（'23）年10月

資料：厚生労働省「患者調査」

問題▶18

頻出

出題基準
I-2-A／食事と栄養

過去問 成 P.400

CHECK▶ □□□

解答 4

メタボリックシンドロームの診断基準における腹囲〈ウエスト周囲径〉の組み合わせで正しいのはどれか。

　　　男性 ——— 女性

1. 85cm以上 — 85cm以上
2. 90cm以上 — 90cm以上
3. 90cm以上 — 85cm以上
4. 85cm以上 — 90cm以上

解説 立位で、軽呼気時の臍の高さの腹囲〈ウエスト周囲径〉が男性85cm以上・女性90cm以上で、かつ血圧・血糖・脂質の3つのうち2つ以上が基準値外になるとメタボリックシンドロームと診断される（4. ○）。メタボリックシンドロームは、内臓脂肪型肥満に高血圧・高血糖・脂質代謝異常が合併することにより、心疾患や脳血管疾患などになりやすい状態である。

表11　メタボリックシンドロームの診断基準

必須項目	（内臓脂肪蓄積）ウエスト周囲径		男性 ≧ 85cm 女性 ≧ 90cm
	（内臓脂肪面積 男女ともに≧100cm²に相当）		
選択項目 3項目のうち 2項目以上	1	高トリグリセライド血症 かつ／または 低HDLコレステロール血症	≧ 150mg/dL < 40mg/dL
	2	収縮期（最大）血圧 かつ／または 拡張期（最小）血圧	≧ 130mmHg ≧ 85mmHg
	3	空腹時高血糖	≧ 110mg/dL

問題▶19

頻出

日本人の食事摂取基準（2025年版）で策定された、成人男性の食塩摂取量はどれか。

1. 6.0g/日未満
2. 6.5g/日未満
3. 7.0g/日未満
4. 7.5g/日未満

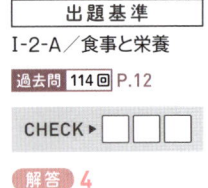
解説 「日本人の食事摂取基準（2025年版）」では、ナトリウム（食塩相当量）の成人目標量を2020年版から引き続き、男性7.5g/日未満、女性6.5g/日未満とした（4. ○）。高血圧および慢性腎臓病（CKD）の重症化予防のための6.0g/日未満（男女ともに）も変更ない。

なお、令和6（2024）年度から開始された健康日本21（第三次）では7g/日とされていることに注意する。

問題▶ **20**

頻出

令和4（2022）年の国民健康・栄養調査による50歳代男性の肥満者の割合に最も近いのはどれか。

1. 10%
2. 20%
3. 40%
4. 60%

解説 令和4（2022）年の年齢階級別にみた男性の肥満者（BMI≧25kg/m²）は、50歳代が最も高く、40.1%である（3. ○）。30歳代から60歳代まで3割を超えており、20～60歳代で33.6%とほぼ3人に1人は肥満者である。女性は70歳以上が24.6%で最も高い。

国民健康・栄養調査は、コロナ禍の影響で令和2・3年は調査中止となっており、114回国試では令和元年について出題された。115回国試で令和4年が問われるか令和5年が問われるかは不明であり、**図11**には令和4・5年のデータを示す。

MORE!

図11 性・年齢階級別にみた肥満者（BMI≧25kg/m²）の割合（20歳以上）

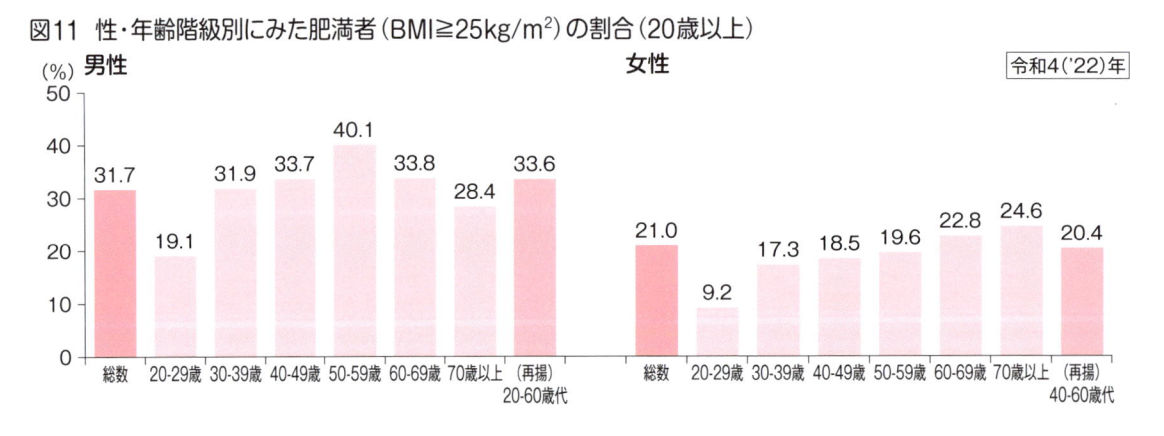

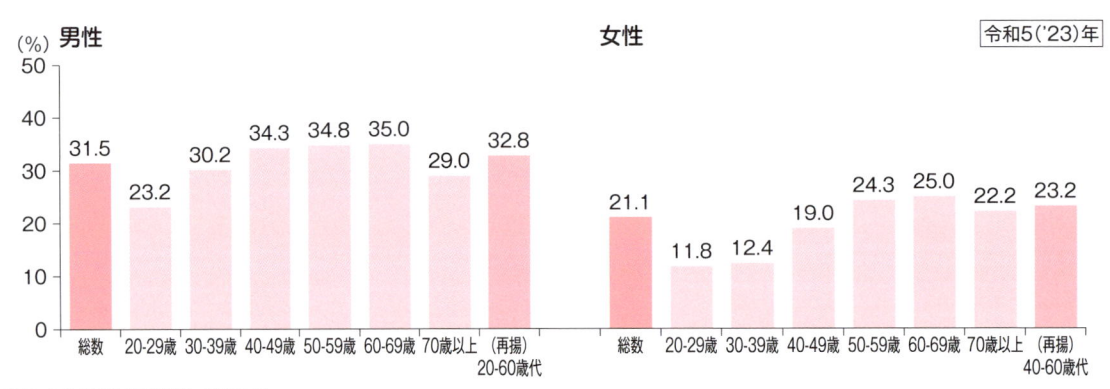

資料 厚生労働省「国民健康・栄養調査」

問題▶21

出題基準
I-2-A／排泄

CHECK▶□□□

解答 3

健康日本21（第三次）における1日あたりの野菜摂取量の目標値はどれか。

1. 150g
2. 250g
3. 350g
4. 450g

解説 健康日本21（第三次）の野菜摂取量の現状値（令和元年度）は281gで、令和14年度の目標値は350gに規定された（3. ○）。野菜などの食物繊維の摂取が排便習慣に影響を与えるとされる。

MORE!

表12 健康日本21（第三次）：生活習慣の改善（栄養・食生活）の目標

目標	指標	現状値	目標値
適正体重を維持している者の増加 （肥満、若年女性のやせ、低栄養傾向の高齢者の減少）	BMI18.5以上25未満（65歳以上はBMI20を超え25未満）の者の割合（年齢調整値）	60.3% （令和元年度）	66% （令和14年度）
バランスの良い食事を摂っている者の増加	主食・主菜・副菜を組み合わせた食事が1日2回以上の日がほぼ毎日の者の割合	なし	50% （令和14年度）
野菜摂取量の増加	野菜摂取量の平均値	281g （令和元年度）	350g （令和14年度）
果物摂取量の改善	果物摂取量の平均値	99g （令和元年度）	200g （令和14年度）
食塩摂取量の改善	食塩摂取量の平均値	10.1g （令和元年度）	7g （令和14年度）

問題▶22

頻出

出題基準
I-2-A／活動と運動、レクリエーション

過去問 社 P.229
過去問 114回 P.6

CHECK▶□□□

解答 3

令和4（2022）年の国民健康・栄養調査において、運動習慣のある女性の割合はどれか。

1. 12%
2. 22%
3. 32%
4. 42%

解説 令和4年の20歳以上の運動習慣のある者の割合は、男性35.5%、女性31.5%である（3. ○、**図12**）。年齢階級別にみると、男女とも70歳以上が最も高い。

図12 運動習慣のある者の割合（20歳以上）

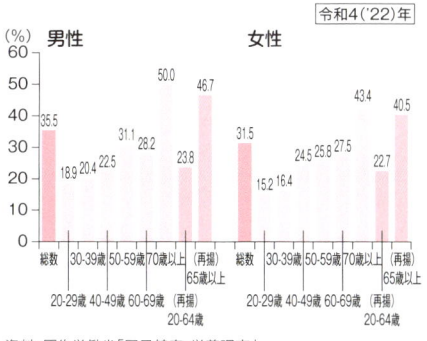
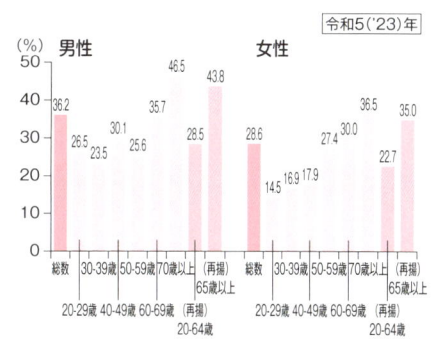

資料：厚生労働省「国民健康・栄養調査」
注：運動習慣のある者とは、1回30分以上の運動を週2回以上実施し、1年以上持続している者である。

問題▶ 23

五肢

出題基準
I-2-A／休息と睡眠

過去問 人 P.17

CHECK ▶ ☐☐☐

解答 3

レム睡眠の特徴で正しいのはどれか。
1. 眼球は動かない。
2. 呼吸が規則的である。
3. 夢を見る。
4. 入眠時に生じる。
5. 骨格筋は収縮する。

解説 1. × レム睡眠のレム（REM）はRapid Eye Movementの略で、急速な眼球運動のことなので眼球が動く。眼球が動かないのはノンレム（non-REM）睡眠である。

2. × レム睡眠では体温は高くなり、呼吸が不規則になりやすい。

3. ○ 夢を見るのはレム睡眠であり、脳は活動していて覚醒時に近い脳波となる。

4. × 入眠時はノンレム睡眠となる。

5. × レム睡眠では骨格筋は弛緩する。

表13 睡眠の型と特徴

	ノンレム睡眠 non rapid eye movement	レム睡眠 rapid eye movement
活動	脳の眠り 身体活動がない 入眠時にみられる	身体の眠り 骨格筋が完全に弛緩 顔や指先がピクピク動く
眼	動かない	急速な眼球運動
呼吸	ゆっくり規則的	不規則
体温	低下	上昇
脳波	デルタ波 大きく遅い波	ベータ波 小さくて速い波 夢を見る

池西静江, 石束佳子, 阿形奈津子 編：看護学生スタディガイド2026. 照林社, 東京, 2025：331. より改変して引用

問題▶ 24

出題基準
I-2-A／
清潔と衣生活

CHECK ▶ ☐☐☐

解答 2

適切な衣類を着用することと最も関連があるのはどれか。
1. 生理的機能を妨げる。
2. 生活活動を機能的にする。
3. 人間関係には影響しない。
4. 外界からの危害因子が増える。

解説 1. × 適切な衣類を着用することによって体温調節や汚染から身を守るなど生理的機能を助けることができる。

2. ○ 仕事、運動、休息などの生活活動に合わせた衣類を選択することは生活活動を機能的にする。

3. × 社会環境や習慣、行事などに合わせた衣類の選択は人間関係に影響を及ぼす。冠婚葬祭に合わせた衣類などが例である。

4. × 適切な衣類を着用することによって虫、光、熱などの外界からの危害因子を減らすことができる。

問題▶ 25

頻出

出題基準
I-2-A／喫煙、嗜好品

過去問 社 P.233

CHECK▶ ☐ ☐ ☐

解答 2

令和4（2022）年の国民健康・栄養調査において20歳以上の男性の喫煙習慣者の割合に最も近いのはどれか。

1. 15%
2. 25%
3. 35%
4. 45%

解説 タバコの煙にはタール、ニコチン、一酸化炭素などの有害物質が含まれる。喫煙はがん、虚血性心疾患、脳血管疾患、慢性閉塞性肺疾患（COPD）、歯周疾患、低出生体重児や流・早産などの危険因子である。令和4（2022）年の国民健康・栄養調査における喫煙習慣者の割合は男性24.8%、女性6.2%で、2が最も近い（2.○）。

MORE!

表14　喫煙習慣者の割合の推移　　　　　　　　　　　　　　　　　　（単位　%）

	平成7（'95）	12（'00）	17（'05）	22（'10）	27（'15）	28（'16）	29（'17）	30（'18）	令和元（'19）	令和4（'22）	令和5（'23）
男	52.7	47.4	39.3	32.2	30.1	30.2	29.4	29.0	27.1	24.8	25.6
女	10.6	11.5	11.3	8.4	7.9	8.2	7.2	8.1	7.6	6.2	6.9

資料：厚生労働省「国民健康・栄養調査」
注：調査対象は20歳以上。なお、調査方法は平成15年から変更。

問題▶ 26

出題基準
I-2-A／ストレス

過去問 精 P.1045

CHECK▶ ☐ ☐ ☐

解答 1

ストレスによる副腎皮質の重量変化を表したグラフである。
この説を論じたのはどれか。

1. セリエ, H.
2. エリクソン, E. H.
   Erikson, E. H.
3. ムーア, F. D.
   Moore, F. D.
4. ヘンダーソン, V. A.
   V. A. Henderson

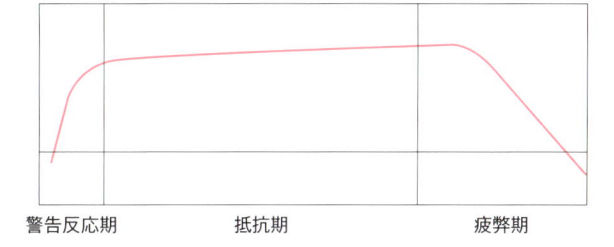

警告反応期　　　　　抵抗期　　　　　疲弊期

解説 ストレスが加わったときには、おもに自律神経系と下垂体系の2つのルートがはたらく。自律神経系は交感神経を介して、交感神経節および副腎髄質からノルアドレナリンあるいはアドレナリンが分泌されるシステムである。一方、下垂体系は視床下部からの刺激を受けて、副腎皮質から糖質コルチコイド（コルチゾール）や電解質コルチコイド（アルドステロン）を分泌するシステムである。この一連の反応を抵抗力と副腎皮質の重量で論じたのがセリエ, H（Hans Selye）（1.○）の汎適応症候群である。

問題▶27

五肢

出題基準
I-2-A／ストレス

過去問 社 P.234, 235
過去問 統 P.1206

CHECK▶☐☐☐

解答 4

事業者が労働者の抱えるストレス〈心理的な負担〉チェックを行うことを規定しているのはどれか。

1. 労働基準法
2. 健康増進法
3. 自殺対策基本法
4. 労働安全衛生法
5. 労働者災害補償保険法

解説 1. ✕　労働基準法は、第42条で「労働者の安全及び衛生に関しては、労働安全衛生法の定めるところによる」と規定しており、ストレスチェックに関する具体的な規定はない。

2. ✕　健康増進法は、生活習慣病の予防のための施策、受動喫煙対策などについて定めている。

3. ✕　自殺対策基本法は、自殺発生回避のための体制整備、医療提供体制の整備等について規定し、具体的なメンタルヘルスに関する規定はない。

4. ○　労働安全衛生法の第66条の10で、労働者の心理的負担の程度を把握するための検査(ストレスチェック)と面接指導などについて規定している。

5. ✕　労働者災害補償保険法は業務上の事由や通勤による負傷、疾病、障害、死亡等に対して必要な保険給付を行う労災保険などについて規定しており、ストレスチェックに関する具体的な規定はない。

MORE!

〈労働安全衛生法〉
●労働安全衛生法は、職業病や労働災害の防止、より健康的な労働環境の確保および労働者の健康の向上を目的としている。
●労働者に対する健康診断の実施などが定められている。

問題▶28

出題基準
I-2-A／ライフスタイル

CHECK▶☐☐☐

解答 2

令和5(2023)年のひとり暮らし〈単独世帯〉の全世帯数に占める割合に近いのはどれか。

1. 14%
2. 34%
3. 54%
4. 74%

解説 令和5(2023)年の「国民生活基礎調査」によると、全世帯数は5,445万2,000世帯、うちひとり暮らし〈単独世帯〉は1,849万5,000世帯(34.0%、2. ○)であった(P.6表3参照)。
　ひとり暮らしをしている人は長期的にみると増加傾向にある。また65歳以上のひとり暮らしは855万3,000世帯で、ひとり暮らし〈単独世帯〉のおよそ半分(46.2%)が65歳以上であることも覚えておきたい。

問題 ▶ 29

給水・給湯設備のレジオネラ属菌によって起こる可能性が高いのはどれか。

1. 肺　炎
   pneumonia
2. 肝　炎
   hepatitis
3. 脳　炎
   encephalitis
4. 膀胱癌
   bladder cancer

解説 レジオネラ-ニューモフィラに代表されるレジオネラ属菌は、給水・給湯設備、加湿器、空調設備の冷却塔水、循環式浴槽、噴水などから検出され、レジオネラ肺炎やポンティアック熱の原因となる（1.○）。屋外にある冷却塔からの水の細かい霧やしぶきを吸入するなどが感染経路である。ヒトからヒトへの感染はないとされる。

　2の肝炎、3の脳炎、4の膀胱癌はレジオネラ属菌によって起こる可能性が高いとはいえない（2～4.×）。

問題 ▶ 30

酸性雨や光化学オキシダントの原因物質はどれか。

1. フロン
2. 窒素酸化物
3. 一酸化炭素
4. ダイオキシン類

解説 1.×　フロンは成層圏のオゾン層の破壊の原因として規制されている。酸性雨や光化学オキシダントの原因物質ではない。

2.○　窒素酸化物〈NOx〉は二酸化窒素などであり、曝露により呼吸器系に影響を及ぼすほか、酸性雨や光化学オキシダントの原因物質である。

3.×　一酸化炭素は不完全燃焼により発生し、体内に取り込まれると血液の酸素運搬能力を阻害する。

4.×　ダイオキシン類は廃棄物の燃焼施設などから発生し、ヒトに対しては発がんを促進する作用があるとされる。

表15　環境基本法で環境基準が定められている大気汚染物質

●二酸化硫黄〈SO₂〉★	●光化学オキシダント〈Ox〉
●一酸化炭素〈CO〉	●ダイオキシン類
●浮遊粒子状物質*1〈SPM〉	●微小粒子状物質*2
●二酸化窒素〈NO₂〉★	※有害大気汚染物質 　（ベンゼン等）は割愛

*1:粒子の直径（粒径）が10μm（0.01mm）以下のもの
*2:粒子の直径（粒径）が2.5μm（0.0025mm）以下の非常に細かな粒子（いわゆるPM2.5）
環境省：大気汚染に係る環境基準(https://www.env.go.jp/kijun/taiki.html)を参考に作成
★は酸性雨の原因とされているもの

芽胞を形成する食中毒の菌はどれか。

1. 腸炎ビブリオ
2. ウエルシュ菌
3. 黄色ブドウ球菌
4. サルモネラ属菌

解説 芽胞を形成する食中毒の菌には2のウエルシュ菌のほか、ボツリヌス菌、セレウス菌がある（2. ○）。ウエルシュ菌は芽胞型に移行する際にエンテロトキシンを産生する。この芽胞は耐熱性であるため、カレーなどの煮込み料理でも食中毒が発生する。

ボツリヌス菌の芽胞は熱に強く、低酸素状態に置かれると活発化して増殖が起こり、毒素を産生する。セレウス菌も熱に強い芽胞の形で土壌などに存在し、食品中で毒素を産生するが、この毒素は熱や酸に弱い。

MORE!

● 令和5年の月別の食中毒発生状況では、5月ごろから10月ごろまで細菌性食中毒が多く、12月ごろからの冬期を中心にノロウイルスによる食中毒が多い。
● 原因食品が判明した食中毒事件数(多い順)：①魚介類に起因するもの(39.1%)、②野菜及びその他加工品(5.4%)、③肉類及びその加工品(4.2%)
● 病因物質が判明した食中毒事件数(多い順)：①アニサキス(43.2%)、②カンピロバクター・ジェジュニ／コリ(21.1%)、③ノロウイルス(16.3%)
● 病因物質が判明した食中毒患者数(多い順)：①ノロウイルス(47.7%)、②カンピロバクター・ジェジュニ／コリ(18.1%)、③ウエルシュ菌(9.5%)
● 原因施設が判明した食中毒の事件数・患者数の1位：飲食店(事件数62.5%、患者数57.1%)

表16 おもな食中毒の原因の特徴

種類	細菌名	特徴
感染型	腸炎ビブリオ	海水中に生息する
	サルモネラ属菌	家畜、鳥類、魚介類、ペットなどの腸管(特に家畜(ブタ、ニワトリ、ウシ)の腸管内)に存在。卵・食肉およびその調理加工品に注意する
	カンピロバクター	家畜、鳥類、ペットなどの腸管や生殖器に存在。食肉、特に鶏肉が原因となることが多い
食物内毒素型	黄色ブドウ球菌	ヒトや動物の皮膚、粘膜、創傷に存在する
	ボツリヌス菌	土壌などに広く存在する。酸素のない条件(嫌気状態のこと)で増殖する
	セレウス菌	下痢を引き起こす毒素と嘔吐を引き起こす毒素のどちらも産生する。嘔吐型が多い
生体内毒素型	病原性大腸菌	ヒト、動物の腸管内に存在する
	ウエルシュ菌	土壌のほか、ヒトや動物の腸管などに存在する。酸素のない条件で増殖する

問題 ▶ 32

出題基準
I-2-B／住環境

過去問 基 P.316

CHECK ▶ ☐☐☐

解答 2

療養施設、社会福祉施設等が集合して設置されている地域の夜間の騒音について、環境基本法に基づく環境基準で定められているのはどれか。

1. 20dB以下
2. 40dB以下
3. 80dB以下
4. 160dB以下

解説 第106回ではAA地域にあたる「療養施設、社会福祉施設等が集合して設置されている地域」についての昼間の基準が出題された。療養施設、社会福祉施設等が集合して設置されている地域であるAAでは「昼間は50dB以下、夜間は40dB以下（2. ○）」である（表17）。めやすとしては美術館の館内が50dB程度、図書館の館内が40dB程度であるとされる。

表17 騒音に係る環境基準

地域の類型	基準値	
	昼間	夜間
AA	50dB以下	40dB以下
AおよびB	55dB以下	45dB以下
C	60dB以下	50dB以下

注：1）時間の区分は、昼間を午前6時から午後10時までの間とし、夜間を午後10時から翌日の午前6時までの間とする。
　　2）AAを当てはめる地域は、療養施設、社会福祉施設等が集合して設置される地域など特に静穏を要する地域とする。
　　3）Aを当てはめる地域は、専ら住居の用に供される地域とする。
　　4）Bを当てはめる地域は、主として住居の用に供される地域とする。
　　5）Cを当てはめる地域は、相当数の住居と併せて商業、工業等の用に供される地域とする。
（引用）環境省：騒音に係る環境基準について. https://www.env.go.jp/kijun/oto1-1.html（2025/5/16閲覧）

問題 ▶ 33

頻出

出題基準
I-2-C／職業と健康障害

過去問 社 P.235

CHECK ▶ ☐☐☐

解答 3

令和4（2022）年の業務上疾病のうち最も多いのはどれか。

1. 作業態様に起因する疾病
2. じん肺症及びじん肺合併症
3. 負傷に起因する疾病
4. 物理的因子による疾病

解説 1. × 作業態様に起因する疾病は5.7％であった。
2. × じん肺症及びじん肺合併症は1.3％であった。
3. ○ 負傷に起因する疾病は74.5％であった。特に災害性腰痛（62.7％）が多くを占める。
4. × 物理的因子による疾病は11.7％であった。

図13 業務上疾病者の推移（休業4日以上）

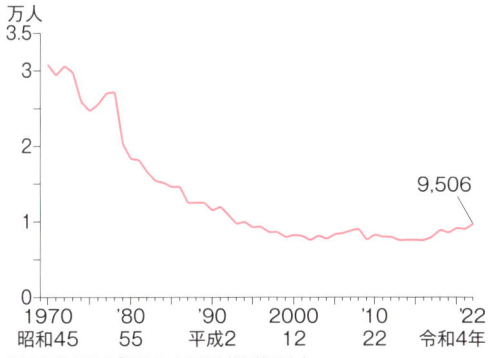

資料：厚生労働省「業務上疾病発生状況等調査」
注：令和2年以降は新型コロナウイルス感染症のり患によるものを除いている（令和2年：6,041人、3年：19,322人、4年：155,989人）。

● 石綿(いしわた)による肺癌と中皮腫(ちゅうひしゅ)の労災保険支給決定件数は令和4年度でそれぞれ418人、597人である。平成18年度をピークに肺癌は減少、中皮腫は横ばい傾向となっている（令和4年度は前年に比べて肺癌・中皮腫ともにほぼ横ばい）。

● 脳・心臓疾患の労災認定数は、平成14年度以降300人前後の水準で推移していたが、近年は減少傾向にある（令和4年度は194人）。精神障害等による労災認定件数は増加傾向にあり、令和4年度は710人で脳・心臓疾患件数を上回っている。

● 労働災害（業務災害と通勤災害）による死傷者数は、長期的には減少傾向であるが、休業4日以上の死傷者数は近年増加している（図15）。

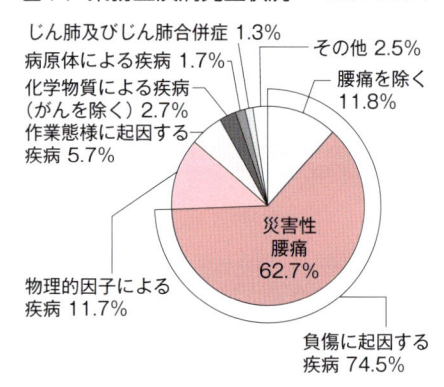

図14 業務上疾病発生状況 令和4（'22）年

資料：厚生労働省「業務上疾病発生状況等調査」
注：「病原体による疾病」のうち「新型コロナウイルスによる罹患によるもの」を除いている。

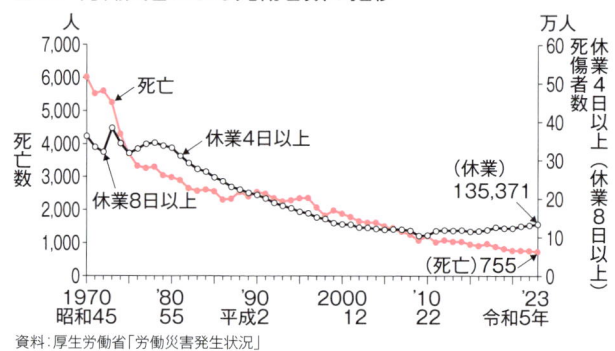

図15 労働災害による死傷者数の推移

資料：厚生労働省「労働災害発生状況」
注：令和2年以降は新型コロナウイルス感染症の罹患による労働災害を除いたもの。

問題▶ 34

頻出

出題基準
I-2-C／労働環境

過去問 成 P.402

CHECK▶ ☐☐☐

解答 **4**

職業性疾病のうち情報機器作業による健康障害はどれか。

1. 換気障害
2. 皮膚障害
3. LOH症候群
4. 頸肩腕障害

解説 情報機器作業は、パソコンやタブレット端末などの情報機器を使用して行う作業のことをいう。以前はVisual Display Terminalsの頭文字をとってVDT作業と呼んでいたが、タブレットやスマートフォンなどの携帯用情報機器の普及により情報機器作業と呼ぶようになった。情報機器作業による健康障害は、腰痛、頸肩腕障害（4．○）、視力障害・眼精疲労、イライラなどが該当する。

情報機器作業と1の換気障害や2の皮膚障害との関連はない（1．2．×）。

3のLOH症候群〈late-onset hypogonadism〉は加齢性腺機能低下症のことである。男性更年期障害ともいわれ、加齢によりテストステロンの分泌が低下したことにより起こる（3．×）。

問題 ▶ 35

頻出

出題基準
I-2-C／労働環境

過去問 社 P.236

CHECK ▶ □□□

解答 1

労働衛生管理における作業環境管理に該当するのはどれか。
1. 有害物質の発生量を測定する。
2. 健康問題のある労働者の適正配置を行う。
3. 労働者の作業時の姿勢について教育をする。
4. 粉塵の生じる環境で作業する労働者が特殊健康診断を受ける。

解説 労働衛生管理には作業環境管理、作業管理、健康管理の3つがある。
1. ○ 有害物質の発生量を測定するのは作業環境管理に該当する。
2. × 健康問題のある労働者の適正配置を行うのは健康管理に該当する。
3. × 労働者の作業時の姿勢について教育をするのは作業管理に該当する。
4. × 粉塵の生じる環境で作業する労働者が特殊健康診断を受けるのは健康管理である。

MORE!

●労働衛生管理の基本は、①作業環境管理、②作業管理、③健康管理の3つである。

図16 労働衛生管理の対象と予防措置の関連

		使用から影響までの経路	管理の内容	管理の目的	指標	判断基準
労働衛生管理	作業環境管理	有害物使用量	代替 使用形態、条件 生産工程の変更 設備、装置の負荷	発生の抑制	環境気中濃度	管理濃度
		発生量	遠隔操作、自動化、密閉	隔離		
		気中濃度	局所排気 全体換気 建物の構造	除去		
	作業管理	ばく露濃度 体内侵入量	作業場所 作業方法 作業姿勢 ばく露時間 呼吸保護具 教育	侵入の抑制	生物学的指標	ばく露濃度	ばく露限界
	健康管理	反応の程度	生活指導 休養 治療 適正配置	障害の予防		健康診断結果	生物学的ばく露指標（BEI）
		健康影響				

厚生労働統計協会 編：国民衛生の動向・厚生の指標 増刊：71（9）：300. より引用

問題▶ **36**

出題基準
I-2-C／ワーク・ライフ・バランス

過去問 社 P.237

CHECK▶ □□□

解答 **3**

ワーク・ライフ・バランスの例として適切なのはどれか。
1. 終身雇用制度
2. 長時間労働の推進
3. 育児や介護と労働の両立支援
4. 企業の人材確保のためのコスト削減

解説 ワーク・ライフ・バランスとは人生の各段階に応じて、多様な生き方を選択・実現でき、仕事と生活の調和した社会を構築することである。①就労による経済的自立が可能な社会、②健康で豊かな生活のための時間が確保できる社会、③多様な働き方・生き方が選択できる社会に寄与できるしくみや支援を指す。
1. ✕ 終身雇用制度は多様な生き方や働き方に適さない場合もある。
2. ✕ 長時間労働の推進は仕事と生活の調和を阻害する。
3. ○ 育児や介護と労働の両立支援はワーク・ライフ・バランスの例である。
4. ✕ 企業の人材確保のためのコスト削減はワーク・ライフ・バランスの例とはならない。

MORE!

表18 母性保護と両立支援に関する制度

根拠となる法律	内容
労働基準法	●産前6週間（多胎妊娠14週間）の休業* ●出産後8週間は就業禁止。本人が希望した場合のみ、産後6週間を経過すれば医師が支障がないと認めた業務への就業可 ●妊産婦等の危険有害業務の制限 ●時間外労働、休日労働、深夜勤務の制限* ●育児時間（生後満1年に達しない生児を保育している女性）*
育児・介護休業法	●育児休業（満1歳未満、保育所に入所できない等事情がある場合最長2歳まで、父母がともに取得する場合は1歳2か月まで）* ●産後パパ育休制度（出生時育児休業制度） ●勤務時間の短縮等
男女雇用機会均等法	●母子保健法の規定による保健指導・健康診査を受ける時間の確保 ●勤務条件の変更義務（時差出勤など）

*本人の請求によるもの

令和5（2023）年の労働力調査（詳細集計）において役員を除く雇用者のうち、非正規雇用者が占める割合に最も近いのはどれか。
1. 37%
2. 47%
3. 57%
4. 67%

解説 令和5年における役員を除く雇用者（年平均）は5,730万人で、うち正規雇用者は3,606万人（18万人増）、非正規雇用者は2,124万人（23万人増）であり、非正規雇用者が占める割合は37.1%（1. ○）である（**表19**）。

表19 雇用形態別雇用者数（全国）

| 年 | 実数（万人） | | | | | | | | | 割合（%） | |
| | 雇用者（役員を含む） | 役員を含まない雇用者 | 正規の職員・従業員 | 非正規の職員・従業員 | 非正規の内訳 | | | | 正規 | 非正規 |
					パート・アルバイト	派遣社員	嘱託	契約社員・その他	その他		
令和5（2023）	6,738	5,730	3,606	2,124	1,489	156	394	85		62.9	37.1

資料：「令和5年 労働力調査年報」詳細集計Ⅱ-1表（2023年平均）

問題 ▶ 38

出題基準

Ⅰ-3-A／
医療保険の種類

過去問 社 P.163

CHECK ▶ □□□

解答 4

医療保険のうち地域保険はどれか。

1. 健康保険
2. 船員保険
3. 共済組合
4. 国民健康保険

解説 1. 2. ×　健康保険、船員保険は職域保険であり、地域保険ではない。

3. ×　共済組合は公務員等の職域保険であり、地域保険ではない。

4. ○　国民健康保険は地域保険と呼ばれ、保険者（実施主体）は都道府県と市町村である。

MORE!

表20 医療保険

種類	概要
職域保険（被用者保険） ● 健康保険（健康保険法） ● 船員保険（船員保険法） ● 共済組合（共済組合法）など	● 給付は疾病、負傷（業務上は除く）、死亡、正常でない出産が対象 ● 保険診療となる療養の給付は原則、現物支給 ● 健康診断や正常分娩などは保険診療の対象外 ● 高額医療費の給付がある ● 給付率*は、被保険者（本人）と被扶養者（家族）ともに7割（自己負担3割）
地域保険（国民健康保険法） ● 原則、都道府県と市町村が保険者、被用者保険の適用を受けない一般地域居住者が被保険者	● 70歳以上75歳未満は自己負担割合2割、ただし現役並み所得者は3割 ● 義務教育就学前は自己負担割合2割
後期高齢者医療制度（高齢者の医療の確保に関する法律） ● 運営主体は後期高齢者医療広域連合（都道府県ごと）	● 対象 年齢条件：75歳以上の者と、65歳〜74歳で一定の障害の状態にあり広域連合の認定を受けた者 ● 給付は疾病、負傷（新しく高額介護合算療養費が創設され、1年間の患者負担と介護保険の療養費の合計が高額になった場合に適用される） ● 自己負担割合は1割（一定以上所得者は2割、現役並み所得者は3割）

*給付率や該当年齢については、変更が出る場合があるので、最新のものを確認すること。

図17 医療保険の年齢層別自己負担割合（令和7年4月現在）

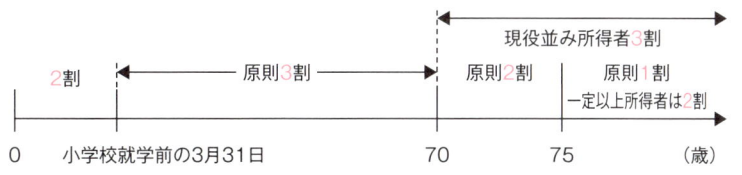

小児に対しては自治体による助成制度があり、自治体によって助成の内容が異なる。

現役並み所得者3割

2割　　原則3割　　原則2割　　原則1割　一定以上所得者は2割

0　　小学校就学前の3月31日　　70　　75　　（歳）

問題 ▸ 39

出題基準
I-3-A／国民医療費
過去問 社 P.160

CHECK ▸ ☐☐☐

解答 3

国民医療費に含まれる費用はどれか。
1. 人間ドック
2. 予防接種
3. 帝王切開術の費用
4. 固定した身体障害のための義肢

解説 国民医療費は、診療費（帝王切開術の費用は診療費に含まれる）・調剤費・訪問看護療養費・入院時食事療養費などである（3. ○）。これらに対して、正常な妊娠・分娩などに要する費用、健康の維持・増進を目的とする予防接種（2. ×）・健康診断・人間ドックの費用（1. ×）、固定した身体障害のための義肢や義眼などの費用（4. ×）は含まない。

問題 ▸ 40

出題基準
I-3-A／国民医療費
過去問 社 P.160

CHECK ▸ ☐☐☐

解答 4

令和3（2021）年度の65歳以上人口1人当たりの国民医療費に最も近いのはどれか。
1. 15万円
2. 36万円
3. 56万円
4. 76万円

解説 人口1人当たりの国民医療費は、昭和40（1965）年度は1万円台、昭和55（1980）年度は10万円台、平成6（1994）年度は20万円台、平成23（2011）年度に30万円台となり、令和3年度は35万8,800円で、65歳以上人口1人当たりは75万4,000円であった（4. ○）。医療費総額は45兆359億円であった（**表22**）。

MORE!

●国民医療費は、増加の一途をたどり、平成12年度に介護保険制度導入、平成14年度に診療報酬初のマイナス改定・被用者の自己負担増などによって減少をみたが、令和3年度は45兆359億円と前年度に比べ2兆694億円の増加（4.8%増加）であった。
●国民医療費の国内総生産（GDP）に対する比率は、昭和30年代の2%台から上昇傾向にあり、平成21年度に初の7%台に達し、令和3年度は8.18%となっている。

表21　おもな生活習慣病の国民医療費
令和3（'21）年度

疾患名	国民医療費
悪性新生物〈腫瘍〉	4兆2,479億円
脳血管疾患	1兆8,051億円
高血圧性疾患	1兆7,021億円
糖尿病	1兆1,994億円
虚血性心疾患	6,824億円
合計	9兆6,369億円

資料：厚生労働省「国民医療費」

表22 年齢階級別にみた国民医療費と人口1人当たり国民医療費

	令和3('21)年度			令和2('20)年度		
	国民医療費 (億円)	構成割合 (%)	人口1人当たり 国民医療費(千円)	国民医療費 (億円)	構成割合 (%)	人口1人当たり 国民医療費(千円)
総数	450,359	100	358.8	429,665	100	340.6
65歳未満	177,323	39.4	198.6	165,350	38.5	183.5
0〜14歳	24,178	5.4	163.5	21,056	4.9	140.1
15〜44歳	53,725	11.9	133.3	50,129	11.7	122.0
45〜64歳	99,421	22.1	290.7	94,165	21.9	277.0
65歳以上	273,036	60.6	754.0	264,315	61.5	733.7
70歳以上(再掲)	233,696	51.9	824.5	224,296	52.2	807.1
75歳以上(再掲)	172,435	38.3	923.4	167,784	39.0	902.0

1人当たり医療費は75歳以上が65歳未満の約5倍!

資料:厚生労働省「国民医療費」

表23 国民医療費の年次推移

年度	国民医療費		人口1人当たり国民医療費	
	(億円)	対前年度 増減率(%)	(千円)	対前年度 増減率(%)
昭和30('55)	2,388	11.0	2.7	12.5
昭和50('75)	64,779	20.4	57.9	19.1
平成7 ('95)	269,577	4.5	214.7	4.1
平成17('05)	331,289	3.2	259.3	3.1
平成22('10)	374,202	3.9	292.2	3.5
平成27('15)	423,644	3.8	333.3	3.8
平成30('18)	433,949	0.8	343.2	1.0
令和元('19)	443,895	2.3	351.8	2.5
令和2 ('20)	429,665	△3.2	340.6	△3.2
令和3 ('21)	450,359	4.8	358.8	5.3

資料:厚生労働省「国民医療費」

図18 制度区分別にみた国民医療費　令和3('21)年度

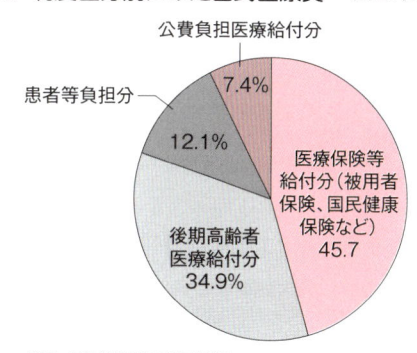

- 公費負担医療給付分 7.4%
- 患者等負担分 12.1%
- 後期高齢者医療給付分 34.9%
- 医療保険等給付分(被用者保険、国民健康保険など) 45.7

資料:厚生労働省「国民医療費」

問題▶ **41**

出題基準
I-3-A／
高齢者医療制度

過去問 社 P.166

CHECK▶ ☐☐☐

後期高齢者医療広域連合の設置単位はどれか。

1. 市町村
2. 都道府県
3. 八地方区分
4. 二次医療圏

解説 後期高齢者医療制度の運営主体は、都道府県単位ですべての市町村が加入する後期高齢者医療広域連合である（2.○）。75歳以上の者のほかに、65歳以上～75歳未満で一定の障害の状態にあると後期高齢者医療広域連合が認定した者が対象（被保険者）となる。

1の市町村と迷うかもしれないが「広域」という語から都道府県を想起しよう。

4の医療圏とは表24のように設定されている（国家試験に必要な知識なのでおさえておく）。医療法では病床の整備を図るべき地域的単位（二次医療圏）、特殊な医療等を提供する地域的単位（三次医療圏）をそれぞれ定義し、医療計画のなかで各圏域を定めることを規定している。

3の八地方区分では、北海道・東北・関東・中部・近畿・中国・四国・九州の8つに分ける。

MORE!

表24 医療圏の種類

1次医療圏	原則、市区町村単位 診療所の外来診療など日常的な医療を提供
2次医療圏	複数の市区町村で構成 救急医療を含む一般的な入院にかかる医療を提供
3次医療圏	原則、都道府県単位 臓器移植など先進医療や特殊な医療機器の使用を必要とする医療、広範囲熱傷など専門性の高い救急医療など、特殊な医療を提供

図19 後期高齢者医療制度の運営のしくみ（令和6年度）

- 75歳以上の後期高齢者については、その心身の特性や生活実態等をふまえ、平成20年度に独立した医療制度を創設。
- 財源構成は、患者負担を除き、公費（約5割）、現役世代からの支援（約4割）のほか、高齢者から広く薄く保険料（1割）を徴収。

〈対象者数〉75歳以上の後期高齢者　約2,030万人
〈後期高齢者医療費〉20.0兆円（令和6年度予算ベース）
　　給付費18.4兆円　　患者負担1.6兆円
〈保険料額（令和6年度見込）〉全国平均約7,080円/月
※基礎年金のみを受給されている方は約1,260円/月

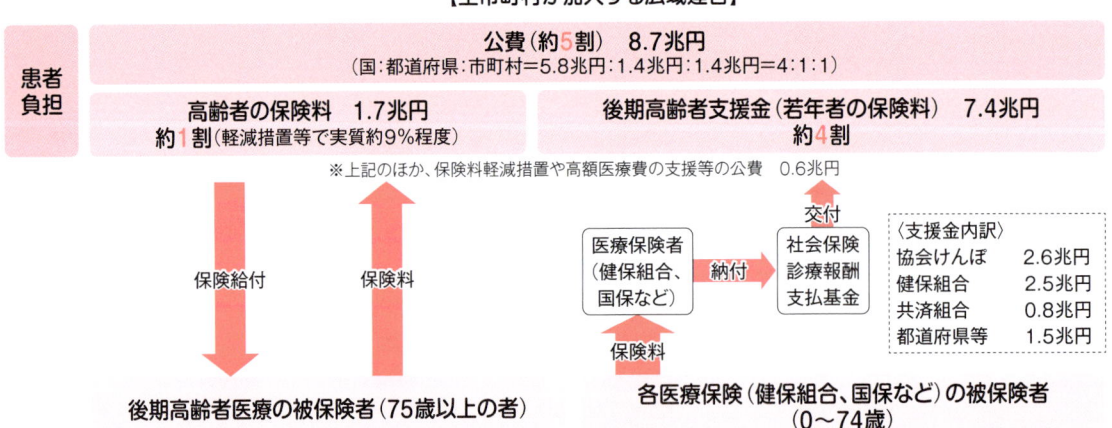

問題▶42

出題基準
I-3-A／給付の内容
過去問 社 P.165

CHECK▶ ☐☐☐

解答 3

後期高齢者医療制度に加入している76歳の高齢者の自己負担割合で最も高い場合はどれか。
1. 1 割
2. 2 割
3. 3 割
4. 4 割

目標 I

解説 75歳以上の高齢者の場合、所得により自己負担割合が異なる。原則は1割であるが、一定以上の所得がある人は2割、現役並みの所得のある人は3割となる（3. ○、P.25図17参照）。ちなみに、介護保険利用時の自己負担割合も、同様に所得によって1〜3割となっている。

問題▶43

出題基準
I-3-A／給付の内容
過去問 社 P.163

CHECK▶ ☐☐☐

解答 4

医療費に関する高額療養費制度について正しいのはどれか。
1. 自己負担額は一定である。
2. 医療費を支払った後の払い戻しに限られる。
3. 対象となる額は年単位で算出される。
4. 同じ医療保険に加入している家族は合算して算出できる。

解説 医療機関や薬局の窓口で支払う医療費が1か月で上限額を超えた場合、その超えた額を支給するのが、高額療養費制度である。
1. × 年齢や所得、医療保険の種類によって自己負担額が異なる。
2. × 払い戻しによる場合のほかに、医療機関等での支払いがあらかじめ自己負担限度額までとなる手続きがあり、限度額適用認定証かマイナ保険証で行う。
3. × 対象となる額は年単位ではなく、月単位で算出される。
4. ○ 同じ医療保険に加入している家族の医療費は合算して算出できる。ただし3の解説のとおり、同月の医療費のみである。

MORE!

表25 治療以外の医療保険の給付の例〔参考〕

療養費※1	●治療用装具（コルセットなど）を装着したとき ●輸血の場合の生血代（親族以外から提供された場合） ●はり・灸・柔道整復などの費用※2 ●やむを得ない事情があり、保険診療が受けられない医療機関で診察等を受けた場合 ●海外療養費の制度がある場合　　　　など
高額療養費※2	療養費の自己負担額が著しく高額なときに支給される
高額介護合算療養費	自己負担額および介護費が著しく高額なときに支給される
移送費	療養の給付を受けるため緊急時などに病院に移送されたときに支給される
傷病手当金	療養のために休業3日を経過した日から仕事に就けない期間（支給を開始した日から通算して1年6か月）において支給される（被用者保険のみ）
出産育児一時金※3	出産（死産を含む）したときに支給される
埋葬料※3	死亡したとき埋葬を行う者に対して支給される

※1被保険者が保険証を使用せず医療機関等にかかった場合に、窓口で療養にかかった医療費の全額を支払い、後日申請によって保険給付として認めた費用額から自己負担額を除いた額を療養費として現金給付する制度
※2高額療養費、はり・灸、柔道整復は制度上療養費払いであるが、その全部または一部を現物給付できることがある
※3国民健康保険においては出産育児一時金と埋葬料は相対的必要給付（法定給付）である

問題 ▶ **44**

出題基準
I-3-B／保険者

過去問 社 P.169

CHECK ▶ ☐☐☐

解答 **4**

介護保険制度における保険者はどれか。

1. 厚生労働省
2. 協会けんぽ
3. 都道府県
4. 市町村及び特別区

解説 介護保険制度における保険者は市町村及び特別区（4. ○）である。被保険者は第1号被保険者と第2号被保険者の2つがある。保険者は保険料を徴収し、被保険者の自己負担分以外の費用をサービス事業者に支払う。

MORE!

図20 介護保険制度のしくみ

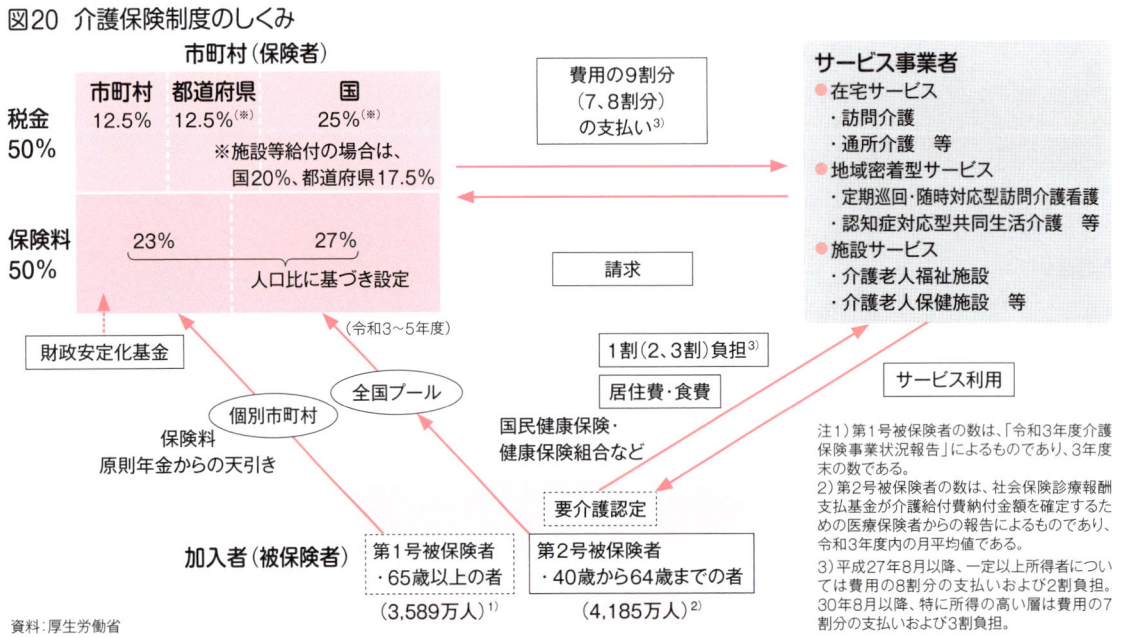

資料：厚生労働省

問題 ▶ **45**

出題基準
I-3-B／被保険者

過去問 社 P.169

CHECK ▶ ☐☐☐

解答 **3**

介護保険における第1号被保険者はどれか。

1. 20歳以上の医療保険加入者
2. 40歳以上65歳未満の医療保険加入者
3. 65歳以上の者
4. 75歳以上の者

解説 介護保険の被保険者と受給権者は**表26**のようになっている。よって**3**が正解である。

表26 介護保険の被保険者と受給権者など

	第1号被保険者	第2号被保険者
対象者	65歳以上の者	40歳以上65歳未満の医療保険加入者
受給権者	●要介護者(寝たきりや認知症で介護が必要な者) ●要支援者(要介護状態となるおそれがあり日常生活に支援が必要な者)	左のうち、初老期における認知症、脳血管疾患などの老化に起因する疾病(特定疾病)によるもの(表27参照)
保険料負担	所得段階別定額保険料(低所得者の負担軽減)	●健保:標準報酬×介護保険料率(事業主負担あり) ●国保:所得割、均等割等に按分(国庫負担あり)
賦課・徴収方法	年金額一定以上は年金からの支払い(特別徴収)、それ以外は普通徴収	医療保険者が医療保険料として徴収し、納付金として一括して納付

表27 介護保険法施行令で定める特定疾病

平成18('06)年4月〜

① がん(医師が一般に認められている医学的知見に基づき回復の見込みがない状態に至ったと判断したものに限る)
② 関節リウマチ
③ 筋萎縮性側索硬化症(ALS)
④ 後縦靱帯骨化症
⑤ 骨折を伴う骨粗鬆症
⑥ 初老期における認知症
⑦ 進行性核上性麻痺、大脳皮質基底核変性症およびパーキンソン病
⑧ 脊髄小脳変性症
⑨ 脊柱管狭窄症
⑩ 早老症
⑪ 多系統萎縮症
⑫ 糖尿病性神経障害、糖尿病性腎症および糖尿病性網膜症
⑬ 脳血管疾患
⑭ 閉塞性動脈硬化症
⑮ 慢性閉塞性肺疾患
⑯ 両側の膝関節または股関節に著しい変形を伴う変形性関節症

問題▶ 46

出題基準
I-3-B／給付の内容

過去問 社 P.170

CHECK▶ □□□

解答 1

介護保険において要支援者に支給されるのはどれか。

1. 予防給付
2. 年金給付
3. 介護給付
4. 療養給付

解説 予防給付は生活機能を維持・向上させ、要介護状態になることを予防するための給付である。

1. ○ 予防給付〈介護予防サービス〉は要支援1、2の認定を受けた要支援者が受けられる。
2. × 介護保険において年金給付はない。
3. × 介護給付は要介護1〜5と認定された要介護者が受けられる。
4. × 介護保険において療養給付はない。

図21 サービス等の種類

令和6（'24）年4月

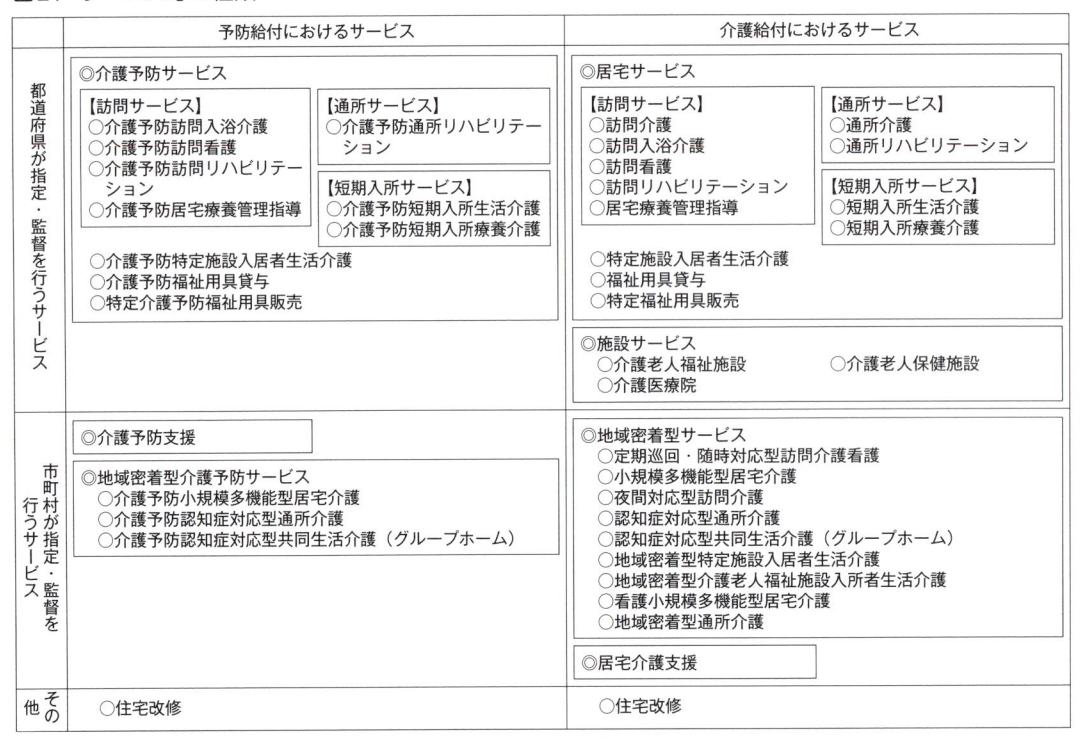

	予防給付におけるサービス	介護給付におけるサービス
都道府県が指定・監督を行うサービス	◎介護予防サービス 【訪問サービス】 ○介護予防訪問入浴介護 ○介護予防訪問看護 ○介護予防訪問リハビリテーション ○介護予防居宅療養管理指導 【通所サービス】 ○介護予防通所リハビリテーション 【短期入所サービス】 ○介護予防短期入所生活介護 ○介護予防短期入所療養介護 ○介護予防特定施設入居者生活介護 ○介護予防福祉用具貸与 ○特定介護予防福祉用具販売	◎居宅サービス 【訪問サービス】 ○訪問介護 ○訪問入浴介護 ○訪問看護 ○訪問リハビリテーション ○居宅療養管理指導 【通所サービス】 ○通所介護 ○通所リハビリテーション 【短期入所サービス】 ○短期入所生活介護 ○短期入所療養介護 ○特定施設入居者生活介護 ○福祉用具貸与 ○特定福祉用具販売 ◎施設サービス ○介護老人福祉施設　　○介護老人保健施設 ○介護医療院
市町村が指定・監督を行うサービス	◎介護予防支援 ◎地域密着型介護予防サービス ○介護予防小規模多機能型居宅介護 ○介護予防認知症対応型通所介護 ○介護予防認知症対応型共同生活介護（グループホーム）	◎地域密着型サービス ○定期巡回・随時対応型訪問介護看護 ○小規模多機能型居宅介護 ○夜間対応型訪問介護 ○認知症対応型通所介護 ○認知症対応型共同生活介護（グループホーム） ○地域密着型特定施設入居者生活介護 ○地域密着型介護老人福祉施設入所者生活介護 ○看護小規模多機能型居宅介護 ○地域密着型通所介護 ◎居宅介護支援
その他	○住宅改修	○住宅改修

図22 介護サービスの利用手続き

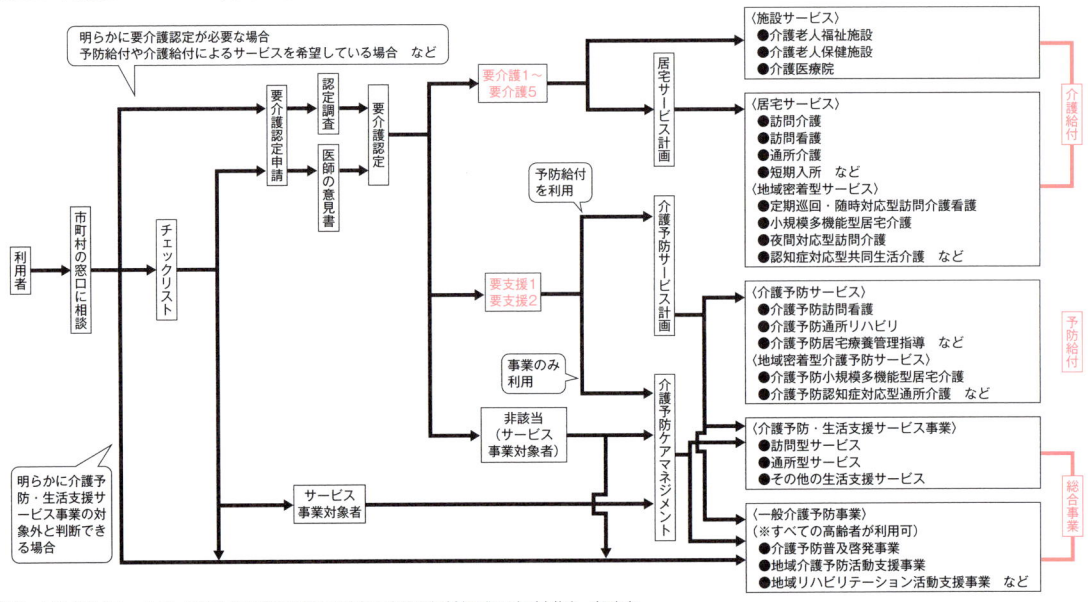

資料　厚生労働省ホームページ（「公的介護保険制度の現状と今後の役割（平成30年度）」）を一部改変

問題 ▶ **47**

出題基準

I-3-B／要介護·要支援
の認定

過去問 社 P.173

CHECK ▶ ☐ ☐ ☐

解答 3

要介護認定について正しいのはどれか。

1. 認定にかかる費用負担は1割である。
2. 主治医意見書は任意提出である。
3. 被保険者の申請を受けて行われる。
4. 「認定に該当しない」を除くと6段階の認定がある。

解説 1. × 要介護認定には費用負担はない。

2. × 主治医意見書は認定に際して必須である。

3. ○ 被保険者の申請を受けて、主治医意見書や調査結果をもとに判定し、市町村(および特別区)が認定を行う。申請先は市町村(および特別区)である。

4. × 「認定に該当しない」を除くと、要支援1～2、要介護1～5の7段階の認定がある。

MORE!

図23 要介護認定の流れ

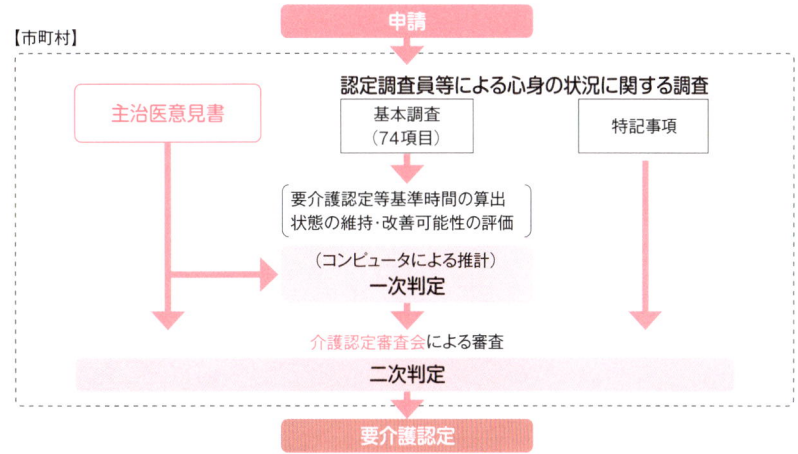

厚生労働省老人保健課「要介護認定の仕組みと手順」より抜粋

介護保険における地域支援事業はどれか。

問題 ▶ 48

1. 介護医療院の運営
2. 住宅改修費の申請受付
3. 地域密着型サービスの実施
4. 栄養改善を目的とした配食

出題基準
I-3-B／地域支援事業

過去問 社 P.170

CHECK ▶ ☐☐☐

解答 4

解説 介護保険における地域支援事業は市町村（および特別区）が行い、総合事業、任意事業（市町村の判断で行う）、包括的支援事業（地域包括支援センターの運営、在宅医療や介護連携の推進などを含む）の3つに大きく分かれる。**P.213表2**も参照のこと。

1. ×　介護医療院は施設サービスの1つであり、地域支援事業ではない。

2. ×　住宅改修は要支援・要介護認定を受け、介護支援専門員等に相談し、事前申請の手続きが必要で、受付は市町村（および特別区）である。地域支援事業ではない。

3. ×　地域密着型サービスは介護給付におけるサービスの1つで、市町村（および特別区）が事業所を指定・監督する。

4. ○　総合事業には介護予防・生活支援サービス事業があり、訪問型サービス、通所型サービス、介護予防ケアマネジメント、その他の生活支援サービスに分類される（**図24**）。栄養改善を目的とした配食はその他の生活支援サービスに含まれる。

MORE!

図24 地域支援事業における介護予防・日常生活支援総合事業（新しい総合事業）の構成

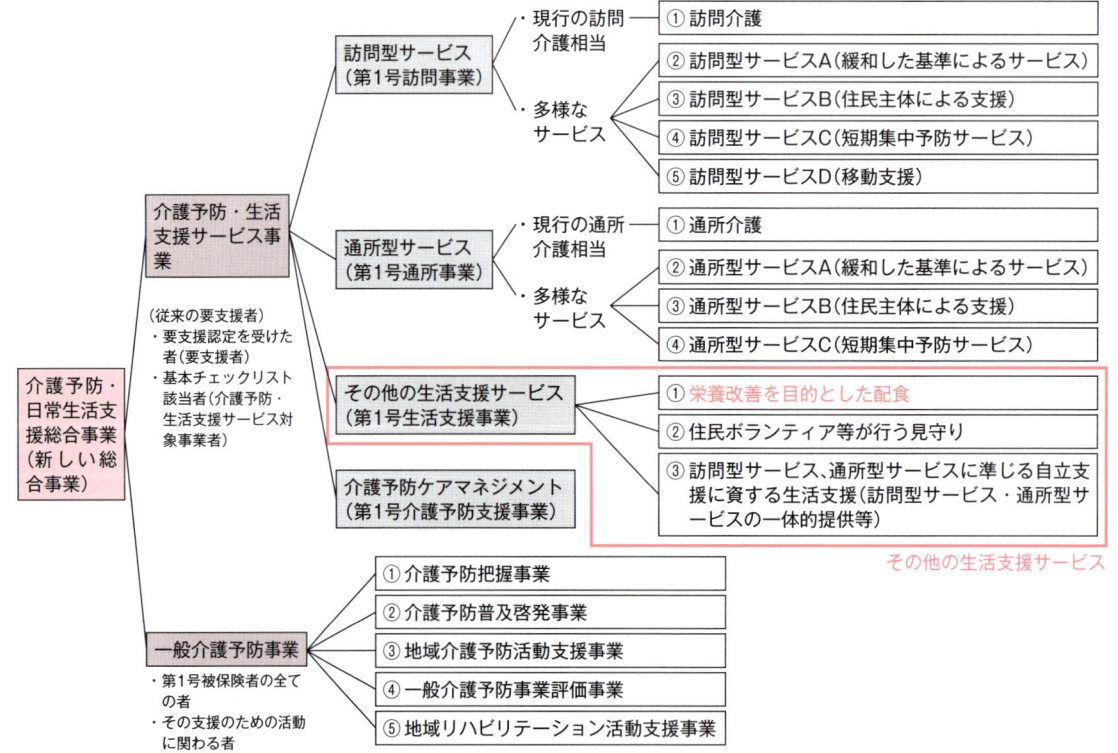

厚生労働省「介護予防・日常生活支援総合事業ガイドライン（概要）」より抜粋

問題 ▶ 49

医療法において「医療は生命の維持と☐☐☐の保持を旨とする」と規定されている。☐☐☐に入るのはどれか。

1. 自由意思
2. 個人の尊厳
3. 公共の福祉
4. ノーマライゼーションの精神

解説 医療法第1条の2で「医療は、生命の尊重と個人の尊厳の保持を旨とし、医師、歯科医師、薬剤師、看護師その他の医療の担い手と医療を受ける者との信頼関係に基づき、及び医療を受ける者の心身の状況に応じて行われるとともに、その内容は、単に治療のみならず、疾病の予防のための措置及びリハビリテーションを含む良質かつ適切なものでなければならない」と規定している（2. ○）。また「看護職の倫理綱領」の本文1にも「看護職は、人間の生命、人間としての尊厳及び権利を尊重する」と規定されている。

問題 ▶ 50

頻出

ヘルシンキ宣言で提唱されたのはどれか。

1. より効果的な患者の治療への寄与
2. 医学研究における被験者の権利の優先
3. 地域住民への平等な医療サービスの確保
4. 自分の健康とその決定要因のコントロール

解説 1. × より効果的な患者の治療への寄与、患者・医療機関・医療従事者・職員の利益のためにアメリカ病院協会が1973年（最新版は1992年）に「患者の権利章典」を提示した。
2. ○ 医学研究における被験者の権利の優先は1964年の「ヘルシンキ宣言」で提唱された。以後、複数回、定期的に修正がなされている。医学研究にかかわる医師やその関係者に対する倫理的原則である。
3. × 1978年の「アルマ・アタ宣言」で、地域住民への平等な医療サービスの確保がプライマリヘルスケアとして提唱されている。
4. × 自分の健康とその決定要因のコントロールはヘルスプロモーションに含まれ、1986年の「オタワ憲章」において提唱された。

表28 主な宣言・憲章など

プライマリヘルスケア	アルマ・アタ宣言
健康の定義	WHO憲章
ヘルスプロモーション	オタワ憲章
インフォームド・コンセント 医学研究における被験者の権利の優先	ヘルシンキ宣言
患者の権利に関する宣言（良質な医療を受ける権利）	リスボン宣言
医師の倫理	ジュネーブ宣言
研究目的の医療行為を行う際の10原則	ニュルンベルク綱領

問題 ▶ 51

出題基準

I-4-A／自己決定権と
患者の意思

過去問 P.260

CHECK ▶ □□□

解答 4

患者の自己決定に最も重要なのはどれか。

1. 医師の裁量権
2. パターナリズム
3. クリニカルパス
4. 患者の最善利益

解説 1. 2. × 医師の裁量権や、権威や知識のある立場のある者や専門家が患者を保護的に指導するパターナリズム〈父権主義〉は、患者の自己決定を阻害することがある。
3. × クリニカルパスは治療やケアの計画を表にしたものである。治療やケアを行うにあたり患者の同意は必要であるが、自己決定に最も重要とまではいえない。
4. ○ 患者の自己決定は、患者にとって最善利益であることが最も重要である。

問題 ▶ 52

出題基準

I-4-A／インフォームド・
コンセント

過去問 基 P.260

CHECK ▶ □□□

解答 3

インフォームド・コンセントの説明で正しいのはどれか。

1. 障害のある人とない人を区別しないこと。
2. 治療や処置を行う優先順位を判断すること。
3. 患者に十分な情報を提供したうえで同意を得ること。
4. 最も納得できる治療方法を選ぶために、別の医師の意見をきくこと。

解説 1. × ノーマライゼーションの説明である。
2. × トリアージの説明である。
3. ○ インフォームド・コンセントの説明である。
4. × セカンドオピニオンの説明である。

問題 ▶ 53

出題基準

I-4-A／
ノーマライゼーション

過去問 基 P.262

CHECK ▶ □□□

解答 4

ノーマライゼーションの実現と最も関連があるのはどれか。

1. 疾病の早期発見と治療
2. 国際協力活動の推進
3. 個人の健康のコントロール
4. 地域での生活と社会参加

解説 4の住み慣れた地域での生活と社会参加は、障害の有無にかかわらず、すべての人が地域社会で共生できるノーマライゼーションの実現につながる（4. ○）。1の疾病の早期発見と治療、2の国際協力活動の推進、3の個人の健康のコントロールは、ノーマライゼーションとの関連は少ない（1. 2. 3. ×）。

問題 ▶ 54

出題基準
I-4-A／情報管理
（個人情報の保護）

CHECK ▶ □□□

解答 3

個人情報の保護に関する法律およびその施行令で定められた個人情報について、正しいのはどれか。
1. 死亡した個人に関するものも含まれる。
2. 個人の遺伝子に関する情報は含まれない。
3. 個人情報を利用するときはその目的を明らかにしなければならない。
4. 個人情報が暗号化され、秘匿されていれば保護の対象から外れる。

解説 1. × 規定では死亡した個人に関するものは含まず、生存する個人に関する情報を指す。ただし、死亡した人の個人情報も社会通念上保護すべきであり、条例などで保護されている。

2. × 個人の遺伝子に関する情報（DNAを構成する塩基の配列）、虹彩上の模様、指紋・掌紋、手のひらや手の甲・指の皮下の静脈、顔の骨格や配置などについても個人識別符号として個人情報に含まれる。

3. ○ 個人情報を利用するときはその目的を明らかにしなければならない。あらかじめ本人の同意を得ずに、特定した利用目的の達成に必要な範囲を超えて個人情報を取り扱うことはできない。なお、これらの規定は法令・条例に基づく場合、人の生命・身体・財産の保護のために必要がある場合に適用され、公衆衛生の向上や児童の健全な育成の推進のためにとくに必要がある場合でも、本人の同意を得ることが困難である場合には適用されない。

4. × 個人情報が暗号化され、秘匿されていても保護の対象となる。

表29 個人識別符号に該当すると考えられるもの
●個人情報保護法では詳しい内容は規定されていないが、「個人情報保護委員会規則で定める基準」と個人情報保護法施行令としては次のようなものがある。

第一号個人識別符号関係	
右のものを用いて作成するもの	DNA、指掌紋、顔、手の平・手の甲・指の静脈、歩容、声紋　など
第二号個人識別符号関係	
マイナンバー、医療保険の被保険者識別番号、介護保険の被保険者識別番号、雇用保険の被保険者識別番号、基礎年金番号、国家資格の登録番号、運転免許証番号、旅券番号、住民票コード　など	

（引用）個人情報保護委員会：個人識別符号に関する政令の方向性について. https://www.ppc.go.jp/files/pdf/280412_siryou2-1.pdf（2025/5/16閲覧）

問題 ▶ 55

出題基準
I-4-B／自律尊重

CHECK ▶ □□□

解答 4

生命倫理における自律尊重の原理はどれか。
1. できることは自分の力で行うこと
2. 生活のための経済を確立すること
3. 社会で認められる地位や職業に就くこと
4. 意思や決定に基づいて行動すること

解説 生命倫理の基本原則には自律尊重、善行、無危害、正義の4つが挙げられる。自律尊重は、その人の意思や決定に基づいて行動する自由を指す（4. ○）。1のできることは自分の力で行うこと、2の生活のための経済を確立すること、3の社会で認められる地位や職業に就くことなど、いわゆる「自立」とは異なるので注意する。

問題 ▶ 56

出題基準
I-4-B／善行

CHECK ▶ □□□

解答 3

看護の倫理原則において善行の目的はどれか。
1. 患者と信頼関係を築く。
2. 患者に身体的損傷を与えない。
3. 患者に利益をもたらす医療を提供する。
4. 医療資源をなるべく公平に分配する。

解説 善行の原則では3の患者に利益をもたらす医療を提供し、身体的・精神的・社会的側面を考慮して、患者の健康を増進するという利益を目的とする（3. ○）。
1. × 患者と信頼関係を築くことが善行の目的ではない。
2. × 善行と無危害の原則として組み合わされることがあるが、患者に身体的損傷を与えないのは無危害の原則である。
4. × 医療資源をなるべく公平に分配するのは正義の原則である。

問題 ▶ 57

出題基準
I-4-B／公正、正義

過去問 基 P.263

CHECK ▶ □□□

解答 4

倫理原則の「公正」に最も近いのはどれか。
1. 約束を守り、信頼関係を築く。
2. 対象にとってリスクとなるようなことを避ける。
3. 対象となる人に最善の利益をもたらす行動を選択する。
4. 公平に益を与えることができない場合は明確なルールに則る。

解説 倫理原則の正義の原則は大きく公平と公正に分けられる。公平とは誰に対しても平等に益を配分することで、公正では益の配分を公平に行えない場合には明確なルールに基づいて配分を決めるべきであるとされている（4. ○）。
1. × 約束を守り、信頼関係を築くのは誠実、忠誠の原則である。
2. × 対象のリスクとなるようなことを避けるのは無危害の原則である。
3. × 対象となる人に最善の利益をもたらす行動を選択するのは善行の原則である。

MORE!

●看護者の行動指針には、日本看護協会が定めた「看護職の倫理綱領」がある。前文と16の本文からなる（2021年3月改訂）。
●国際看護師協会（ICN：International Council of Nurses）が定める「ICN 看護師の倫理綱領（2021年版）」では、看護師には、①健康を増進する、②疾病を予防する、③健康を回復する、④苦痛を緩和し尊厳ある死を推奨するという4つの責任があるとしている。

問題 ▶ 58

出題基準
I-4-B／誠実、忠誠

倫理原則の「誠実、忠誠」はどれか。
1. 対象となる人の苦痛を緩和する。
2. 対象となる人の秘密や約束を守る。
3. 対象となる人の損害を最小限にする。
4. 治療行為について医師からの指示に従う。

CHECK ▶ □□□
解答 2

解説 看護の対象となる人に対して秘密や約束を守り、真実を伝え、信頼を築くことが「誠実、忠誠」の原則である。2の「対象となる人の秘密や約束を守る」が該当する（2. ○）。
1. × 対象となる人の苦痛を緩和することは国際看護師協会の倫理綱領における責任の1つである。
3. × 対象となる人の損害を最小限にすることは無危害の原則である。
4. × 治療行為について医師からの指示に従うことは倫理原則には含まれていない。

問題 ▶ 59

出題基準
Ⅰ-4-B／無危害

CHECK ▶ □□□
解答 2

倫理原則の「無危害」はどれか。
1. 患者の自己決定を尊重する。
2. 患者に起こる可能性のある危険を回避するよう行動する。
3. 患者との約束を守る。
4. 患者に公平な資源の配分を行う。

解説 無危害の原則は、患者に危害が及ぶことを回避するために十分な注意を払い、予防策を講じ、リスクを最小限にすることである。したがって、2が正しい（2. ○）。
1. × 自律尊重の原則である。
3. × 誠実と忠誠の原則である。
4. × 正義の原則である。

問題 ▶ 60

新規項目

出題基準
Ⅰ-4-C／説明責任
＜アカウンタビリティ＞

CHECK ▶ □□□
解答 3

医療行為についての説明責任で正しいのはどれか。
1. 目的は裁判になったときに備えることである。
2. 予測される有害事象は説明を避ける。
3. 患者の判断能力が低下している場合には代理人を立てる。
4. 説明は医療行為の前に行い、医療行為の後には不要である。

解説 説明責任とは行う医療行為について説明することにとどまらず、予測される事態・起こりうる可能性のある有害事象を含めて十分説明したうえで患者の同意を得て、行為のプロセスに責任を負うことである（2. ×）。患者はこの説明によって医療行為を受けるかどうかを決定する。また事前のインフォームド・コンセントに加えて、自分が行った医療行為の結果について説明する責務が課されている（4. ×）。
〈参考〉吉田みつ子 著：系統看護学講座 別巻 看護倫理 第3版. 医学書院. 東京, 2024：107.
1. × 説明についての記録は証拠になるが、説明責任を果たすことは裁判になったときに備えることが目的ではない。
3. ○ 患者の判断能力に合わせた説明をすることが必要であり、判断が不可能な場合には、代理人を立てて同意を得る必要がある。

問題▶ 61

出題基準
I-4-C／倫理的配慮

CHECK▶ □□□

解答 4

患者の協力が必要な看護研究を行うにあたり適切なのはどれか。
1. 患者の同意は不要である。
2. 患者に負担が生じる研究はできない。
3. 看護研究の内容は患者に秘匿する。
4. 研究を開始する前に所属する施設の倫理委員会の承認を得る。

解説 看護研究における倫理的配慮についての問題である。
1. ×　必要なことがらを説明したうえで患者の同意が必要であり、患者はいつでも同意を撤回できる。
2. ×　患者の協力が必要な時点で患者に負担が生じているともいえる。事前に負担や不利益について説明し、なるべく少なくするよう努める。
3. ×　看護研究の内容は患者に秘匿しない。
4. ○　適切である。倫理委員会では看護研究の内容のほか、施設の倫理指針を守っているか、必要な手続きが行われているかなどが審議される。

問題▶ 62

出題基準
I-4-C／権利擁護
＜アドボカシー＞

過去問 基 P.264

CHECK▶ □□□

解答 4

看護師が行うアドボカシーとして最も適切なのはどれか。
1. 看護研究を行う。
2. 医師の指示に従う。
3. 災害に備えて訓練する。
4. 患者の意思を代弁する。

解説 自己の権利を主張したり、行使したりすることが難しい高齢者、障害者、小児、終末期の患者などの権利を擁護し、代弁することをアドボカシーという(4. ○)。看護師は患者の価値観、信念、希望などを把握して、アドボケーター(代弁者)として支援を行う。
　1、2、3はそれぞれ看護師が行う行動であるが、アドボカシーとしては4が最も適切である。

問題▶ 63

出題基準
I-5-A／保健師・助産師・看護師の業務

過去問 社 P.239

CHECK▶ □□□

解答 1

医師の指示を受けて看護師が行うことのできる業務はどれか。
1. 静脈内注射
2. 創傷の縫合
3. 脳死の判定
4. 開胸式心臓マッサージ

解説 1. ○　静脈内注射については、医師の指示による静脈内注射は診療の補助行為である(平成14年厚生労働省医政局長通知)とされ、看護師が行うことができる。
2. ×　創傷の縫合を看護師が行うことはできない。
3. ×　脳死の判定を看護師が行うことはできない。なお、死亡の判定は、「情報通信機器(ICT)を利用した死亡診断等ガイドライン」に従い、一定の条件を満たした上で「遠隔診療」として、医師は看護師からの報告を踏まえ、遠隔において死亡診断を行うことができるようになっているが、看護師が判定するわけではない。
4. ×　開胸式心臓マッサージを看護師が行うことはできない。

問題 ▶ 64

出題基準

I-5-A ／保健師・助産師・看護師の定義

CHECK ▶ □□□

解答 **1**

次の文は保健師助産師看護師法の条文である。□□□に入るのはどれか。

「この法律において『保健師』とは、厚生労働大臣の免許を受けて、保健師の名称を用いて、□□□に従事することを業とする者をいう」

1. 保健指導
2. 保健所
3. 診療の補助
4. 療養上の世話

解説 保健師助産師看護師法では、保健師について第2条で「厚生労働大臣の免許を受けて、保健師の名称を用いて、保健指導に従事することを業とする者をいう」と定義し（1. ○）、さらに第35条で「保健師は、傷病者の療養上の指導を行うに当たって主治の医師または歯科医師があるときは、その指示を受けなければならない」と定めている。

2. × 保健所ではない。

3. 4. × 「傷病者若しくはじょく婦に対する療養上の世話又は診療の補助を行うことを業とする者」と定義されているのは看護師である。

問題 ▶ 65

出題基準

I-5-A ／保健師・助産師・看護師の業務

過去問 社 P.242

CHECK ▶ □□□

解答 **2**

看護師が行う特定行為について正しいのはどれか。

1. 急変時の対応が中心である。
2. 手順書に従って行う。
3. 対象となる患者は看護師チームで決定する。
4. 看護師に従来禁止されていた行為は含まれない。

解説 保健師助産師看護師の業務内容にかかわる特定行為について、必修問題対策ではごく基本的なことを理解しておきたい。

①手順書で定められた患者の病状の範囲内に対応し、急変時に病状の範囲外である可能性が高い場合は医師・歯科医師の指示をあおぐ（1. ×）。

②指定研修機関での特定行為研修を受け、手順書に則って特定行為を行う（2. ○）。

③特定行為の対象となる患者は医師・歯科医師によって特定し、手順書により特定行為を行うように指示を受ける（3. ×）。

④動脈からの採血、インスリン投与量の調節など従来禁止されていた行為が含まれる（4. ×）。実践的な理解力・思考力・判断力ならびに高度かつ専門的な知識・技能が特に必要とされる38行為が設定されている。

図25 保健師助産師看護師法 第37条の2（平成27年10月1日施行）

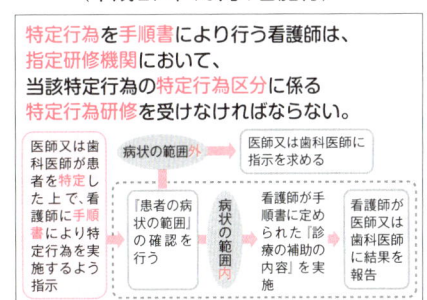

問題▶66

頻出

過去問 社 P.241

出題基準
I-5-A／
保健師・助産師・看護師の義務（守秘義務、業務従事者届出の義務、臨床研修等を受ける努力義務）

CHECK▶ □□□

解答 3

看護師の業務従事者届の届出先はどれか。
1. 就業地の保健所長
2. 居住地の保健所長
3. 就業地の都道府県知事
4. 居住地の都道府県知事

解説 保健師助産師看護師法第33条では、看護師の業務従事者届について定められている。業務に従事する看護職者は、2年ごとに12月31日現在における氏名・住所などを、翌年の1月15日までに就業地の都道府県知事に届け出なければならない（3. ○）。

MORE!

●保健師・看護師・准看護師の守秘義務は、保健師助産師看護師法によって規定され、退職後も継続する。看護師が守秘義務を守らない場合は刑罰がある。
●助産師の守秘義務は刑法で規定されている。
●保健師助産師看護師法第28条の2で「保健師、助産師、看護師および准看護師は、免許を受けた後も、臨床研修その他の研修（保健師等再教育研修および准看護師再教育研修を除く）を受け、その資質の向上を図るように努めなければならない」と規定されている。

問題▶67

出題基準
I-5-A／養成制度

CHECK▶ □□□

解答 2

看護師国家試験の受験資格について規定しているのはどれか。
1. 学校教育法
2. 保健師助産師看護師法
3. 保健師助産師看護師学校養成所指定規則
4. 看護師等の人材確保の促進に関する法律

解説 看護師の養成（国家試験の受験資格など）については保健師助産師看護師法、養成所については保健師助産師看護師学校養成所指定規則で規定されている（2. ○、3. ×）。1の学校教育法と4の看護師等の人材確保の促進に関する法律は、看護師国家試験の受験資格について規定していない（1. 4. ×）。

図26 看護師等養成制度

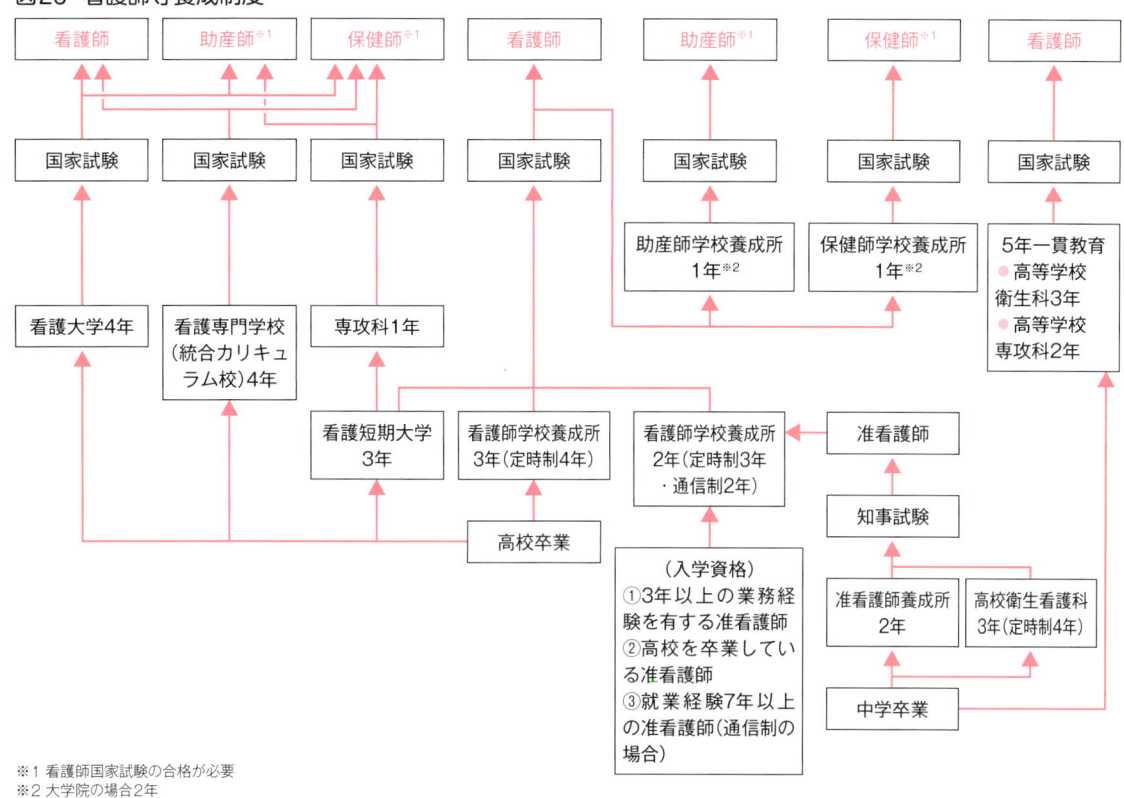

※1 看護師国家試験の合格が必要
※2 大学院の場合2年

問題▶68

新規項目 五肢

出題基準
I-5-B／目的、基本方針

過去問 社 P.244

CHECK ▶ □□□

解答 1

看護師等の人材確保の促進に関する法律に規定されている事項はどれか。

1. 処遇の改善
2. 免許の取り消し
3. 国家試験の受験資格
4. 看護職の育児休暇取得の推進
5. 医療機関等の看護師の人員配置

解説 看護師等の人材確保の促進に関する法律には、看護師等の養成、処遇の改善（1. ○）、資質の向上、就業の促進、ナースセンターの指定などについて規定されている。

背景	・我が国における急速な高齢化の進展及び保健医療を取り巻く環境の変化 ・看護師等の確保の重要性が著しく増大している

↓

●看護師等の確保を促進するための措置に関する基本指針を定める
●看護師等の養成、処遇の改善、資質の向上、就業の促進等を、看護に対する国民の関心と理解を深めることに配慮しつつ図るための措置を講ずる
●看護が提供される場所に、高度な専門知識と技能を有する看護師等を確保し、もって国民の保健医療の向上に資する　が目的

2. 3. ×　免許の取り消しや国家試験の受験資格については保健師助産師看護師法で規定されている。

4. ×　看護職の育児休暇取得の推進は看護師等の人材確保の促進に関する法律には規定されていない。

5. ×　医療機関等の看護師の人員配置は医療法に基づいており、看護師等の人材確保の促進に関する法律には規定されていない。

問題▶ 69

出題基準
I-5-B／ナースセンター

過去問 社 P.244, 245

CHECK▶ ☐☐☐

解答 4

平成27（2015）年より看護職は病院等を離職した場合などに届出をすることが努力義務化された。
届出先はどれか。

1. 保健所
2. 市町村または特別区
3. 厚生労働省
4. 都道府県ナースセンター

解説　平成26（2014）年の医療介護総合確保推進法成立に伴い、看護師等の人材確保の促進に関する法律も改正され、看護職は病院等を離職した場合※などに住所、氏名、免許番号などを都道府県ナースセンターへ届出をすることが努力義務化された（4. ○）。届出方法は離職時等に就業先が本人に代行して行う方法と、対象者本人が直接都道府県ナースセンターへ届け出る方法がある。都道府県ナースセンターが離職等の状況に合わせた支援を行うことで、看護職としての切れ目のないキャリアを積むことができるよう支援を行う。

※「病院等」には、病院、診療所、助産所、介護老人保健施設、指定訪問看護事業を行う事業所が含まれる。そのほか、①保健師、助産師、看護師、准看護師の業に従事しなくなった場合、②免許取得後、ただちに就業しない場合、③現に業務に従事していない看護師等も届出の対象となる。なお、届出にはインターネットを活用した方法もある。

MORE!

●ナースセンターの根拠法：看護師等の人材確保の促進に関する法律

●厚生労働大臣の指定によって全国に1か所のみ設置される中央ナースセンターと、都道府県知事の指定によって各都道府県に1か所設置される都道府県ナースセンターがある。

表30　都道府県ナースセンターの業務

① 病院等における看護師等の確保の動向及び就業を希望する看護師等の状況に関する調査
② 訪問看護その他の看護についての知識及び技能に関する研修
③ 前号に掲げるもののほか、看護についての知識及び技能に関する情報の提供、相談その他の援助
④ 病院等の開設者、管理者、看護師等確保推進者等に対し、看護師等の確保に関する情報の提供、相談その他の援助
⑤ 無料の職業紹介事業
⑥ 就業の促進に関する情報の提供、相談その他の援助
⑦ 看護に関する啓発活動
⑧ 前各号に掲げるもののほか、看護師等の確保を図るために必要な業務

目標 II 看護の対象および看護活動の場と看護の機能について基本的な知識を問う

問題 ▶ 70

頻出

出題基準
Ⅱ-6-A／基本的欲求

過去問 基 P.258
過去問 114回 P.7

CHECK ▶ □□□

解答 2

マズロー, A.H.の欲求階層論で最も低次の欲求はどれか。
Maslow, A. H.
1. 愛情に関する欲求
2. 生存に関する欲求
3. 承認に関する欲求
4. 所属に関する欲求

解説 1. 4. × 愛情や所属に関する欲求は、基本的欲求よりも高次の欲求である。
2. ○ 生存に関する欲求は、生理的欲求・安全の欲求を含む基本的欲求で最も低次である。
3. × 承認に関する欲求は、最も高次に位置する自己実現の欲求の、すぐ下の欲求である。
　「欲求の階層」を論じたのはマズローであるが、基本的欲求を考える際にはヘンダーソンが論じた「14項目の基本的欲求（正常な呼吸、適切な飲食、排泄、運動、睡眠と休息、衣服の洗濯と脱衣、体温の維持、身体の清潔と身だしなみ、安全な環境、コミュニケーションと表現、自分の信仰に基づいた生活、達成感のある仕事、レクリエーションへの参加、学習と成長発達の継続）」が参考になる。

問題 ▶ 71

頻出

出題基準
Ⅱ-6-A／社会的欲求

CHECK ▶ □□□

解答 3

マズロー, A.H.が論じた欲求階層のうち、社会的欲求はどれか。
Maslow, A. H.
1. ぐっすりと眠りたい。
2. トイレに行きたい。
3. 恋人が欲しい。
4. 安全な家に住みたい。

解説 マズローは5段階のニードの階層を構成し（**P.46図1**）、下位の欲求が充足されると、より上位の欲求が出現するとした。ピラミッドの下2つである生理的欲求・安全の欲求が基本的欲求、それより上の所属と愛の欲求・承認の欲求・自己実現の欲求が社会的欲求と呼ばれる。
1. 2. × ぐっすりと眠りたい、トイレに行きたいという欲求は生理的欲求であり、基本的欲求である。
3. ○ 恋人が欲しいという欲求は所属と愛の欲求であり、社会的欲求である。
4. × 安全な家に住みたいという欲求は安全の欲求であり、基本的欲求である。

図1 マズローの欲求の階層

社会的欲求

自己実現の欲求
承認(自尊感情)の欲求
所属と愛の欲求
安全の欲求
生理的欲求

基本的欲求

高次の欲求

低次の欲求

人間の欲求を高次から低次に分類したもの。優先度が高いものから順に、①生理的欲求、②安全の欲求、③所属と愛の欲求、④承認の欲求、⑤自己実現の欲求、となっている。

問題 ▶ **72**

出題基準

Ⅱ-6-B／QOL

過去問 基 P.259

CHECK ▶ □□□

解答 **1**

QOL〈クオリティ・オブ・ライフ〉について最も適切なのはどれか。
1. 主観的な指標である。
2. 評価のためのスケールがある。
3. 生存期間の長さを追求する。
4. 家族の意向を最も尊重する。

解説 QOL〈クオリティ・オブ・ライフ〉について過去の出題は「QOLを評価するうえで重要なこと」を問うており、すべて「本人の満足感」が正答であった。本人の満足度は主観的な指標で測るものである（1. ○）。QOL〈クオリティ・オブ・ライフ〉は生活の質あるいは生命の質などと訳され、個人の満足度や充実度で評価する。
2. × QOLを評価するためのスケールはない。
3. × 生存期間の長さを追求するのがQOL〈クオリティ・オブ・ライフ〉ではない。
4. × 最も尊重するべきなのは本人の意向である。

問題 ▶ **73**

出題基準

Ⅱ-6-B／対象の特性

CHECK ▶ □□□

解答 **2**

成人患者の自立を支援するにあたり最も適切なのはどれか。
1. 目標は医師が決定する。
2. 患者の経験は資源となる。
3. 罰則や叱責を活用する。
4. うまくいかない行動に注目する。

解説 1. × 目標は医師や看護師が決定するのではなく、患者自身の考えや希望も取り入れ、話し合って決定する。
2. ○ 患者の経験は資源となり、学習にもつながる。
3. × 成人患者の自立には罰則や叱責の活用は適切ではない。
4. × うまくいかない行動に注目するのでは患者のやる気を阻害してしまうことがある。達成感や満足感を感じられるように、現在うまくできている行動に焦点を当てる。

問題 ▶ 74

出題基準
Ⅱ-6-B／健康や疾病に対する意識

CHECK ▶ □□□

解答 4

令和4（2022）年の国民生活基礎調査で、20歳以上の者のうち健診や人間ドックを受けなかった理由（複数回答）で最も多かったのはどれか。

1. めんどうだから
2. 費用がかかるから
3. 時間がとれなかったから
4. 心配な時はいつでも医療機関を受診できるから

解説 選択肢1〜4は理由の上位4つである。

1. × めんどうだからと答えた人は受けなかった人の18.9%を占めた。
2. × 費用がかかるからと答えた人は受けなかった人の10.6%を占めた。
3. × 時間がとれなかったからと答えた人は受けなかった人の18.5%を占めた。
4. ○ 心配な時はいつでも医療機関を受診できるからと答えた人は受けなかった人の36.5%を占めた。これは前回の令和元年の調査でも男女ともに第1位の理由であった。

MORE!

表1 健診や人間ドックを受けなかったおもな理由（複数回答）

知らなかったから	時間がとれなかったから	場所が遠いから	費用がかかるから	検査等（採血、胃カメラ等）に不安があるから	その時、医療機関に入通院していたから	毎年受ける必要性を感じないから	健康状態に自信があり、必要性を感じないから	心配な時はいつでも医療機関を受診できるから	結果が不安なため、受けたくないから	めんどうだから
3.1%	18.5%	2.5%	10.6%	3.6%	10.0%	10.9%	7.6%	36.5%	5.1%	18.9%

資料：令和4年 国民生活基礎調査

問題 ▶ 75

出題基準
Ⅱ-6-B／
疾病・障害・死の受容

過去問 基 P.313

CHECK ▶ □□□

解答 1

キューブラー・ロスによる「死にゆく人の心理過程」で第2段階はどれか。
Kübler Ross,E.

1. 怒 り
2. 衝 撃
3. 抑うつ
4. 取り引き

解説 キューブラー・ロスによる「死にゆく人の心理過程」の段階は①否認→②怒り→③取り引き→④抑うつ→⑤受容の5つに分けられる。

1. ○ 第2段階の「怒り」では「なぜ？」と思い、何事に対しても怒りの感情をもつ。
2. × キューブラー・ロスによる「死にゆく人の心理過程」には衝撃という段階はない。
3. × 第4段階の「抑うつ」では取り引きが無駄であると悟り、抑うつ状態になる。
4. × 第3段階の「取り引き」では神にすがり、どうすれば延命してもらえるかを問う。

表2 疾病・障害の受容過程

危機モデル	プロセス	特徴
キューブラー・ロス	①否認→②怒り→③取り引き→④抑うつ→⑤受容	●死にゆく患者の心理的プロセス ●死の受容過程
フィンク	①衝撃→②防御的退行→③承認→④適応	●マズローの動機づけ理論に基づく危機から適応へ焦点を当てる ●脊髄損傷患者を対象とした研究
ションツ	①最初の衝撃→②現実認知→③防御的退行→④承認→⑤適応	●フィンクのモデルに類似 ●危機状態のプロセス ●乗り越えがたい障害との直面
コーン	①ショック→②回復への期待→③悲嘆→④防衛→⑤適応	●突然の身体障害を受けた患者 ●障害受容に至るプロセス

問題▶76

頻出

出題基準

Ⅱ-7-A／
形態的発達と異常

過去問 人 P.51
過去問 母 P.982

CHECK▶ □□□

解答 4

胎児の左心房と右心房の間にみられるのはどれか。

1. ヒス束
2. 静脈管
3. 動脈管
4. 卵円孔

解説 1. ✕　ヒス束は心臓の刺激伝導系にあり、胎児に特有なものではない。
2. ✕　胎児循環に特有である静脈管〈アランチウス管〉は臍静脈と下大静脈をつなぐ。
3. ✕　胎児循環に特有である動脈管〈ボタロー管〉は肺動脈と下行大動脈をつなぐ。
4. ○　胎児循環に特有である卵円孔は右心房と左心房の間の間に存在する。

MORE!

●胎児循環で酸素を最も多く含む血液が流れているのは臍静脈である。
●主肺動脈と下行大動脈との間に動脈管（ボタロー管）が存在する。
●右心房からの血流は卵円孔を通って左心房に達する。
●静脈管（アランチウス管）は臍静脈からの血液が流れる。

図2 胎児循環

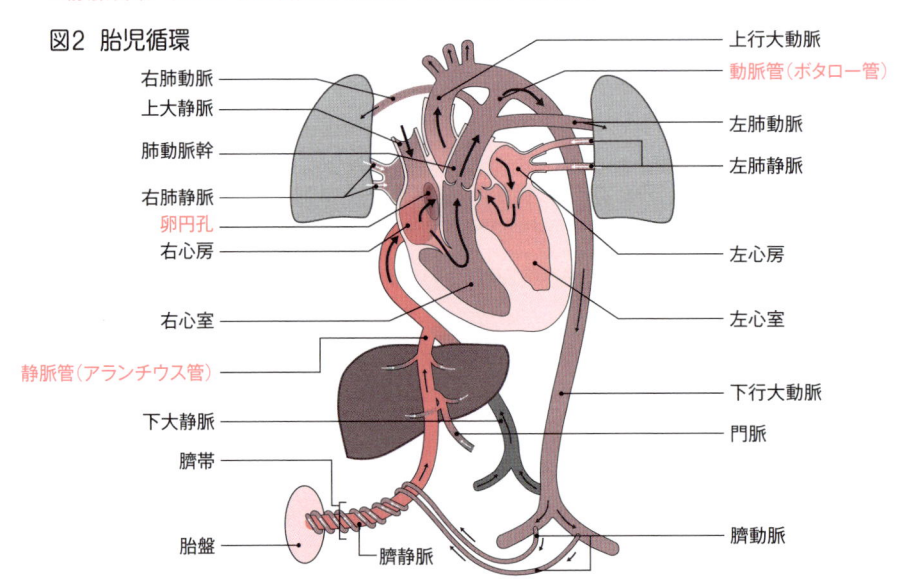

問題 ▶ **77**

頻出

出題基準
Ⅱ-7-B／発達の原則

過去問 小 P.836

CHECK ▶ ☐ ☐ ☐

解答 **4**

グラフはスキャモンの各器官別発育曲線である。
Dの曲線はどれか。

1. リンパ系型
2. 神経系型
3. 一般型
4. 生殖系型

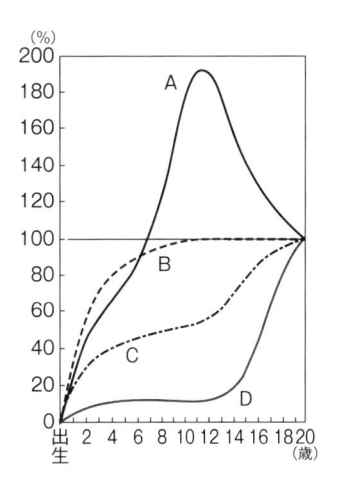

解説 **図3**のとおり、1のリンパ系型はA、2の神経系型はB、3の一般型はC、4の生殖系型はD（4. ○）である。思春期に大きく発育していることを手がかりにしよう。

MORE!

● 成長・発達は連続的で、速度は一定ではない。

● 成長・発達には個人差がある。

● 成長・発達には、頭部から尾部、近位から遠位、粗大運動から微細運動という基本的な方向がある。

図3 スキャモンの各器官別発育曲線

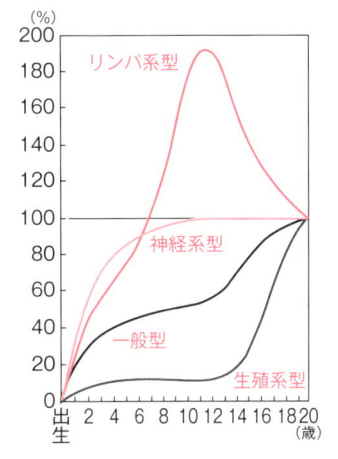

● 20歳を100%とした比率

リンパ系型	リンパ節、扁桃腺、間質性リンパなどの分泌組織
神経系型	脳、脊髄、感覚器などの神経組織
一般型	骨格、筋肉全体、各臓器、血液量など体幹の発育
生殖系型	子宮、卵巣、睾丸、前立腺などの生殖器官の発育

目標Ⅱ

問題 ▶ 78

頻出

出題基準
Ⅱ-7-B／身体の発育

過去問 小 P.838, 992

CHECK ▶ □□□

解答 4

体重が出生時の約3倍になるのはどれか。
1. 生後3か月
2. 生後6か月
3. 生後9か月
4. 生後12か月

解説 体重は、生後3か月で出生時の約2倍、1歳すなわち生後12か月で出生時の約3倍となる（4. ○）。身長は1歳で約1.5倍、4～5歳で約2倍となる。

MORE!

表3 体重・身長・胸囲・頭囲の月齢・年齢の変化

	新生児	3か月	1歳	4～5歳
体重	1	2倍	3倍	5倍
	3kg	6kg	9kg	15kg
身長	1		1.5倍	2倍
	50cm		75cm	100cm
胸囲	32cm		胸囲≒頭囲	胸囲＞頭囲
頭囲	33cm			

表4 乳児期の1日体重増加量

1～3か月	3～6か月	6～9か月	9～12か月
25～30g	20～25g	15～20g	7～10g

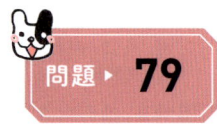

問題 ▶ 79

出題基準
Ⅱ-7-B／
運動能力の発達

過去問 小 P.842, 843, 844

CHECK ▶ □□□

解答 3

令和5（2023）年の乳幼児身体発達調査で、生後9～10か月の乳児の発達をみるのに適しているのはどれか。
1. ねがえり
2. 首のすわり
3. ひとりすわり
4. ひとり歩き

解説 1. × ねがえりは生後6～7か月の乳児の90％ができるようになる。
2. × 首のすわり生後4～5か月の乳児の90％ができるようになる。
3. ○ ひとりすわりは生後9～10か月の乳児の90％ができるようになる。
4. × ひとり歩きは生後1年4～5か月の乳児の90％ができるようになる。

表5 一般調査による乳幼児の運動機能通過率 (%)

	首のすわり	ねがえり	ひとりすわり	はいはい	つかまり立ち	ひとり歩き
0年2～3か月未満	5.6	1.6				
3～4か月未満	53.7	20.7				
4～5か月未満	93.5	56.9				
5～6か月未満	100.0	89.7	3.2	6.3	2.4	
6～7か月未満		97.6	30.1	19.5	7.3	
7～8か月未満		100.0	65.9	47.6	31.7	
8～9か月未満			84.4	67.4	61.2	2.3
9～10か月未満			91.7	76.9	81.3	6.0
10～11か月未満			98.5	91.0	88.1	9.0
11～12か月未満			99.3	99.3	96.3	30.9
1年0～1か月未満			100.0	99.0	99.0	47.9
1～2か月未満				98.7	98.7	55.3
2～3か月未満				100.0	100.0	83.0
3～4か月未満						88.4
4～5か月未満						96.9
5～6か月未満						95.1
6～7か月未満						97.5
7～8か月未満						97.8
8～9か月未満						98.6
9～10か月未満						100.0

資料：こども家庭庁「令和5年　乳幼児身体発育調査」
https://www.cfa.go.jp/policies/boshihoken/r5-nyuuyoujityousa（2025/4/28閲覧）

問題▶80

頻出

出題基準
Ⅱ-7-B／栄養

過去問 小 P.858
過去問 母 P.994

CHECK▶ ☐☐☐

解答 **2**

人工乳と比較して母乳に多いのはどれか。

1. 鉄
2. 抗　体
3. ビタミンK
4. カルシウム

解説 1の鉄、3のビタミンK、4のカルシウムは人工乳のほうが多く含まれる（1.3.4. ×）。2の抗体は免疫グロブリン（IgA）として母乳に含まれ、人工乳には含まれない（2. ○）。

表6 母乳栄養と人工栄養のメリット・デメリット

	母乳栄養	人工栄養
成分	●初乳（2～5日ごろ）：黄色。脂質とエネルギーが少ないが、感染制御作用のあるラクトフェリンや免疫グロブリンA（IgA）がある ●移行乳（5～7日ごろ）：蛋白質や無機質が少なくなり、乳糖が増える ●成乳（7～10日ごろ）：白色。ビフィズス因子やさまざまな抗体を含む	ミネラル・ビタミンは母乳より多いものもあるが、抗体は含まれていない
母子関係	強い絆を築きやすい	心理的結びつきを築きにくい
栄養の調整	母親の栄養状態が反映される	調整が可能
母親の就業	母乳の冷蔵・冷凍保存が可能。細菌の繁殖など、衛生面に注意	就業しやすい

●母乳栄養の特徴：蛋白質（ラクトアルブミン、ラクトフェリン、免疫グロブリンA＝IgA など）や不飽和脂肪酸が多く、アレルギーや腎臓の負担を軽減することができる。

表7 離乳の進め方のめやす

	生後	〈食べ方のめやす〉 離乳食回数(/日)	〈食事のめやす〉 調理形態	〈食べ方のめやす〉 舌・唇の動き
離乳の開始	5〜6か月	1〜2回	なめらかにすりつぶした状態	舌は前後運動、口唇は閉じている
	7〜8か月	2回	舌でつぶせるかたさ	舌は上下運動
	9〜11か月	3回	歯ぐきでつぶせるかたさ	舌は左右運動
離乳の完了	12〜18か月	3回	歯ぐきで噛めるかたさ	―

問題 ▶ 81

出題基準
Ⅱ-7-B／親子関係

過去問 小 P.849

CHECK ▶ ☐☐☐

解答 1

小児期のアタッチメントで正しいのはどれか。
1. 父子間にも形成される。
2. ヘンダーソンが提唱した。
3. 一方通行の関係である。
4. 世話をする側の応答は無関係である。

解説 アタッチメント（愛着）の形成には新生児期や乳児期の親子における相互作用が必要である。乳児以後の発達過程で人間関係の形成の基礎となるとされる。
1. ○ 母子間だけでなく、父子やおもに世話をする人と児の間にも形成される。
2. × ヘンダーソンではなく、ボウルビィが提唱した。
3. × 一方通行の関係ではなく、相互作用の関係である。
4. × 大人の側（世話をする側）の適切な一貫した応答がアタッチメントの形成に作用する。

MORE!

●アタッチメント（愛着）形成には、泣いているときは抱っこをするなど、不安や恐怖を受け止めるかかわりが必要である。
●クラウス（M.H.Klaus）とケネル（J.H.Kennell）は、愛着行動によって母子相互作用が促進されるとしている。母子相互作用は、感覚・内分泌・生理・免疫・行動的な作用を開始させ、促進させる。

図4 母児相互作用

〈母親→子ども〉
接触
目と目を合わせる
高い調子の声
エントレインメント
体内時計の調整
TおよびBリンパ球
大食細胞
細胞相
におい
温熱

〈母親←子ども〉
目と目を合わせる
啼泣
オキシトシン
プロラクチン
におい
エントレインメント

池西靜江, 石束佳子, 阿形奈津子 編：看護学生スタディガイド2026. 照林社, 東京, 2025：1226. より一部改変して引用

問題▶ 82

出題基準
Ⅱ-7-C／身体の発育

過去問 小 P.855

CHECK▶ ☐ ☐ ☐

解答 2

最初の乳歯が生え始める時期はどれか。

1. 2〜 4か月
2. 6〜 8か月
3. 10〜12か月
4. 14〜16か月

解説 最初に生え始める乳歯は中切歯であり、時期は2の6〜8か月である（2. ○）。2〜3歳ごろ、20本すべての乳歯が生えそろう。

MORE!

●永久歯は、6歳ごろから生え始め、13歳ごろに28本生えそろう。

図5 乳歯と永久歯の萌出年齢のめやす

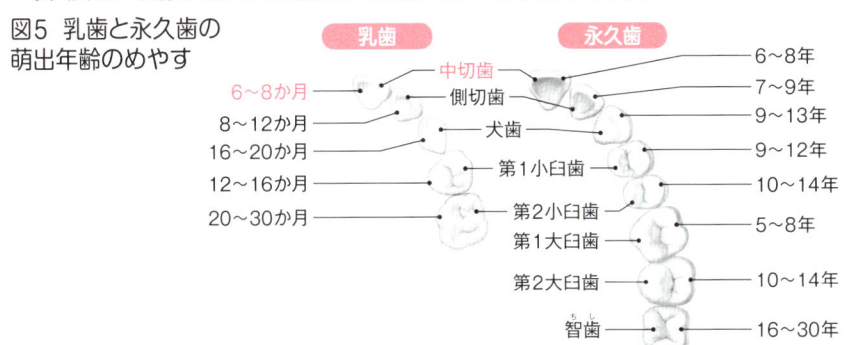

問題▶ 83

出題基準
Ⅱ-7-C／
運動能力の発達

過去問 小 P.841

CHECK▶ ☐ ☐ ☐

解答 4

運動機能の発達で4歳以降に獲得するのはどれか。

1. 階段を上る
2. ボールを蹴る
3. 三輪車に乗る
4. スキップをする

解説 1. 2. × 階段を上る、走る、ボールを蹴るは2歳ころにできるようになる。
3. × 三輪車に乗るのは3歳ころにできるようになる。
4. ○ スキップをする、でんぐり返しをするは5歳ころにできるようになる。したがって、4歳以降に該当するのは4である。

MORE!

表8 運動機能の発達

2歳	3歳	4歳	5歳
●階段を上る ●走る ●ボールを蹴る ●積み木を重ねる	●三輪車に乗る ●丸を描ける	●けんけんができる ●四角をまねて描ける	●スキップ、でんぐり返しができる ●三角をまねて描ける

問題▶84

出題基準

Ⅱ-7-C／言語の発達

過去問 小 P.843, 857

CHECK▶ □ □ □

解答 4

言語の発達で2歳ころに可能になるのはどれか。
1. 喃語を話す。
2. 単語を話す。
3. 助動詞を使う。
4. 二語文を話す。

解説 1. × 喃語は生後2～3か月から始まり盛んになるのは6か月ころである。
2. × 単語(一語文)を話すのは1歳～1歳半ころである。
3. × 助動詞(です・らしいなどの活用する付属語)や助詞(てにをはなどの活用しない語)を使うのは3～4歳ころである。
4. ○ 二語文を話すのは1歳半～2歳ころである。

表9 言語の発達

2～3か月	「アー」「ウー」などの喃語が始まる
6か月	喃語が盛んになる
1歳～1歳半	一語文(単語)を話す
1歳半～2歳	二語文を話す
4歳ごろ	話し言葉の完成

問題▶85

出題基準

Ⅱ-7-C／社会性の発達

過去問 小 P.863, 864

CHECK▶ □ □ □

解答 1

絵本の読み聞かせを聞くのが該当するのはどれか。
1. 受容遊び　　2. 並行遊び
3. 協同遊び　　4. 傍観遊び

解説 1. ○ 受容遊びは絵本、テレビやビデオを見る、話を聞くなどの受け身的な遊びである。
2. × 並行遊びは他の子どもと同じ場所で同じような遊びをしているが、子ども同士のやりとりはない遊び方である。
3. × 協同遊びは共通のルールや目的をもって役割を分担したり、リーダーを置いて達成感や喜びを分かち合ったりする遊びをいう。
4. × 傍観遊びは他の子どもが遊んでいるのをそばで見て、たまに話しかけたりするがその遊びには加わらない遊び方である。

表10 遊びの分類

感覚運動遊び	●生後1か月前後から1歳半ごろまで。運動機能や感覚機能をはたらかせて遊ぶ ●がらがら、オルゴール、水遊び
受容遊び	●幼児期～学童期以降まで。受け身的な遊び ●絵本、テレビ、話を聞く
象徴遊び	●1歳半ごろから3～4歳が最も盛ん。ごっこ遊びに代表される ●ままごと、テレビのヒーロー
構成遊び	●2歳ごろから幼児後期以降で盛ん。創造的な遊び ●ねんど、積み木、ブロック

表11 社会性からみた遊び

ひとり遊び〈2歳ごろまで〉	他の子どもと場を共有して遊んでいても、それぞれが好きな玩具で1人で遊びに集中している。話しかけや交渉はない
傍観遊び〈2歳半ごろ〜〉	他の子どもが遊んでいるのをそばで見て、ときどき話しかけたりするがその遊びに加わることはない
並行遊び〈2～3歳ごろ〉	他の子どもと場を共有して同じような遊びをしているが、お互いのやりとりはなく、関心ももたない
連合遊び〈3歳ごろ〜〉	他の子どもと一緒に同じ遊びを展開し、玩具の貸し借りや、やりとりがある。役割分担やルールは明確でない
協同遊び〈3・4歳ごろ〜〉	共通の目的をもって集団を形成し、役割分担やリーダーの役割がある。仲間と協力して遊び、一緒に達成感を味わう、ルールを守って行動することを楽しんだりする

問題 ▶ 86

出題基準
Ⅱ-7-C／
基本的生活習慣の確立

過去問 小 P.861, 862

CHECK ▶ □□□

解答 3

幼児期に最も遅く獲得するのはどれか。

1. 手を洗う。
2. スプーンを使う。
3. はしを持って食べる。
4. コップを持って飲む。

解説 1. × 手を洗うのは2〜3歳でできるようになる。

2. 4. × スプーンを使う、コップを持って飲むがじょうずにできるようになるのは1歳半〜2歳である。

3. ○ はしを持って食べるのは3歳〜3歳半である。これが選択肢のなかで最も遅くできるようになる。

MORE!

表12 基本的生活習慣獲得のめやす

	1歳	2歳	3歳	4歳	5歳	6歳
食事	スプーンの使用		はしを持って食べる			
	コップを持って飲む		だいたい1人で食事ができる(3歳6か月)			
排泄	便： 排便を知らせる 誰かがそばにいれば1人でできる					
				排便の自立(4歳6か月)		
	尿： 尿意を自覚		排尿の自立(3歳6か月)			
衣服の着脱	自分で脱ごうとする 靴下を履く			だいたい自立(6歳)		
	靴を履く ボタンをかける					
	1人で脱ぐ					
清潔	手を洗う		歯を磨く 顔を洗う 鼻をかむ			

池西靜江, 石束佳子, 阿形奈津子 編：看護学生スタディガイド2026. 照林社, 東京, 2025：1119. より引用

問題 ▶ 87

頻出

出題基準
Ⅱ-7-D／運動能力の発達、体力の特徴

過去問 小 P.866, 873

CHECK ▶ □□□

解答 3

学童期に増加・上昇していくのはどれか。

1. 心拍数
2. 呼吸数
3. 収縮期血圧
4. 不感蒸泄量

解説 1. × 心拍数は減少していき、成人に近づいていく。

2. × 呼吸数は次第に減少し、呼吸の型が胸式呼吸となっていく。

3. ○ 学童期は収縮期血圧が上昇していく時期である。

4. × 不感蒸泄量や尿量は幼児期より少なくなり成人に近づいていく。

目標Ⅱ

ギャングエイジについての文章である。（　　　）内に入る最も適切な語はどれか。
「学童期にみられ、親や教師から離れて仲の良い仲間同士で（　　　）をする」
1. 常同運動
2. 集団行動
3. 反抗的行動
4. 反社会的行動

解説 1. × 常同運動とは、ウロウロ歩き回る、身体をリズミカルに動かすなど目的のないように見える行動を繰り返し行うことをいう。
2. ○ 特定の仲間との集団行動がギャングエイジの特徴である。
3. 4. × 反抗的行動や反社会的行動をすることはギャングエイジの定義には含まれない。

出題基準
Ⅱ-7-D／
学習に基づく行動

過去問 小 P.834

CHECK ▶ □□□

解答 2

小児について、ピアジェ, J. が論じたのはどれか。
Piaget. J.
1. ストレス反応
2. 認知発達理論
3. 障害受容モデル
4. 疼痛アセスメントスケール

解説 ピアジェは、小児期の認知発達を4つの異なる段階に分けた（**表13**）。感覚運動期（0〜2歳）、前操作期（2〜7歳）、具体的操作期（7〜11歳）、形式的操作期（11歳〜）で、具体的操作期には、対象である具体物が実在していなくても、ある程度の推論を行うことができるようになったり、他人の心理状態を的確に推測できるようになるとした（2. ○）。
1. × 小児に限定しないストレス反応についてはセリエの理論がある。
3. × 小児のみの障害受容モデルを論じた著名な研究はない。保護者の障害受容プロセスはドローター（Dennis D. Drotar）が論じている。
4. × 小児に適した疼痛のアセスメントツールにはFaces Pain Scale〈FPS〉があるが、ピアジェが論じたものではない。

MORE!

表13 ピアジェによる認知発達と病気の理解

年齢	ピアジェの理論区分	病気に対する認知・思考
0〜2歳	感覚運動期	●病気という事象について認識がない ●苦痛や不安・恐怖が病気から発するとは理解できない
2〜7歳	前操作期	●論理的思考への前段階 ●病気であることは感覚として理解できるが、その原因の理解は難しい
7〜11歳	具体的操作期	●論理的思考が始まる時期 ●病気の原因や治療の目的が理解できるようになる
11歳〜	形式的操作期	●論理的思考が進み、仮説を立てて推測できるようになる ●病気の経過や予後に対する不安も表現する

池西静江, 石束佳子, 阿形奈津子 編：看護学生スタディガイド2026. 照林社, 東京, 2025：1131. より一部改変して引用

問題 ▶ 90

頻出

出題基準
Ⅱ-7-E／第二次性徴
過去問 小 P.867, 868

CHECK ▶ □□□

解答 3

男子の第二次性徴による変化はどれか。
1. 骨盤の拡大
2. 脂肪の増加
3. 精通の到来
4. 乳房の発達

解説 思春期になると視床下部からGnRH（性腺刺激ホルモン放出ホルモン）、下垂体からゴナドトロピン（性腺刺激ホルモン）が分泌され、男性は精巣、女性は卵巣に作用し、精巣から男性ホルモン、卵巣から女性ホルモンが分泌されて第二次性徴が起こる。
1. 4. × 骨盤の拡大は生じず、乳房の発達は女子の第二次性徴である。
2. × 男子は筋肉が増加して男らしい体つきになる。皮下脂肪の増加は女子の第二次性徴による変化である。
3. ○ 初めての射精を精通といい、第二次性徴により到来する。

問題 ▶ 91

頻出

出題基準
Ⅱ-7-E／
アイデンティティの確立
過去問 小 P.869

CHECK ▶ □□□

解答 2

アイデンティティの確立と関連が深いのはどれか。
1. 分離不安
2. 自分らしさ
3. 第一反抗期
4. 情緒の分化

解説 1. × アイデンティティの確立と分離不安には関連は少ない。分離不安とは愛着の対象（多くは母親）との分離に強い不安や恐怖を感じることである。
2. ○ 思春期に、自分らしさや自分がどういう人間であるかという実感をもち、自己像と役割を持って生活するようになるのがアイデンティティの確立である。
3. × 第一反抗期は幼児期に自己主張が盛んになる現象で、アイデンティティの確立と関連は少ない。
4. × 情緒の分化は新生児期から5歳くらいまでに起こる情緒の発達で、アイデンティティの確立と関連は少ない。

問題 ▶ 92

出題基準
Ⅱ-7-E／親からの自立
過去問 小 P.869

CHECK ▶ □□□

解答 3

思春期の子と親に生じることが多いのはどれか。
1. 親子の間での摩擦が少なくなる。
2. 親と離れると情緒不安定になる。
3. 親からの干渉を避けるようになる。
4. 親との距離を縮めるようになる。

解説 思春期には親から自立したいという欲求が高まる。自分は他人とは違う人間であることや自分と違う面を受け入れられるようになるアイデンティティの確立のために必要な発達段階である。
1. × 思春期には親と子の間で摩擦（コンフリクト）が生じやすくなる。
2. × 親から自立したいという思いがあり、親と離れても情緒不安定になることは少ない。
3. ○ 親からの助言や干渉を嫌がるようになることが多い。
4. × 親との距離をとりたがることが多い。

異性への関心が高まるのと同じ時期に起こるのはどれか。
1. 支配観念
2. 心理的離乳
3. アタッチメント形成
4. ギャングエイジ化

解説 1. × 支配観念は思考の異常で生じるもので、ある考えが絶えず意識されてしまい、なかなか離れない状態をいう。

2. ○ 思春期には心理的離乳として精神的な依存対象であった親から離れて自立しようとするプロセスを経験する。この時期に異性への関心が高まる。

3. × アタッチメントは愛着であり、新生児や乳児と養育者との間に形成される。

4. × ギャングエイジは学童期に仲間を求め、集団で行動することを好むようになることをいう。

MORE!

●平成27（2015）年4月より「健やか親子21（第2次）」がスタートし、現在の母子保健を取り巻く状況をふまえて3つの基盤課題、また、2つの重点課題を設定した。
●基盤課題A：切れ目ない妊産婦・乳幼児への保健対策、基盤課題B：学童期・思春期から成人期に向けた保健対策、基盤課題C：子どもの健やかな成長を見守り育む地域づくり
●重点課題①：育てにくさを感じる親に寄り添う支援、重点課題②：妊娠期からの児童虐待防止対策

問題 ▶ **94**

出題基準
II-7-F／
社会的責任と役割

過去問 基 P.257
過去問 小 P.837

CHECK ▶ □□□

解答 **3**

ハヴィガースト, R.J. による発達課題で青年期の課題はどれか。
Havighurst, R.J.
1. 育児を遂行すること
2. 一定の経済力を確保し維持すること
3. 同年齢の男女両性との成熟した関係を学ぶこと
4. 大人としての市民的・社会的責任の達成

解説 ハヴィガーストによる発達課題では、成人期は3段階あり、「青年期」「成人初期（壮年期）」「成人中期（中年期）」である。

1. × 成人初期（壮年期）の発達課題である。

3. ○ 青年期の発達課題である。

2. 4. × 成人中期（中年期）の発達課題である。

表14 ハヴィガーストの発達課題

発達段階	発達課題
乳幼児期	●歩行の学習 ●固形食を食べる学習 ●話すことの学習 ●排泄の学習 ●生理的安定の達成 / ●性差と性的慎み深さの学習 ●社会的・物理的現実についての単純な概念の形成 ●両親兄弟の人間関係の学習 ●善悪の区別、良心の学習
児童期	●日常の遊びに必要な身体的技能の学習 ●生活体としての自己に対する健康な態度の形成 ●遊び友達をつくって、うまく付き合う学習 ●男子・女子の区別の学習とその社会的役割の適切な認識 / ●読み・書き・計算の基礎的学力の習得と発達 ●日常生活に必要な概念の発達 ●良心・道徳性・価値観の適応的な発達 ●個人的独立の段階的な達成・母子分離 ●社会集団や社会制度に対する態度の発達
青年期	●両性の友人との交流と新しい成熟した人間関係をもつ対人関係スキルの習得 ●男性・女性としての社会的役割の達成 ●自分の身体的変化を受け入れ、身体を適切に有効に使うこと ●両親やほかの大人からの情緒的独立の達成 ●経済的独立の目安を立てる / ●職業選択とそれへの準備 ●結婚と家庭生活への準備 ●市民として必要な知的技能と概念の発達 ●社会人としての自覚と責任、それに基づいた適切な行動 ●行動を導く価値観や倫理体系の形成
壮年期	●配偶者の選択 ●配偶者との生活の学習 ●第1子を家庭に加えること ●育児の遂行 / ●家庭の心理的・経済的・社会的な管理 ●職業につくこと ●市民的責任を負うこと ●適した社会集団の選択
中年期	●市民的・社会的責任の達成 ●経済力の確保と維持 ●十代の子どもの精神的な成長の援助 ●余暇を充実させること / ●配偶者と人間として信頼関係で結びつくこと ●中年の生理的変化の受け入れと対応 ●年老いた両親の世話と適応
老年期	●肉体的な力、健康の衰退への適応 ●引退と収入の減少への適応 ●同年代の人と明るい親密な関係を結ぶこと / ●社会的・市民的義務の引き受け ●肉体的に満足な生活を送るための準備 ●死の到来への準備と受容

Havighurst.R.J.著, 児玉憲典 他 訳：ハヴィガーストの発達課題と教育――生涯発達と人間形成. 川島書店. 1997. より引用

図6 エリクソンの発達課題

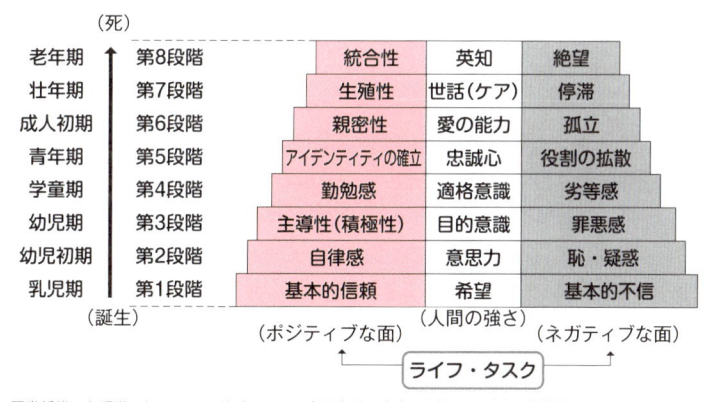

岡堂哲雄：心理学 ヒューマンサイエンス. 金子書房, 東京, 1985：126. より引用

問題 ▶ 95

頻出

出題基準
Ⅱ-7-F／
生殖機能の成熟と衰退
過去問 母 P.953, 954

CHECK ▶ □□□

解答 4

更年期の女性において増加するのはどれか。

1. プロゲステロン
2. エストロゲン
3. 成長ホルモン
4. 卵胞刺激ホルモン〈FSH〉

解説 1. 2. × 卵巣機能が衰退するので、卵巣からのホルモンであるプロゲステロンとエストロゲンの分泌は低下する。

3. × 成長ホルモンは加齢に伴い分泌が低下する。したがって、更年期に増加するとはいえない。

4. ○ プロゲステロンとエストロゲンの分泌の低下が刺激となってネガティブフィードバックが起こり、下垂体からの性腺刺激ホルモンである卵胞刺激ホルモン〈FSH〉と黄体形成ホルモン〈LH〉の分泌は増加する。

MORE!

- 女性の更年期障害は、40〜60歳ごろ、閉経（平均50歳）前後に起こる。
- 卵巣機能が減退し、エストロゲンの分泌が減少する反面、上位のホルモンである卵胞刺激ホルモン（FSH）は増加→子宮の萎縮、腟の潤滑性が消失。
- 症状：自律神経失調症状（のぼせ、ほてり、発汗）、精神症状、頭痛・肩こりなどの不定愁訴。

問題 ▶ 96

出題基準
Ⅱ-7-F／
基礎代謝の変化
過去問 成 P.396

CHECK ▶ □□□

解答 1

基礎代謝量（kcal/日）が最も多いのはどれか。
ただし、体重は同じで考えるものとする。

1. 青年期
2. 壮年期
3. 向老期
4. 老年期

解説 1日当たりの基礎代謝量は基礎代謝基準値（体重1kg当たりの基礎代謝）に体重を乗じて計算する。したがって、**表15**のとおり、基礎代謝基準値は年齢が低いほど高いが、小児期には体重が軽いため1日当たりの基礎代謝量はそれほど高くならない。成人期に限定すれば基礎代謝基準値と体重の関係から男性では15〜17歳、女性では12〜14歳が1日当たりの基礎代謝量のピークとなる。よって選択肢のなかでは、1の青年期が正しい（1. ○）。

MORE!

● 基礎代謝に影響する要素には、ホルモン、体温、栄養状態、体表面積、妊娠の有無、季節などがある。

表15 参照体重における基礎代謝量

性別	男性			女性		
年齢(歳)	基礎代謝基準値 (kcal/kg体重/日)	参照体重 (kg)	基礎代謝量 (kcal/日)	基礎代謝基準値 (kcal/kg体重/日)	参照体重 (kg)	基礎代謝量 (kcal/日)
1～2	61.0	11.5	700	59.7	11.0	660
3～5	54.8	16.5	900	52.2	16.1	840
6～7	44.3	22.2	980	41.9	21.9	920
8～9	40.8	28.0	1,140	38.3	27.4	1,050
10～11	37.4	35.6	1,330	34.8	36.3	1,260
12～14	31.0	49.0	1,520	29.6	47.5	1,410
15～17	27.0	59.7	1,610	25.3	51.9	1,310
18～29	23.7	63.0	1,490	22.1	51.0	1,130
30～49	22.5	70.0	1,570	21.9	53.3	1,170
50～64	21.8	69.1	1,510	20.7	54.0	1,120
65～74	21.6	64.4	1,390	20.7	52.6	1,090
75以上	21.5	61.0	1,310	20.7	49.3	1,020

資料：厚生労働省「日本人の食事摂取基準(2025年版)」

このほか、基礎代謝量の推定式には、国立健康・栄養研究所の式、Harris-Benedictの式、Schofieldの式、FAO/WHO/UNUの式がある。

問題 ▶ 97

頻出

出題基準

II-7-G／
身体的機能の変化

過去問 老 P.744, 745, 746, 747

CHECK ▶ □□□

解答 2

加齢に伴う循環器系の変化で正しいのはどれか。

1. 脈圧の狭小
2. 左室壁の肥厚
3. 安静時の心拍数の増加
4. 運動時の心拍出量の増加

解説 1. × 収縮期血圧は上昇し、拡張期血圧は低下する傾向があるため、脈圧は増大する。

2. ○ 大動脈の弾性低下による収縮期血圧の上昇などの負荷により、左室壁は肥厚する。

3. 4. × 安静時の心拍数や心拍出量の変化はほとんどないとされる。運動時の心拍出量は減少する。

問題▶98

出題基準
Ⅱ-7-G／
認知能力の変化

過去問 老 P.750, 751

CHECK▶ ☐☐☐

解答 4

結晶性知能を説明しているのはどれか。
1. 直感力や暗記力が該当する。
2. 成人期に発達が止まる。
3. 加齢によって低下しやすい。
4. 経験や知識が統合されている。

解説 1. × 直感力や暗記力は流動性知能に該当する。
2. × 成人期に発達が止まるのは流動性知能である。
3. × 結晶性知能は加齢によって低下しにくい。
4. ○ 経験や知識が蓄積されて統合することでつくられる能力である。

MORE!

図7 流動性知能と結晶性知能の生涯にわたる発達

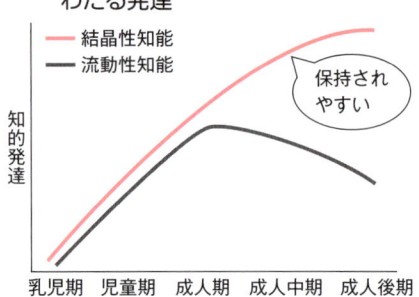

サントロック, JW著, 今泉信人, 南博文編訳:成人発達とエイジング. 北大路書房, 京都, 1992:162.より引用

問題▶99

出題基準
Ⅱ-7-G／
心理社会的変化

過去問 老 P.752

CHECK▶ ☐☐☐

解答 3

加齢による心理的変化の1つに「心気症状」がある。
その説明で正しいのはどれか。
1. 老いに対して否定的で過活動となる。
2. 体調によって思考力や判断力が変動する。
3. 小さな身体の異常を重い疾患によるものだと考える。
4. 過去のことを自責的に思い出し、自分を責めたり落ち込んだりする。

解説 客観的な症状はみられないが3の小さな身体の異常を重い疾患によるものだと考えることを心気症状という（3. ○）。
1. × ライチャードらによる老年期の人格の1つに近いが心気症状ではない。
2. × 体調によって思考力や判断力が変動する状態は心気症状ではない。
4. × 加齢によって起こることはあるが心気症状ではない。

MORE!

表16 ライチャードらによる老年期の人格5類型

適応型	円熟型	老いをありのまま受け入れる。積極的に社会活動を維持
	依存型	依存的欲求の充足が満足をもたらす。新しいことには受動的・消極的な対応
	防衛型	老いに否定的。積極的な活動を維持する
不適応型	自責型	自分の不幸や失敗を自分のせいにする。うつ状態になりやすい
	憤慨型	自分の不幸や失敗を他者のせいにして、非難・攻撃する。トラブルを起こしやすい

池西静江, 石束佳子, 阿形奈津子 編:看護学生スタディガイド2026. 照林社, 東京, 2025:1060.より引用

図8 60歳以上の高齢者の就労希望年数

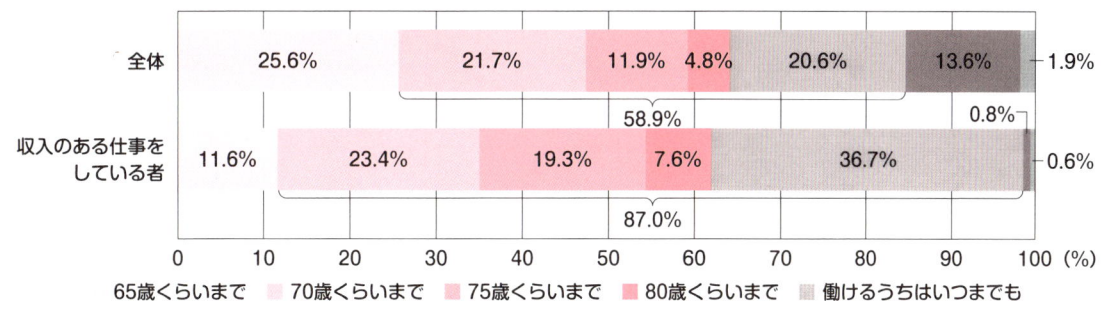

全体
- 25.6%
- 21.7%
- 11.9%
- 4.8%
- 20.6%
- 13.6%
- 1.9%
- 58.9%
- 0.8%

収入のある仕事をしている者
- 11.6%
- 23.4%
- 19.3%
- 7.6%
- 36.7%
- 0.6%
- 87.0%

凡例：65歳くらいまで／70歳くらいまで／75歳くらいまで／80歳くらいまで／働けるうちはいつまでも／仕事をしたいとは思わない／不明・無回答

資料：内閣府「高齢者の経済生活に関する調査」（令和元年度）
（注）調査対象は、全国の60歳以上の男女。

目標 II

問題▶100

五肢

出題基準
II-8-A／家族関係

CHECK▶☐☐☐

解答 3

患者を支えるための望ましい家族関係はどれか。

1. 対 立
2. 干 渉
3. 協 力
4. 従 属
5. 依 存

解説 家族は個人の健康に影響を及ぼすほか、患者を支える存在である。治療・ケアや疾病予防を効果的に行うには患者個人に加えて家族も看護の対象となる。

1. 2. × 家族関係における対立や干渉は患者を支えることを阻害する。

3. ○ 家族が協力することによって治療・ケアや疾病予防を効果的に行い、患者を支えることができる。

4. 5. × 従属とは中心となる人や力のある人に従うことであり、依存とは他者に頼って存在することである。これらは患者の自己決定やセルフケアを阻害する。

問題▶101

出題基準
II-8-A／家族構成員

過去問 社 P.147

CHECK▶☐☐☐

解答 2

令和5（2023）年の国民生活基礎調査で65歳以上の者のいる世帯が全世帯に占める割合はどれか。

1. 40%
2. 50%
3. 60%
4. 70%

解説 65歳以上の者のいる世帯の割合は伸び続けており、令和5（2023）年には49.5%となった（2. ○）。なお、65歳以上の者のいる世帯のうち、最も多いのは夫婦のみの世帯（32.0%）、次いで単独世帯（31.7%）である（P.64表17）。

表17　世帯構造別にみた65歳以上の者のいる世帯数の推移

		全世帯数	65歳以上の者のいる世帯							
			総数	全世帯に占める割合(%)	単独世帯(%)	夫婦のみの世帯(%)	親と未婚の子のみの世帯(%)	三世代世帯(%)	その他の世帯(%)	(再掲)65歳以上の者のみの世帯(%)
平成4年	（1992）	41,210	11,884	28.8	15.7	22.8	12.1	36.6	12.8	30.8
7	（'95）	40,770	12,695	31.1	17.3	24.2	12.9	33.3	12.2	34.4
10	（'98）	44,496	14,822	33.3	18.4	26.7	13.7	29.7	11.6	37.8
13	（2001）	45,664	16,367	35.8	19.4	27.8	15.7	25.5	11.6	40.5
16	（'04）	46,323	17,864	38.6	20.9	29.4	16.4	21.9	11.4	44.0
19	（'07）	48,023	19,263	40.1	22.5	29.8	17.7	18.3	11.7	46.6
22	（'10）	48,638	20,705	42.6	24.2	29.9	18.5	16.2	11.2	49.2
25	（'13）	50,112	22,420	44.7	25.6	31.1	19.8	13.2	10.4	51.7
28	（'16）	49,945	24,165	48.4	27.1	31.1	20.7	11.0	10.0	54.8
令和元	（'19）	51,785	25,584	49.4	28.8	32.3	20.0	9.4	9.5	58.1
令和3	（'21）	51,914	25,809	49.7	28.8	32.0	20.5	9.3	9.5	58.3
令和4	（'22）	54,310	27,474	50.6	31.8	32.1	20.1	7.1	9.0	61.6
令和5	（'23）	54,452	26,951	49.5	31.7	32.0	20.2	7.0	9.0	61.4

資料　厚生労働省「国民生活基礎調査」（ただし、令和4年は大規模調査である）
注1）　平成7年の数値は、兵庫県を除いたものである。平成28年の数値は、熊本県を除いたものである。
　2）　「親と未婚の子のみの世帯」とは、「夫婦と未婚の子のみの世帯」および「ひとり親と未婚の子のみの世帯」をいう。

問題▶102

出題基準
Ⅱ-8-A／疾病が患者・家族に与える心理・社会的影響

CHECK▶ □□□

解答 3

疾病が判明した患者の家族について正しいのはどれか。
1. 家族全体のセルフケア能力の縮小をめざす。
2. 経済的問題を支援することはできない。
3. 患者が小児や高齢者の場合は家族への影響が大きい。
4. 家族内役割を固定するように援助する。

解説　家族は社会の最小単位である。フリードマンは、家族は絆を共有し、情緒的な親密さによって互いに結びついた、家族であると自覚している2人以上の成員によって構成されるとした。
1. ×　家族全体のセルフケア能力の向上・拡大をめざす。
2. ×　医療費などの公的扶助のほか、生活保護制度があり、「できない」とはいえない。
3. ○　小児や高齢者が患者となると、家族の世話がより大きくなり負担となる。家族への影響は大きい。
4. ×　疾病などの危機に際しては、家族内役割を変える必要が出てくる。

問題▶103

出題基準
Ⅱ-8-B／家族の多様性

過去問 社 P.150

CHECK▶ □□□

解答 3

令和2（2020）年の国勢調査による50歳時で未婚の男性の割合に近いのはどれか。
1. 8%
2. 18%
3. 28%
4. 38%

解説　令和2（2020）年の国勢調査による50歳時で未婚の男性の割合は28.3%、女性は17.8%であった（3. ○、グラフはP.7図5を参照のこと）。1990年には、男性5.6%、女性4.3%であった。

日本の平均世帯人員の推移を表すグラフに近いのはどれか。

1.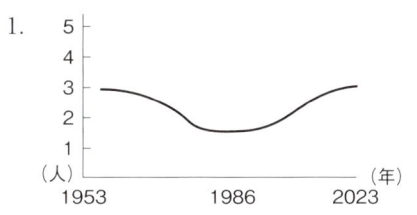

2.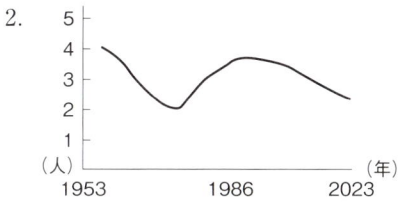

3.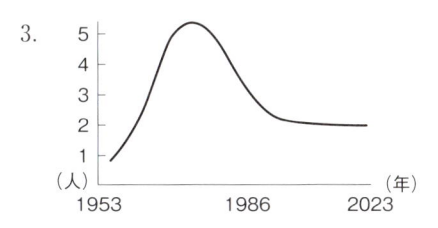

4.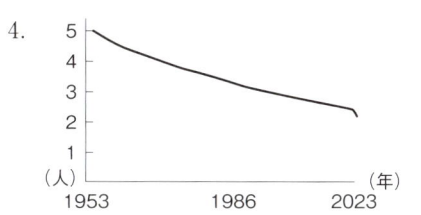

解答 4

解説 日本の平均世帯人員は昭和28（1953）年に5.0人となったが、その後は低下傾向をたどり、令和5（2023）年は2.23人であった（4.○）。近年の変化には特に単独世帯の増加と少子化が影響している。

図9 平均世帯人員の年次推移

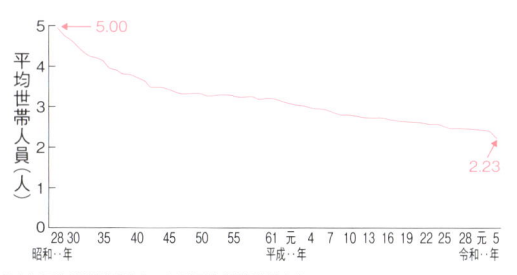

資料：厚生労働省「令和5年国民生活基礎調査」

MORE!

表18 平均世帯人員の推移

年次	平均世帯人員(人)
昭和28年（1953年）	5
昭和30年（1955年）	4.68
昭和35年（1960年）	4.13
昭和40年（1965年）	3.75
昭和45年（1970年）	3.45
昭和50年（1975年）	3.35
昭和55年（1980年）	3.28
昭和60年（1985年）	3.22
平成元年（1989年）	3.1
平成2年（1990年）	3.05
平成7年（1995年）	2.91
平成12年（2000年）	2.76
平成17年（2005年）	2.68
平成22年（2010年）	2.59
平成27年（2015年）	2.49
平成28年（2016年）	2.47
平成29年（2017年）	2.47
平成30年（2018年）	2.44
令和元年（2019年）	2.39
令和3年（2021年）	2.37
令和4年（2022年）	2.25
令和5年（2023年）	2.23

資料：厚生労働省「国民生活基礎調査」

表19 世帯数の将来推計

年次	一般世帯総数（千世帯）	家族類型別割合(%)				
		単独	夫婦のみ	夫婦と子	ひとり親と子	その他
全世帯主						
令和 2年（2020）	55,705	38.0	20.1	25.2	9.0	7.7
7（'25）	57,273	40.1	19.8	24.0	9.4	6.7
12（'30）	57,732	41.6	19.5	22.9	9.6	6.4
17（'35）	57,262	42.8	19.2	22.2	9.6	6.3
22（'40）	56,080	43.5	19.0	21.8	9.4	6.2
27（'45）	54,416	43.9	19.0	21.7	9.3	6.1
32（'50）	52,607	44.3	18.9	21.5	9.2	6.1
65歳以上の世帯主						
令和 2年（2020）	20,973	35.2	32.2	14.2	9.1	9.3
7（'25）	21,786	37.4	31.0	14.2	9.5	7.9
12（'30）	22,396	39.6	29.5	13.8	9.8	7.3
17（'35）	23,057	41.7	28.2	13.3	9.7	7.1
22（'40）	24,117	43.2	27.2	13.0	9.4	7.2
27（'45）	24,312	44.2	26.8	12.8	9.1	7.1
32（'50）	24,041	45.1	26.5	12.6	8.9	7.0

資料　国立社会保障・人口問題研究所「日本の世帯数の将来推計（全国推計）〔2024年推計〕」
注　2020年を推計の基準年とする2025年以降の将来推計値。2020年の家族類型別割合は家族類型不詳を案分した世帯数をもとに算出している。

医療法に規定されている病院とは、（　　　）人以上の患者を入院させるための施設を有するものをいう。
（　　　）に入る数字はどれか。

1. 10人
2. 20人
3. 100人
4. 200人

頻出

出題基準
Ⅱ-9-A／病院、診療所

過去問 社 P.252

CHECK ▶ ☐☐☐

解答 **2**

解説 医療法第1条の5において、病院とは医師または歯科医師が、公衆または特定多数人のため医業または歯科医業を行う場所であって、20人以上の患者を入院させるための施設を有するものと規定されている（2. ○）。関連して、診療所は無床または19人以下の患者を入院させるための施設を有するものである。

MORE!

● 医療法による医療提供施設とは、病院、診療所、介護老人保健施設、介護医療院、調剤を実施する薬局などをいう。

表20 医療提供施設のポイント

施設	法律	特徴
病院	医療法	●20床以上の収容ベッドを有する ●区分：疾病別、対象者別、経営主体別、機能・診療科数別、病状別（特定機能病院・療養病床）など
診療所	医療法	●ベッドが19床以下（無床でも可）
助産所	医療法	●助産師が正常分娩を扱う ●ベッドが9床以下（緊急時を除く）
介護老人保健施設	介護保険法	●医療施設と福祉施設の中間施設（リハビリテーションを提供） ●在宅復帰をめざす高齢者などが対象
介護医療院	介護保険法	●日常的な医学管理やターミナルケア・看取りが可能 ●生活施設としての機能ももつ

表21 病院の種類

種類	定義	病床数	承認者
地域医療支援病院	地域の他病院からの紹介患者に対して医療提供が可能で、救急医療を提供でき、地域の医療従事者のための研修を実施できる	200床以上	都道府県知事
特定機能病院	高度の医療を提供する施設と通常以上の医療従事者を有し、高度医療の開発・評価・研修を実施できる	400床以上	厚生労働大臣
災害拠点病院	救命医療を行うための高度診療機能、被災地からの重症傷病者の受け入れ機能、傷病者の広域後方搬送への対応機能、医療救護班（DMAT）の派遣機能、地域医療機関への応急用医療資機材の貸し出し機能などをもつ。基幹災害拠点病院を都道府県ごとに1か所、地域災害拠点病院を二次医療圏ごとに原則として1か所指定する（指定施設例：救命救急センター、入院救急医療を担う医療機関、緊急被曝医療機関など）	規定なし（災害時における患者の多数発生時に対応可能なスペースおよび簡易ベッドなどの備蓄スペースを有することが望ましい）	厚生労働省が示す指定要件に基づき都道府県知事が指定する

表22 病床の種類

病床種別	定義	病床種別	定義
精神病床	精神疾患を有する者を入院させるものをいう	結核病床	結核の患者を入院させるためのものをいう
感染症病床	「感染症の予防及び感染症の患者に対する医療に関する法律」で定める1類感染症、2類感染症（結核を除く）、新型インフルエンザ等感染症、指定感染症の患者および新感染症の所見がある者を入院させるためのものをいう	療養病床	主として長期にわたり療養を必要とする患者を入院させるためのものをいう
		一般病床	上記の病床以外のものをいう

問題 ▶ 106

頻出

出題基準
Ⅱ-9-A／病院、診療所

過去問 社 P.251

CHECK ▶ □□□

解答 4

厚生労働省による調査で令和4（2022）年末における就業している看護師（実人員）のうち、病院で就業している者の割合で正しいのはどれか。

1. 約 8%
2. 約14%
3. 約33%
4. 約68%

解説 1. ✕　7.7%は介護保険施設等で就業している看護師の割合である。

2. ✕　13.7%は診療所に就業している看護師の割合である。

3. ✕　32.8%は診療所で就業している准看護師の割合である。なお、病院に就業している准看護師は34.3%と差は小さい。

4. ◯　67.8%が病院で就業している看護師の割合である。

〈引用〉厚生労働省「令和4年衛生行政報告例（就業医療関係者）の概況」就業場所別にみた就業保健師等（令和4年末現在）

問題 ▶ 107

出題基準
Ⅱ-9-A／助産所

CHECK ▶ □□□

解答 4

助産所で行うことができるのはどれか。

1. 会陰切開
2. 吸引分娩
3. 多胎分娩の助産
4. 母乳哺育の保健指導

解説 助産師は正常分娩を扱い、緊急時を除き異常分娩は扱うことができない。1の会陰切開、2の吸引分娩は医療行為であるため行うことはできず、3の多胎の分娩を扱うこともできない（1．2．3．✕）。4の母乳哺育に関する保健指導を行うことはできる（4．◯）。また医療法で、「助産所の開設者は、厚生労働省令で定めるところにより、嘱託する医師及び病院又は診療所を定めておかなければならない」と規定されている。

MORE!

● 令和4年度の衛生行政報告例によると、分娩を取り扱う助産所は全国で338となっている。

問題▶108

五肢

出題基準
Ⅱ-9-A／
訪問看護ステーション

過去問 在 P.1131
過去問 114回 P.48

CHECK ▶ □□□

解答 **3**

訪問看護ステーションで正しいのはどれか。
1. 管理者は医師である。
2. 24時間体制が業務づけられている。
3. 理学療法士を配置できる。
4. 常勤換算で5名以上の看護職員が必要である。
5. 勤務する看護職員は臨床経験5年以上と定められている。

解説 1. × 「指定訪問看護の事業の人員及び運営に関する基準」という省令で、訪問看護ステーションの管理者は原則として保健師、看護師、助産師でなければならないとされており、医師ではない。なお、助産師が管理者や看護職員となることができるのは、健康保険法に基づく指定訪問看護ステーションのみである。
2. × 24時間体制で運営する訪問看護ステーションもあるが義務ではない。
3. ○ 人員の常勤換算には含まれないが、訪問看護ステーションでは理学療法士・作業療法士・言語聴覚士を配置して、サービスの提供が可能である。
4. × 労働時間による常勤換算で2.5名以上の看護職員（准看護師も含む）が必要である。
5. × 勤務する看護職員について臨床経験の規定はない。

MORE!

- 訪問看護ステーションの従事者は、保健師、助産師、看護師、准看護師、作業療法士、理学療法士、言語聴覚士である。
- 訪問看護ステーションの開設には、常勤換算で2.5名の看護職員が必要である。

図10 訪問看護の提供プロセス

利用者の申込み
↓
被保険者証の確認
↓
重要事項説明書による説明・同意・交付
↓
契約の締結
↓
心身の状況等の把握
↓
面談、訪問看護計画または介護予防訪問看護計画の作成 → 主治医からの訪問看護指示書
↓ → 主治医へ訪問看護計画書提出
サービスの提供

問題▶109

出題基準
Ⅱ-9-A／介護保険施設

過去問 老 P.790, 791, 792

CHECK ▶ □□□

解答 **1**

介護保険施設の種類の数はどれか。
1. 3種類
2. 5種類
3. 7種類
4. 9種類

解説 介護保険施設は介護保険法で規定された施設サービスを提供する施設で、（指定）介護老人福祉施設〈特別養護老人ホーム〉、介護老人保健施設、介護医療院の3種類である（1. ○）。

問題▶110

出題基準
Ⅱ-9-A／介護保険施設
過去問 社 P.253
過去問 老 P.792
CHECK▶ ☐☐☐
解答 3

介護老人保健施設はどれか。

1. 療養病床等から移行した医療提供施設
2. 患者が入院できるための設備がない医療施設
3. 要介護者が入所して必要な医療や日常生活の援助を受ける施設
4. 認知症の要介護者が共同生活をしながら、日常生活の援助を受ける施設

解説 1. × 療養病床等から移行した医療提供施設は介護医療院の成り立ちの1つである。

2. × 患者が入院できるための設備がない医療施設は診療所の説明である。

3. ○ 施設サービス計画に基づいて、要介護者が入所して必要な医療や日常生活の援助を受ける施設が介護老人保健施設である。

4. × 認知症の要介護者が共同生活をしながら、日常生活の援助を受ける施設は認知症対応型共同生活介護〈グループホーム〉である。

MORE!

表23 介護保険施設の種類

種類	介護老人福祉施設（特別養護老人ホーム※）	介護老人保健施設	介護医療院
関係法規	介護保険法（老人福祉法）	介護保険法	介護保険法
基本的性格	要介護者のための生活施設	要介護者にリハビリ等を提供し在宅復帰をめざす施設	医療の必要な要介護者の長期療養・生活施設

※特別養護老人ホームは老人福祉法における定義
厚生労働省：介護療養病床・介護医療院のこれまでの経緯.を参考に作成
https://www.mhlw.go.jp/file/06-Seisakujouhou-12300000-Roukenkyoku/0000204431.pdf
（2025/5/29 閲覧）

介護療養型医療施設は令和6年3月31日で廃止となり、転換後は地域包括ケア病棟、介護医療院、介護老人保健施設などになった。

問題▶111

頻出

出題基準
Ⅱ-9-A／
地域包括支援センター
過去問 社 P.252
CHECK▶ ☐☐☐
解答 2

地域包括支援センターの設置を定めているのはどれか。

1. 医療法
2. 介護保険法
3. 老人福祉法
4. 地域保健法

解説 平成18年（2006年）の介護保険法改正により（2. ○）、地域住民の保健医療の向上および福祉の増進を支援することを目的として市町村等（在宅介護支援センターの運営法人、社会福祉法人、医療法人等の市町村から委託を受けた法人も設置可能）に設置することが新たに規定された。

　1の医療法、3の老人福祉法、4の地域保健法は設置について規定していない。

図11 地域包括支援センターについて

地域包括支援センターは、市町村が設置主体となり、<u>保健師・社会福祉士・主任介護支援専門員</u>等を配置して、<u>地域住民の心身の健康の保持及び生活の安定のために必要な援助を行う</u>ことにより、その<u>保健医療の向上及び福祉の増進を包括的に支援する</u>ことを目的とする施設（介護保険法第115条の46第1項）

※指定居宅介護支援事業者等や地域の事業者等に一部委託可能

総合相談支援事業
地域の高齢者や家族介護者に対して、初期段階から継続的・専門的に相談支援を行い、地域における様々なサービス等につなげる。

※指定居宅介護支援事業者に一部委託可能

第一号介護予防支援事業（介護予防ケアマネジメント）
要支援者等が、介護予防・日常生活支援を目的とした活動をその選択に基づき行えるよう支援する。

指定介護予防支援
※指定居宅介護支援事業者が直接指定を受けて、又はセンターから一部委託を受けて実施することが可能

包括的支援事業の実施

権利擁護事業
高齢者が尊厳ある生活を送ることができるよう、成年後見制度の活用促進や、高齢者虐待への対応等を行う。

社会福祉士等　保健師等　主任介護支援専門員等

包括的・継続的ケアマネジメント支援事業
個々の介護支援専門員への支援、介護予防サービスの検証等を通して、地域における高齢者の自立支援・介護予防を推進する。

全国で5,451か所

地域ケア会議の実施
地域の関係者による、地域づくりや政策形成の場

地域包括支援ネットワーク

包括的支援事業の効果的な実施のために、介護サービス事業者、医療機関、民生委員、ボランティア、自立相談支援機関、障害福祉サービスに関する相談窓口、都道府県労働局（介護休業・介護休暇等に関する相談など）など さまざまな関係者と連携する。

（注）地域包括支援センターの設置数は令和6年4月現在（資料出所：厚生労働省老健局認知症施策・地域介護推進課調べ）
厚生労働省：地域包括支援センターについて．
https://www.mhlw.go.jp/content/12300000/001401860.pdf（2025/5/1閲覧）

問題▶112

頻出

出題基準
II-9-A／市町村、保健所

過去問 社 P.216

CHECK▶ □□□

解答 3

市町村における看護活動のおもな目的はどれか。
1. 患者の苦痛緩和
2. 高度な医療の提供
3. 地域住民の疾病予防
4. 患者の療養上の世話

解説 市町村における看護活動のおもな目的は、3の<u>地域住民</u>の健康増進や<u>疾病予防</u>、疾病の早期発見（3. ○）である。さらに、市町村における保健師の活動はより広く、自殺対策、乳幼児・高齢者虐待、DV（ドメスティック・バイオレンス）、ひきこもり、発達障害、生活習慣病対策等、地域の実情にマッチした保健活動を推進する必要がある。

表24 市町村における保健師の保健活動（地域における保健師の保健活動について、平成25年4月、健発0419第1号より抜粋、編集）

（1）実態把握及び健康課題の明確化
（2）保健医療福祉計画策定及び施策化
（3）保健サービス等の提供（訪問指導、健康相談、健康教育、地区組織活動の育成・支援等の活動による）
●住民の身近な相談者として、総合相談及び地区活動の実施、住民の主体的な健康づくりの支援
●生活習慣病の発症及び重症化を予防するため、一次予防に重点をおいた保健活動の実施、効果的な健康診査及び保健指導の実施
●介護予防、高齢者医療福祉、母子保健、児童福祉、精神保健福祉、障害福祉、女性保護等に関する保健サービスの提供
●地区住民組織、ボランティア組織及び自助グループ等の育成及び支援、協働
●災害対応を含む健康危機管理への平常時からの保健所との連携と、災害を含む健康危機の発生時には住民の健康管理等の支援活動の実施
●生活困窮者等に対する健康管理支援等
（4）連携及び調整
保健所や当該市町村の保健、医療、医療保険、福祉、環境、教育、労働衛生等の関係者、関係部局及び関係機関との連携、調整
（5）保健活動について政策評価、事業評価を行い、保健事業の効果を検証し反映

問題 ▶ 113

出題基準

Ⅱ-9-A／市町村、保健所

過去問 社 P.216

CHECK ▶ □ □ □

解答 1

地域保健法に規定された専門的で広域的な拠点はどれか。

1. 保健所
2. 市町村保健センター
3. 地域包括支援センター
4. 精神保健福祉センター

解説 1. ○ 保健所は地域保健法で規定された事業を行う。この事業のなかには専門的・広域的なサービスが含まれており、地域保健の専門機関である。

2. × 市町村保健センターも地域保健法によって規定されているが、住民に身近な保健サービス（地域住民に対する母子保健事業、健康増進事業、精神保健福祉事業、災害有事ほか）に限られており、専門的・広域的とはいえない。

3. × 地域包括支援センターは介護保険法による機関である。

4. × 精神保健福祉センターは精神保健及び精神障害者福祉に関する法律に基づき、精神保健に限定した専門的サービスを行う。

MORE!

表25 保健所の業務

〈地域保健法第6条〉 ●地域保健に関する思想の普及・向上 ●人口動態統計、地域保健に関する統計 ●栄養改善、食品衛生 ●環境衛生（住宅・水道・下水道・廃棄物処理・清掃など） ●医事・薬事に関する事項 ●保健師に関する事項 ●公共医療事業の向上及び増進 ●母性・乳幼児保健、老人保健 ●歯科保健	●精神保健 ●難病など長期療養者の保健 ●エイズ・結核・性病・伝染病・その他の疾病予防 ●衛生上の試験・検査 ●地域住民の健康保持・増進 〈地域保健法第7・8条〉 ●地域保健に関する情報を収集し、整理し、及び活用すること ●地域保健に関する調査及び研究を行うこと	●歯科疾患その他厚生労働大臣の指定する疾病の治療を行うこと ●試験及び検査を行い、並びに医師、歯科医師、薬剤師その他の者に試験及び検査に関する施設を利用させること ●市町村の地域保健対策の実施に関し、市町村相互間の連絡調整を行い、及び市町村の求めに応じ、技術的助言、市町村職員の研修その他必要な援助を行うこと

問題 ▶ 114

出題基準

Ⅱ-9-A／学校

過去問 社 P.225
過去問 小 P.865

CHECK ▶ □ □ □

解答 4

学校におけるインフルエンザや水痘などの感染症の出席停止期間を定めている法律はどれか。

1. 感染症法
2. 学校教育法
3. 健康保険法
4. 学校保健安全法

解説 学校保健安全法および同法施行規則により、児童・生徒が感染症にかかった場合、児童・生徒の休業と他人への蔓延・流行を防ぐために、出席停止（欠席扱いとしない）の措置が取られ、出席停止期間の基準が定められている（4. ○）。対象となる感染症を学校感染症と呼び、第1〜3種に分類されている。

表26 学校感染症 第2種の出席停止期間（2023年5月現在）

新型コロナウイルス感染症	発症した後5日を経過し、かつ症状軽快後1日を経過するまで	流行性耳下腺炎（おたふくかぜ）	耳下腺、顎下腺または舌下腺の腫脹が発現した後5日を経過し、かつ、全身状態が良好になるまで
インフルエンザ〔鳥インフルエンザ（H5N1、H7N9）および新型インフルエンザ等感染症を除く〕	発症後5日、かつ解熱後2日（幼児は3日）を経過するまで	風疹	発疹が消失するまで
		水痘（みずぼうそう）	すべての発疹が痂皮化するまで
百日咳	特有の咳が消失するまで、または5日間の適正な抗菌薬による治療が終了するまで	咽頭結膜熱（プール熱）	主要症状が消退した後2日を経過するまで
麻疹	解熱後3日を経過するまで	結核および髄膜炎菌性髄膜炎	病状により学校医その他の医師において感染の恐れがないと認めるまで

問題▶115

出題基準
Ⅱ-9-A／企業
過去問 社 P.235
CHECK▶ □□□
解答 4

「事業場における労働者の健康保持増進のための指針」で中心となる運動はどれか。
1. セルフメディケーション
2. プライマリヘルスケア
3. ワーク・ライフ・バランス
4. トータル・ヘルスプロモーション・プラン

解説 厚生労働省の「事業場における労働者の健康保持増進のための指針」は、初出が昭和63（1988）年であり、すべての働く人の総合的な心とからだの健康づくり運動（THP：トータル・ヘルスプロモーション・プラン）である（4. ○）。

1. × セルフメディケーションとは、個人が自身の健康に責任をもち、軽度の健康の不調は自分で対処することである。この運動には含まれない。

2. × プライマリヘルスケアとは、昭和53（1978）年にアルマ-アタ宣言で提唱されたもので、住民に最も身近な段階で、地域社会で健康増進・予防・治療・リハビリテーションの各種サービスを提供するものである。

3. × ワーク・ライフ・バランスは平成19（2007）年の「仕事と生活の調和（ワーク・ライフ・バランス）憲章」に盛り込まれている。

〈参考〉
1. 厚生労働省：職場における心とからだの健康づくりのための手引き～事業場における労働者の健康保持増進のための指針～.
https://www.mhlw.go.jp/content/000747964.pdf（2025/5/29閲覧）
2. 厚生労働省：我が国における健康をめぐる施策の変遷. https://www.mhlw.go.jp/wp/hakusyo/kousei/14/dl/1-01.pdf（2025/5/29閲覧）

問題▶116

頻出

出題基準
Ⅱ-9-A／市町村、保健所
過去問 社 P.217
CHECK▶ □□□
解答 2

市町村保健センターが行う事業はどれか。
1. 環境衛生
2. 健康診査
3. 要介護認定
4. 地域保健に関する統計分析

解説 地域保健法第18条において、市町村は市町村保健センターを設置することができ、住民に対して健康相談、保健指導、健康診査（2. ○）その他、地域保健に関して必要な事業を行うことを目的とする施設であると規定されている。

1. 4. × 環境衛生や地域保健に関する統計分析は保健所が行う。

3. × 要介護認定は市町村（および特別区）が行う。なお、自治体によっては申請の窓口が役所の担当課（保険課など）、保健所、保健センターとなっていることがあるが認定は行わない。

問題 ▶ 117

頻出　五肢

出題基準
Ⅱ-9-A／チーム医療

過去問 基 P.269

CHECK ▶ □ □ □

解答 4

チーム医療の説明について正しいのはどれか。
1. 医師がリーダーとなる。
2. 1つの医療機関内で行う。
3. コーディネーターは不要である。
4. 複数の医療従事者が連携・協力して診療を行う。
5. 数人の看護師による看護チームが複数の患者を担当する。

解説 1. × 医師がリーダーとなると決まっているわけではない。

2. × 1つの医療機関内に限らない。例えば、在宅療養者の場合には複数の医療機関や事業所がかかわる。

3. × リーダーとは別に、メンバーの連絡や調整を担うコーディネーターを置くとよい。

4. ○ 複数の医療従事者が連携・協力して専門性を発揮しながら、チームで1人の患者に対してよりよい診療やケアを行う。患者や家族もチームメンバーであるとする定義もある。

5. × 数人の看護師による看護チームが複数の患者を担当するというのは、看護方式の1つであるチームナーシングの説明である。

MORE!

表27 関連する職種

職種	特徴	名称独占	業務独占
理学療法士（PT）	●国家資格。理学療法（徒手や道具を使った筋・関節可動域拡大のための訓練）、物理療法（電気、温熱、水治療法）を行う	○	○※
作業療法士（OT）	●国家資格。作業療法（創作、レクリエーションなど）を行い、心身の回復を行う	○	○※
言語聴覚士（ST）	●国家資格。話す・聞く・食べることに障害をもった人に対して、言語療法（コミュニケーションや摂食・嚥下に関する訓練・評価）を行う	○	○※
薬剤師	●国家資格。調剤業務、製剤業務、医薬品情報業務、薬剤管理業務、薬剤指導業務を行う	○	○
栄養士・管理栄養士	●国家資格。栄養士は都道府県知事、管理栄養士は厚生労働大臣の免許を受ける ●入院食や治療食の献立作成、栄養に関する相談・指導を行う ●管理栄養士による栄養管理・指導には、診療報酬加算がある	○	×
介護支援専門員（ケアマネジャー）	●介護保険法に基づく資格 ●要介護認定、ケアプラン作成、介護保険給付に関する業務を行う	×	×
医療ソーシャルワーカー（MSW）	●患者の経済的・社会的・心理的相談を受け、地域の医療・保健・福祉機関と連携をとり、社会復帰や在宅療養への準備をサポートする ●資格ではないが、社会福祉士や精神保健福祉士がこれらの業務にあたっている	○※	×
臨床検査技師	●国家資格。医師の指示を受けて、さまざまな検体検査・生理検査を行う（採血も行う）	○	○※
診療放射線技師	●国家資格。医師の指示を受けて、放射線の検査・治療・管理を行う	○	○
臨床工学技士（ME）	●国家資格。医療機器の操作・保守・管理を行う	○	○※

＊社会福祉士、精神保健福祉士の資格を有している場合
※一部の業務については業務独占である

退院支援・退院調整について正しいのはどれか。

1. 診療報酬の対象外である。
2. 退院時サマリーを中心に行う。
3. 患者と家族を適切な社会資源につなぐ。
4. すべての患者がアセスメントとカンファレンスの対象である。

解説 1. × 要件を満たせば診療報酬の対象となる。

2. × 退院時サマリーではなく、退院支援計画書を中心に行う。

3. ○ 目的は患者と家族を適切な社会資源につなぐことである。

4. × すべての患者がアセスメントとカンファレンスの対象ではなく、最初にすべての患者について対象となるかどうかスクリーニングを行う。

MORE!

図12 退院支援の流れ

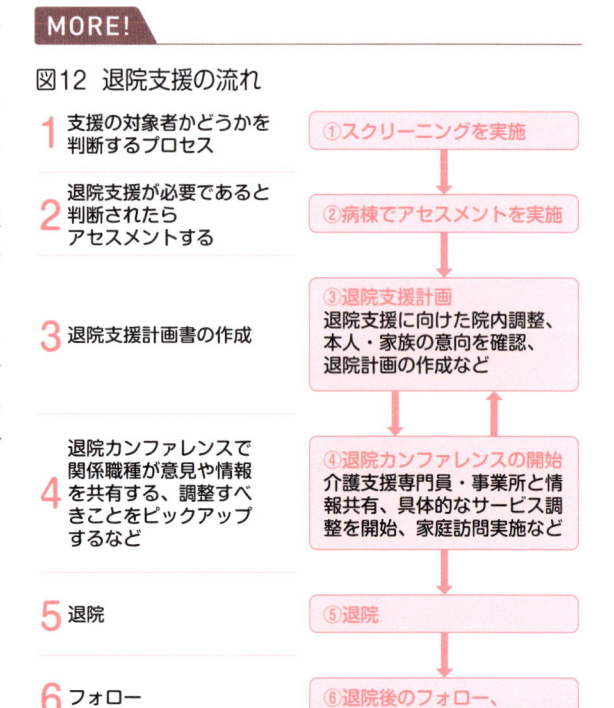

1 支援の対象者かどうかを判断するプロセス

2 退院支援が必要であると判断されたらアセスメントする

3 退院支援計画書の作成

4 退院カンファレンスで関係職種が意見や情報を共有する、調整すべきことをピックアップするなど

5 退院

6 フォロー

① スクリーニングを実施

② 病棟でアセスメントを実施

③ 退院支援計画
退院支援に向けた院内調整、本人・家族の意向を確認、退院計画の作成など

④ 退院カンファレンスの開始
介護支援専門員・事業所と情報共有、具体的なサービス調整を開始、家庭訪問実施など

⑤ 退院

⑥ 退院後のフォロー、情報共有

図は介護保険施設を利用したときの自己負担額の内訳である。
■に入るのはどれか。

| サービス費用の1割～3割（所得等による） | ＋ | 日常生活費 | ＋ | ■ | ＋ | 居住費 | ＝ | 自己負担額 |

1. 食費
2. 管理費
3. 医療費
4. 訪問看護費

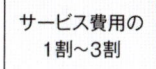

サービス費用の 1割～3割	+	日常生活費	+	食費	+	居住費	=	自己負担額

　低所得者に配慮したうえで、介護保険施設（介護老人福祉施設〈特別養護老人ホーム〉、介護老人保健施設、介護医療院など）の利用時の食費と居住費は自己負担となっている（1. ○）。日常生活費とは日常生活に必要な費用で施設によって異なる。令和3（2021）年からは利用者負担段階（第1段階～第4段階）が預貯金等の資産の状況からも分類されることになった。本人と配偶者名義の預貯金の通帳の写し、有価証券の口座残高の写しなどの提出が必要である。

　介護保険施設に入所している人の自己負担額の部分に2の管理費、3の医療費、4の訪問看護費というものはない（2～4. ×）。

〈参考〉
出雲市【高齢者福祉課】：介護保険負担限度額の認定について ～介護保険施設を利用するときの居住費と食費～
https://www.city.izumo.shimane.jp/www/contents/1176442745716/index.html
（2025/5/1閲覧）

頻出

CHECK ▸ □□□

解答 **3**

地域における医療連携と関連性が高いのはどれか。
1. 病床機能を集約化する。
2. 特定機能病院が中心となる。
3. 情報共有システムを構築する。
4. 地域の中核となる病院の受診を促す。

解説 地域における医療連携とは、医療機関間で情報を共有し、患者に最適な医療を提供するための連携である。地域の医療ニーズと病床の必要量を把握して、医療資源を適切に配分することで、継続性のある適切な医療が受けられることをめざす。

1. × 病床機能を集約化するのではなく、分化することで最適な医療を提供する。

2. × 特定機能病院ではなく、地域医療支援病院が中心となる。

3. ○ 医療機関同士の連携のためには情報共有システムを構築する必要がある。

4. × 地域の中核となる病院の受診を促すのではなく、かかりつけ医をもつことを推進し、地域医療支援病院など地域の中核病院は、かかりつけ医や他の医療医療機関から紹介された患者に対して、専門的な医療を提供する。中核となる病院での治療により症状が軽快・安定した患者を、紹介元の医療機関に戻す逆紹介制度も活用されている。

問題 ▶ **121**

出題基準
Ⅱ-9-A／学校

CHECK ▶ ☐☐☐

解答 3

小学校において保健室を運営し、保健指導や保健学習を行うのはどれか。

1. 校　医
2. 教　諭
3. 養護教諭
4. スクールカウンセラー

解説 学校教育法第37条には「小学校には、校長、教頭、教諭、養護教諭及び事務職員を置かなければならない」とあり、保健室を運営し、保健指導や保健学習を行うのは3の**養護教諭**である（3. ○）。養護教諭は**表28**のような業務を担う。看護師や保健師は所定の教育課程を終えると養護教諭の免許が取得できる。

MORE!

表28　養護教諭の職務内容

1　学校保健情報の把握に関すること
（1）体格、体力、疾病、栄養状態の実態
（2）不安や悩みなどの心の健康の実態　等
2　保健指導・保健学習に関すること
〔個人・集団対象〕
（1）心身の健康に問題を有する児童生徒の個別指導
（2）健康生活の実践に関して問題を有する児童生徒の個別指導
〔集団対象〕
（1）学級活動やホームルーム活動での保健指導
（2）学校行事等での保健指導
〔保健学習〕
保健学習への参加・協力
3　救急処置及び救急体制に関すること
4　健康相談活動に関すること
5　健康診断・健康相談に関すること
●定期・臨時の健康診断の立案、準備、指導、評価　等
6　学校環境衛生に関すること
（1）学校薬剤師が行う検査の準備、実施、事後措置に対する協力
（2）教職員による日常の学校環境衛生活動への協力・助言　等
7　学校保健に関する各種計画・活動及びそれらの運営への参画等に関すること
（1）一般教員の行う保健活動への協力
（2）学校保健委員会等の企画運営への参画　等
8　伝染病の予防に関すること
9　保健室の運営に関すること

〈引用〉
文部科学省：養護教諭の職務内容等について.
https://www.mext.go.jp/b_menu/shingi/chousa/shotou/029/shiryo/05070501/s007.htm
（2025/5/1閲覧）

図13　養護教諭の資格取得ルート

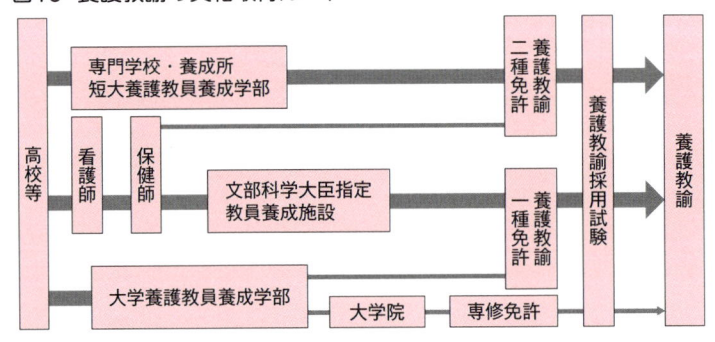

〈引用〉
独立行政法人福祉医療機構：福祉のしごとガイド　資格・職種編　養護教諭.WAM NET,
https://www.wam.go.jp/content/wamnet/pcpub/top/fukushiworkguide/jobguidejobtype/jobguide_job15.html
（2025/5/1閲覧）

問題 ▶ 122

血液のpH調節にかかわっているのはどれか。

1. 胃
2. 肺
3. 肝　臓
4. 膵　臓

出題基準

Ⅲ-10-A／
内部環境の恒常性

過去問 人 P.60
過去問 呼 P.452

CHECK ▶ □□□

解答 2

解説 生体の内部環境を一定に保つことをホメオスタシスという。血液のpHも狭い範囲で一定に保たれるホメオスタシスに該当する。血液のpHを7.35～7.45に保つことを酸塩基平衡という。肺と腎臓が中心となって酸塩基平衡が維持される（2. ○）。

表1　アシドーシスとアルカローシスの分類と原因

分類		一次性の変化		原因疾患など
		HCO_3^-	$PaCO_2$	
アシドーシス	呼吸性アシドーシス		上昇	慢性閉塞性肺疾患（COPD）、神経筋疾患など
	代謝性アシドーシス	低下		糖尿病、腎不全、薬物中毒など
アルカローシス	呼吸性アルカローシス		低下	過換気症候群、薬物性、低酸素症に基づく過換気（間質性肺炎など）
	代謝性アルカローシス	上昇		繰り返す嘔吐、重炭酸の過剰投与、アルドステロン症

池西静江, 石束佳子, 阿形奈津子 編：看護学生スタディガイド2026. 照林社, 東京, 2025：82. より引用

MORE!

●恒常性（ホメオスタシス）を保つために、生体の内部環境が乱れたときに「目標値」と照らし合わせて違いがあればそれを修正するのがフィードバック機構で、多くはネガティブ・フィードバックである。対してポジティブ・フィードバックは排卵をめぐる性ホルモン分泌などわずかしかない。

●ネガティブ・フィードバックは、下位のホルモンがある一定の濃度に達すると、その分泌を刺激している上位ホルモンの分泌を抑制するはたらきを含む（**図1**）。ホルモンは、少ない量でも強い作用をもっているので、ホルモンの血中濃度は限られた狭い範囲に保たれていなければならず、その調節を行っているのが、おもにネガティブ・フィードバックである。

図1　多くのホルモンの調節機構

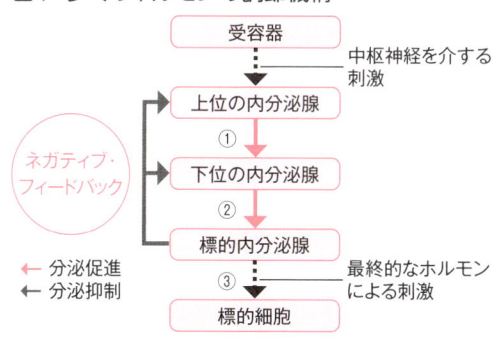

①上位の内分泌腺から分泌されたホルモンは、血液の流れに乗って、下位の内分泌腺に作用する。

②下位の内分泌腺は、上位の内分泌腺から分泌されたホルモンによる刺激を受け、さらにホルモンを分泌し、標的内分泌腺に作用する。

③標的内分泌腺から分泌されたホルモンは、血液の流れによって全身に回るが、すべての細胞に作用するわけではなく、そのホルモンに特異的な受容体をもつ標的細胞にのみ、作用する。

頻出

出題基準

Ⅲ-10-A／
神経系

過去問 人 P.14

CHECK ▶ ☐☐☐

解答 1

中枢神経に含まれるのはどれか。

1. 脊　髄
2. 脳神経
3. 尾骨神経
4. 脊髄神経

解説 中枢神経に含まれるのは脳と1の脊髄である（1.　○）。2の脳神経や4の脊髄神経は末梢神経である。さらに、脊髄神経の中に3の尾骨神経が含まれる（2～4.　×）。

MORE!

図2　脳の構造と機能

●神経系は、中枢神経（脳、脊髄）と末梢神経（脳神経12対、脊髄神経31対、およびそれらの分枝の神経）に分けられる。

大脳	知的活動を行うための新皮質と、本能や情動、記憶に関する旧皮質がある
間脳（視床、視床下部など）	感覚神経の中枢や、自律神経調節機能がある
脳幹（中脳、橋、延髄）	呼吸、循環、意識、生命維持活動の中枢がある
小脳	運動の調節機能を担う

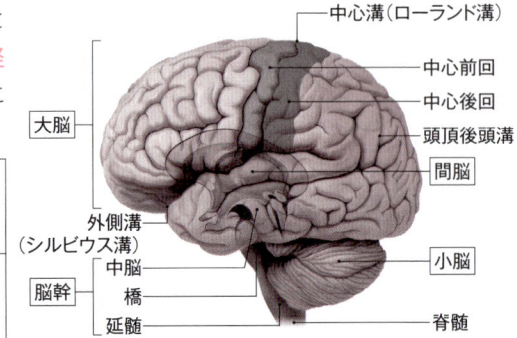

表2　国試に出た脳のはたらき

大脳	●言語中枢（運動性言語中枢：ブローカ野、感覚性言語中枢：ウェルニッケ野）
視床下部	●体温調節
	●摂食・飲水行動の調節
橋	●呼吸中枢
延髄	●呼吸中枢
小脳	●姿勢反射の調節 ●随意運動制御

問題 ▶ **124**

頻出

出題基準
Ⅲ-10-A／
運動系

過去問 人 P.30

CHECK ▶ ☐ ☐ ☐

解答 4

足関節を底屈させるときに収縮する筋肉はどれか。

1. 前脛骨筋
2. 大腿直筋
3. 大腿二頭筋
4. 下腿三頭筋

解説 1. × 前脛骨筋は足関節を背屈するときに収縮する。

2. × 大腿直筋は股関節を屈曲させるときに腸腰筋とともに収縮する。

3. × 大腿二頭筋は膝関節を屈曲させるときに収縮する。大腿の後面にある筋である。
なお、膝関節の伸展は大腿前面にある大腿四頭筋によって起こる。

4. ○ 下腿三頭筋は足関節を底屈するときに収縮する。

MORE!

図3 全身の筋肉

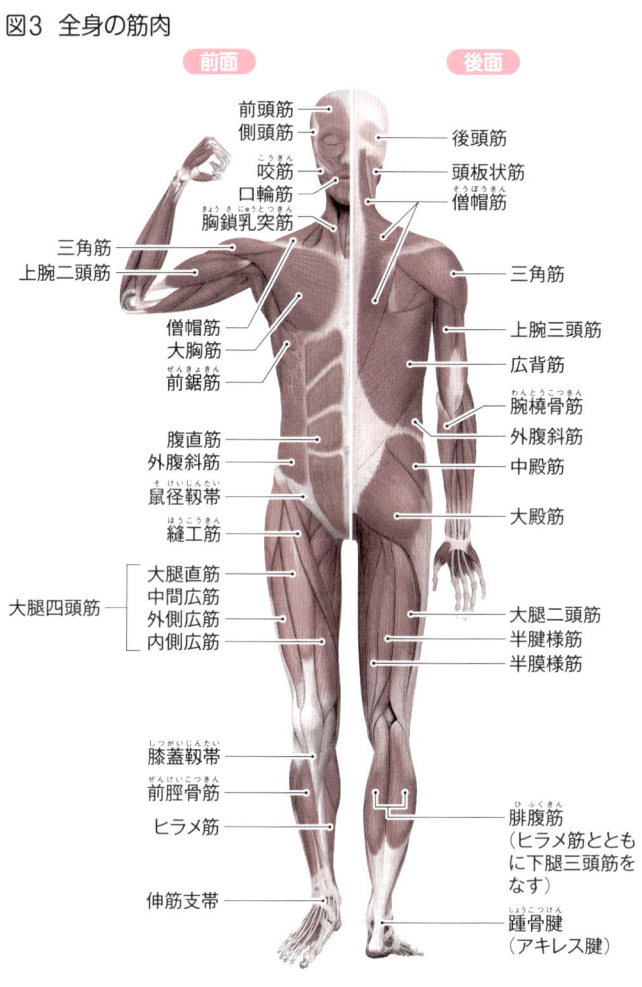

前面　　後面

前頭筋
側頭筋
咬筋
口輪筋
胸鎖乳突筋
三角筋
上腕二頭筋
僧帽筋
大胸筋
前鋸筋
腹直筋
外腹斜筋
鼠径靱帯
縫工筋
大腿四頭筋
　大腿直筋
　中間広筋
　外側広筋
　内側広筋
膝蓋靱帯
前脛骨筋
ヒラメ筋
伸筋支帯

後頭筋
頭板状筋
僧帽筋
三角筋
上腕三頭筋
広背筋
腕橈骨筋
外腹斜筋
中殿筋
大殿筋
大腿二頭筋
半腱様筋
半膜様筋
腓腹筋
（ヒラメ筋とともに下腿三頭筋をなす）
踵骨腱
（アキレス腱）

表3 関節の種類

	特徴	運動性	例
球関節	関節頭が球形で、関節窩が椀状	多軸性	股関節、肩関節
楕円関節	関節頭が楕円形	2軸性	後頭骨と環椎、橈骨手根関節
車軸関節	関節頭が円筒形で関節窩の中で回転する	1軸性	上・下橈尺関節、環椎と軸椎
蝶番関節	関節頭と関節窩が蝶番の形に似ている	1軸性	腕尺関節、指節間関節
鞍関節	2つの鞍の背を向き合わせた形	2軸性	母指の手根中手関節
平面関節	平面と平面を合わせた形	狭い範囲のみ	椎間関節、胸鎖関節

目標Ⅲ

問題 ▶ 125

出題基準
Ⅲ-10-A／
感覚器系

過去問 人 P.34

CHECK ▶ ☐☐☐

解答 2

中耳にあるのはどれか。

1. 前 庭
2. 鼓 膜
3. 蝸 牛
4. 半規管

解説 耳は外側から外耳、中耳、内耳に分けられる。外耳には外耳道があり、中耳には鼓膜、耳小骨（ツチ骨、キヌタ骨、アブミ骨）、鼓室がある（2. ○）。内耳には半規管、前庭、蝸牛がある（1. 3. 4. ×）。

MORE!

図4 耳の構造

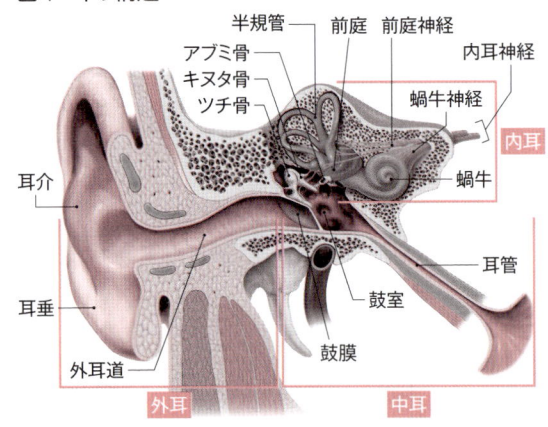

図5 皮膚の構造と感覚受容器

● 皮膚は人体の表面を覆い、知覚作用（触圧覚・痛覚・温度覚）をもつ。
● 「表在感覚の受容器が存在する部位：皮膚」が102回午後13で問われている。

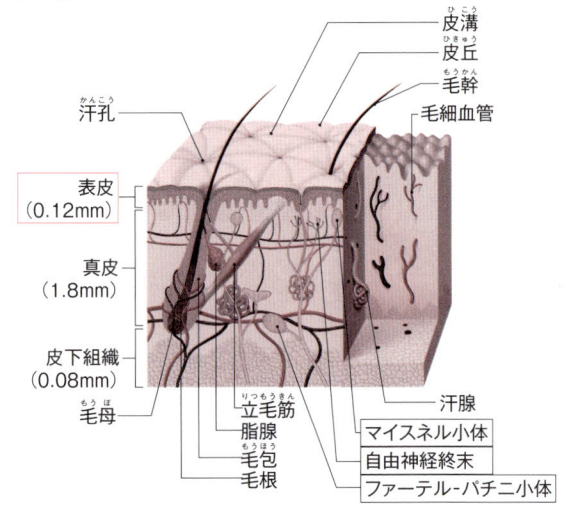

問題 ▶ 126

頻出

出題基準
Ⅲ-10-A／
循環器系

過去問 人 P.50

CHECK ▶ ☐☐☐

解答 1

冠状動脈について正しいのはどれか。

1. 心臓の栄養血管である。
2. 僧帽弁のすぐ上から始まる。
3. 最初に右、左、中央の3本に分かれる。
4. 安静時に左心室から拍出される血液の50％が流れる。

解説 心臓に関する出題は刺激伝導系の始まり（洞房結節）・壁が最も厚い／大動脈に血液を送り出す（左心室）・全身からの静脈血が戻る部位（右心房）があったが、冠状動脈についても基本をおさえておこう。

1. ○ 心臓の栄養血管である。
2. × 僧帽弁ではなく、大動脈弁のすぐ上の上行大動脈の壁から始まる。
3. × 右冠状動脈、左冠状動脈の2本に分かれる。
4. × 最初に安静時に左心室から拍出される血液の5％が流れる。

- 刺激伝導系は洞房結節→房室結節→ヒス束→右脚・左脚→プルキンエ線維の順に電気的興奮を伝播させる。
- 洞房結節は、正常心拍のペースメーカー（歩調とり）である。

図6 冠状動脈

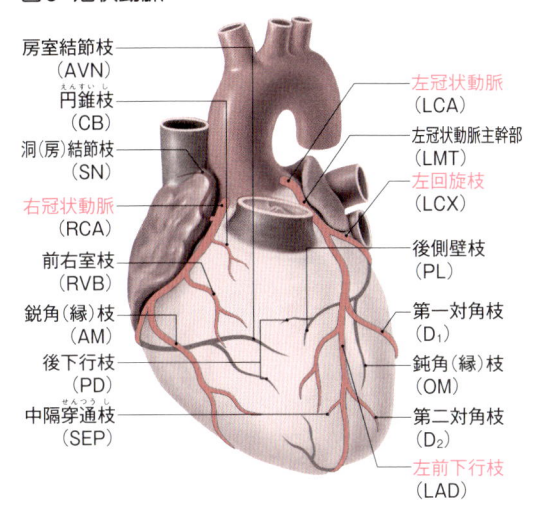

房室結節枝（AVN）
円錐枝（CB）
洞（房）結節枝（SN）
右冠状動脈（RCA）
前右室枝（RVB）
鋭角（縁）枝（AM）
後下行枝（PD）
中隔穿通枝（SEP）
左冠状動脈（LCA）
左冠状動脈主幹部（LMT）
左回旋枝（LCX）
後側壁枝（PL）
第一対角枝（D₁）
鈍角（縁）枝（OM）
第二対角枝（D₂）
左前下行枝（LAD）

図7 刺激伝導系

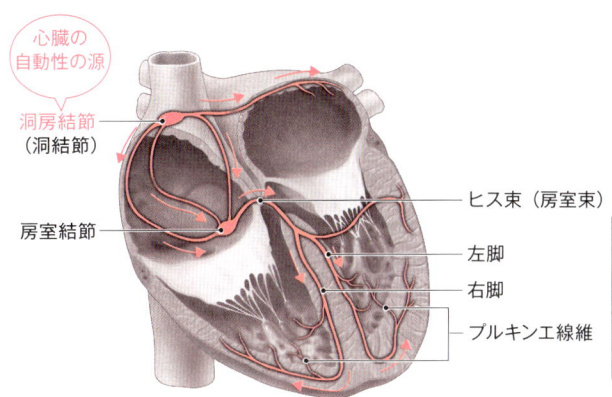

心臓の自動性の源
洞房結節（洞結節）
房室結節
ヒス束（房室束）
左脚
右脚
プルキンエ線維

目標Ⅲ

問題▶**127**

頻出

出題基準

Ⅲ-10-A／
血液、体液

過去問 人 P.58

CHECK▶☐☐☐

解答 3

血液のうち、血球が占める割合はどれか。

1. 25%
2. 35%
3. 45%
4. 55%

解説 血液は体重の約8%を占め、血球は45%（3. ○）、残りの55%は血漿である。血球のうち、最も多いのは赤血球で、血球の95%以上を占める。

MORE!

図8 体液の区分

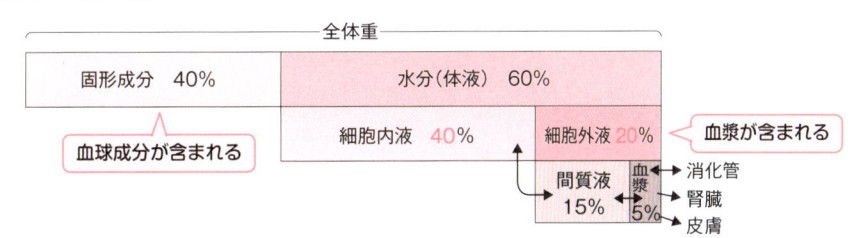

全体重		
固形成分 40%	水分（体液） 60%	
	細胞内液 40%	細胞外液 20%
		間質液 15%　血漿 5%

血球成分が含まれる
血漿が含まれる
消化管
腎臓
皮膚

- 矢印は体液の移動が可能な向きを示す。細胞内には電解質と非電解質が溶けている。細胞内液にはK^+が、間質液にはNa^+とCl^-が多く含まれる。血漿にはリンパ液、脳脊髄液を含む。
- 上は体液全体の内訳である。血液のみに着目すると、血液は体重の約8%を占めるが、そのうち血球（固形成分にあたる）が45%、血漿が55%である。

問題▶128

頻出

出題基準

Ⅲ-10-A／
免疫系

過去問 人 P.62

CHECK ▶ □ □ □

解答 2

白血球が産生されるのはどれか。

1. 胸　腺
2. 骨　髄
3. 副　腎
4. 腎　臓

解説 白血球のほかに赤血球と血小板は2の骨髄で産生される（2. ○）。造血幹細胞が赤血球、白血球、血小板に分化する。

　白血球のうち占める割合が多いのは好中球で、細菌感染による急性炎症で最初に反応する。

問題▶129

出題基準

Ⅲ-10-A／
呼吸器系

過去問 人 P.69

CHECK ▶ □ □ □

解答 2

胸腔内圧について正しいのはどれか。

1. 常に陽圧である。
2. 常に陰圧である。
3. 呼息時に陰圧、吸息時に陽圧である。
4. 呼息時に陽圧、吸息時に陰圧である。

解説 空気が出入りする肺胞内圧は呼息時は$1 \sim 2 cmH_2O$（陽圧）、吸息時は$-1 \sim -2 cmH_2O$（陰圧）で、陽圧と陰圧を繰り返す。一方、安静呼息時の胸腔内圧（胸膜腔内圧）は$-4 \sim -2 cmH_2O$、安静吸息時の胸腔内圧は$-7 \sim -6 cmH_2O$である。密閉された空間の圧である胸腔内圧は、正常であれば常に陰圧である（2. ○）。

MORE!

図9　呼吸のしくみ

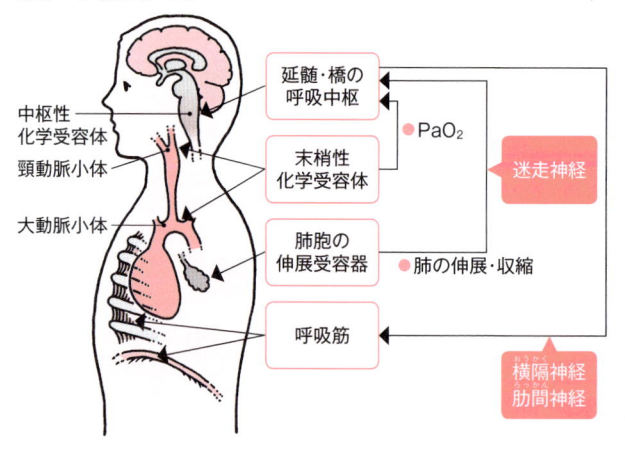

●肺胞の伸展受容器から肺胞の伸展が、頸動脈小体や大動脈小体（末梢性化学受容体）からPaO_2が延髄の呼吸中枢に伝えられる。延髄にある中枢性化学受容体が$PaCO_2$、pHを感知する。

●これらの情報が呼吸中枢へ伝わると、呼吸中枢が呼吸を調節する。

図10　自発呼吸時の胸腔内圧のグラフ

●吸息相と呼息相が同じ長さの場合、右のグラフとなる（第107回午前27）。縦軸の中央が0cmH₂Oではないので注意する。

●解説の数値とはやや異なるが、胸腔内圧は常に陰圧であることがポイント。吸息相のほうが陰圧（－）が大きい。

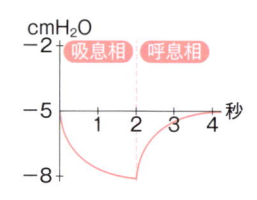

問題▶130

頻出

出題基準

Ⅲ-10-A／
消化器系

過去問 人 P.76

CHECK▶ □□□

解答 2

胆汁を産生するのはどれか。

1. 膵　臓
2. 肝　臓
3. 胆　囊
4. 十二指腸

解説 1. × 膵臓は膵液をつくる外分泌の機能とホルモンを分泌する内分泌の機能をもつが、胆汁はつくらない。

2. ○ 肝臓は胆汁酸、リン脂質、コレステロールなどを成分にして胆汁を産生する。胆汁は十二指腸で食物由来の脂肪を乳化する。

3. × 胆囊は肝臓でつくられた胆汁を貯める機能をもつ。

4. × 総胆管と主膵管の開口部が十二指腸にある。これによって十二指腸へ胆汁が送り出される。

MORE!

図11　胆道の構造

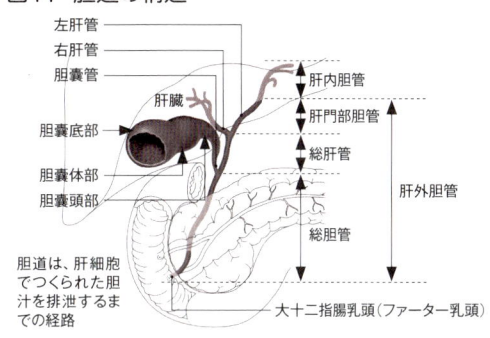

左肝管
右肝管
胆囊管
肝内胆管
肝臓
肝門部胆管
胆囊底部
総肝管
胆囊体部
肝外胆管
胆囊頭部
総胆管
胆道は、肝細胞でつくられた胆汁を排泄するまでの経路
大十二指腸乳頭（ファーター乳頭）

目標Ⅲ

問題▶131

頻出

出題基準

Ⅲ-10-A／
栄養と代謝系

過去問 人 P.81

CHECK▶ □□□

解答 2

ケトン体の元になるのはどれか。

1. 糖　質
2. 脂　質
3. ホルモン
4. 蛋白質

解説 ケトン体は脂肪酸のβ酸化でつくられたアセチルCoAのうち、エネルギー産生に利用されなかった分から肝臓で産生される。したがって、元になるのは脂肪酸なので2の脂質である（2. ○）。ケトン体は糖尿病、飢餓、妊娠悪阻など、ブドウ糖の利用低下により脂質の代謝が亢進して生じる。

MORE!

表4　アトウォーターのエネルギー換算係数

糖質	4kcal/g
蛋白質	4kcal/g
脂質	9kcal/g

●脂質1gが体内で代謝されたときに生じるエネルギー量が9kcalである。

問題 ▶ 132

五肢

出題基準
Ⅲ-10-A／泌尿器系
過去問 人 P.85

CHECK ▶ □□□

解答 3

健康な成人の近位尿細管で100％再吸収されるのはどれか。
1. 尿　素
2. 尿　酸
3. グルコース
4. クレアチニン
5. ナトリウムイオン

解説 糸球体を通過して成人の1日に生成される原尿は約150〜160Lであるが、尿量は1〜1.5L／日となる。尿には1の尿素、2の尿酸、4のクレアチニン、電解質として5のナトリウムイオン・クロールイオン・カリウムイオン・水素イオンなど、アンモニア等が含まれる。

　3のグルコース、アミノ酸、ビタミンなどは近位尿細管で100％再吸収されるため、健康な成人の尿には含まれない（3. ○）。

問題 ▶ 133

出題基準
Ⅲ-10-A／
体温調節
過去問 人 P.91, 92

CHECK ▶ □□□

解答 2

体温の変化と最も関連があるのはどれか。
1. バソプレシン
2. 甲状腺ホルモン
3. アルドステロン
4. 副甲状腺ホルモン〈PTH〉

解説 2の甲状腺ホルモンは組織の代謝を亢進させ、熱を産生する（2. ○）。第110回午後13で、甲状腺ホルモンの分泌低下が体温低下を招くことが出題されている。甲状腺ホルモンのほか、アドレナリン、糖質コルチコイド、女性ホルモン、男性ホルモンなども分泌によって体温を上昇させる作用をもつ。

　1のバソプレシン、3のアルドステロン、4の副甲状腺ホルモン（PTH）は体温の変化に直接関与しない。

MORE!

図12　体温調節中枢

視床下部の体温調節中枢によって、低温環境時では熱の放散を防ぎ、産生を亢進、高温環境時では熱の産生を抑制し、放散を促進させることで、深部体温を一定に保っている。

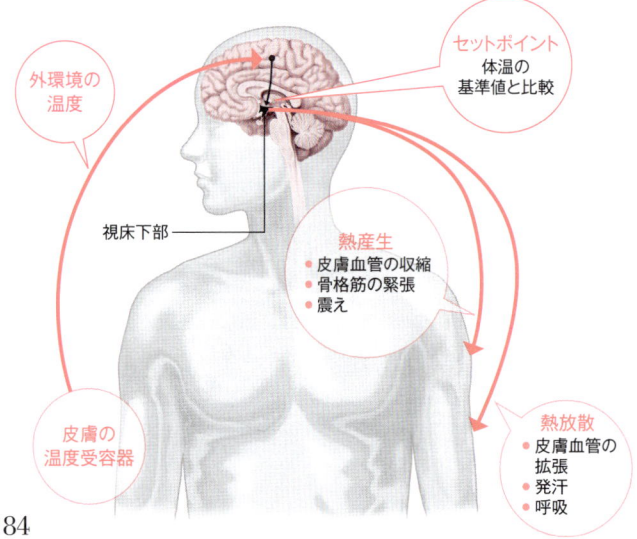

図13　熱放散

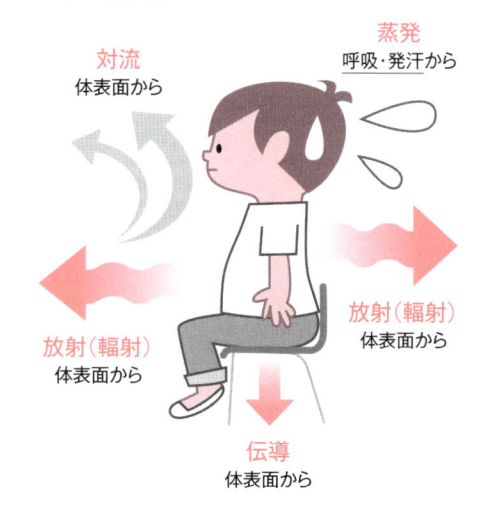

問題▶134

甲状腺刺激ホルモンを分泌するのはどれか。

1. 下垂体
2. 松果体
3. 副甲状腺
4. 視床下部

頻出

出題基準
Ⅲ-10-A／
内分泌系

過去問 人 P.95

CHECK▶ □□□

解答 1

解説 甲状腺刺激ホルモンは下垂体前葉から分泌される（1．○）。視床下部からの甲状腺刺激ホルモン放出ホルモンが下垂体にはたらきかけて分泌される（4．×）。

2. × 松果体からはメラトニンが分泌される。
3. × 副甲状腺からは副甲状腺ホルモン〈パラソルモン〉が分泌される。

目標Ⅲ

MORE!

表5 ホルモンの種類と作用

内分泌器官		略語	ホルモン名	おもな機能
視床下部		GRH、GHRH	成長ホルモン放出ホルモン	成長ホルモン（GH）の分泌促進
		PRH	プロラクチン放出ホルモン	プロラクチン（PRL）の分泌促進
		TRH	甲状腺刺激ホルモン放出ホルモン	甲状腺刺激ホルモン（TSH）の分泌促進、成長ホルモン・プロラクチン分泌促進
		GnRH	性腺刺激ホルモン（ゴナドトロピン）放出ホルモン	卵胞刺激ホルモン（FSH）と黄体形成ホルモン（LH）の分泌促進
		CRH	副腎皮質刺激ホルモン放出ホルモン	副腎皮質刺激ホルモン（ACTH）の分泌促進
		GIH	成長ホルモン抑制ホルモン	成長ホルモン（GH）の分泌抑制
		PIH	プロラクチン抑制ホルモン	プロラクチン（PRL）の分泌抑制
下垂体	前葉	GH	成長ホルモン	身体全体の成長促進、過剰は巨人症・先端巨大症
		TSH	甲状腺刺激ホルモン	甲状腺を刺激、ホルモン分泌促進
		ACTH	副腎皮質刺激ホルモン	糖質コルチコイドの合成と分泌促進
		LH	黄体形成ホルモン	排卵誘発と黄体形成誘発、男性ホルモン生成促進
		PRL	乳腺刺激ホルモン（プロラクチン）	乳汁合成・分泌促進、黄体の退縮を防止
		FSH	卵胞刺激ホルモン	排卵誘発、卵胞発育、精子の成熟
	後葉	ADH	抗利尿ホルモン（バソプレシン）	腎での水再吸収の促進、不足は尿崩症
		OT	オキシトシン	子宮筋収縮、乳汁放出促進
松果体			メラトニン	日内変動の調節
甲状腺		T₄	サイロキシン	甲状腺ホルモンの一種。熱量産生・基礎代謝亢進
		T₃	トリヨードサイロニン	
		CT	カルシトニン	血中カルシウム濃度の低下
副甲状腺		PTH	副甲状腺ホルモン（パラソルモン）	血中カルシウム濃度の上昇
膵臓			インスリン	血糖値の低下
			グルカゴン	血糖値の上昇
副腎	皮質	MC	電解質（鉱質）コルチコイド（アルドステロン）	ナトリウム再吸収・カリウム排泄を促進
		GC	糖質コルチコイド（コルチゾール）	糖代謝の調節、抗炎症作用、蛋白分解
		DHEA	デヒドロエピアンドロステロン	男性ホルモン（アンドロゲン）の一種
	髄質	A	アドレナリン	心拍数の増加、血糖値の上昇
		NA	ノルアドレナリン	血管抵抗増大、血圧の上昇
卵巣		E	エストロゲン（卵胞ホルモン）	女性生殖器・乳房の発育、子宮内膜の増殖
		P	プロゲステロン	受精卵の着床と妊娠の維持、排卵抑制
精巣		T	テストステロン	男性生殖器の発育、精子の形成

内田陽子 著, 宇城啓至 医学監修：解剖生理ポイントブック 第2版. 照林社, 東京, 2019：118. より一部改変して引用

五肢

出題基準
Ⅲ-10-A／
性と生殖器系

過去問 人 P.101

CHECK ▶ □ □ □

解答 2

精子がつくられるのは図のア〜オのどれか。

1. ア
2. イ
3. ウ
4. エ
5. オ

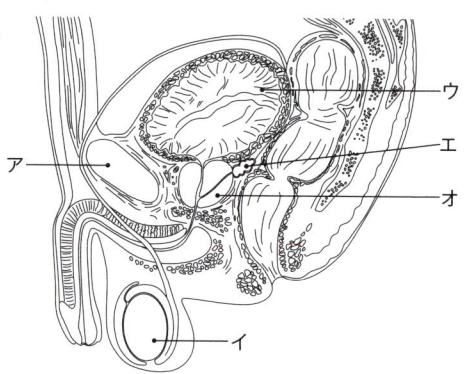

解説 精子は精巣でつくられて、精巣上体に移動して成熟し、運動するようになる。図14のとおり、アは恥骨の結合部、イは精巣（2. ○）、ウは膀胱、エは精嚢、オは前立腺である。

MORE!

図14 男性の骨盤内腔

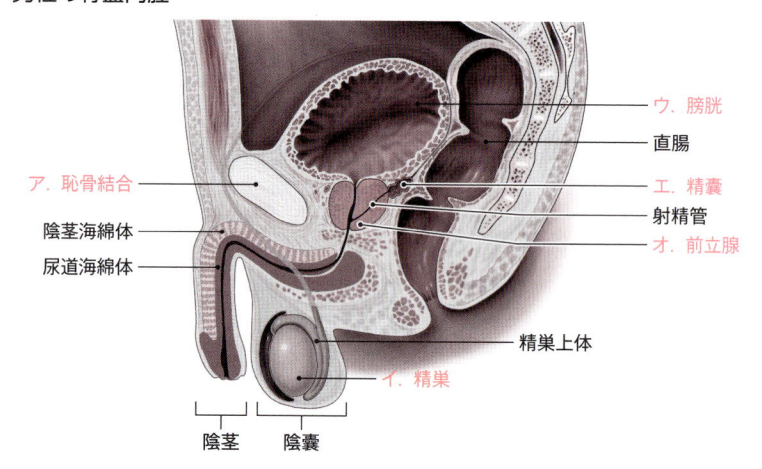

頻出

出題基準
Ⅲ-10-A／
妊娠・分娩・産褥の経過

過去問 母 P.968

CHECK ▶ □ □ □

解答 3

妊娠末期の胎児心拍数で正常範囲内なのはどれか。

1. 80
2. 100
3. 140
4. 180

解説 第94回で出題された妊娠末期の胎児心拍数の正常範囲は120〜160bpm（bpm＝beats per minute）であった（3. ○）。NST（ノン・ストレス・テスト）の胎児機能不全の判定のなかで正常脈は「胎児心拍数の基線が110〜160bpmの間にある」とあり、一過性変動などの部分を除いて2分以上持続している部分から求めた基線は、10分間のおおよその心拍数を示す（心拍数は変動するため、平均心拍数としての基線が必要である）。

図15 胎児心拍数陣痛図の読み方

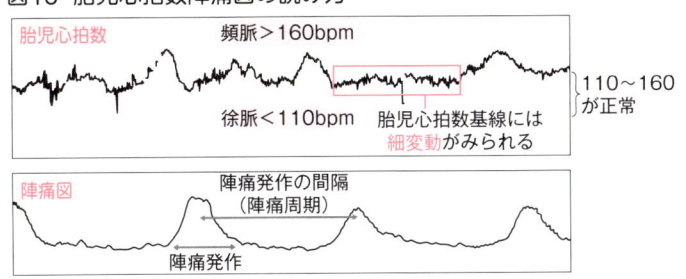

表6 妊娠の経過

月	健診頻度	子宮の大きさ／児の大きさ	胎児の状態	母体の状態	保健指導
第2月 (4〜7週)	11週末までに3回程度	鶏卵大／2.5〜3cm	●5〜6週で超音波断層法による胎嚢確認 ●6〜7週で超音波断層法で心拍動確認	●神経質になる ●つわり出現	●胎児奇形の防止 ●妊娠届出
第3月 (8〜11週)		手拳大／7〜9cm	●9週〜でドップラー法で胎児心拍が聴取できはじめる	●乳房増大・乳輪着色 ●尿意頻回／便秘傾向	●流産予防 ●喫煙・飲酒指導
第4月 (12〜15週)	4週に1回	新生児頭大／14〜17cm(100g)	●12週でドップラー法による胎児心拍を100%聴取できる ●性別明瞭	●つわりの消失(一般的)	●栄養指導(貧血防止など)
第5月 (16〜19週)		子宮底長15cm／25cm(250g) 〈19週末〉	●爪の発生 ●頭髪を認める	●胎盤完成(16週) ●経産婦なら胎動自覚(18週)	●腹帯着用
第6月 (20〜23週)		子宮底長18〜21cm／30cm(650g) 〈23週末〉	●トラウベによる心音聴取 ●娩出すれば生存可能(22週〜)	●初産婦の胎動自覚(20週〜)	●塩分や体重への指導 ●乳頭の手入れ
第7月 (24〜27週)		子宮底長21〜24cm／35cm(1,000g) 〈27週末〉	●呼吸器完成(26週ごろ)	●呼吸を肩でするようになる ●腹部増大	●出産用品や分娩場所の決定
第8月 (28〜31週)	2週に1回	子宮底長24〜27cm／40cm(1,500g) 〈31週末〉		●下肢浮腫出現 ●妊娠線出現	●早産の予防 ●腹圧をかけないよう指導
第9月 (32〜35週)		子宮底長30cm／45cm(2,000g)	●皮下脂肪充実 ●肺のサーファクタント産生力完成(33週ごろ)	●胸式呼吸へ	●妊娠高血圧症候群予防 ●呼吸法練習 ●産前6週休暇届出
第10月 (36〜39週)	1週に1回	子宮底長33cm／50cm(3,000g)	●児頭下降 ●成熟児の特徴を表す	●分娩が近くなると上腹部圧迫感なくなる ●尿意頻回	●乳管開通法 ●分娩準備の完了

問題 ▶ 137

頻出

出題基準
Ⅲ-10-A／
妊娠・分娩・産褥の経過
過去問 母 P.972, 978
CHECK ▶ ☐☐☐
解答 3

産褥期のオキシトシンの作用はどれか。

1. 乳汁産生
2. 月経再開
3. 子宮収縮
4. 卵胞発育

解説 1. × 乳汁産生はプロラクチンによるものである。

2. 4. × 月経再開や卵胞発育はプロラクチンによって抑制される。

3. ○ 児の吸啜刺激によってオキシトシンが分泌され、射乳や子宮収縮が起こる。子宮復古を促すために直接授乳が重要なのは、このためである。

MORE!

表7 産褥の経過

経過	分娩当日	産褥1週				産褥2週	産褥4週	産褥6週
		1～2日	3日	4～5日	6～7日			
子宮底の高さ	分娩直後 臍下 2～3横指 ↓ 12時間後 臍高	臍下 1～2横指	臍下 2～3横指 （分娩直後の高さに）	臍と恥骨結合上縁の中央～恥骨結合上縁3横指	恥骨結合上縁2横指～わずかに触れる	腹壁から触れず		
子宮底長	分娩12時間後：15cm	13～15cm	12cm	9～10cm	7～8cm			
子宮の形状					●手拳大	●胎盤・卵膜剝離面に新しい上皮ができる		●鶏卵大 ●非妊時の子宮の大きさに戻る
悪露の変化	＜赤色悪露＞ ●赤色～暗赤色 ●多量		＜褐色悪露＞ ●赤褐色～褐色 ●出血の量が減少		＜黄色悪露＞ ●黄色～クリーム色 ●量減少	＜白色悪露＞ ●灰白色～透明 ●量大幅に減少	消失	
乳汁の分泌	＜初乳＞ ●水様性半透明～黄色 ●量：50～250mL		＜移行乳＞ ●クリーム色 ●量：250～300mL	＜成乳＞ ●白青色・不透明 ●量：300～900mL				

古川亮子：母性・小児看護ぜんぶガイド 第3版. 照林社, 東京, 2025：11. より一部改変して引用

問題▶138

出題基準

Ⅲ-10-A／
妊娠・分娩・産褥の経過

過去問 母 P.970, 971

CHECK▶□□□

解答 4

分娩所要時間の終わりはどれか。

1. 発　露
2. 排　臨
3. 胎児娩出
4. 胎盤娩出
5. 児の第一啼泣

解説 分娩所要時間は分娩第1期から分娩第3期に要した時間である。第1期の始まり、つまり分娩開始時期は陣痛周期10分、あるいは陣痛頻度1時間6回の陣痛開始時期であり、第3期の終わりは胎盤の娩出である（4. ○）。

1. 2. × 　発露は陣痛の間欠期にも児頭が見えたままで、排臨は陣痛発作時に児頭が見え、間欠期に見えなくなる状態をいう。どちらも分娩第2期にみられる。

3. × 　分娩第2期は子宮口全開大から胎児の娩出まで、分娩第3期は胎児の娩出から胎盤の娩出までを指す。

5. × 　児の第一啼泣は分娩所要時間とは関係ない。

MORE!

①**分娩の前兆**：前駆陣痛、粘液性分泌物の増加、尿意が頻回になるなど。

②**分娩第1期**：陣痛間欠が10分以内の規則的な陣痛、または1時間に6回以上の規則的な陣痛が開始した時点を分娩開始とし、子宮口全開大まで。
- 破水：胎胞が破れ、羊水が流出する。分娩第1期～第2期にかけて（子宮口全開大ごろ）破水するのを適時破水という。陣痛開始～子宮口全開大までの破水を早期破水、第1期開始（陣痛開始）前の破水を前期破水という。

③**分娩第2期**：子宮口全開大から、胎児娩出まで。
- 排臨：陣痛発作時、児頭の一部が腟入口部に見えるが、陣痛間欠時には後退して見えなくなる状態。
- 発露：陣痛間欠時にも陰裂に児頭が見えている状態。

④**分娩第3期**：胎児が娩出し、胎盤・卵膜が娩出されるまで。

⑤**分娩第4期**：胎盤娩出から2時間後まで（第1期～第4期までの出血量が分娩時出血量）。

表8　分娩各期の所要時間のめやす

	初産婦	経産婦
第1期（開口期）	10～12時間	5～6時間
第2期（娩出期）	1～2時間	30分～1時間
第3期（後産期）	15～30分	10～20分
合計	11～15時間	6～8時間

問題▶139

出題基準

Ⅲ-10-A／
遺伝

性染色体の異常によるものはどれか。

1. 血友病
    hemophilia
2. Down〈ダウン〉症候群
    Down's syndrome
3. Marfan〈マルファン〉症候群
    Marfan syndrome
4. クラインフェルター症候群
    Klinefelter's syndrome

過去問 疾 P.110
過去問 小 P.889

CHECK ▶ ☐ ☐ ☐

解答 4

解説 1. ✕ 血友病はX連鎖（伴性）潜性（劣性）遺伝、つまり性染色体上の遺伝子の異常が伝わって生じる。

2. ✕ ダウン症候群は常染色体21番の異常によるものである。

3. ✕ マルファン症候群は常染色体顕性（優性）遺伝によるものである。

4. ◯ クラインフェルター症候群は性染色体が過剰になることによって生じる。

MORE!

表9 おもな単一遺伝病

遺伝形式	特徴	疾患例
常染色体顕性遺伝（優性遺伝）	常染色体のうち、原因となる遺伝子異常を少なくとも一方に有することで発症する	ハンチントン舞踏病、マルファン症候群、筋強直性ジストロフィーなど
常染色体潜性遺伝（劣性遺伝）	常染色体の両方に遺伝子異常を有することで発症する	フェニルケトン尿症、ガラクトース血症など
X連鎖（伴性）潜性遺伝（劣性遺伝）	遺伝子異常のあるX染色体を有することで発症する。伴性潜性遺伝とも呼ばれる	血友病A・B、デュシェンヌ型・ベッカー型筋ジストロフィーなど

表10 おもな染色体異常

	病名	染色体の異常	おもな症状	
常染色体異常	ダウン症候群（21トリソミー）	21番目が3本	特徴的顔貌、巨舌症 知的障害 筋緊張低下	心奇形（約半数）白血病の合併
	18トリソミー症候群	18番目が3本	手指の屈曲拘縮 特徴的顔貌、多毛	心臓・消化器に奇形 知的障害
	13トリソミー症候群	13番目が3本	唇裂、口蓋裂 多指症	心奇形 知的障害
	5p-症候群	5番目の部分欠失	ネコ様の泣き声 特徴的顔貌（丸顔、幅広く、両眼開離）	知的障害
性染色体異常	ターナー症候群	X染色体欠如（XO）	低身長 無月経	二次性徴の欠如 翼状頸、外反肘
	クラインフェルター症候群	XXY	無精子症 女性化乳房	長身 軽度知的障害

池西静江, 石束佳子, 阿形奈津子 編：看護学生スタディガイド 2026. 照林社, 東京, 2025：76. より引用

問題 ▶ 140

出題基準
Ⅲ-10-B／
死の三徴候

過去問 基 P.312

CHECK ▶ ☐ ☐ ☐

解答 4

死の三徴候に含まれるのはどれか。

1. 意識の消失
2. 循環不全
3. 瞳孔の収縮固定
4. 自発呼吸の停止

解説 死の三徴候は、対光反射の消失と瞳孔散大（よって3の瞳孔の収縮固定は誤り）・呼吸停止（4. ◯）・心拍動停止である。この徴候に照らし合わせて診断した医師が死亡判定を行い、死亡診断書を作成する。1の意識の消失、2の循環不全は該当しない。

問題▶141

出題基準
Ⅲ-10-B／
死亡判定

CHECK▶ ☐☐☐

解答 **2**

死亡判定について正しいのはどれか。
1. 戸籍法で規定されている。
2. 歯科医師は死亡診断書を交付できる。
3. 脳死の判定基準に照らして判定する。
4. 死亡時には死亡診断書と死体検案書の両方を交付する。

解説 死亡診断書は医師または歯科医師のみ、死体検案書は医師しか交付することができない（2. ○）。死亡時に「自らの診療管理下にある患者が、生前に診療していた傷病に関連して死亡したと認める場合」には死亡診断書、それ以外の場合には「死体検案書」を交付するため、両方ではなく、どちらかを交付する（4. ×）。

法律の条文としては医師法第19条第2項「診察若しくは検案をし、又は出産に立ち会つた医師は、診断書若しくは検案書又は出生証明書若しくは死産証書の交付の求があつた場合には、正当の事由がなければ、これを拒んではならない」と、歯科医師法第19条第2項「診療をなした歯科医師は、診断書の交付の求があつた場合は、正当な事由がなければ、これを拒んではならない」が根拠とする法律である。1の戸籍法ではない（1. ×）。

死亡判定は問題140の死の三徴候に照らして判定する。脳死の判定基準ではない（3. ×）。

問題▶142

頻出

出題基準
Ⅲ-10-B／
脳死

過去問 疾 P.138
過去問 114回 P.42

CHECK▶ ☐☐☐

解答 **4**

臓器の移植に関する法律による脳死の判定基準に含まれるのはどれか。
1. 浅昏睡
2. 除脳硬直
3. 低体温
4. 平坦脳波

解説 脳死とは脳幹を含む脳全体の機能が不可逆的に失われた状態のことである。
1. × 浅昏睡ではなく深昏睡でなくてはならない。
2. × 表11の(4)のとおり、除脳硬直がみられれば脳死ではない。
3. × 低体温は脳死判定基準には含まれない。
4. ○ 表11の(5)にある平坦脳波が該当する。

MORE!

表11 脳死判定基準

項目	内容
(1)深昏睡	ジャパン・コーマ・スケールで300（刺激に対して覚醒せず、痛み刺激に反応しない）、グラスゴー・コーマ・スケールで3（開眼なし、発語なし、運動機能なし）でなければならない。顔面の疼痛刺激に対する反応があってはならない
(2)自発呼吸の消失	人工呼吸器を外して自発呼吸の有無をみる検査（無呼吸テスト）は必須である
(3)瞳孔固定・散大	瞳孔が固定し、瞳孔径は左右とも4mm以上
(4)脳幹反射の消失	a.対光反射の消失、b.角膜反射の消失、c.毛様脊髄反射の消失、d.眼球頭反射の消失、e.前庭反射の消失、f.咽頭反射の消失、g.咳反射の消失のすべてを確認 自発運動、除脳硬直、除皮質硬直、けいれんがみられれば脳死ではない
(5)平坦脳波	上記(1)～(4)の項目がすべてそろった場合に、正しい技術水準を守り、脳波が平坦であることを確認する。最低4導出で、30分間にわたり記録する
(6)時間的経過	上記(1)～(5)の条件が満たされた後、6時間以上*経過をみて変化がないことを確認する

● 平成22年7月に施行された改正臓器移植法では年齢の除外条件が撤廃され、15歳未満の臓器提供が可能となり、小児の法的脳死判定基準が制定された。
*6歳未満の場合は24時間以上

問題 ▶ 143

新規項目

出題基準
Ⅲ-11-A／
嚥下障害

過去問 人 P.72
過去問 基 P.321
過去問 114回 P.47

CHECK ▶ □□□

解答 3

嚥下反射の低下の影響を最も受ける摂食嚥下のプロセスはどれか。
1. 先行期
2. 食道期
3. 咽頭期
4. 口腔期

解説 嚥下反射は、口蓋と咽頭壁が刺激されることによって、不随意的に咽頭筋と食道が協働して食物を咽頭から食道に移動させる。このとき、咽頭と口腔の間が閉鎖され、軟口蓋が上がり鼻腔との連絡も閉鎖される。摂食嚥下は先行期→準備期→口腔期→咽頭期→食道期に分けられる。
1. × 先行期は感覚によって何をどう食べるかを判断する。
2. × 食道期も影響を受けるが、咽頭期よりは少ない。
3. ○ 咽頭期は咽頭腔から食道口までの部位を通り、嚥下反射の中心である。
4. × 口腔期は食物を咀嚼し飲み込みやすい状態にして咽頭まで送り込む時期である。

問題 ▶ 144

頻出

出題基準
Ⅲ-11-A／
意識障害

過去問 基 P.278

CHECK ▶ □□□

解答 2

昏睡の説明で正しいのはどれか。
1. 自発呼吸が停止している。
2. 痛み刺激を受けても反応がない。
3. 現在の自分がいる場所がわからない。
4. 一度獲得した知的機能が低下している。

解説 1. × 自発呼吸が停止している状態が昏睡ではない。
2. ○ 痛み刺激を受けても反応がない状態が昏睡である。意識混濁→傾眠→昏迷→昏睡の順に意識障害が重度となる。
3. × 現在の自分がいる場所がわからないのは昏睡ではなく、意識混濁あるいは見当識障害である。
4. × 一度獲得した知的機能が低下している状態は昏睡ではなく、認知機能障害の説明である。

問題 ▶ 145

新規項目

出題基準
Ⅲ-11-A／
言語障害

過去問 人 P.11
過去問 成 P.638

CHECK ▶ □□□

解答 3

運動性言語中枢はどれか。
1. 中心前回
2. 大脳基底核
3. ブローカ野
4. ウェルニッケ野

解説 1. × 大脳皮質には中心溝があり、中心前回は前頭葉外側面の後方、つまり中心溝の前側にある。中心前回には、随意運動の中枢である一次運動野がある（P.78図2参照）。
2. × 大脳半球の深部にある灰白質を大脳基底核という。錐体外路系の回路、情動や本能行動に関係する辺縁系の一部がある。
3. ○ ブローカ野は優位な大脳半球の前頭葉の深部にある運動性言語中枢である。障害されると発語ができなくなる。
4. × ウェルニッケ野は優位な大脳半球の側頭葉にある感覚性言語中枢である。障害されると言語の理解ができなくなる。

問題 ▶ 146

出題基準
Ⅲ-11-A／
ショック

過去問 成 P.406, 407

CHECK ▶ □□□

解答 1

循環血液量減少性ショックの原因はどれか。

1. 熱　傷
   burn
2. 敗血症
   sepsis
3. 緊張性気胸
   tension pneumothorax
4. アナフィラキシーショック

解説 1. ○　熱傷により体液が失われるため、循環血液量減少性ショックに陥る可能性がある。

2. ×　敗血症性ショックは血液分布異常性ショックに分類される。

3. ×　緊張性気胸は心外閉塞・拘束性ショックに陥る可能性がある。

4. ×　アナフィラキシーショックは血液分布異常性ショックに分類される。

MORE!

表12　ショックの分類

分類	おもな原因疾患
血液分布異常性ショック	
●敗血症性ショック	●敗血症
●神経原性ショック	●脊髄損傷
●アナフィラキシーショック	●アナフィラキシー
循環血液量減少性ショック	●出血 ●腹膜炎 ●体液喪失（脱水、熱傷）

分類	おもな原因疾患
心原性ショック	●心筋梗塞、心筋症、心筋炎 ●弁膜症 ●重症不整脈
心外閉塞・拘束性ショック	●心タンポナーデ ●肺塞栓症 ●緊張性気胸

問題 ▶ 147

出題基準
Ⅲ-11-A／
高体温、低体温

過去問 基 P.349

CHECK ▶ □□□

解答 3

日内変動が1℃以内であることが定義に含まれる熱型パターンはどれか。

1. 間欠熱
2. 波状熱
3. 稽留熱
4. 弛張熱

解説 1〜4の熱型パターンのうち、日内変動が1℃以内で高熱が続くと定義されているのは3の稽留熱である（3. ○）。「稽留」とはとどまる・とどこおるという意味である。

1. ×　間欠熱は日内変動が1℃以上で、最低が37℃以下になるパターンをいう。

2. ×　波状熱は有熱期と無熱期が不規則に繰り返されるパターンをいう。

4. ×　弛張熱は日内変動が1℃以上で、最低が37℃以下とならないパターンをいう。

表13　おもな熱型パターン

	稽留熱	弛張熱	間欠熱	波状熱
熱型	(℃) 39 38 37 36	(℃) 39 38 37 36	(℃) 39 38 37 36	(℃) 39 38 37 36
定義	日内変動が1℃以内の高熱が持続する	日内変動が1℃以上で、37℃以下にならない	日内変動が1℃以上で、37℃以下になる時期がある	有熱期と無熱期を交互に繰り返す

問題 ▶ 148

出題基準
Ⅲ-11-A／
脱水

過去問 成 P.564

CHECK ▶ ☐ ☐ ☐

解答 4

二次脱水〈低張性脱水〉でみられるのはどれか。

1. 高体温
2. 強い口渇
3. 心拍数の低下
4. 循環血液量の減少

解説 1．2．×　高体温や強い口渇が生じやすいのは、細胞内液の水分が失われる一次脱水〈高張性脱水〉である。

3．×／4．○　ナトリウムの喪失が中心の二次脱水〈低張性脱水〉では細胞内液に水分が移動し、細胞外液の水分が減少する。そのため循環血液量が減少し、心拍数は増加する。

MORE!

● 脱水は、血清ナトリウム濃度により、①低張性（ナトリウム欠乏性）脱水、②高張性（水欠乏性）脱水、③等張性（混合性）脱水に分けられる。

● 高齢者は、①渇中枢の感度の低下により口渇を感じにくい、②腎の濃縮力の低下、③体液量（筋肉量）の減少などで、脱水を起こしやすい。

● 小児は成人に比べ、①細胞外液量の割合が多い、②水分必要量が多い、③腎臓の機能が十分ではないなどで、脱水を起こしやすい。

表14　脱水の種類と症候

種類	特徴	症候						
		口渇	頭痛	けいれん	頻脈・低血圧	体温上昇	尿量	体重減少
高張性脱水（一次脱水）	水分喪失大 細胞外液減少 細胞内液減少 バソプレシン分泌の亢進	強度	なし	なし	なし	あり	著しく減少	あり
低張性脱水（二次脱水）	ナトリウム喪失大 細胞外液著しく減少 細胞内液むしろ増加	軽度	あり	あり	あり	なし	減少	あり

図16　脱水のメカニズム

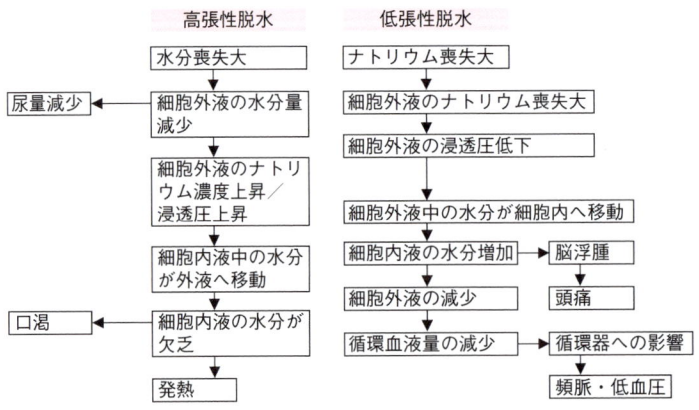

〈表14・図16〉池西靜江, 石束佳子, 阿形奈津子 編：看護学生スタディガイド2026. 照林社, 東京, 2025：79. より一部改変して引用

問題 ▶ 149

五肢

出題基準

Ⅲ-11-A／
黄疸

過去問 成 P.540

CHECK ▶ □□□

解答 1

閉塞性黄疸の原因として最も考えられる疾患はどれか。
obstructive jaundice

1. 胆石症
   cholelithiasis
2. 溶血性黄疸
3. 自己免疫性肝炎
4. ウイルス性肝炎
   viral hepatitis
5. アルコール性肝障害

解説 1. ○ 胆道系の経路が結石や腫瘍により狭窄、あるいは閉塞して起こる黄疸を閉塞性黄疸という。胆石症、膵臓癌、胆管癌などがある。

2. × 溶血性黄疸は破壊された赤血球から間接ビリルビンが多量に生じて、肝臓で処理できない状態である。

3. × 自己免疫性肝炎は難病の1つで、肝細胞性（肝実質性）黄疸に分類される。

4. 5. × ウイルス性肝炎やアルコール性肝障害は肝細胞性（肝実質性）黄疸に分類される。

目標 Ⅲ

表15　黄疸をきたす疾患

間接型優位の高ビリルビン血症	溶血性貧血		
	体質性黄疸（Gilbert 症候群、Crigler-Najjar 症候群）		
	シャント高ビリルビン血症		
	進行肝硬変、肝不全		
直接型優位の高ビリルビン血症	肝実質性黄疸（ウイルス性肝炎、自己免疫性肝炎、薬剤性肝障害、アルコール性肝障害、肝硬変、転移性肝腫瘍など）		
	肝内胆汁うっ滞型黄疸	急性：アルコール性、薬物性	
		反復性：良性反復性、妊娠性反復性	
		慢性：原発性胆汁性胆管炎（PBC）、原発性硬化性胆管炎（PSC）、薬物性、アルコール性、IgG4 関連疾患	
	閉塞性黄疸（悪性腫瘍、結石、炎症、自己免疫性膵炎（AIP）、IgG4 関連疾患）		
	体質性黄疸（Dubin-Johnson 症候群、Rotor 症候群）		
	その他（敗血症、血球貪食症候群、移植後拒絶、Graft versus host disease など）		

日本臨床検査医学会ガイドライン作成委員会 編集：臨床検査のガイドライン　JSLM2021.黄疸. 182.より引用
http://www.jslm.org/books/guideline/2021/gl/JSLM_GL2021.pdf（2025/5/29閲覧）

表16　黄疸の種類

	原因	検査値	おもな疾患
肝前性（溶血性）	●ビリルビン産生過剰	●間接ビリルビン↑ ●尿中ビリルビン（−） ●便中ウロビリン体↑↑	●溶血性貧血
肝性（肝細胞性）	●肝臓での抱合障害* ●肝細胞内のビリルビン輸送低下 ●ビリルビン排泄障害	●直接ビリルビン↑* ●尿中ビリルビン（＋） ●尿中ウロビリノゲン（＋＋＋） ●便中ウロビリン体↓⇨↑	●体質性黄疸 ●肝炎 ●肝硬変 ●うっ血性心不全
肝後性（閉塞性）	●ビリルビン排泄障害	●直接ビリルビン↑ ●尿中ビリルビン（＋） ●便中ウロビリン体（−）	●胆石症 ●胆道系腫瘍

＊抱合障害がある場合、間接ビリルビンも上昇する。

図17 ビリルビン代謝

赤血球 / 脾臓内 / ヘモグロビン / 間接ビリルビン / グルクロン酸抱合 / 直接ビリルビン / 肝臓 / ウロビリノゲンとして腎臓で尿中に排泄 / 血管から腸肝循環を経て / 十二指腸へ / 多くは小腸・大腸を経てステルコビリンとして便中に排泄

閃輝暗点を伴う頭痛が起こるのはどれか。

1. 緑内障
   glaucoma
2. 片頭痛
   migraine headache
3. 髄膜炎
   meningitis
4. くも膜下出血
   subarachnoid hemorrhage

解説 片頭痛の発作の前徴として、視野欠損や視野のなかに辺縁がジグザグになった輝く点が形を変えて現れる現象を閃輝暗点という（2. ○）。1の緑内障、3の髄膜炎、4のくも膜下出血のいずれも頭痛が起こるおそれのある疾患であるが通常、閃輝暗点を伴わない。

MORE!

表17 頭痛のアセスメント

出現パターン	時期・持続時間	性状・程度	痛みの部位	特徴・随伴症状	疾患
発作性・反復性	持続時間は数時間〜1日程度	拍動性	片側・両側側頭部	前徴がある・閃輝暗点	片頭痛
	1時間程度の発作性	強烈	眼の周囲	結膜充血・流涙・ホルネル症候群	三叉神経・自律神経性頭痛
慢性・持続性	1日中	鈍痛・頭重感	頭全体・前頭部・後部痛	ストレス・肩こり	緊張型頭痛
	だんだん悪化する早朝に強いことがある	鈍痛	頭全体	嘔吐あるいは麻痺などの神経症状を伴うこともある	脳腫瘍慢性硬膜下血腫
突然発作	発症後持続	今までに経験したことのない激痛	頭全体	項部硬直・嘔吐・意識障害	くも膜下出血
	発症後持続	激痛	眼部	視力障害・眼圧亢進	緑内障
急性発作	発作後持続	激痛	頭全体	発熱・項部硬直	髄膜炎

小田正枝 編著：アセスメント・看護計画がわかる 症状別 看護過程 第2版. 照林社, 東京, 2021：256. より引用

出題基準

Ⅲ-11-A／
咳嗽、喀痰

過去問 成 P.486

CHECK ▶ ☐ ☐ ☐

解答 2

血性泡沫痰がみられやすいのはどれか。

1. 百日咳
   pertussis
2. 肺水腫
   pulmonary edema
3. 細菌性肺炎
   bacterial pneumonia
4. 間質性肺炎
   interstitial pneumonia

解説 1. ×　百日咳は乾性咳嗽が多いとされ、痰があっても血性泡沫痰は考えにくい。

2. ○　肺水腫を伴う心不全（左心不全）では血性（ピンク色とも表現される）泡沫痰、呼吸困難が生じる。

3. ×　細菌性肺炎では膿性（黄色あるいは緑色）の痰が生じやすい。

4. ×　間質性肺炎では乾性咳嗽が多く、痰が生じても血性泡沫痰は考えにくい。

MORE!

表18　咳嗽の種類

種類	内容	
喀痰の有無による分類	喀痰を伴わない	乾性咳嗽
	喀痰を伴う	湿性咳嗽
咳嗽の持続時間による分類	3週間未満	急性咳嗽
	3週間以上8週間未満	遷延性咳嗽
	8週間以上	慢性咳嗽

表19　咳嗽の原因

要因	状況
自然環境要因	● 気候：空気の乾燥、非常に冷たい空気、高温の空気 ● 公害：光化学スモッグなど大気汚染、石綿沈着、PM2.5沈着 ● ガス：刺激性ガス
生活要因	● 喫煙、塵埃、煙 ● 屋内外の温度差
加齢要因	● 線毛運動の低下 ● 誤嚥
病態要因	● 呼吸器疾患：咽頭炎、喉頭炎、気管支炎、肺結核、喘息、縦隔腫瘍、アスベスト肺、新型コロナウイルス感染症など ● 心臓疾患：心不全 ● 気道刺激：異物、炎症 ● アレルギー：イヌ、ネコなどの小動物、花粉

小田正枝 編：アセスメント・看護計画がわかる　症状別 看護過程　第2版．照林社，東京，2021：17．より引用

問題 ▶ **152**

頻出

出題基準
Ⅲ-11-A／
吐血、喀血

過去問 成 P.450

CHECK ▶ □□□

解答 **3**

吐血が起こる出血部位で正しいのはどれか。

1. 肺
2. 気管支
3. 食　道
4. 鼻　腔

解説 消化管からの出血を吐血、呼吸器からの出血の場合は喀血という（1. 2. ×、3. ○）。4の鼻腔からの出血は血痰の原因で、通常、喀血には含まない（4. ×）。

MORE!

表20　吐血と喀血の鑑別

	吐血	喀血
原因疾患	●食道・胃・十二指腸疾患 ●肝硬変など	●心疾患 ●肺疾患
前駆症状	●悪心 ●胃部不快感 ●腹痛	●胸部重圧感 ●咽頭部異常感
発現状況	●嘔吐とともに吐出	●咳嗽とともに吐出
随伴症状	●悪心、胸やけ、腹痛などの消化器症状を伴う	●咳嗽、呼吸困難などの呼吸器症状を伴う
吐物の色調	●暗赤色 ●コーヒー残渣様 ●大出血では鮮紅色	●鮮紅色
吐物の性状	●凝血が混じることがある。食物残渣の混入がみられる ●pHは酸性のことが多い。大量の吐血時はアルカリ性	●泡沫を生じ、血液は凝固していない ●pHは一般にアルカリ性
糞便の変化	●黒色便 ●タール便	●通常は変化なし

問題 ▶ **153**

出題基準
Ⅲ-11-A／
チアノーゼ

過去問 成 P.449

CHECK ▶ □□□

解答 **4**

中心性チアノーゼで増加・上昇しているのはどれか。

1. 血中酸素分圧
2. 動脈血酸素飽和度
3. 酸素化ヘモグロビン
4. 脱酸素化ヘモグロビン

解説 チアノーゼとは、毛細血管血液中の脱酸素化（還元）ヘモグロビンが5g/dL以上に増加した状態である（4. ○）。チアノーゼには中心性チアノーゼと末梢性チアノーゼがあり、低酸素血症などによって起こる中心性チアノーゼは、口唇、耳朶、爪床、指先で青紫色の変化が観察しやすい。

1. 2. ×　中心性チアノーゼでは血中酸素分圧や動脈血酸素飽和度は低下する。

3. ×　中心性チアノーゼでは脱酸素化ヘモグロビンが増加するため、相対的に酸素化ヘモグロビンが減少する。

問題▶154

運動強度と呼吸困難の程度を評価するのはどれか。

1. スタンフォード分類
2. フォレスター分類
3. 酸素解離曲線
4. ヒュー・ジョーンズの分類

解説 息苦しさを自覚し、努力性の呼吸をしていることを呼吸困難という。動脈血酸素分圧60Torr以下で判断される呼吸不全とは区別する。

1. × スタンフォード分類は大動脈解離の分類である。

2. × フォレスター分類は心不全の分類である。

3. × 酸素解離曲線はある条件下での動脈血酸素分圧と動脈血酸素飽和度の関係を表したグラフである。

4. ○ ヒュー・ジョーンズの分類は、運動強度(労作)と呼吸困難の状況を評価する。

表21 ヒュー・ジョーンズの分類

分類	基準
Ⅰ度	同年齢の健康者と同様の労作ができ、歩行や階段昇降も健康者なみにできる(正常)
Ⅱ度	同年齢の健康者と同様に歩行できるが、坂や階段昇降は健康者なみにはできない
Ⅲ度	平地でさえ健康者なみには歩けないが、自分のペースでなら1.6km以上歩ける
Ⅳ度	休みながらでないと50m以上歩けない
Ⅴ度	会話や衣服の着脱にも息切れがする。息切れのため外出できない

目標Ⅲ

問題▶155

15〜30分持続する突然の胸痛で、最も疑うべきものはどれか。

1. 心房細動
   atrial fibrillation
2. 心筋梗塞
   myocardial infarction
3. 帯状疱疹
   herpes zoster
4. 逆流性食道炎
   reflux esophagitis

解説 1. × 心房細動で15〜30分持続する突然の胸痛は生じない。

2. ○ 心筋梗塞の胸痛は15〜30分持続するのが特徴的である。

3. × 帯状疱疹の発症部位によっては胸痛が起こるが、経過は多彩で、前駆痛が数日以上、その後に生じる急性痛は短い時間で繰り返し起こるものから数十日間続く場合もある。

4. × 逆流性食道炎は胸やけ・つかえ感・胸痛などの症状が食後や臥床したときに出やすい。突然の胸痛とはなりにくい。

MORE!

表22 虚血性心疾患のポイント

	(労作性)狭心症	心筋梗塞
病態	●冠動脈の狭窄 ●一過性の心筋虚血→壊死には至らない	●冠動脈の閉塞 ●心筋虚血→心筋壊死
胸痛	●突然 ●前胸部・胸骨下の疼痛、絞扼感、不快感、圧迫感、重圧感 ●持続時間1〜5分(15分以内)	●突然 ●激しい胸痛 ●持続時間15〜30分、長くて数時間
ニトログリセリンの効果	●心筋虚血改善 ●疼痛に効果あり	●心筋虚血範囲減少(治療で使われる) ●疼痛に効果なし
血清酵素(CPK・CK) 白血球(WBC)	●変化なし ●変化なし	●変化あり(上昇) ●変化あり(増加)
心電図所見	●ST下降	●ST上昇、異常Q波、冠性T波

問題▶156

出題基準
Ⅲ-11-A／
不整脈

過去問 成 P.492, 493

CHECK▶ □□□

解答 2

図の心電図波形がみられた。
該当するのはどれか。

1. 心房細動
   atrial fibrillation
2. 心室細動
   ventricular fibrillation
3. 心室頻拍
   ventricular tachycardia
4. 心室性期外収縮
   premature ventricular contraction
5. 完全房室ブロック
   complete atrioventricular block

解説 1. ✕　心房細動は、心房が細かく震えるため、P波がわかりにくくR-R間隔が不整となる。

2. ○　心室細動は、心室が細かく震え有効な心拍出がない状態である。致死的な不整脈で、胸骨圧迫や除細動などを行う。

3. ✕　心室頻拍は、心室性頻拍とも呼ぶ。心室性期外収縮が連続して起こっている状態で、心室細動の手前の状態である。

4. ✕　心室性期外収縮は、洞（房）結節からの正規のリズムのほかにイレギュラーな収縮が起こる状態である。

5. ✕　完全房室ブロックは、房室間の興奮伝導が完全に途絶された状態である。**図18**を参照。

問題▶157

頻出

出題基準
Ⅲ-11-A／
不整脈

過去問 成 P.493

CHECK▶ □□□

解答 3

徐脈性不整脈による失神やめまいの原因はどれか。

1. ショック
2. 脳塞栓
3. 脳の虚血
4. 迷走神経の異常

解説 徐脈性不整脈（Ⅲ度房室ブロックなど）、心室頻拍、心室細動などで脳への血流が減少して脳虚血状態になると失神〈意識消失〉やめまいが起こる（3. ○）。これをアダムス・ストークス症候群という。

　徐脈性不整脈がある場合には、1のショックや2の脳塞栓より、3の脳の虚血の可能性が高い。

　失神の原因には徐脈性不整脈が代表的な心原性失神のほか、迷走神経が優位になることで生じる迷走神経性のものなどがある（4. ✕）。

図18 おもな不整脈の波形

心室性期外収縮（PVC）	心室頻拍（VT）
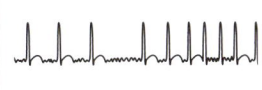●先行するP波が消失し、基本周期よりも早期に幅広のQRS波が出現	●幅広のQRS波が規則正しく出現 ●100回/分以上の頻拍 ●抗不整脈薬、除細動で対応
心室細動（VF）	心房細動（AF）
●QRS波、T波がなく無秩序な波形を示す致死性不整脈 ●心肺蘇生、除細動が必要	●P波が見つけにくく、RR間隔がバラバラ ●抗凝固薬（血栓の予防）で対応
Ⅱ度（ウェンケバッハ型）房室ブロック	Ⅲ度（完全）房室ブロック
●房室間の刺激伝導時間がしだいに延長し、ついにはQRS波が欠落する ●比較的良性であり、治療を必要としないことが多い	●房室間の興奮伝導が完全に途絶された状態 ●アダムス・ストークス発作に注意。ペースメーカー植込みの適応

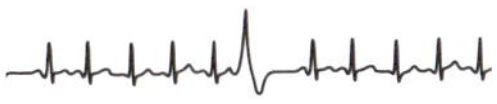

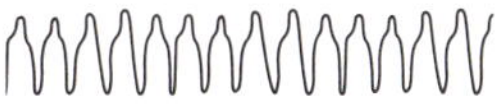

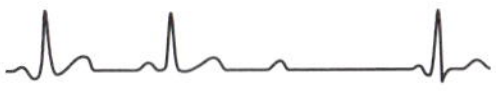

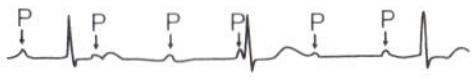

目標Ⅲ

問題 ▶ **158**

五肢

出題基準
Ⅲ-11-A／
腹痛、腹部膨満

過去問 成 P.512

CHECK ▶ □□□

解答 2

腹部の図のA〜Eのうち、季肋部はどれか。

1. A
2. B
3. C
4. D
5. E

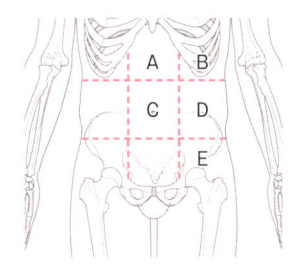

解説 季肋部の「季」の字は「終わり」を、「肋」の字は肋骨を意味する。したがって、肋骨の下端の中央部（心窩部）を除いた両端を指す（Bが左季肋部、2. ○）。第101回では「右季肋部の疝痛発作を特徴とする疾患はどれか」という問題が出された（答えは胆石症）。

図19 腹部の表現方法

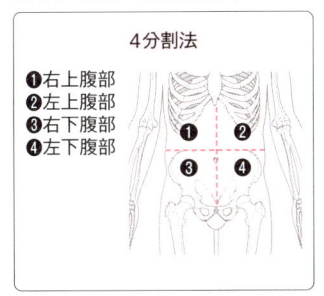

4分割法
❶右上腹部
❷左上腹部
❸右下腹部
❹左下腹部

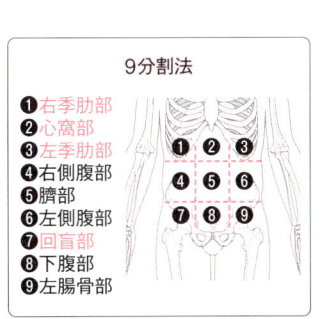

9分割法
❶右季肋部
❷心窩部
❸左季肋部
❹右側腹部
❺臍部
❻左側腹部
❼回盲部
❽下腹部
❾左腸骨部

問題158のAは心窩部、Cは臍部、Dは左側腹部、Eは左腸骨部である

●腹部には場所を示すさまざまな表現がある。目標となる剣状突起、臍、鼠径靭帯、恥骨結合を確認する。
●季肋部の「季」は終わりの意で、肋骨の終わる部分を指す。

図20 虫垂炎の圧痛点

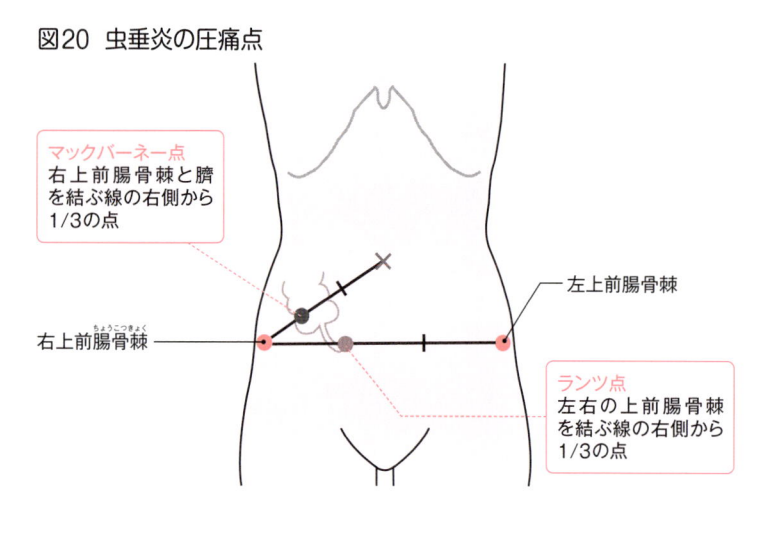

マックバーネー点
右上前腸骨棘と臍を結ぶ線の右側から1/3の点

右上前腸骨棘

左上前腸骨棘

ランツ点
左右の上前腸骨棘を結ぶ線の右側から1/3の点

図21 ブルンベルグ徴候

●腹壁を圧迫してから急に手を離すと鋭い痛みを感じることを、ブルンベルグ徴候（反跳痛）という。腹膜に炎症が及んでいる場合、腹膜に刺激が生じることで痛みを感じる。

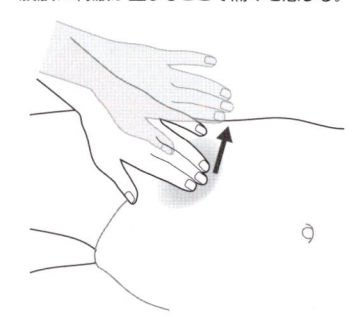

問題 ▶ 159

出題基準

Ⅲ-11-A／
悪心、嘔吐

過去問 成 P.566, 567

CHECK ▶ □□□

解答 1

嘔吐を繰り返したときに最も喪失するのはどれか。

1. クロールイオン
2. 重炭酸イオン
3. マグネシウムイオン
4. カルシウムイオン

解説 胃液中のクロールイオン（Cl^-）を失うため、頻回の嘔吐では低クロール血症となりやすい（1. ○）。胃液中の水素イオン（H^+）の喪失と、喪失したクロールイオンを補うため炭酸水素イオン（HCO_3^-）が増え代謝性アルカローシスに傾きやすい。

2の重炭酸イオン、3のマグネシウムイオン、4のカルシウムイオンは嘔吐によって失われるとは考えにくい（2〜4. ×）。

MORE!

●嘔吐の際は、脱水や塩酸（HCl）の喪失による低クロール血症・代謝性アルカローシスを予防する。

表23 嘔吐の分類

分類		原因
中枢性嘔吐（直接、嘔吐中枢を刺激）	機械的刺激	脳卒中、脳圧亢進
	化学的刺激	抗がん薬
	感覚的刺激	悪臭、ストレス
末梢性（反射性）嘔吐（交感神経・迷走神経を経て、間接的に嘔吐中枢を刺激）	消化器刺激	異物混入、消化管通過障害、炎症
	耳性刺激	乗り物酔い、めまい

池西静江, 石束佳子, 阿形奈津子 編：看護学生スタディガイド2026. 照林社, 東京, 2025：628. より引用

問題▶160

嘔吐中枢への機械的刺激による嘔吐が生じるのはどれか。

1. 髄膜炎
   meningitis
2. 腸閉塞
   ileus
3. 妊娠悪阻
4. 激しい咳嗽

解説 1の髄膜炎、脳炎、脳腫瘍、脳出血など頭蓋内圧亢進をきたす疾患では悪心を伴わず、急激な嘔吐が生じる（1. ○）。これは延髄の嘔吐中枢を機械的に刺激することによって起こる。

2の腸閉塞、3の妊娠悪阻、4の激しい咳嗽による嘔吐は嘔吐中枢への機械的な刺激によるものではない（2〜4. ×）。

問題▶161

強い便意があるが、少量の下痢、あるいは排便がない状態を繰り返すのはどれか。

1. テネスムス
2. ヘルニア嵌頓
3. ブルンベルグ徴候
4. マロリーワイス症候群

解説 1. ○　強い便意があるが、少量の下痢、あるいは排便がない状態を繰り返すことをテネスムス〈裏急後重〉という。

2. ×　ヘルニア部分が腹圧や努責によって狭いヘルニア門から脱出し、ヘルニア門の部分で絞扼された状態をヘルニア嵌頓という。

3. ×　ブルンベルグ徴候は腹部の触診で、圧迫した手を急に離すと強い痛みが生じる状態をいう。

4. ×　マロリーワイス症候群では嘔吐を繰り返すことにより、食道の下端から胃にかけて裂けて吐血が生じる。

MORE!

表24　発生機序による下痢の分類

分類	メカニズム	おもな疾患（急性/慢性）
浸透圧性下痢	腸管内に浸透圧の高い物質が存在すると、水分が腸管壁から腸管内に移行することで腸管の水分が増加し、下痢になる	急性：薬剤性［下剤、制酸剤（Mg含有）、D-ソルビトール、ラクツロース］ 慢性：吸収不良症候群（乳糖不耐症、慢性膵炎）、腹部手術（胃切除、回腸切除）
滲出性下痢 （炎症性下痢）	腸管の粘膜が障害されると、吸収能力が低下するとともに炎症が起こる。その結果、腸管壁の透過性が亢進し、滲出液や血液が排出されて腸管の水分が増加し下痢になる	急性：細菌性大腸炎（サルモネラ、カンピロバクター）、ウイルス性大腸炎（ノロウイルス）、薬剤性腸炎（抗菌薬）、虚血性大腸炎 慢性：炎症性腸疾患（潰瘍性大腸炎、クローン病）、腸結核、放射線性腸炎
分泌性下痢	腸管内に分泌される水分や消化液の量が異常に増えるために下痢になる	急性：エンテロトキシン※による腸炎（コレラ菌、赤痢菌、ブドウ球菌、クロストリジウム-ディフィシル菌、腸管出血性大腸菌） 慢性：内分泌腫瘍
腸管運動性下痢	蠕動亢進：腸の蠕動運動が速いと、水分などが十分吸収されず下痢になる	過敏性腸症候群、甲状腺機能亢進症
	停滞：腸の蠕動運動の障害や通過障害があると、増殖した腸内細菌の刺激により下痢になる	がんや炎症で起こる腸管内の狭窄、消化管の外科的切除（ダンピング症候群）、糖尿病神経障害

※細菌が産生し、腸管に作用する蛋白質毒素
尹玉鐘：下痢. 小田正枝, 山口哲朗 編：プチナースBOOKS 症状別 観察ポイントとケア チャートでわかる!. 照林社. 東京. 2016：135. より一部改変して引用

問題▶162

出題基準

Ⅲ-11-A／
便秘

過去問 成 P.508

CHECK▶ ☐ ☐ ☐

解答 3

弛緩性便秘の原因はどれか。
atonic constipation
1. 便意をがまんする。
2. 腸管が癒着している。
3. 食物繊維の摂取量が足りない。
4. 飲酒習慣がある。

解説 1. ✕ 便意にタイミングよく応えないでいると排便反射が弱まり、**直腸性**便秘となる。

2. ✕ 手術後の腸管癒着による便秘は**器質性**便秘である。

3. ◯ 運動不足や食物繊維の摂取不足によって**弛緩性**便秘となる。

4. ✕ 飲酒習慣と便秘に直接の関連は**ない**。大量飲酒では小腸の吸収機能が阻害され、浸透圧性の**下痢**が起こることがある。

MORE!

表25 便秘の分類

分類		原因	病態
機能性便秘	弛緩性便秘	●食事量・食物繊維の摂取不足	腸内容物が少ないと、胃－結腸反射や排便反射が弱まる
		●運動不足	血液の循環や大腸の運動が低下する
		●加齢・経産婦・臥床者	腹筋が弱まり、いきみが低下する
	けいれん性便秘	●精神的ストレス ●過敏性腸症候群	緊張などのストレスによって自律神経が失調し、下部大腸がけいれん性に収縮し、直腸への便の輸送が妨げられる
	直腸性便秘	●下剤・浣腸の乱用 ●便意の抑制：多忙、環境の変化、プライバシーの欠如、疼痛、不規則な生活	排便反射が弱まり、直腸内に便がたまっても便意を感じなくなる
器質性便秘		●大腸癌・直腸癌・子宮筋腫などの腫瘍 ●クローン病・潰瘍性大腸炎などの炎症疾患 ●開腹術後の腸管癒着	腫瘍、瘢痕、癒着などにより、腸管が狭窄し、通過障害が起こる
		●ヒルシュスプルング病（先天性巨大結腸症）	先天性の神経叢の欠損により排便反射が弱まり、腸蠕動が低下する。すると、欠損部の上部に便やガスがたまり、巨大結腸となる
		●代謝性障害（脱水・全身衰弱）	腸管の血流不足、腸蠕動低下、排便力低下により通過障害が起こる
症候性便秘		●脊髄損傷・脊髄腫瘍 ●脳血管疾患	排便反射に関する神経が障害される
		●甲状腺機能低下症	代謝が低下し、大腸の運動の低下、腸粘膜の萎縮が起こる
		●糖尿病	糖尿病神経障害により副交感神経が抑制され、大腸の運動が低下する
薬剤性便秘		●抗コリン薬 ●抗うつ薬 ●パーキンソン病治療薬　など	副交感神経を抑制し、大腸の運動が低下する
		●麻酔薬	胃腸管の筋弛緩作用により、腸管運動が麻痺する
		●モルヒネ塩酸塩水和物	筋緊張を亢進させ、腸蠕動が低下する

※『便通異常症診療ガイドライン2023　慢性便秘症』では、慢性便秘（症）を、一次性・二次性に、症状から排便回数減少型・排便困難型に分類している。一次性はさらに機能性便秘症、便秘型過敏性腸症候群、非狭窄性器質性便秘症に、二次性はさらに、薬剤性、症候性、狭窄性器質性に分けられる。

国試に出た人名と特徴

人名		特徴
ナイチンゲール, F.	1820〜1910	看護を定義した。著書に『看護覚え書』(1860)
リチャーズ, L.	1841〜1930	アメリカで最初の有資格看護師
フロイト, S.	1856〜1939	精神分析理論を創始し、心はイド・自我・超自我から成り立つとした
ゴールドマーク, J.C.	1877〜1950	「ウィンスロー・ゴールドマーク報告書(ゴールドマークレポート)」(1923)をまとめた
シュナイダー, K.	1887〜1967	統合失調症の一級症状と二級症状を定型化した
ピアジェ, J.	1896〜1890	認知発達理論を提唱した
ヘンダーソン, V.	1897〜1996	14項目の基本的看護の構成要素をまとめた。著書に『看護の基本となるもの』(1960)
ブラウン, E.L.	1898〜1990	看護の社会における役割の拡大と専門職としての看護教育のあり方に関する改善案をまとめた「ブラウンレポート(これからの看護)」を発表
ウィーデンバック, E.	1900〜1996	著書に『臨床看護の本質』(1964)
エリクソン, E.H.	1902〜1994	漸成的発達理論を提唱した
セリエ, H.	1907〜1982	ストレス理論を提唱した
ペプロウ, H.E.	1909〜1999	「患者−看護師関係」について論じた。著書に『人間関係の看護論』(1952)
ロジャーズ, M.E.	1914〜1994	「統一体としての人間の科学」を提唱した
オレム, D.E.	1914〜2007	セルフケア理論を提唱。著書に『看護実践における基本概念』(1971)
レイニンガー, M.M.	1925〜2012	著書に『文化ケアの多様性と普遍性—看護理論』(1991)
トラベルビー, J.	1926〜1973	著書に『人間対人間の看護』(1971)
キューブラー・ロス, E.	1926〜2004	死にゆく人の心理過程をまとめた
アギュララ, D.C.	1927〜2002	問題解決型危機モデルを論じた。危機に直面した際には「現実的な知覚」「適切な社会支援」「適切な対処機制」によって均衡を取り戻せるとした
ロイ, S.C.	1939〜	4つの適応様式をもつ適応システムをまとめた。著書に『看護概論-適応モデル』(1976)

いっしょに使おう! プチナース国試シリーズ

《プチナース国試スクール》

解答・解説は赤シートでも隠せますが、
文字が見えるのが気になる場合はこのシートで隠してください。

問題▶163

頻出

出題基準
Ⅲ-11-A／
下血

過去問 成 P.507

CHECK▶ ☐☐☐

解答 3

鮮紅色の下血がみられたときの出血部位で最も考えられるのはどれか。

1. 胃
2. 食　道
3. S状結腸
4. 十二指腸

解説 鮮やかな血液の色である鮮紅色の下血は下部消化管のなかでも肛門に近い部位からの出血に多い。したがって、3のS状結腸が最も考えられる（3. ○）。タール便や暗赤色便は上部消化管からの出血で生じる。なお、タール便は消化管からの出血が胃酸や腸内細菌により酸化されて黒くなったものである（出血部位が上部消化管でも大量の出血で通過時間が短い場合には鮮紅色の下血となる可能性はあり、下部消化管の出血であっても腸管内に長く停滞すればタール便や暗赤色便となる可能性はある）。

目標Ⅲ

問題▶164

頻出

出題基準
Ⅲ-11-A／
乏尿、無尿、頻尿、多尿

過去問 成 P.702

CHECK▶ ☐☐☐

解答 3

成人患者で1日の尿量が400mLであった。
あてはまるのはどれか。

1. 尿　閉
2. 無　尿
3. 乏　尿
4. 頻　尿

解説 表26のとおり、400mL/日の尿量は乏尿（3. ○）である。無尿、乏尿、多尿の定義は頻出であり必ず覚えよう。

MORE!

表26　尿の異常（成人：通常1,000〜1,500mL/日）

	尿量・状態	原因
無尿	100mL/日以下	●脱水　●急性腎不全 ●心不全
乏尿	400mL/日以下	
多尿	2,500mL/日以上	●糖尿病　●尿崩症
頻尿	排尿回数が増加する	●膀胱容量減少　●多尿
尿閉	膀胱に尿が貯留しているが、排泄できない	●前立腺肥大 ●脊髄損傷、脳血管障害

問題▶165

出題基準
Ⅲ-11-A／
浮腫

過去問 疾 P.107

CHECK▶ ☐☐☐

解答 3

うっ血性心不全に伴う浮腫のメカニズムはどれか。
congestive heart failure

1. 膠質浸透圧の低下
2. リンパ還流のうっ滞
3. 毛細血管内圧の上昇
4. 毛細血管透過性の亢進

解説 1.　×　膠質浸透圧の低下による浮腫はネフローゼ症候群や肝硬変でみられる。

2.　×　リンパ還流のうっ滞はがんの手術によってリンパ節を切除した場合にみられる。

3.　○　毛細血管内圧の上昇による浮腫はうっ血性心不全でみられる。特に右心不全の場合には下肢の浮腫から始まることがある。

4.　×　毛細血管透過性の亢進は炎症などにより起こる。血管から水分が組織間隙、細胞内に移動するためである。

表27 浮腫の分類とおもなメカニズム

分類		原因疾患など	おもなメカニズム
全身性	心性	うっ血性心不全	毛細血管内圧の上昇など
	肝性	肝硬変	血漿膠質浸透圧の低下
	腎性	急性糸球体腎炎	糸球体濾過率の低下など
		ネフローゼ症候群	血漿膠質浸透圧の低下 糸球体濾過率の低下など
	内分泌性	甲状腺機能低下症	ムコ多糖類の沈着など
局所性	静脈性	静脈血栓症	毛細血管内圧の上昇
	リンパ性	術後、フィラリア	リンパ還流の障害

池西静江, 石束佳子, 阿形奈津子 編：看護学生スタディガイド2026. 照林社, 東京, 2025：78. より引用

問題 ▶ 166

頻出

出題基準
Ⅲ-11-A／
貧血

過去問 成 P.615

CHECK ▶ □□□

解答 3

世界保健機関〈WHO〉による成人男性の貧血の基準はどれか。
anemia

1. ヘモグロビン9g/dL以下
2. ヘモグロビン11g/dL以下
3. ヘモグロビン13g/dL以下
4. ヘモグロビン15g/dL以下

解説 世界保健機関〈WHO〉による成人男性の貧血の基準は3のヘモグロビン13g/dL以下である（3. ○）。なお、成人女性は12g/dL以下である。貧血による一般的な症状は、動悸（頻脈）、息切れ、めまい、頭痛、眼瞼結膜や爪甲部の蒼白化、爪の変形などである。WHOの基準を知らなくても、ヘモグロビンの基準値を知っていれば正答にたどり着ける。

問題 ▶ 167

出題基準
Ⅲ-11-A／
睡眠障害

CHECK ▶ □□□

解答 4

睡眠時無呼吸症候群の診断に必要な検査はどれか。
sleep apnea syndrome

1. 胸部X線撮影
2. 血液ガス分析
3. スパイロメトリー
4. 睡眠時ポリグラフ検査

解説 睡眠時無呼吸症候群の診断に必要なのは4の睡眠時ポリグラフ検査である（4. ○）。在宅で行うことができる簡易式検査と入院して行う精密検査があり、精密検査では脳波・心電図がモニターされ、眼球・胸郭の動き、気道の状態、動脈血酸素飽和度などのほか、睡眠中の姿勢やいびきの有無を調べる。

　1の胸部X線撮影、2の血液ガス分析、3のスパイロメトリーは睡眠時無呼吸症候群の診断に必要な検査ではない（1〜3. ×）。

問題▶168

出題基準
Ⅲ-11-A／
感覚過敏・鈍麻

過去問 成 P.634

CHECK▶ ☐☐☐

解答 1

単神経型の知覚障害の原因となる可能性が最も高いのはどれか。

1. 物理的圧迫
2. 神経叢炎
3. 脊髄損傷
   spinal cord injury
4. 多発性ニューロパチー

解説 単神経型の知覚障害とは、末梢神経が単一で障害された場合に起こり、単一の神経支配領域に感覚障害が現れる。

1. ○ 単神経型の知覚障害となるのは、選択肢のうち物理的圧迫のみである。ただし、物理的圧迫の状態によっては複数の末梢神経の障害となる可能性がある。

2. × 神経叢はいくつかの神経の集まったものなので、神経叢の炎症では単神経型とはならない。

3. × 脊髄損傷では脊髄からの神経が障害をきたすため、単神経型となることは考えにくい。

4. × 多発性ニューロパチー（ニューロパチーは末梢神経障害などと訳される）は末梢神経が多発性に障害されるため、両側性、対称性に進行し、境界線が不明瞭となりやすく、単神経型ではない。

問題▶169

頻出

出題基準
Ⅲ-11-A／
運動麻痺

過去問 成 P.637

CHECK▶ ☐☐☐

解答 2

両下肢に運動麻痺がある状態はどれか。

1. 片麻痺
2. 対麻痺
3. 単麻痺
4. 不全麻痺

解説 1. × 片麻痺を図に表すと図22の②のようになる。
2. ○ 両側の下肢の麻痺（図22の③）を対麻痺という。
3. × 単麻痺は四肢のうち1肢のみの麻痺（図22の④）である。
4. × 不全麻痺は麻痺の程度を表しており、完全麻痺よりも麻痺が軽いものをいう。

MORE!

図22 運動麻痺の種類

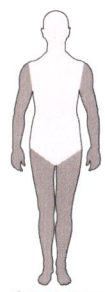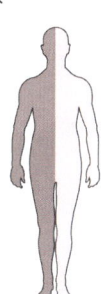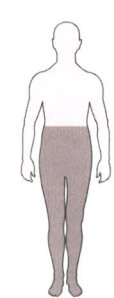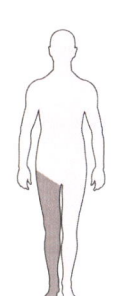

①四肢麻痺　②片麻痺　③対麻痺　④単麻痺

問題▶170

出題基準
Ⅲ-11-A／
けいれん

過去問 基 P.374

CHECK▶□□□

解答 4

てんかんによるけいれん発作について正しいのはどれか。
epilepsy
1. 原因は骨格筋にある。
2. 意識障害は必ずみられる。
3. 随意性の筋肉の収縮である。
4. 呼吸筋がけいれんする危険性がある。

解説 脳の異常な電気的興奮による発作の総称がてんかんである。
1. × てんかんのけいれん発作の原因は脳にある。
2. × 意識障害は必ずみられるわけではなく、意識障害を伴わない発作もある。
3. × けいれん発作は不随意性の筋肉の収縮である。
4. ○ 全身の筋肉がけいれんすれば呼吸筋や血管の筋肉もけいれんして、呼吸障害や循環障害を引き起こす。重篤な場合には窒息・呼吸停止や心停止となる。

問題▶171

五肢

出題基準
Ⅲ-11-A／
けいれん

過去問 基 P.374

CHECK▶□□□

解答 2

全身性のけいれん発作時の対応で優先するのはどれか。
1. 血圧測定
2. 気道確保
3. 四肢の固定
4. 静脈路の確保
5. 心電図モニターの装着

解説 全身性のけいれん発作では呼吸筋もけいれんするため2の気道確保が最も優先すべき対応である（2. ○）。可能であれば側臥位にする、顔を横に向けるなどする。発作がおさまってから1の血圧測定、4の静脈路の確保、5の心電図モニターの装着、必要であれば吸引、酸素吸入などを行う。3の四肢の固定や舌咬傷の予防のために物を口に入れることは危険なのでしない。

問題▶172

頻出

出題基準
Ⅲ-11-B／
生活習慣病

過去問 母 P.953

CHECK▶□□□

解答 3

閉経後の女性でリスクが高まるのはどれか。
1. 子宮筋腫
2. 潰瘍性大腸炎
   ulcerative colitis
3. 脂質異常症
   dyslipidemia
4. 褐色細胞腫
   pheochromocytoma

解説 卵巣から分泌されるエストロゲンは脂質代謝に作用する。中性脂肪やLDLコレステロールを低下させ、HDLコレステロールを上昇させる。よって、閉経後にエストロゲンの分泌が減少すると、3の脂質異常症、ひいては動脈硬化が進行するおそれがある（3. ○）。
　1の子宮筋腫は閉経後に減少し、2の潰瘍性大腸炎と4の褐色細胞腫は閉経との関連はない（1. 2. 4. ×）。

問題 ▶ 173

頻出

出題基準
Ⅲ-11-B／生活習慣病

過去問 成 P.401

CHECK ▶ □□□

解答 4

生活習慣病はどれか。

1. 骨　折
   fracture
2. 低血圧症
   hypotension
3. 1型糖尿病
   type 1 diabetes mellitus
4. 高尿酸血症
   hyperuricemia

解説 生活習慣病とは食事、運動習慣、休養・睡眠、喫煙、飲酒などの生活習慣が発症と進行に関与する疾患群をいう。4の高尿酸血症は生活習慣病である（4. ○）が、1～3は生活習慣病ではない（1～3. ×）。

表28 厚生労働省による生活習慣病の定義（提唱初期のもの）

食習慣	2型糖尿病、肥満、脂質異常症（家族性のものを除く）、高尿酸血症、循環器病（先天性のものを除く）、大腸がん（家族性のものを除く）、歯周病等
運動習慣	2型糖尿病、肥満、脂質異常症（家族性のものを除く）、高血圧症等
喫　煙	肺扁平上皮がん、循環器病（先天性のものを除く）、慢性気管支炎、肺気腫、歯周病等
飲　酒	アルコール性肝疾患等

厚生省保健医療局疾病対策課「生活習慣に着目した疾病対策の基本的方向性について（意見具申）」1996年12月18日
https://www.mhlw.go.jp/www1/houdou/0812/1217-4.htmlを参考に作成

問題 ▶ 174

頻出

出題基準
Ⅲ-11-B／生活習慣病

CHECK ▶ □□□

過去問 成 P.400

解答 4

国がメタボリックシンドローム対策を行う第1の目的はどれか。
metabolic syndrome

1. がん予防
   cancer
2. 感染症予防
3. 呼吸器疾患予防
4. 心血管疾患予防

解説 メタボリックシンドロームは、「心血管疾患予防を第一義の目的としてハイリスクグループを絞り込むために定義された疾患概念である」（平成17年度厚生労働科学研究：地域保健における健康診査の効果的なプロトコールに関する研究）として、特定健康診査・特定保健指導に取り入れられた。したがって、正しいのは4の心血管疾患予防である（4. ○）。

問題 ▶ 175

頻出

出題基準
Ⅲ-11-B／生活習慣病

過去問 成 P.655

CHECK ▶ □□□

解答 2

心房細動が最も関与するのはどれか。
atrial fibrillation

1. 脳血栓症
   cerebral thrombosis
2. 脳塞栓症
   cerebral embolism
3. 脳内出血
   intracerebral hemorrhage
4. くも膜下出血
   subarachnoid hemorrhage

解説 脳血管障害は出血性と虚血性に分けられる。出血性にはくも膜下出血と脳内出血、虚血性には脳梗塞（脳血栓症と脳塞栓症）がある。脳血栓症は脳内の血管で血栓が生じ閉塞が起こるが、脳塞栓症は心臓などでできた血栓が運ばれてきて脳内の血管が閉塞する。

1. 3. ×　脳血栓症と脳内出血は高血圧症や糖尿病が発症に関与している。
2. ○　脳塞栓症は心房細動や心臓弁膜症によってできる血栓が発症に関与している。
4. ×　くも膜下出血は脳動脈瘤、脳動静脈奇形、高血圧症などが発症に関与している。

表29 脳卒中の病型

	出血性		虚血性		
	くも膜下出血	脳内出血 (高血圧性)	脳梗塞		
			脳塞栓症	脳血栓症	
				アテローム性	ラクナ梗塞
好発年齢	若年～壮年	壮年～高齢	若年～壮年	壮年～高齢	壮年～高齢
発症様式	活動と関係なく突然 頭痛と嘔吐	突然	日中活動時 突発性	安静時、段階的に 進行	安静時、緩徐または 突発的
発症部位 (好発)	ウィリス動脈輪 動脈分岐部(内頸動脈・前 大脳動脈・前交通動脈)	被殻、視床	広範囲	まだら	基底核部
意識障害	強く一過性	強い	強く短期間	比較的軽い	なし
皮質症状	原則なし	あり	多い	少ない	なし
基礎疾患	脳動脈瘤 脳動静脈奇形 もやもや病	高血圧症 糖尿病	心房細動 心臓弁膜症	高血圧症 糖尿病	高血圧症 糖尿病
治療	手術	手術(血腫除去)	血栓溶解薬使用		
予防	なし	血圧コントロール	抗凝血薬、ワルファリン	抗血小板薬、アスピリン	
前駆症状			TIA少ない	TIA多い	TIAときどき

池西静江, 石束佳子, 阿形奈津子 編：看護学生スタディガイド2026. 照林社, 東京, 2025：721. より一部改変して引用

問題▶176

頻出

出題基準
Ⅲ-11-B／生活習慣病

CHECK▶□□□

解答 2

日本高血圧学会による「高血圧治療ガイドライン2019」における75歳未満の成人の降圧目標(診察室血圧)はどれか。

1. 125／75mmHg未満
2. 130／80mmHg未満
3. 135／85mmHg未満
4. 140／90mmHg未満

解説 同ガイドラインでは、高血圧の基準値は140／90mmHg(診察室)、135／85mmHg(家庭)とし、一部の目標血圧を強化した(表30)。降圧目標は、2の130／80mmHg未満(2.○)である。

表30 成人の降圧目標(診察室血圧)

75歳未満の成人	130／80mmHg未満
75歳以上の高齢者	140／90mmHg未満
糖尿病患者	130／80mmHg未満
CKD患者(蛋白尿陽性)	

問題▶177

頻出 五肢

出題基準
Ⅲ-11-B／がん

過去問 疾 P.111

CHECK▶□□□

解答 5

悪性腫瘍と比較して良性腫瘍に多くみられる性質はどれか。

1. 再発しやすい。
2. 被膜をもたない。
3. 周囲に浸潤しやすい。
4. 増殖・成長が急速である。
5. 正常な組織との境界が明瞭である。

解説 1. × 再発しやすいのは悪性腫瘍の性質である。
2. × 被膜をもたないのは悪性腫瘍の性質である。
3. × 周囲に浸潤しやすいのは悪性腫瘍の性質である。
4. × 良性腫瘍は悪性腫瘍に比べ増殖・成長がゆっくりである。

5. ○ 正常な組織との境界が明瞭なのは<u>良性</u>腫瘍の性質である。

表31 良性腫瘍と悪性腫瘍の特徴の違い

	良性腫瘍	悪性腫瘍
細胞異型	軽度	高度
分化度	高い	低い
発育速度	遅い	速い
発育形式	膨張性（圧排性）	浸潤性
被膜	あることが多い	ないことが多い
正常組織との境界	明瞭	不明瞭
周囲組織との癒着	少ない	多い
転移	ない	多い
再発	しにくい	しやすい

問題▶178

頻出

出題基準
Ⅲ-11-B／がん

CHECK▶ □□□

解答 3

胃癌の危険因子はどれか。
gastric cancer
1. 胆　石
2. ウイルス感染
3. 高塩分の食品摂取
4. 長時間の立ち仕事

解説 胃癌の危険因子には<u>高塩分の食品摂取、喫煙、ヘリコバクター・ピロリ菌の感染</u>などが挙げられている（3. ○）。

1. × 胆石は<u>膵炎</u>や<u>胆道癌</u>との関連が指摘されている。
2. × ウイルス感染による肝炎はあるが、胃癌との関連は<u>ない</u>。
4. × 長時間の立ち仕事は痔核との関連はあるが、胃癌との関連は<u>ない</u>。

MORE!

図23　がん対策基本法（平成18年6月成立、平成19年4月施行、平成28年12月改正・施行）

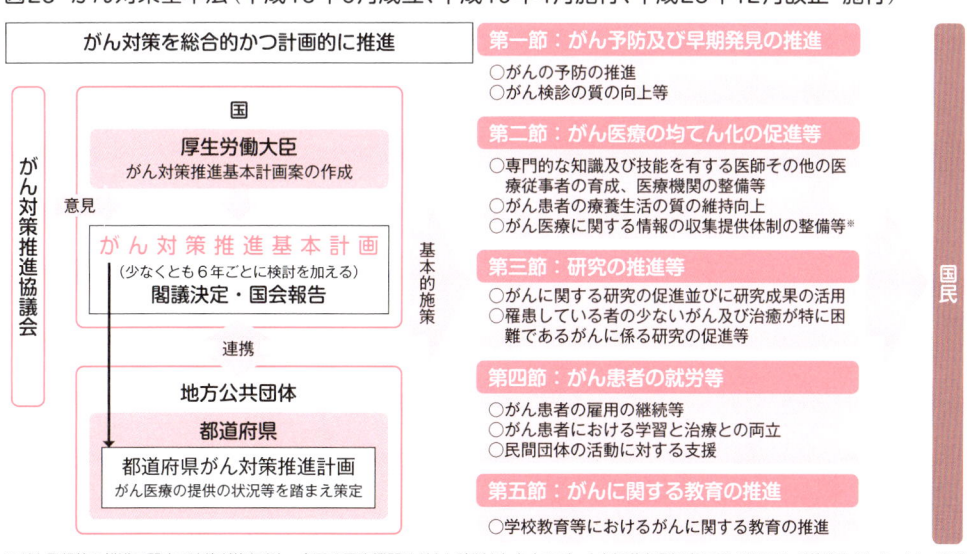

※がん登録等の推進に関する法律が施行され、全国の医療機関はがんと診断された人のデータを都道府県知事に届け出ることが義務化された。なお、患者や家族によるがん登録の手続きは不要である。なお、改正に伴い、17条は条文を変更し18条となった。
＜参考＞厚生労働省：がん対策基本法一部改正と第3期がん対策推進基本計画の検討状況について.
https://www.mhlw.go.jp/file/05-Shingikai-10901000-Kenkoukyoku-Soumuka/0000168737.pdf（2025/5/29閲覧）

問題▶179

 頻出

出題基準
Ⅲ-11-B／がん

過去問 成 P.719

CHECK▶ □□□

解答 4

発症にウイルスが関与しているのはどれか。

1. 乳癌
   breast cancer
2. 膀胱癌
   bladder cancer
3. 甲状腺癌
   thyroid cancer
4. 子宮頸癌
   cervical cancer

解説 1. × 乳癌は肥満、遺伝、出産・授乳経験が少ないなどが発症に関与する。
2. × 膀胱癌は喫煙、2-ナフチルアミン等の化学物質などが発症に関与する。
3. × 甲状腺癌は女性ホルモン、放射線曝露などが発症に関与する。
4. ○ ヒトパピローマウイルスが子宮頸癌の発症に関与している。その他にウイルスが関与するものには、HTLV-1による成人T細胞白血病などがある。

問題▶180

 頻出

出題基準
Ⅲ-11-B／がん

過去問 成 P.521

CHECK▶ □□□

解答 3

悪性腫瘍のシュニッツラー転移が起こる部位はどれか。

1. 腋窩
2. 卵巣
3. ダグラス窩
4. 左鎖骨上窩

解説 シュニッツラー転移は3のダグラス窩に転移することをいう。男性では直腸と膀胱の間、女性では直腸子宮窩である（3. ○）。
1. × 乳癌は腋窩に転移しやすいが、特に名称はない。
2. × 胃癌などが卵巣に転移することをクルッケンベルグ転移という。
4. × 胃癌などが左鎖骨上窩に転移することをウィルヒョウ転移という。

問題▶181

頻出 五肢

出題基準
Ⅲ-11-B／感染症

過去問 社 P.211

過去問 114回 P.51

CHECK▶ □□□

解答 1

近年増加傾向にあり、全数調査が行われている性感染症〈STD〉はどれか。
sexually transmitted disease

1. 梅毒
   syphilis
2. 淋菌感染症
   gonococcal infection
3. 尖圭コンジローマ
   condyloma acuminatum
4. 性器クラミジア感染症
   genital chlamydiosis
5. 性器ヘルペスウイルス感染症
   genital herpes

解説 1〜5はすべて5類感染症であるが、1の梅毒のみが全数調査で、1以外は定点調査が行われている（1. ○）。2023（令和5）年の梅毒の感染者数は1万5,055人で、現在の調査方法となった平成11（1999）年以降で最も多かった。

表32 梅毒報告数の年次推移（全数報告） （単位　人）

	平成19年	20年	21年	22年	23年	24年	25年	26年	27年	28年	29年	30年	令和元年	2年	3年	4年	5年
総数	719	827	691	621	827	875	1,228	1,661	2,690	4,575	5,826	7,007	6,642	5,867	7,978	13,221	15,055
男	521	615	523	497	650	692	993	1,284	1,930	3,189	3,931	4,591	4,387	3,902	5,261	8,701	9,710
女	198	212	168	124	177	183	235	377	760	1,386	1,895	2,416	2,255	1,965	2,717	4,519	5,345

資料：「感染症発生動向調査」　※性別不明の報告あり

問題 ▶ 182

頻出

出題基準

Ⅲ-11-B／感染症

過去問 母 P.960

CHECK ▶ □□□

解答 2

垂直感染の形式をとるのはどれか。

1. 結　核
   tuberculosis
2. B型肝炎
   hepatitis B
3. レジオネラ症
4. インフルエンザ
   influenza

解説 垂直感染は微生物が母体から胎児や新生児に直接伝わり感染することをいう。胎盤、産道、母乳によって伝わる。

1. ×　結核は空気感染でヒトからヒトへ伝わる水平感染の形式をとる。

2. ○　B型肝炎、梅毒、トキソプラズマ、風疹、HIV（ヒト免疫不全ウイルス）、HTLV-1（成人T細胞性白血病ウイルス）などが垂直感染する。

3. ×　レジオネラ症は環境（水など）由来の微生物が空中に舞い、吸入することで伝わる。

4. ×　インフルエンザは飛沫感染で水平感染の形式をとる。

問題 ▶ 183

頻出

出題基準

Ⅲ-11-B／
感染症

過去問 疾 P.114, 115

CHECK ▶ □□□

解答 1

結核菌について正しいのはどれか。

1. 飛沫核感染する。
2. 耐性菌が出現しにくい。
3. 直射日光に抵抗性がある。
4. クォンティフェロン検査は培養検査の1つである。

解説 1. ○　結核菌は水分を失って核だけになっても空気中を浮遊して広がる飛沫核による感染をする。

2. ×　耐性菌が出現しやすいため、治療は3剤以上の併用療法を行う。

3. ×　直射日光を2時間以上当てれば死滅するため、抵抗性はない。

4. ×　クォンティフェロン（QFT）検査はツベルクリン検査に代わる検査法である。結核菌に感染するとT細胞は感染を記憶する。再び感染、または結核菌がもつ特異的な抗原が体内に侵入すると、T細胞が反応してIFN-γ（インターフェロンの一種）を産生する。検査を受ける者の血液にこの特異的な抗原を加えることで、IFN-γが上昇するかを調べる。培養検査ではない。

問題 ▶ 184

頻出

出題基準

Ⅲ-11-B／
感染症

過去問 疾 P.111, 112, 115

CHECK ▶ □□□

解答 1

年単位で病原体が潜伏してから発症するのはどれか。

1. 帯状疱疹
   herpes zoster
2. リウマチ熱
   rheumatic fever
3. 気管支拡張症
   brochiectasis
4. 毒素性ショック症候群

解説 1. ○　初感染時に水痘として発症したあとにウイルスが神経節に長期間潜伏する。宿主の抵抗力が低下するとその神経が分布している皮膚や粘膜に帯状疱疹が生じる。

2. ×　リウマチ熱はレンサ球菌に感染した数週間後に発症し、心臓の障害を起こす。

3. ×　気管支拡張症は気管支の炎症によって内腔が拡張する。感染症が原因となる例も多いが、病原体が長期間潜伏するわけではない。

4. ×　毒素性ショック症候群はレンサ球菌や黄色ブドウ球菌が創部や体腔内で増殖して起こる。特に月経時のタンポン使用が不適切であるとリスクが高い。急速に悪化する。

表33　感染症の潜伏期間

疾患名	原因微生物	感染経路	潜伏期間
麻疹	麻疹ウイルス	飛沫感染、空気（飛沫核）感染、接触感染	8～12日
水痘	水痘－帯状疱疹ウイルス	飛沫感染、空気（飛沫核）感染、接触感染	14～21日
流行性耳下腺炎	ムンプスウイルス	飛沫感染	14～21日
風疹	風疹ウイルス	飛沫感染	14～21日
インフルエンザ	インフルエンザウイルス	飛沫感染、接触感染	1～3日
百日咳	百日咳菌	飛沫感染	7～14日

問題▶185

頻出

出題基準
Ⅲ-11-B／
感染症

過去問 疾 P.113

CHECK▶□□□

解答 2

麻疹 measles について正しいのはどれか。
1. 抗ウイルス薬がある。
2. 生ワクチンで予防できる。
3. カタル期は感染性が弱い。
4. 手掌にコプリック斑が出現する。

解説　1. ✕　麻疹に対する抗ウイルス薬はなく、ワクチンで予防することが重要である。
2. ○　麻疹は生ワクチンで予防する。
3. ✕　カタル期は感染性が最も強い。
4. ✕　頬内側の口腔粘膜にコプリック斑（粟粒大の白斑）が出現する。
　合併症として、肺炎、脳炎、中耳炎、クループ症候群、亜急性硬化性全脳炎（SSPE）、心筋炎などがある。

問題▶186

出題基準
Ⅲ-11-B／
精神疾患

過去問 114回 P.12

CHECK▶□□□

解答 2

令和5（2023）年の患者調査で、精神及び行動の障害のうち、入院の傷病分類別受療率（人口10万対）で最も高いのはどれか。
1. 躁うつ病を含む気分〈感情〉障害
2. 統合失調症、統合失調型障害および妄想性障害
3. 血管性および詳細不明の認知症
4. てんかん

解説　入院の受療率で最も多いのは2の統合失調症、統合失調型障害および妄想性障害であり（2. ○）、次が1となる。ただし近年、入院受療率における2位の躁うつ病を含む気分〈感情〉障害と、3位の血管性および詳細不明の認知症の差が小さくなり、認知症の増加を示している。

表34　傷病分類別受療率（人口10万対）（令和5年10月）

	入院	外来
躁うつ病を含む気分〈感情〉障害	21	62
統合失調症、統合失調症型障害および妄想性障害	102	40
血管性および詳細不明の認知症	18	11

令和5（2023）年「患者調査」

問題▶187

出題基準
Ⅲ-11-B／
精神疾患

過去問 老 P.775
過去問 精 P.1056

CHECK▶ □□□

解答 4

うつ病の症状で典型的なのはどれか。
depression
1. 幻聴がある。
2. 疲れにくくなる。
3. 感情失禁が起こる。
4. 自分を責める感情が強くなる。

解説 1. × 幻聴は統合失調症などで生じ、うつ病では考えにくい。

2. × うつ病では易疲労感を感じやすくなる。疲れにくくなるのではない。

3. × 感情失禁とは感情のコントロールができずに過剰に表出してしまうことである。認知症などでみられ、うつ病では考えにくい。

4. ○ うつ病では、抑うつ気分のほか、自分を責める感情が強くなる（自責感）、興味と喜びの喪失、自己評価の低下などの症状がある。

問題▶188

出題基準
Ⅲ-11-B／
精神疾患

CHECK▶ □□□

解答 3

緊張型や破瓜型といった病型があるのはどれか。
1. うつ病
   depression
2. 摂食障害
   eating disorder
3. 統合失調症
   schizophrenia
4. アルコール依存症
   alcohol dependence

解説 3の統合失調症には緊張型、破瓜型（3. ○）、妄想型の病型がある（単純型が加えられることもある）。統合失調症にはブロイラーの挙げた基本症状（連合弛緩、感情鈍麻、両価性、自閉）と副次症状（幻覚、妄想、記憶障害など）がある。連合弛緩とは考えの結びつきがはっきりしない思考、両価性とは愛情と憎しみなど相反する感情が同時に存在する状態をいう。

問題▶189

出題基準
Ⅲ-11-B／
小児の疾患

CHECK▶ □□□

解答 3

小児期の突発性発疹の原因で最も考えられるのはどれか。
exanthema subitum
1. 緑膿菌
2. 黄色ブドウ球菌
3. ヒトヘルペスウイルス
4. サイトメガロウイルス

解説 生後6か月〜2歳くらいの小児の多くがかかるのが突発性発疹で、約10日の潜伏期の後、高熱が数日続き、解熱と同時に斑丘疹性の発疹が生じる。原因はヒトヘルペスウイルス6型あるいは7型である（3. ○）。

　1の緑膿菌、2の黄色ブドウ球菌、4のサイトメガロウイルスは突発性発疹の原因ではない（1. 2. 4. ×）。

目標Ⅲ

問題▸190

出題基準

Ⅲ-11-B／
小児の疾患

CHECK▸ ☐☐☐

解答 3

クループ症候群の主な症状はどれか。
croup syndrome
1. 血　便
2. 結膜炎
3. 喉頭部狭窄
4. 血糖値低下

解説 クループは小児に多く、上気道の炎症により主に喉頭部の狭窄により呼吸困難、犬吠様咳嗽、吸気性喘鳴などを起こす（3. ○）。クループがみられる疾患群をクループ症候群という。ジフテリアによるものを真性クループと呼ぶが、ワクチン接種率の向上により現在では非常に少ない。パラインフルエンザウイルスやインフルエンザ菌b型〈Hib〉の感染によるものが多い。

1の血便、2の結膜炎、4の血糖値低下はクループ症候群の症状ではない。

問題▸191

出題基準

Ⅲ-11-B／
小児の疾患

過去問 小 P.887

CHECK▸ ☐☐☐

解答 1

後天性の心疾患はどれか。
heart disease
1. 川崎病
Kawasaki disease
2. 動脈管開存症
patent ductus arteriosus
3. ファロー四徴症
tetralogy of Fallot
4. 心房中隔欠損症
atrial septal defect

解説 1. ○　川崎病は原因不明の疾患で、後天性の心疾患に分類される。発熱、両側眼球結膜の充血などの6つの主要症状のほか、冠動脈瘤が生じると心筋梗塞を引き起こす可能性がある。

2. ×　動脈管開存症は先天性心疾患で、左右短絡の非チアノーゼ性となる。

3. ×　ファロー四徴症は先天性心疾患で、右左短絡のチアノーゼ性となることが多い。

4. ×　心房中隔欠損症は先天性心疾患で、左右短絡の非チアノーゼ性となる。

MORE!

表35　おもな先天性心疾患の分類

非チアノーゼ性心疾患	短絡なし		●肺動脈弁狭窄症 ●動脈弁縮窄症 ●大動脈弁狭窄症
	短絡あり	左→右シャント	●心房中隔欠損症（ASD） ●心室中隔欠損症（VSD） ●動脈管開存症（PDA）　など
チアノーゼ性心疾患		右→左シャント	●完全大血管転換症（TGA） ●ファロー四徴症（TOF） ●アイゼンメンジャー症候群　など

問題▶192

五肢

出題基準
Ⅲ-11-B／
高齢者の疾患
過去問 老 P.782

CHECK ▶ ☐☐☐

解答 4

認知症による認知機能障害〈中核症状〉はどれか。
dementia

1. 幻　覚
2. 妄　想
3. 興　奮
4. 失　語
5. 徘　徊

解説 認知症の認知機能障害（中核症状）は、記憶障害、見当識障害、失語・失行・失認（4.○）、実行機能の障害などである。認知機能障害以外の行動・心理症状（BPSD）には1〜3の精神症状と、5の徘徊や不潔行動などの行動障害がある。

MORE!

図24　認知症の認知機能障害（中核症状）と行動・心理症状（BPSD）

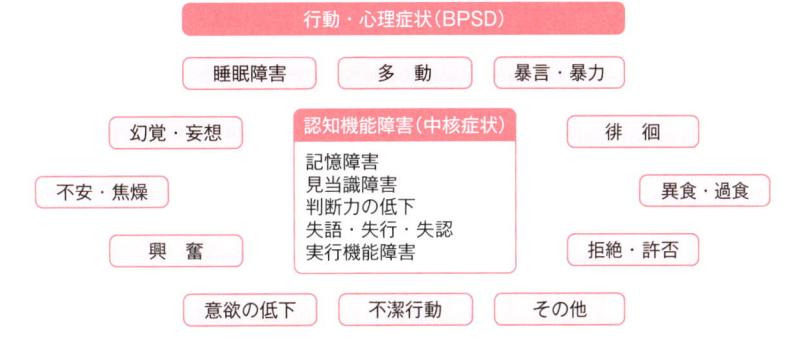

問題▶193

出題基準
Ⅲ-11-B／
高齢者の疾患
過去問 老 P.784

CHECK ▶ ☐☐☐

解答 3

パーキンソン症状の合併が特徴的な認知症はどれか。
dementia

1. 血管性認知症
   vascular dementia
2. 前頭側頭型認知症
   frontotemporal dementia
3. Lewy＜レビー＞小体型認知症
   dementia with Lewy bodies
4. アルツハイマー型認知症
   dementia of Alzheimer type

解説 1. ✕　血管性認知症では脳血管疾患を原因とする運動麻痺、感覚障害、構音障害などの局所神経症状のほかに、認知症の症状が生じる。

2. ✕　前頭側頭型認知症は主に前頭葉と側頭葉の神経組織の変性によって起こり、性格や行動の変化や言語機能の障害が特徴的である。

3. ○　レビー小体型認知症はパーキンソン症状、視覚的幻覚などを伴う認知症である。

4. ✕　アルツハイマー型認知症ではびまん性（＝全体的）に脳萎縮が進行していく。記憶の障害、失見当識、妄想などが生じる。

問題▶194

出題基準
Ⅲ-11-B／
高齢者の疾患

CHECK▶ ☐☐☐

解答 4

ロコモティブシンドロームで障害されるのはどれか。

1. 耐糖能
2. 記憶力
3. 視機能
4. 歩行機能

解説 ロコモティブシンドロームは運動器症候群とも呼ばれ、歩行やバランス機能が低下する（**図25**、**表36**）。選択肢のなかでは4の歩行機能が低下する（4. ○）。

MORE!

図25 ロコモティブシンドロームの概念図

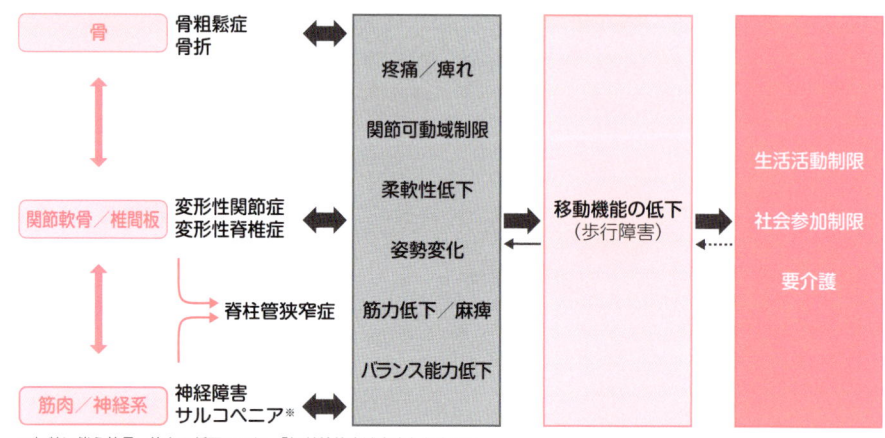

※加齢に伴う筋量・筋力の低下のこと。「加齢性筋肉減少症」ともいう。

ロコモ チャレンジ！推進協議会：ロコモONLINE.を参考に作成
https://locomo-joa.jp/locomo/（2025/5/29閲覧）

表36 7項目のロコチェック

①片脚立ちで靴下がはけない
②家の中でつまずいたり滑ったりする
③階段を上がるのに手すりが必要である
④家のやや重い仕事（掃除機の使用、布団の上げ下ろしなど）が困難である
⑤2kg程度の買い物（1Lの牛乳パック2個程度）をして持ち帰るのが困難である
⑥15分くらい続けて歩くことができない
⑦横断歩道を青信号で渡りきれない

問題▶195

頻出

出題基準
Ⅲ-11-C／
血液学検査

過去問 疾 P.119

CHECK▶ ☐☐☐

解答 3

血小板数の基準値内にあるのはどれか。

1. 5万／μL
2. 10万／μL
3. 30万／μL
4. 100万／μL

解説 血小板数の基準値は15〜35万／μLであり、該当するのは3の30万／μLである（3. ○）。寿命は約8〜10日間とされる。

頻出

出題基準
Ⅲ-11-C／
血液生化学検査

過去問 基 P.383
過去問 成 P.590

CHECK ▶ ☐☐☐

解答 4

問題 ▶ 196

グリコヘモグロビン値について正しいのはどれか。
1. 採血日の血糖値を反映している。
2. 最近3日の血糖値を反映している。
3. 最近1〜2週間の血糖値を反映している。
4. 最近1〜2か月の血糖値を反映している。

解説 グリコヘモグロビン〈糖化ヘモグロビン、HbA1c〉の基準値は4.6〜6.2%である。4の最近1〜2か月の平均血糖値を反映している（4. ○）。

グリコヘモグロビン、血糖値や尿糖のほか、インスリン、グリコアルブミン（過去2週間の血糖値を反映するとされ、基準値は11〜16%）、Cペプチド（自分の膵臓から分泌されたインスリンの量を推量する。血清0.8〜2.5ng/mL、蓄尿22.8〜155.2μg/日）などが糖尿病の検査項目である。

頻出

出題基準
Ⅲ-11-C／
血液生化学検査

過去問 成 P.553

CHECK ▶ ☐☐☐

解答 2

問題 ▶ 197

血液生化学検査でトリグリセライドの基準値はどれか。
1. 40〜 65mg/dL
2. 30〜150mg/dL
3. 120〜220mg/dL
4. 200〜300mg/dL

解説
1. × 40〜65mg/dLはHDLコレステロールの基準値である。
2. ○ 30〜150mg/dLはトリグリセライド（TG、中性脂肪）の基準値である。
3. × 120〜220mg/dLは総コレステロールの基準値である。
4. × 200〜300mg/dLが基準値である脂質の検査項目はない。

出題基準
Ⅲ-11-C／
免疫血清学検査

過去問 基 P.383

CHECK ▶ ☐☐☐

解答 1

問題 ▶ 198

体内で炎症が起こっていると上昇する検査項目はどれか。
1. C反応性蛋白〈CRP〉
2. ケトン体
3. 血清アルブミン
4. リポ蛋白

解説 2のケトン体、4のリポ蛋白は血液生化学検査の項目で、炎症に対して反応しない。3の血清アルブミンは炎症によって低下する傾向がある。1のC反応性蛋白〈CRP〉は体内で炎症が起こると上昇し（1. ○）、リウマトイド因子や抗核抗体、抗ストレプトリジンO〈ASO〉などと同じ免疫血清学検査の項目である。

蓄尿して定量検査を行う尿の検査項目はどれか。

1. 潜　血
2. 尿蛋白
3. ケトン体
4. ビリルビン
5. ウロビリノーゲン

出題基準
Ⅲ-11-C／
尿検査

過去問 基 P.384

CHECK ▶ □□□

解答 2

解説 随時的にその検体の状態を調べるのが定性で、蓄尿などである期間の検体についてある物質の全体量を調べるのが定量である。一般的に尿について定量検査を行うのは尿蛋白や尿糖である（2．○）。

問題 ▶ 200

抗菌薬について正しいのはどれか。

1. ウイルスには無効である。
2. アシクロビルが含まれる。
3. 薬効は耐性菌が働いて発揮される。
4. 正常の細菌叢には影響を与えない。

出題基準
Ⅲ-12-A／
抗感染症薬

過去問 疾 P.124

CHECK ▶ □□□

解答 1

解説 1．○　抗菌薬は細菌や真菌に作用し、ウイルスには無効である。
2．×　アシクロビルは抗菌薬ではなく、抗ウイルス薬である。
3．×　耐性菌が出現して働くのは人体にとって有害であり、薬効ではない。
4．×　正常の細菌叢にも影響を与える。微生物の集合である細菌叢は腸管内、皮膚、口腔などに存在する。

問題 ▶ 201

抗がん薬の副作用である骨髄抑制で生じるのはどれか。

1. 骨　折
fracture
2. 貧　血
anemia
3. 神経障害
4. 関節拘縮

出題基準
Ⅲ-12-A／
抗がん薬

過去問 疾 P.126

CHECK ▶ □□□

解答 2

解説 骨髄抑制とは、骨髄における正常な血球細胞の産生が障害された状態である。血球細胞とは赤血球、白血球、血小板であるため、選択肢のなかでは赤血球の減少が原因で起こる2の貧血が該当する（2．○）。白血球の減少では易感染、血小板の減少では出血傾向を生じる。3つの血球が減少した状態を汎血球減少という。

　1の骨折、3の神経障害、4の関節拘縮は骨髄抑制によって生じない（1．3．4．×）。

問題▶202

出題基準
Ⅲ-12-A／
強心薬、抗不整脈薬
過去問 疾 P.127
CHECK▶□□□
解答 1

不整脈や悪心・嘔吐などの中毒症状をきたしやすい薬剤はどれか。
1. ジゴキシン
2. フロセミド
3. インスリン
4. ニトログリセリン

解説 1. ○ ジゴキシン、メチルジゴキシン、デスラノシドなどのジギタリス製剤は半減期が長く、体内に蓄積しやすいため、中毒症状として不整脈、悪心・嘔吐、下痢などをきたしやすい。これをジギタリス中毒という。
2. × 利尿薬のフロセミドは副作用として低カリウム血症をきたしやすい。
3. × インスリンの副作用は低血糖である。
4. × 狭心症治療薬のニトログリセリンの副作用は血圧低下である。

問題▶203

出題基準
Ⅲ-12-A／
狭心症治療薬
過去問 疾 P.128
CHECK▶□□□
解答 2

狭心症発作の予防薬として使われる硝酸薬の形態はどれか。
angina pectoris
1. 注射薬
2. 貼付薬
3. スプレー薬
4. 舌下薬

解説 硝酸薬(ニトログリセリン、硝酸イソソルビド)の貼付薬は速効性がないため、発作時ではなく、予防のために用いる(2. ○)。24〜48時間ごとに貼り替える。
発作時に備える場合は、速効性のある舌下錠または舌下スプレー剤を処方する。使用時は、血管拡張作用による低血圧で意識を消失する(失神する)おそれがあるので、立位ではなく、臥位・座位が望ましい。

問題▶204

出題基準
Ⅲ-12-A／
抗血栓薬
過去問 疾 P.135
CHECK▶□□□
解答 2

血栓溶解薬はどれか。
1. アスピリン
2. ウロキナーゼ
3. ヘパリンナトリウム
4. ワルファリンカリウム

解説 1〜4はすべて抗血栓薬であるが、作用機序が異なる。
1. × アスピリンは抗血小板薬である。
2. ○ ウロキナーゼは血栓溶解薬で、脳血栓症などの治療に使われる。
3. 4. × ヘパリンナトリウムとワルファリンカリウムは抗凝固薬で、血栓の形成や進展を抑制する。

問題▶205

昇圧薬はどれか。

1. フロセミド
2. アドレナリン
3. ペンタゾシン
4. ニトログリセリン

解説 昇圧薬とは、血圧を上昇させる作用をもつ薬剤のことである。

1. × フロセミドはループ利尿薬であり、血圧に対しては低下させる作用をもつ。

2. ○ 薬剤としてのアドレナリンは、化学的に合成した副腎髄質ホルモン（アドレナリン）で、カテコールアミンの一種として交感神経の α・β 受容体に作用する昇圧薬である。α作用として血管収縮、瞳孔散大など、β作用として心筋収縮力増大、心拍数増加、気管支拡張などの作用がある。昇圧薬は数が少ないのでしっかりおさえておこう。

3. × ペンタゾシンは非麻薬性の合成鎮痛薬である。多くの鎮痛薬に血圧低下の副作用があることに注意する。

4. × ニトログリセリンは血管拡張作用をもち、血圧に対しては低下させる作用をもつ。

問題▶206

出題基準

Ⅲ-12-A／
降圧薬、昇圧薬

過去問 基 P.301

CHECK▶ □□□

解答 1

めまいやふらつきの副作用を最も生じやすいのはどれか。

1. 降圧薬
2. 抗凝固薬
3. 抗感染症薬
4. 副腎皮質ステロイド薬

解説 1. ○ 降圧薬は血圧が下がったことにより、めまいやふらつきを起こすことがあり、転倒・転落のリスクが上昇する薬物の1つである。

2. × 抗凝固薬の副作用は出血や肝障害などであり、めまいやふらつきは直接考えにくい。

3. × 抗感染症薬の副作用は腎障害や消化器症状など多岐にわたるが、めまいやふらつきは少ない。

4. × 副腎皮質ステロイド薬の副作用は頻出であり、肥満、多毛、骨粗鬆症、精神症状、易感染などがある。めまいやふらつきは考えにくい。

表37　おもな降圧薬

分類		一般名	おもな商品名	おもな副作用
利尿薬	ループ利尿薬	フロセミド	ラシックス	低カリウム血症
		アゾセミド	ダイアート	
	サイアザイド系利尿薬	トリクロルメチアジド	フルイトラン	低カリウム血症、高尿酸血症
		ヒドロクロロチアジド	ヒドロクロロチアジド	
	カリウム保持性利尿薬	スピロノラクトン	アルダクトンA	女性化乳房
		エプレレノン	セララ	高カリウム血症
α遮断薬		プラゾシン塩酸塩	ミニプレス	起立性低血圧、めまい
		ブナゾシン塩酸塩	デタントール	
		ドキサゾシンメシル酸塩	カルデナリン	
β遮断薬		プロプラノロール塩酸塩	インデラル	徐脈、喘息の悪化、低血糖発作発現のおそれ
		アテノロール	テノーミン	
		カルテオロール塩酸塩	ミケラン	
		ビソプロロールフマル酸塩	メインテート	
カルシウム拮抗薬		ニフェジピン	セパミット	顔面紅潮、ほてり、頭痛、動悸
		アムロジピンベシル酸塩	アムロジン	
			ノルバスク	
ACE阻害薬		カプトプリル	カプトリル	咳嗽、高カリウム血症
		エナラプリルマレイン酸塩	レニベース	
		デラプリル塩酸塩	アデカット	
		テモカプリル塩酸塩	エースコール	
		イミダプリル塩酸塩	タナトリル	
		ペリンドプリルエルブミン	コバシル	
		リシノプリル水和物	ロンゲス	
アンジオテンシンⅡ受容体拮抗薬（ARB）		ロサルタンカリウム	ニューロタン	高カリウム血症
		バルサルタン	ディオバン	
		カンデサルタンシレキセチル	ブロプレス	
		テルミサルタン	ミカルディス	
レニン阻害薬		アリスキレンフマル酸塩	ラジレス	頭痛、高カリウム血症
中枢性交感神経抑制薬		メチルドパ水和物	アルドメット	口渇、めまい

目標Ⅲ

問題 ▶ 207

出題基準

Ⅲ-12-A／
利尿薬

過去問 疾 P.129

CHECK ▶ ☐ ☐ ☐

解答 3

ループ利尿薬について正しいのはどれか。

1. 血圧には作用しない。
2. 作用発現が緩やかである。
3. カリウムを排泄する作用がある。
4. 浸透圧による利尿作用を現す。

解説 1. × ループ利尿薬は降圧作用があり、血圧に作用する。
2. × ループ利尿薬は短時間で強い利尿作用を現す。
3. ○ カリウムを排泄する作用があるため、代表的な副作用には低カリウム血症がある。
4. × 浸透圧による利尿作用を現すのはD-マンニトールなどの浸透圧利尿薬である。

問題 ▶ 208

五肢

出題基準

Ⅲ-12-A／
消化性潰瘍治療薬

CHECK ▶ ☐ ☐ ☐

解答 5

消化性潰瘍治療薬はどれか。

1. プラチナ製剤
2. アルキル化薬
3. カルシウム拮抗薬
4. ドパミン受容体拮抗薬
5. プロトンポンプ阻害薬

解説 1. 2. × プラチナ製剤、アルキル化薬は抗がん薬である。
3. × カルシウム拮抗薬は抗不整脈薬・降圧薬・狭心症治療薬である。
4. × ドパミン受容体拮抗薬は制吐薬である。
5. ○ プロトンポンプは、胃の細胞で水素イオン（プロトン）とカリウムイオンを交換して胃酸を分泌させる。つまり、プロトンポンプ阻害薬は、これを阻害することで消化性潰瘍を治療する薬である。

問題 ▶ 209

新規
項目

出題基準

Ⅲ-12-A／
下剤、止瀉薬

CHECK ▶ ☐ ☐ ☐

解答 1

下剤はどれか。

1. マグネシウム
2. アスピリン
3. 抗セロトニン薬
4. アルミニウム

解説 1. ○ 酸化マグネシウム（商品名：マグミットなど）やクエン酸マグネシウム（商品名：マグコロール）は下剤である。
2. × アスピリンは抗炎症薬であるが、低用量では血小板凝集阻害作用をもつ。
3. × 抗セロトニン薬には片頭痛や蕁麻疹の治療薬、制吐薬などがあるが、下剤としての作用はない。
4. × アルミニウムが含まれるスクラルファートは胃粘膜保護作用をもち、下剤としての作用はない。

問題▶210

出題基準

Ⅲ-12-A／
抗アレルギー薬

CHECK ▶ □□□

解答 2

抗アレルギー薬を発症予防の目的で使う疾患はどれか。

1. 肺　炎
　　pneumonia
2. 気管支喘息
　　bronchial asthma
3. 自己免疫疾患
　　autoimmune disease
4. 急性糸球体腎炎
　　acute glomerulonephritis

解説　アレルギーは4つの分類（クームス分類）があるが、抗アレルギー薬を使用するのは Ⅰ型アレルギーである。Ⅰ型アレルギーには気管支喘息、アレルギー性鼻炎、蕁麻疹などがある（2. ○）。

　気管支喘息発症予防で使用するのは抗アレルギー薬の分類の中の、ロイコトリエン受容体拮抗薬、メディエーター遊離抑制薬、ヒスタミンH_1受容体拮抗薬、トロンボキサンA_2阻害・拮抗薬、Th_2サイトカイン阻害薬などである。そのほかに予防のためにステロイド吸入薬、長時間作用型β_2刺激薬、テオフィリン徐放薬などが使用される。

　2以外の疾患の予防に抗アレルギー薬は使用しない（1. 3. 4. ×）。

目標Ⅲ

問題▶211

新規項目

出題基準

Ⅲ-12-A／
免疫療法薬

CHECK ▶ □□□

解答 1

オプシーボに代表される免疫チェックポイント阻害薬で治療するのはどれか。

1. が　ん
　　cancer
2. 心筋炎
　　myocarditis
3. 重症筋無力症
　　myasthenia gravis
4. 全身性エリテマトーデス〈SLE〉
　　systemic lupus erythematosus

解説　オプシーボ、キイトルーダ、ヤーボイなどの免疫チェックポイント阻害薬は再発例、切除不能、遠隔転移があるなどのがんの治療に使われる（1. ○）。いわゆる免疫療法薬の1つである。

　2の心筋炎、3の重症筋無力症、4の全身性エリテマトーデスには免疫チェックポイント阻害薬は使われない。

問題▶212

出題基準

Ⅲ-12-A／
副腎皮質ステロイド薬

過去問 疾 P.131

CHECK ▶ □□□

解答 3

長期間の使用によって骨粗鬆症になるのはどれか。
　　　　　　　　　　　　　osteoporosis

1. インスリン
2. アミノフィリン
3. デキサメタゾン
4. ワルファリンカリウム

解説　1. ×　インスリンの副作用は低血糖、注射部位の障害、アナフィラキシーなどである。

2. ×　アミノフィリン（テオフィリン薬）は気管支喘息やうっ血性心不全などに対する気管支拡張、強心作用などをもつ。副作用は頻脈・動悸、悪心・嘔吐、頭痛、不整脈などである。

3. ○　デキサメタゾンは副腎皮質ステロイド薬であり、抗炎症・抗アレルギー・免疫抑制作用などをもつ。副作用はP.126表38のとおりで、骨粗鬆症がある。

4. ×　ワルファリンカリウムはビタミンK依存性凝固因子合成阻害薬、つまり抗凝固薬である。副作用は出血傾向、間質性肺炎、アナフィラキシーなどである。

表38 副腎皮質ステロイド薬（デキサメタゾン・プレドニゾロン・ヒドロコルチゾン等）の作用・副作用
● 作用：抗炎症、抗アレルギー、免疫抑制作用、抗腫瘍作用など

重大な副作用		軽度な副作用	
● 副腎不全・離脱症候群	● 骨粗鬆症、骨頭無菌性壊死	● 満月様顔貌（ムーンフェイス）	
● 消化性潰瘍	● 精神障害（うつ状態など）	● 肥満	● 白内障
● 感染症の誘発・増悪	● 動脈硬化病変	● 浮腫	● 緑内障
● 糖尿病の誘発・増悪		● 多毛	● 高血圧症
		● 脂質異常症	

池西静江, 石束佳子, 阿形奈津子 編：看護学生スタディガイド 2026. 照林社, 東京, 2025：150. より改変して引用

問題▶213

出題基準

Ⅲ-12-A／
糖尿病治療薬

過去問 疾 P.132
過去問 成 P.594

CHECK ▶ ☐☐☐

解答 1

インスリンを自己注射する場合の与薬方法はどれか。

1. 皮下注射
2. 皮内注射
3. 筋肉内注射
4. 静脈内注射

解説 インスリンを自己注射する場合には1の皮下注射で行い（1. ○）、注射針は皮膚のすぐ下にある脂肪組織に刺入する。したがって、脂肪の多い腹部などが注射部位に選ばれる。
　なお、インスリン製剤のうち、速効型インスリンだけが皮下注射のほか筋肉内注射や静脈内注射・静脈内点滴が可能なインスリン製剤であるが、糖尿病性昏睡が起こったときなど、厳格な血糖値管理のもとで使用する方法である。

MORE!

表39 おもなインスリン製剤の特徴

タイプ	おもな商品名	特徴
超速効型	ノボラピッド、ヒューマログ、アピドラ	発現時間は10～20分最大作用は30分～3時間
速効型	ノボリンR、ヒューマリンR	発現時間は30分～1時間最大作用は1～3時間
中間型	ノボリンN、ヒューマリンN	発現時間は1～3時間最大作用は4～12時間
混合型	ノボリン30R、イノレット30R、ヒューマリン3/7	発現時間は10分～1時間最大作用は2～12時間
持効型溶解	ランタス、レベミル、トレシーバ	発現時間は1～2時間最大作用は明らかなピークなし

表40 低血糖の症状と起こりやすい状態

低血糖の症状	強い空腹感、冷汗、動悸、めまい、頭痛、目のかすみ、眠気、手足の震え、脱力感、意識消失（重症時）
低血糖が起こりやすい状態	● 食事を摂るのが遅れたとき ● 食事の量が少なかったとき ● 下痢、嘔吐のあるとき ● 激しい運動をしたとき ● アルコールを飲みすぎたとき

表41 おもな経口糖尿病治療薬

分類	一般名(おもな商品名)		おもな副作用
ビグアナイド薬	メトホルミン塩酸塩(グリコラン、メトグルコ) ブホルミン塩酸塩(ジベトス)		乳酸アシドーシス、低血糖、腹痛、悪心・嘔吐、食欲不振、下痢、便秘、発疹
チアゾリジン薬	ピオグリタゾン塩酸塩(アクトス)		心不全、浮腫、体重増加
スルホニル尿素薬(SU薬)	第1世代	グリクロピラミド(デアメリンS) アセトヘキサミド(ジメリン)	低血糖、めまい、頭痛、肝障害、空腹感、脱力、発汗、心悸亢進、血小板減少
	第2世代	グリクラジド(グリミクロン) グリベンクラミド(オイグルコン)	低血糖、めまい、肝障害、下痢
	第3世代	グリメピリド(アマリール)	低血糖、貧血、肝障害
速効型インスリン分泌促進薬	ナテグリニド(スターシス、ファスティック) ミチグリニドカルシウム水和物(グルファスト) レパグリニド(シュアポスト)		低血糖
αグルコシダーゼ阻害薬	ボグリボース(ベイスン) ミグリトール(セイブル)		腹部膨満、放屁増加、便秘、下痢、肝障害、低血糖
DPP-4阻害薬	シタグリプチンリン酸塩水和物(ジャヌビア、グラクティブ) アナグリプチン(スイニー) ビルダグリプチン(エクア) アログリプチン安息香酸塩(ネシーナ) リナグリプチン(トラゼンタ) テネリグリプチン臭化水素酸塩水和物(テネリア)		めまい、低血糖(SU薬との併用)、便秘、下痢、腹部膨満、悪心・嘔吐
SGLT2阻害薬	イプラグリフロジンL-プロリン(スーグラ) ダパグリフロジンプロピレングリコール水和物(フォシーガ) ルセオグリフロジン水和物(ルセフィ) トホグリフロジン水和物(デベルザ)		低血糖、腎盂腎炎、敗血症、脱水、ケトアシドーシス、頻尿、多尿、便秘、口渇、体重減少、膀胱炎、外陰部腟カンジダ症

〈表39,41〉池西静江,石束佳子,阿形奈津子 編:看護学生スタディガイド 2026. 照林社,東京,2025;153,853. より一部改変して引用

問題 ▶ **214**

出題基準

Ⅲ-12-A／
中枢神経作用薬

過去問 疾 P.133
過去問 精 P.1053

CHECK ▶ ☐☐☐

解答 **3**

セロトニン・ドパミン受容体拮抗薬〈SDA〉が治療に使われるのはどれか。

1. 睡眠障害
2. うつ病 depression
3. 統合失調症 schizophrenia
4. てんかん epilepsy

解説 セロトニン・ドパミン受容体拮抗薬(SDA)は非定型抗精神病薬で3の統合失調症の治療に使われる(3. ○)。副作用は錐体外路症状や高プロラクチン症などがある。

1. × 睡眠障害にはベンゾジアゼピン系などの睡眠導入剤などが使われる。

2. × うつ病には選択的セロトニン再取り込み阻害薬(SSRI)やセロトニン・ノルアドレナリン再取り込み阻害薬(SNRI)などが使われる。

4. × てんかんにはGABA誘導体や分枝脂肪酸(バルプロ酸ナトリウムなど)が使われる。

MORE!

表42 アルファベットで表される精神科の代表的な薬

抗精神病薬	●SDA(セロトニン・ドパミン受容体拮抗薬):リスペリドンなど ●MARTA(多元受容体作用精神病薬):オランザピンなど
抗うつ薬	●SSRI(選択的セロトニン再取り込み阻害薬):フルボキサミン、マレイン酸など ●SNRI(セロトニン・ノルアドレナリン再取り込み阻害薬):ミルナシプラン塩酸塩など

問題▸215

出題基準

Ⅲ-12-A／
麻薬

過去問 疾 P.134
過去問 在 P.1166

CHECK ▸ ☐ ☐ ☐

解答 4

最も鎮痛作用が強いのはどれか。

1. インドメタシン
2. アセトアミノフェン
3. コデインリン酸塩
4. オキシコドン塩酸塩

解説 WHO 3段階除痛ラダー（**図26**、**表43**）の第3段階の強オピオイドにはオキシコドン塩酸塩、モルヒネ塩酸塩、フェンタニルがある（4. ○）。これまでの学習でオキシコドン塩酸塩について知る機会のなかった人は知識を深めてほしい。

日本で使用できるオキシコドン製剤は、経口徐放性の商品名「オキシコンチン」、経口速放性の商品名「オキノーム」、静脈注射用の商品名「オキファスト」がある。副作用はモルヒネ製剤と同様であるが、頻度は少ないという特徴がある。

MORE!

図26 WHO 3段階除痛ラダー

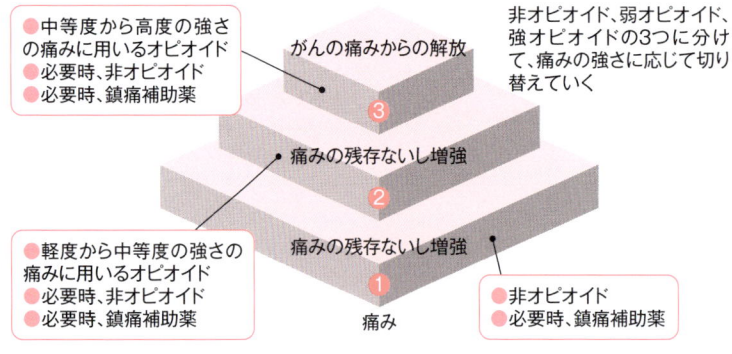

- ●中等度から高度の強さの痛みに用いるオピオイド
- ●必要時、非オピオイド
- ●必要時、鎮痛補助薬

がんの痛みからの解放

③

痛みの残存ないし増強

②

痛みの残存ないし増強

①

痛み

非オピオイド、弱オピオイド、強オピオイドの3つに分けて、痛みの強さに応じて切り替えていく

- ●軽度から中等度の強さの痛みに用いるオピオイド
- ●必要時、非オピオイド
- ●必要時、鎮痛補助薬

- ●非オピオイド
- ●必要時、鎮痛補助薬

※2018年改訂で概略的な指針に過ぎないとされている。

表43 WHOがまとめた鎮痛薬使用の基本原則

1	経口的に
2	時刻を決めて
3	患者ごとに
4	そのうえでの細かい配慮を

問題▸216

出題基準

Ⅲ-12-A／
消炎鎮痛薬

過去問 疾 P.136

CHECK ▸ ☐ ☐ ☐

解答 3

非ステロイド抗炎症薬の副作用はどれか。

1. 多 毛
2. 緑内障
   glaucoma
3. 喘息誘発
4. 満月様顔貌

解説 1の多毛、2の緑内障、4の満月様顔貌は副腎皮質ステロイド薬の副作用である（1. 2. 4. ×）。非ステロイド抗炎症薬では、3の喘息の誘発・増悪（使用したのがアスピリンでなくてもアスピリン喘息と呼ぶことがある）やアナフィラキシーショック、消化性潰瘍などの胃腸障害、出血傾向などが副作用である（3. ○）。

表44　非ステロイド抗炎症薬のおもな副作用

①過敏症	ショック、虚脱、低体温症、四肢冷却
②腎障害	浮腫、尿量減少、高血圧、間質性腎炎
③血液障害	出血傾向、骨髄障害（再生不良性貧血、顆粒球減少症、血小板減少症、溶血性貧血）
④消化管障害	消化性潰瘍、腸管穿孔、胃腸出血、悪心・嘔吐、下痢、直腸・肛門出血（坐剤）
⑤肝障害	肝機能障害、膵炎
⑥中枢神経障害	眠気、めまい、耳鳴、インフルエンザ脳症の増悪、無菌性髄膜炎
⑦アスピリン喘息	気管支喘息の誘発・増悪
⑧心血管障害	虚血性心疾患、心筋梗塞等（低用量アスピリンを除く）

矢﨑義雄 監修, 松澤佑次, 永井良三, 伊藤貞嘉 他 編：ポケット判 治療薬UP-TO-DATE（2020年版）. メディカルレビュー社, 東京, 2020：617. より引用

問題▶217

頻出　五肢

出題基準
Ⅲ-12-B／
禁忌

過去問 疾 P.130

CHECK▶ □□□

解答 5

アトロピン硫酸塩水和物（抗コリン薬）の禁忌はどれか。

1. 気管支喘息
   bronchial asthma
2. 胆石症
   cholelithiasis
3. 尿管結石症
   ureterolithiasis
4. 十二指腸潰瘍
   duodenal ulcer
5. 麻痺性イレウス
   paralytic ileus

解説 抗コリン薬では緑内障（閉塞隅角緑内障の場合が禁忌である。散瞳による眼圧上昇で悪化するため）、前立腺肥大症による排尿障害（尿路の運動が抑制されるため悪化）、麻痺性イレウス（消化管の運動が抑制されるため悪化）などが禁忌の代表例である。第113回午後25で緑内障が出題された。

1. × 気管支喘息を禁忌とする代表薬はβ遮断薬である。

2. 3. × 抗コリン薬の適応疾患が胆石症や尿管結石症であり、禁忌例ではない。これは胃腸や胆管、尿管のけいれんを抑えることで痛みを和らげるからである。

4. × 胃・十二指腸潰瘍の治療にも使用する。禁忌ではない。

5. ○ 消化管の運動を抑制するため麻痺性イレウスを悪化させるおそれがある。

問題▶218

頻出

出題基準
Ⅲ-12-B／
禁忌

過去問 基 P.369

CHECK▶ □□□

解答 3

カリウム製剤を希釈して点滴静脈内注射しなくてはならない理由で正しいのはどれか。

1. 血管を詰まらせないようにするため。
2. 製剤のpHを調整するため。
3. 心臓伝導障害を防止するため。
4. 製剤の粘度を低くするため。

解説 カリウムイオンを短時間に大量与薬すると高カリウム血症となり、心臓伝導障害（不整脈、心停止）が起こる（3. ○）。そのため、カリウム製剤は、カリウムの濃度として40mEq/L以下に希釈し、よく振とう混和し均等な状態にして点滴静脈内注射で補充する。1、2、4の選択肢はすべて誤りである。

問題▶219

頻出 新規項目

出題基準
Ⅲ-12-B／
保存・管理方法
過去問 基 P.362

CHECK▶ □□□

解答 2

金庫などの施錠できる堅固な設備内に保管しなくてはならないのはどれか。

1. ペンタゾシン
2. フェンタニル
3. 日本脳炎ワクチン
4. アドレナリン

解説 **表45**のとおり、麻薬および向精神薬取締法で鍵のかかる堅固な設備内に保管すると定められているのは麻薬であり、選択肢のなかでは2のフェンタニルが該当する（2. ○）。

1. × ペンタゾシンは鎮痛薬であるが、劇薬でかつ向精神薬でもある。
3. × 日本脳炎のワクチンは劇薬であり、10℃以下でほかの薬品と区別して保管する。
4. × アドレナリンは劇薬であり、ほかの薬品と区別して保管する。

MORE!

表45 薬物の保管

普通薬	特定の規制なし	
劇薬	ほかの薬品と区別して保管	医薬品医療機器等法による
毒薬	ほかの薬品と区別し、鍵のかかる場所に保管	
麻薬	ほかの薬品と区別し、鍵のかかる堅固な設備内に保管	麻薬および向精神薬取締法による
向精神薬	鍵のかかる設備内に保管	

図27 毒薬・劇薬の表示例

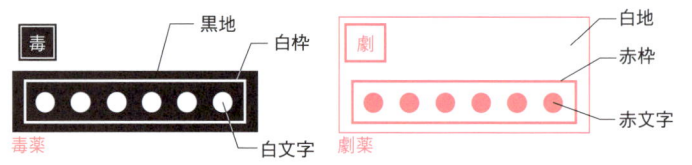

毒薬 ── 黒地 ── 白枠 ── 白文字

劇薬 ── 白地 ── 赤枠 ── 赤文字

問題▶220

頻出 五肢

出題基準
Ⅲ-12-B／
薬理効果に影響する要因
過去問 疾 P.120, 121

CHECK▶ □□□

解答 1

薬物が初回通過効果を受けるのはどれか。

1. 内　服
2. 皮内注射
3. 皮下注射
4. 筋肉内注射
5. 静脈内注射

解説 経口与薬された薬物が消化管で吸収されて、門脈を経て肝臓に入り、代謝を受けることを初回通過効果という（1. ○）。この初回通過効果を経ると薬物の効果が減少する。
　経口ではない舌下投与や注射などは初回通過効果を受けず、また作用発現までの時間が短くなる。

目標 IV 看護技術に関する基本的な知識を問う

問題 ▶ 221

出題基準
IV-13-A／
言語的コミュニケーション

過去問 基 P.271

CHECK ▶ □□□

解答 4

Open ended question〈開かれた質問〉はどれか。
1.「悩みごとはありますか」
2.「書類を持ってきましたか」
3.「気分は悪くありませんか」
4.「最近の食欲はどうでしたか」

解説 closed question（クローズド クエスチョン）（閉じた質問、はい・いいえ形式）とは、「はい・いいえ」といった返事が返ってくる質問のことで、短い時間で情報を得ることができるが、会話が広がりにくく、詳しい情報は得られにくい。詳しい情報を得るにはopen ended question（オープン エンディッド クエスチョン）（開かれた質問、自由回答方式）が向いている。

選択肢のなかで1～3は「はい・いいえ」で答えられる質問である（4. ○）。

問題 ▶ 222

出題基準
IV-13-A／
非言語的コミュニケーション

CHECK ▶ □□□

解答 3

非言語的コミュニケーションはどれか。
1. 手　紙
2. 筆　談
3. 表　情
4. 手　話

解説 言葉や文章の形でやりとりするのは言語的コミュニケーションである（1. 2. 4. ×）。一方、表情、視線、態度、服装、ジェスチャー、相手との距離のとり方、姿勢などは、非言語的コミュニケーションに分類される（3. ○）。非言語的コミュニケーションは、言語的コミュニケーションよりも感情的・関係的な情報を多く伝えられることがある。

問題 ▶ 223

出題基準
IV-13-A／
面接技法

過去問 基 P.265

CHECK ▶ □□□

解答 3

面接におけるラポールの説明で正しいのはどれか。
1. 自己イメージの確立
2. 意図的な身体への接触
3. 良好な信頼関係の構築
4. 対象が語る体験の尊重

解説 第106回午前37（一般問題）ではラポールについて「人間対人間の関係の確立」が正答であった。ラポールは言語的交流をベースに、意思の伝達や感情的な共感が成立することであり、選択肢のなかで正しいのは3の良好な信頼関係の構築である（3. ○）。
1. ×　自己イメージの確立はアイデンティティの確立と関係が深い。
2. ×　意図的な身体への接触はタッチングである。
4. ×　対象が語る体験の尊重はナラティブアプローチと関係が深い。

問題 ▶ **224**

頻出

出題基準
Ⅳ-13-B／
情報収集、アセスメント

過去問 基 P.274
過去問 114回 P.13

CHECK ▶ ☐ ☐ ☐

解答 2

客観的情報について正しいのはどれか。

1. 患者の訴えが含まれる。
2. バイタルサインが含まれる。
3. Sデータと呼ぶことがある。
4. ナラティブで伝える情報である。

解説 1. ✕ 患者の訴えは主観的情報である。

2. ◯ 客観的情報にはバイタルサイン、検査結果、検査所見などが含まれる。客観的情報は事実を具体的に示すものである。

3. ✕ Sデータ（Subjective data）と呼ぶのは主観的情報である。客観的情報はOデータ（Objective data）と呼ぶ。

4. ✕ ナラティブで伝える情報は対象の主観的情報が中心である。ナラティブとは対象が表現する言葉や物語を指す。このナラティブに注目したり分析したりすることで患者中心の医療・看護をめざす。

〈主観的情報・客観的情報の例〉

	主観的情報（Sデータ）	客観的情報（Oデータ）
内容	患者の訴えや自覚症状	医師や看護師などが取り出す観察、測定値、検査結果
例	●入院費用に関する患者の不安 ●痛みや苦しさの訴え	●患者の状態：額に発汗がみられる、苦悶の顔貌 ●尺度で測定された患者の心理状態 ●既往歴 ●検査結果：心電図の所見、体重、血圧 ●観察内容：食事摂取量、便の性状、ドレーン刺入部の様子、呼吸数、飲水量

MORE!

図1 看護過程のプロセスの例

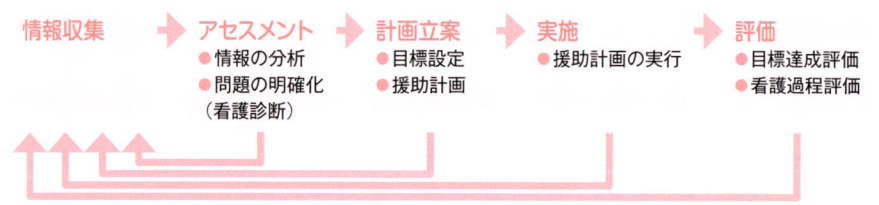

※看護過程のプロセスには、アセスメントに情報収集を含むもの、アセスメントに看護問題の明確化（看護診断）を含まないもの、情報収集ではなくデータ収集とするなど諸説あるが、ここでは出題基準の小項目に沿ったプロセスで例を挙げる。

問題▶225

看護目標について正しいのはどれか。

1. 退院するまで変更しない。
2. 医師の指示のもとで計画を立てる。
3. 目標は数値化できるものにする。
4. 問題解決思考をもとに設定する。

解説 1. × 退院するまで変更しないのではなく、短期目標・長期目標の設定があり、状況に応じて看護目標は変更できる。

2. × 計画立案や目標設定に医師の指示は不要である。

3. × 目標は数値化できるものに限らず、「(患者が)セルフケアができる」「疼痛の訴えが少なくなる」などの目標を設定することもある。

4. ○ 看護過程では看護問題を明確にし、それを解決するために目標を設定し、計画を立案する。これが問題解決思考である。

問題▶226

看護過程における実施について正しいのはどれか。

1. 問題の要因を特定する。
2. 実施したことは記録に残す。
3. 対象者の反応は記録しない。
4. 実施中の患者の反応に関係なく計画どおりに行う。

解説 1. × 問題の要因を特定するプロセスはアセスメントである。

2. ○ 計画立案後に、計画に基づいて看護介入を行うことが実施で、実施したことは記録に残し評価する。

3. × 実施したケアおよび対象者の反応は記録しなくてはならない。

4. × 実施中の患者の反応によっては計画どおりではなく修正したり中止することも必要である。

問題▶227

看護過程における評価について正しいのはどれか。

1. 問題を明確化する。
2. 評価のための委員会やチームをつくる。
3. 望ましい変化がみられない場合も計画を続行する。
4. 目標の達成度や実施した看護行為について評価する。

解説 1. × 問題の明確化はアセスメント(看護診断)で行う。

2. × 看護過程の評価は担当看護師が中心となって行い、評価のための委員会などはつくらない。他のスタッフの意見を必要とするときにカンファレンスなどを活用する。

3. × 望ましい変化がみられない場合は、計画の変更や修正を検討する必要がある。

4. ○ 目標の達成度に応じて、計画を終了・継続・変更・修正し、患者の状態・反応などから実施した看護行為についても評価する。

問題 ▶ **228**

頻出

出題基準
Ⅳ-13-C／
バイタルサインの観察

過去問 基 P.276

CHECK ▶ ☐☐☐

解答 **1**

腋窩で体温を測定する方法で最も適切なのはどれか。

1.
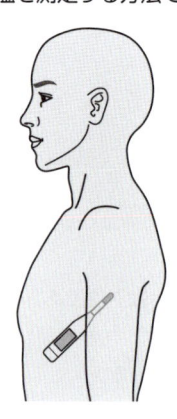

2.
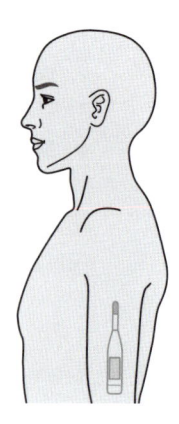

3.
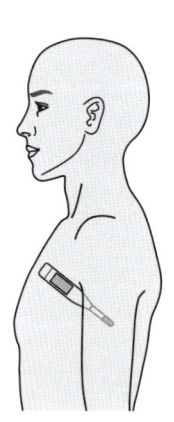

4.
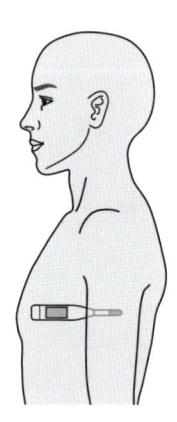

解説 腋窩中央（最深部）付近に腋窩動脈が走行するため、体温計の先端の感温部が腋窩奥深くにくるように、身体の前下方から後上方に向けて挿入する。下におろした手の上腕に対して30～45度の角度となる（1. ○）。

2. ✕　この入れ方でも最深部に挿入可能であるが、上腕を体幹と密着させることが難しくなり、隙間ができやすい。

3. 4. ✕　腋窩最深部に体温計の感温部が触れていない。

MORE!

表1　体温の測定部位と部位別概要

測定部位	温度	測定方法・留意点	備考
腋窩温	36.0～37.0℃	● 感温部が腋窩動脈に触れるように、腋窩最深部に身体の前下方から後上方に向けて挿入する ● 測定時間：約10分	体表温度で外部環境の影響を受けやすい
口腔温	腋窩温＋約0.2～0.5℃	● 舌の下面の正中にある舌小体を避け、口唇中央から左右どちらかに、30～40度斜めから挿入する。意識障害者には行うべきでない ● 測定時間：約5分	
鼓膜温	腋窩温＋約0.5～0.8℃	● 外耳道に耳式体温計を挿入する ● 測定時間：1～2秒	
直腸温	腋窩温＋約0.8～1℃	● 肛門から5～6cmの深さに検温器を挿入する ● 測定時間：約3分	深部体温で外部環境に最も影響されにくい（核心温度に最も近い）

池西静江, 石束佳子, 阿形奈津子 編：看護学生スタディガイド2026. 照林社, 東京, 2025：264. より引用

問題▶229

頻出

出題基準
Ⅳ-13-C／
意識レベルの評価
過去問 基 P.278

CHECK▶□□□

解答 3

ジャパン・コーマ・スケール〈JCS〉の3桁で表されるのはどれか。

1. 意識清明な状態
2. 刺激すると覚醒する状態
3. 刺激しても覚醒しない状態
4. 氏名と住所が言える状態

解説 1. × 意識清明な状態は0（ゼロ）で表される。

2. × 刺激すると覚醒する状態は2桁（Ⅱ 10〜30）である。

3. ○ 刺激しても覚醒しない状態は3桁（Ⅲ 100〜300）である。

4. × 氏名と住所が言える状態というレベルはない。

MORE!

表2 JCS（ジャパン・コーマ・スケール）

Ⅰ 刺激しなくても覚醒している	
1	意識清明とはいえない
2	見当識障害がある
3	自分の名前、生年月日が言えない
Ⅱ 刺激すると覚醒する	
10	呼びかけに容易に開眼する
20	刺激で開眼する（離握手など簡単な命令に応じる）
30	痛み刺激を加えつつ呼びかけを繰り返すとかろうじて開眼する
Ⅲ 刺激しても覚醒しない	
100	痛み刺激に対し、払いのけるような動作をする
200	痛み刺激で少し手足を動かしたり、顔をしかめる
300	痛み刺激にまったく反応しない

● 必要があれば、患者の状態を付加する。
 R（restlessness）：不穏、I（incontinence）：失禁、
 A（akinetic mutism、apallic state）：自発性喪失
● 評価例：3A、3Rなど
● 桁が大きくなるほど意識障害が重度。

表3 GCS（グラスゴー・コーマ・スケール）

開眼機能（E）(Eye Opening)	
4	自発的に
3	呼びかけにより
2	痛み刺激により
1	開眼せず
言語機能（V）(Best Verbal Response)	
5	見当識あり
4	会話混乱
3	言語混乱
2	理解不明な声
1	発語せず
運動機能（M）(Best Motor Response)	
6	命令に従う
5	痛み刺激に払いのけ
4	逃避反射
3	異常な屈曲反応（除皮質硬直）
2	異常な伸展反応（除脳硬直）
1	まったく動かない

● 開眼・言語・運動機能の各項目の点数を合計する。
● 最低は3点であり、最高は15点である。
● 必要時、患者の状態が付記される。
 T：気管挿管、気管切開　A：失語症　E：眼瞼浮腫
● 評価例：「E：3」＋「V：1T」＋「M：4」など

問題▶230

頻出

出題基準
Ⅳ-13-C／
呼吸状態の観察
過去問 基 P.281

CHECK▶□□□

呼吸音の聴診でチリチリという細かい断続性副雑音が聴取されたときに考えられるのはどれか。

1. 気管の狭窄
2. 胸膜での炎症
3. 肺胞の弾力性の低下
4. 肺胞の分泌物貯留

解説 1. × 気管、比較的太い気管支の狭窄では低音の連続性副雑音である類鼾音(るいかんおん)が起こる。

2. × 胸膜での炎症では胸膜がこすれ合う胸膜摩擦音が生じる。ギューギューという音である。

3. ○ チリチリという細かい断続性副雑音とは捻髪音(ねんぱつおん)のことである。肺線維症など弾力性が低下した肺が膨らむときに生じる。

4. × 肺胞などの末梢性気道での分泌物貯留ではポコポコとした粗い断続性副雑音(水泡音)が生じる。肺炎、肺水腫が代表的な疾患である。

　なお、細い気管支の狭窄では高音の連続性副雑音(笛声音(てきせいおん))が起こる。P.223表9「副雑音の種類」を参照。

MORE!

表4　呼吸音聴取部位と観察のポイント

呼吸音	吸気:呼気	音の質	正常な聴取部位
気管支音	1:2	●高調音 ●吸気より呼気で音が大きい	気管直上とその周囲
気管支肺胞音	1:1	●中音調 ●吸気・呼気の長さが等しい	第2・第3肋間の胸骨の左右、背面は第1〜4胸椎の左右
肺胞音	2.5:1	●低調音 ●呼気より吸気がはっきり聴こえる ●風が吹き抜けたようなやわらかな音	肺野末梢

池西静江, 石束佳子, 阿形奈津子 編:看護学生スタディガイド2026. 照林社, 東京, 2025:275. より引用

問題 ▶ 231

出題基準

IV-13-C／
腸蠕動音聴取

過去問 成 P.513

CHECK ▶ □ □ □

解答 3

閉塞性(単純性)腸閉塞について正しいのはどれか。

1. ヘルニア嵌頓が原因となる。
2. 機能的腸閉塞に分類される。
3. 金属性の腸蠕動音が聴かれる。
4. 腸間膜の循環障害が起こっている。

解説 まず、腸閉塞は機能的腸閉塞と機械的腸閉塞に分けることができる。次に機械的腸閉塞を閉塞性(単純性)腸閉塞と絞扼性(複雑性)腸閉塞に分ける(閉塞性腸閉塞は機能的腸閉塞ではないので2. ×)。閉塞性(単純性)と絞扼性(複雑性)の違いは腸間膜の循環障害(血行障害)があるかどうかであり、あれば絞扼性(複雑性)腸閉塞となる(4. ×)。

　閉塞性(単純性)腸閉塞の原因は開腹手術後の癒着、腫瘍、腸管の異物などであり、絞扼性(複雑性)腸閉塞の原因はヘルニア嵌頓、腸重積症、腸軸捻転症などである(1. ×)。

　腸蠕動音については閉塞性(単純性)腸閉塞で金属性の音が聴かれ(3. ○)、絞扼性(複雑性)腸閉塞では腸蠕動音が減少し、麻痺性イレウスでは腸蠕動音が消失する傾向がある(注:腸管が機械的・物理的に閉塞した場合を「腸閉塞」とし、麻痺性のものを「イレウス」と表現している)。

表5 腸蠕動音の聴診の評価
● 腹部の4分割法における1か所を1分間聴診する。
● 1分間で腸蠕動音が聴取されない場合、5分間継続して聴診する。

腸蠕動音	評価	おもな原因
1分間で聴取される	正常	
1分間で聴取できない	腸蠕動音減少	絞扼性腸閉塞
5分間で聴取できない	腸蠕動音消失	麻痺性腸閉塞（イレウス）、腹膜炎など
高い音が聴こえる	腸蠕動音亢進	腸炎、下痢、閉塞性腸閉塞（金属性の高ピッチな音）

● 麻痺性腸閉塞（イレウス）やけいれん性腸閉塞を機能的腸閉塞という。

問題 ▶ 232

視覚

出題基準
IV-13-C／
運動機能の観察

過去問 基 P.286

CHECK ▶ □□□

解答 2

写真（**視覚素材No.1**）でアセスメントするのはどれか。

1. 平衡機能
2. 運動機能
3. 認知機能
4. 嗅覚機能

解説 写真は指鼻指試験である。対象者は検査者の指と対象者自身の鼻に交互に触れる。検査者は指を広い範囲で動かす。協調運動の障害、小脳半球の機能をみる（2. ○）。1の平衡機能をみるには片足立ち試験、ロンベルグ試験があり、小脳虫部の機能をみる。3の認知機能をみるのは改訂長谷川式簡易知能評価スケール（HDS-R）やミニメンタルステート検査（MMSE）などがある。

図2 指鼻指試験

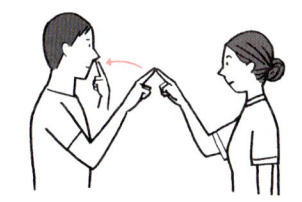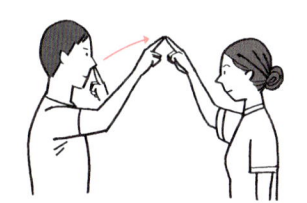

患者の指で検者の指と患者自身の鼻に交互に触れてもらう。検者は標的となる指を広い範囲に動かし、患者の指で追ってもらう。指鼻試験と同様に、検者は患者の指の動きを観察する。

表6 徒手筋力テスト（MMT）
● MMTは、各部位に抵抗力や重力を加えた状態で運動を行い、筋力を評価する。
● 筋の収縮がない状態を0とし、健常筋と同じ筋力を5とする。0～5の6段階で評価する。

5	Normal（N）	正常。最大抵抗を加えても、最終運動域を保ち続ける
4	Good（G）	ある程度強い抵抗を加えても完全に関節を動かすことができる
3	Fair（F）	重力に抗して運動できるが、抵抗があると運動が妨げられる
2	Poor（P）	重力に抵抗して動かせない
1	Trace（T）	筋肉の収縮は認めるが、関節運動は起こらない（筋電図で反応）
0	Zero（Z）	触知によっても視察によっても無活動で、筋の収縮がない（完全麻痺）

表7 股関節の運動

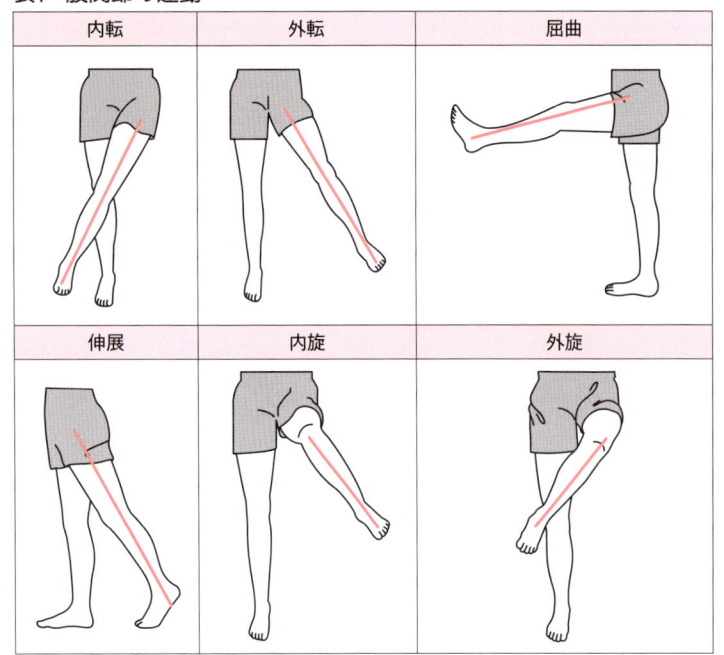

内転	外転	屈曲

伸展	内旋	外旋

関節可動域（ROM）の
なかでよく出題される
ので覚えておこう

問題 ▶ 233

出題基準

Ⅳ-14-A／
食事の環境整備、食事
介助

過去問 基 P.321
過去問 在 P.1151

CHECK ▶ ☐☐☐

解答 4

嚥下障害のある患者の食事介助で適切なのはどれか。

1. むせたときは水分を飲ませる。
2. 一口に入れる量をなるべく多くする。
3. 上方からスプーンを口腔内に入れる。
4. 口のなかの食物を飲み込んだことを確認しながら介助する。

解説 1. × 嚥下障害があると水分によってよりむせやすい状態になるため、顔を下に向けて咳をさせてむせがおさまるのを待つ。その後ゆっくり呼吸してもらう。

2. × 一口の量は多すぎないようにする。ティースプーン1杯程度をめやすにし、患者に合った量を調整する。

3. × スプーンを口腔内に入れるときは口の正面からまっすぐ（平行）に入れる。下顎が上がってしまうと頸部が後屈してしまい誤嚥しやすい。

4. ○ 嚥下を確認してから次の食物を口に入れるようにする。

問題 ▶ 234

出題基準

Ⅳ-14-A／
誤嚥の予防

過去問 基 P.321, 322

CHECK ▶ □□□

解答 4

誤嚥を予防するために最も適切なのはどれか。

1. 食事中の頸部の軽度後屈
2. 食事中のテレビ視聴
3. 食前1時間前からの上半身挙上
4. 食前の水分摂取による口腔内刺激

解説 1. × 食事中には頸部を軽度後屈ではなく軽度前屈するとよい。

2. × 「ながら食事」は集中力が低下して誤嚥しやすくなる。

3. × 食前ではなく、食後に1時間程度の上半身挙上が望ましい。

4. ○ 食前に水分摂取や含嗽で口腔内を湿らせるとよい。口腔内が湿っていると味覚がよくなる、感覚刺激となる、飲み込みやすくなるなどのメリットがある。

MORE!

● 誤嚥防止のために、首の後ろにクッションなどを固定しておくと、頸部が少し前屈し、嚥下しやすい（図3）。

● 逆流による誤嚥性肺炎を予防するために、食後1時間程度は上半身を挙上した姿勢をとってもらうとよい。

図3 誤嚥防止のための体位（頸部前屈）

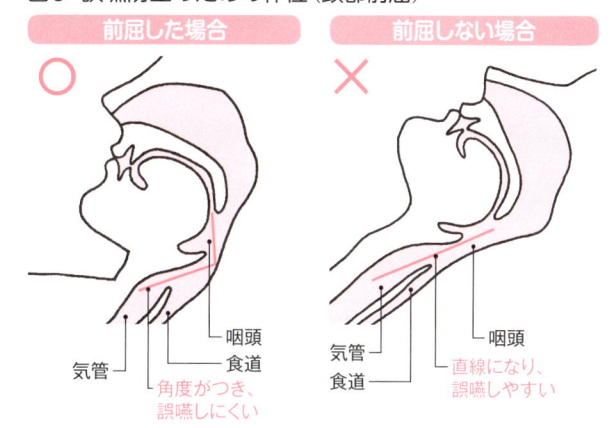

図4 嚥下のメカニズム

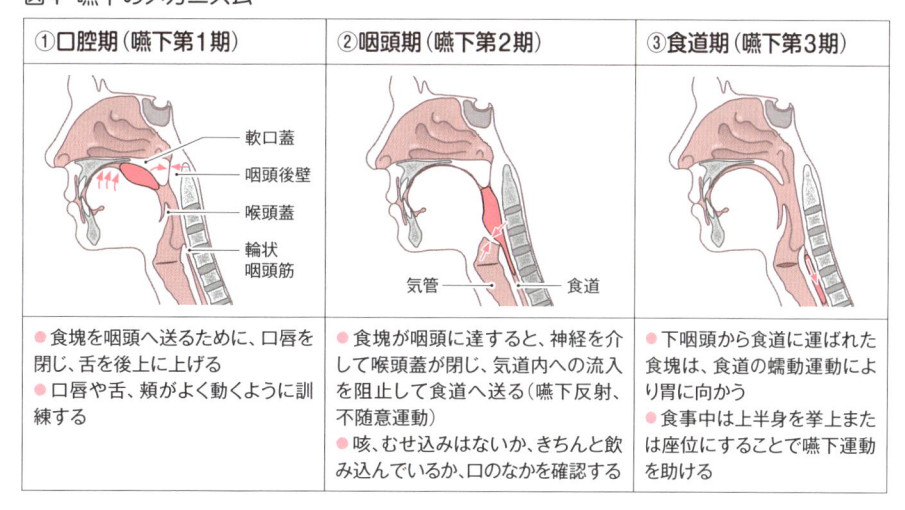

①口腔期（嚥下第1期）	②咽頭期（嚥下第2期）	③食道期（嚥下第3期）
● 食塊を咽頭へ送るために、口唇を閉じ、舌を後上に上げる ● 口唇や舌、頬がよく動くように訓練する	● 食塊が咽頭に達すると、神経を介して喉頭蓋が閉じ、気道内への流入を阻止して食道へ送る（嚥下反射、不随意運動） ● 咳、むせ込みはないか、きちんと飲み込んでいるか、口のなかを確認する	● 下咽頭から食道に運ばれた食塊は、食道の蠕動運動により胃に向かう ● 食事中は上半身を挙上または座位にすることで嚥下運動を助ける

目標Ⅳ

問題▶235

和洋折衷便器を使用して床上で排泄するときの、便器の当て方で正しいのはどれか。

1.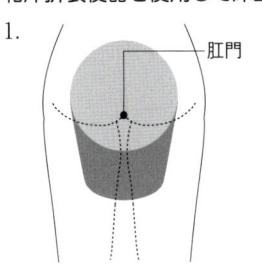

2.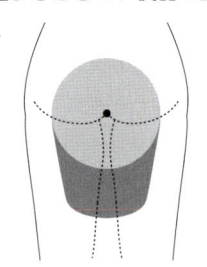

3.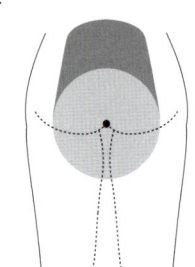

4.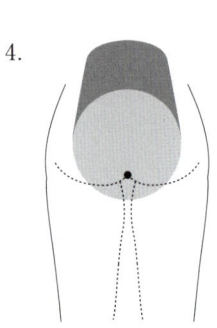

解答 3

解説 これまで、洋式便器での床上排泄についてイラストで出題されてきたが（**図5**）、ふたのある和洋折衷便器についても使用方法を確認しておきたい。

肛門が便器の中央の真上にくるようにし、先端が狭くなっているほうに殿部を乗せることに注意する（3. ○）。イラストでは表現されていないが持ち手が**図6**のようになっているため、差し入れ・抜き去るときのことを考えれば3か4であることがわかる。

図5 洋式便器の正しい当て方

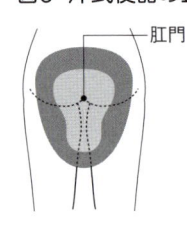

第104回と第101回
の国試に出題されて
いる

図6 和洋折衷便器

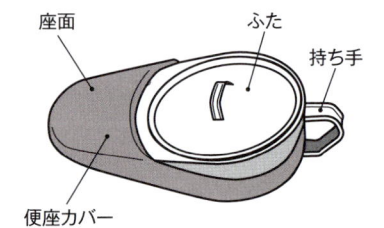

座面　ふた　持ち手

便座カバー

問題▶236

左片麻痺患者のベッドサイドの図である。
ポータブルトイレを置く位置で最も適切なのはどれか。

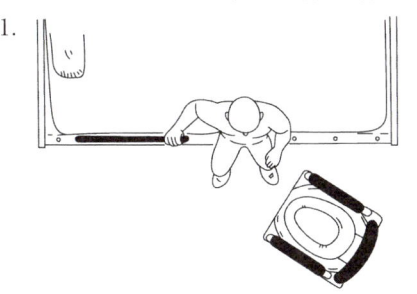

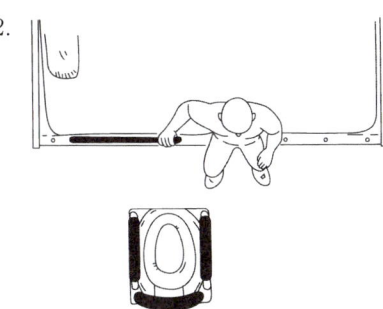

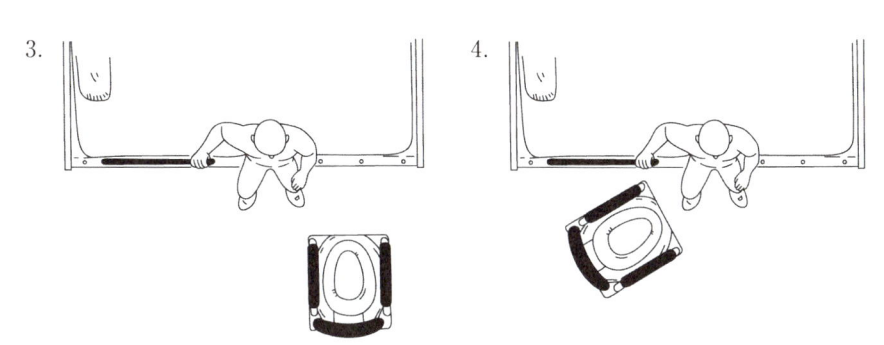

解説 左片麻痺患者なので健側である右側を活用できるように考える。4では右手でポータブルトイレの右の手すりをつかみ右足を軸にして最短距離で回転してポータブルトイレに座ることができる（4. ○）。

問題▶237

テープでとめるタイプのおむつが最も適しているのはどれか。
1. 1人で衣類の着脱ができる。
2. 介助があれば歩くことができる。
3. ほとんどの時間を寝て過ごしている。
4. 1日のうちにリハビリテーションの時間が多くある。

解説 1. × 1人で衣類の着脱ができる場合でも、テープでとめるタイプのおむつは着脱しにくい。失禁用の下着やパンツ型の紙おむつが向いている。
2. 4. × 介助があれば歩くことができる場合や1日のうちにリハビリテーションの時間が多くある場合は、ずれにくいパンツ型の紙おむつが向いている。
3. ○ ほとんどの時間を寝て過ごしていて、患者が嫌がらないのであればテープでとめるタイプのおむつが向いている。ベッド上に臥床したままでも換えることができる。

問題 ▶ **238**

出題基準
Ⅳ-14-B／
導尿

過去問 基 P.331

CHECK ▶ ☐ ☐ ☐

解答 4

成人男性の膀胱留置カテーテルをテープで固定する位置で適切なのはどれか。
なお留置期間は長いものとする。

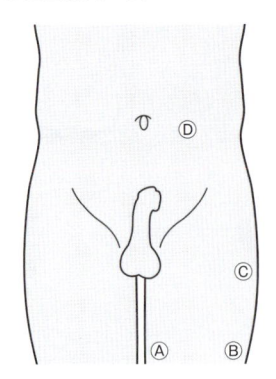

1. A
2. B
3. C
4. D

解説 男性患者で長期間カテーテルを留置する場合には<u>陰茎を上向き</u>にして固定は腹壁にする。したがって**4**の**D**が適切である（**4.** ○）。可能であれば、固定位置を毎日少しずつ移動するとテープによる皮膚の刺激を少なくすることができる。カテーテルに少しゆるみをもたせて固定する。なお、女性の場合は<u>大腿の内側（A）</u>付近に固定する。

MORE!

図7 膀胱留置カテーテルの固定

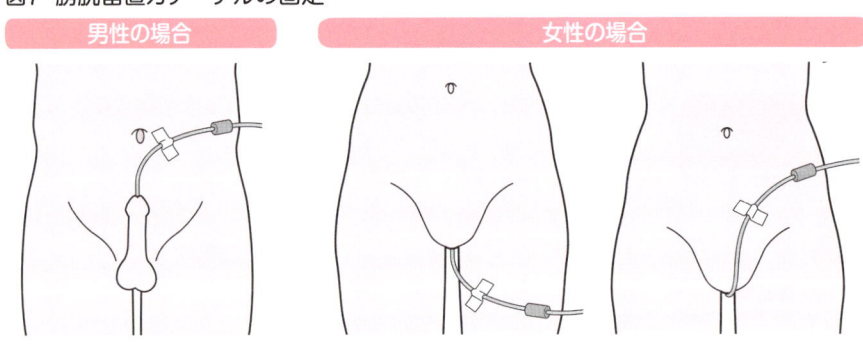

| 男性の場合 | 女性の場合 |

図8 導尿のポイント

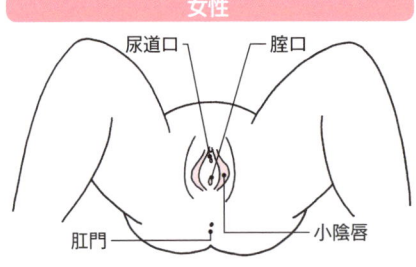
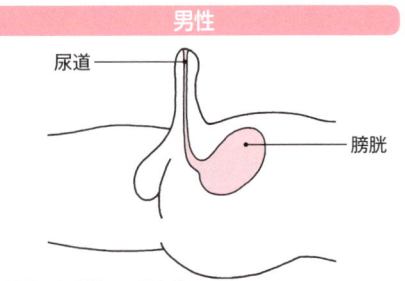

| 女性 | 男性 |

女性
- 体位：仰臥位、両膝を屈曲し足を開く。
- 小陰唇を開く。
- 尿道口の中央・左右の順に消毒する。
- カテーテル挿入：4〜6cm※
※第98回では4〜6cm、第102回では5〜7cmで出題されている

男性
- 体位：仰臥位、下肢を伸展する。
- 陰茎の包皮を開いて尿道口を消毒する。
- 陰茎を上にあげ、尿道がまっすぐになるようにする※。
- カテーテル挿入：18〜20cm
※尿道球部に達すると抵抗を感じるので陰茎を下腿側に向けて挿入する

問題▶239

頻出

出題基準
IV-14-B／
浣腸

過去問 基 P.332, 333

CHECK▶ □□□

解答 2

成人に対して浣腸液を注入する際にカテーテルを挿入する長さはどれか。

1. 肛門から2〜3cm
2. 肛門から4〜5cm
3. 肛門から6〜7cm
4. 肛門から8〜9cm

解説 浣腸液は40℃程度に温め、肛門から4〜5cm挿入する（2. ○）。体位は左側臥位が適しており、立位での挿入は直腸穿孔のリスクがあるため行わない。注入時は腹筋や括約筋の緊張が少なくなるよう口呼吸をしてもらい、注入後3〜5分間程度排便をがまんしてから努責するように伝える。

MORE!

図9 グリセリン浣腸の手順とポイント

❶ グリセリン浣腸液を事前に温めておく（40℃程度）。
❷ 注入時の体位は左側臥位とする。
❸ 手袋をはめ、チューブの先端に潤滑剤を塗って約5cm挿入し、浣腸液を注入する。挿入時には口呼吸をしてもらう。
❹ 注入が済んだら、トイレットペーパーで肛門部を押さえ、カテーテルを静かに抜去する。
❺ 患者をトイレに促す。あるいは、仰臥位にして膝を曲げて便器を当て、ナースコールを準備する。

左側臥位 薬液がスムーズに流入する

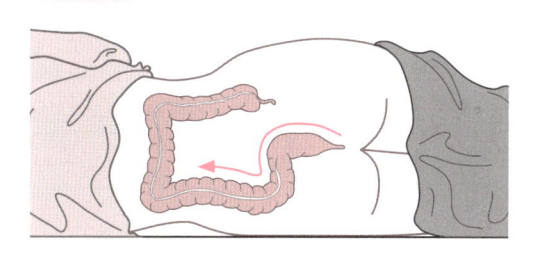

問題▶240

出題基準
IV-14-B／
摘便

CHECK▶ □□□

解答 4

摘便の手技で正しいのはどれか。

1. 便をかき出すときは奥のほうから行う。
2. 患者には呼吸を止めるよう伝える。
3. S状結腸に停滞している便を除去する。
4. 迷走神経反射による患者の体調の変化に注意する。

解説 1. × 便をかき出すときは肛門の壁の周囲をなぞるように手前のほうから行う。ゴム手袋を2枚以上装着し、潤滑油をつけた指は4〜5cm程度までの挿入にとどめる。

2. × 肛門の力が抜けやすいよう、患者には口呼吸をするよう伝える。

3. × 直腸に停滞している便を除去する。

4. ○ 緊張や腸管への刺激、排便による迷走神経への刺激などで迷走神経反射が起こると血圧低下や不整脈などが生じるため、患者の体調の変化に注意する。

目標IV

問題 ▶ 241

出題基準
IV-14-B／
失禁のケア

過去問 基 P.333

過去問 114回 P.9

CHECK ▶ ☐☐☐

解答 3

次のような体勢で行うトレーニングが有効なのはどれか。

1. 切迫性尿失禁
   urge incontinence of urine
2. 溢流性尿失禁
   overflow incontinence of urine
3. 腹圧性尿失禁
   stress incontinence of urine
4. 機能性尿失禁
   functional incontinence of urine

解説 イラストのような体勢で肛門を締めるようなトレーニングが有効なのは、骨盤底筋群の脆弱化によって起こる3の腹圧性尿失禁である（3. ○）。

MORE!

表8　尿失禁の種類

切迫性尿失禁	● 尿意を感じて、トイレで排尿するまでの間に尿が漏れてしまう ● 高度の膀胱炎、前立腺肥大症、排尿筋反射亢進型の神経因性膀胱などで生じる
機能性尿失禁	● 排尿機構は保たれているが、体動が不自由であり、尿意を感じてからトイレにたどりつくまでに尿が漏れる ● 認知症、運動障害、高齢者などで生じる
腹圧性尿失禁	● くしゃみ、重い物を持つなどの、腹部に圧力が加わった場合に尿が漏れる ● とくに経産婦に多く、原因は出産と加齢により骨盤底筋群が弛緩したため
溢流性尿失禁 （奇異性尿失禁）	● 高度の前立腺肥大症、排尿筋反射消失型の神経因性膀胱の末期状態に生じる ● 尿をしようとするにもかかわらず排尿はまったくなく、常に尿がだらだら漏れる状態になる

問題 ▶ 242

出題基準
IV-14-C／
体位、体位変換

過去問 基 P.306, 307

CHECK ▶ ☐☐☐

解答 2

基底面積が最も大きい体位はどれか。

1. 端座位
2. 仰臥位
3. 側臥位
4. シムス位

解説 1. ×　ベッドの端に座り足を下ろした状態の端座位は、心肺への負担が比較的少ない体位であるが、基底面積（殿部から大腿の一部）が小さい。

2. ○　基底面積が最も大きい仰臥位では、全身の骨格筋の緊張が少なく、消費エネルギーも少ない。その一方で、仰臥位を続けていると、褥瘡の危険性は増すので注意する。

3. ×　側臥位は基底面積が細長いため不安定で、体位の維持が難しい。クッションなどを使って安定させるとよい。腹部、四肢や脊柱はリラックスしやすい。

4. ×　シムス位は側臥位より少し基底面積が広く、斜めに上体を倒しているため、側臥位より安定する。シムス位で顎を前に出し、横向きの顔を上側の手の甲に乗せると嘔吐時の窒息予防のための昏睡体位となる。

図10 覚えておきたい体位

膝胸位

砕石位

シムス位

半座位

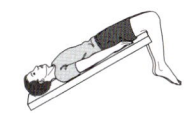
トレンデレンブルグ位

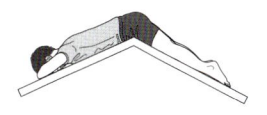
ジャックナイフ位

問題▶**243**

出題基準
Ⅳ-14-C／
移動、移送

過去問 基 P.337

CHECK▶□□□

解答 2

ベッドから車椅子への移乗のとき、ベッドに対して車椅子を置く位置で適切なのはどれか。
1. 平　行
2. 20〜30度
3. 45〜60度
4. 60〜90度

解説 過去に第89回の午前に一般問題で出題され（**図11**参照）、第107回でも必修問題として出題された。
　車椅子は原則として健側に置き、患者の体を回旋させて座らせるには、ベッドに対して20〜30度の位置に置くと介助しやすい（2.〇）。

問題▶**244**

五肢

出題基準
Ⅳ-14-C／
ボディメカニクス

過去問 基 P.304

過去問 114回 P.9

CHECK▶□□□

解答 1

ベッドで患者を手前に寄せるときに援助者の負担を少なくするのに適切なのはどれか。
1. 援助者の大きな筋群を使う。
2. 援助者の体を小さくまとめる。
3. 患者が接している面との摩擦を大きくする。
4. 患者の体からなるべく遠ざかる。
5. 援助者の重心を高くする。

解説 1.〇　大きな筋群による力を活用したほうが負担が少ない。
2. ×　体を小さくまとめるのは患者のほうで援助者ではない。
3. ×　患者が接している面の移動を滑らかにする、すなわち摩擦を小さくするとよい。
4. ×　力をより活かすには患者の体になるべく近づくほうがよい。
5. ×　重心を低くしたほうが援助者の負担は少なくなる。

目標Ⅳ

表9 ボディメカニクスの8原則

①支持基底面積を広くとる
②重心を低くする
③重心を近づける
④重心の移動を滑らかにする
⑤てこの原理を使う
⑥患者の体を小さくまとめる
⑦大きな筋群を使う
⑧広い空間で効率よく行う

重心を低くする

重心は近づける

基底面を広くする

図11 第89回午前問題101と車椅子の位置

問題　左片麻痺患者が1人でベッドから車椅子へ移乗する際に車椅子を準備する位置はどれか。

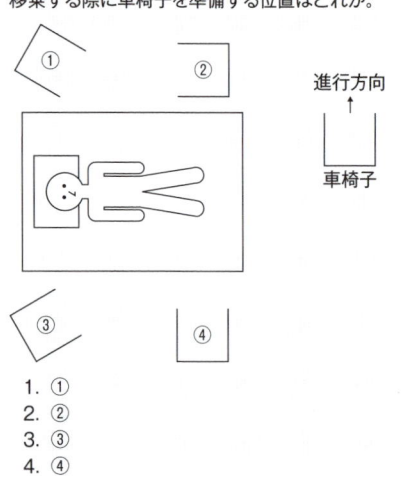

進行方向

車椅子

1. ①
2. ②
3. ③
4. ④

解答　3

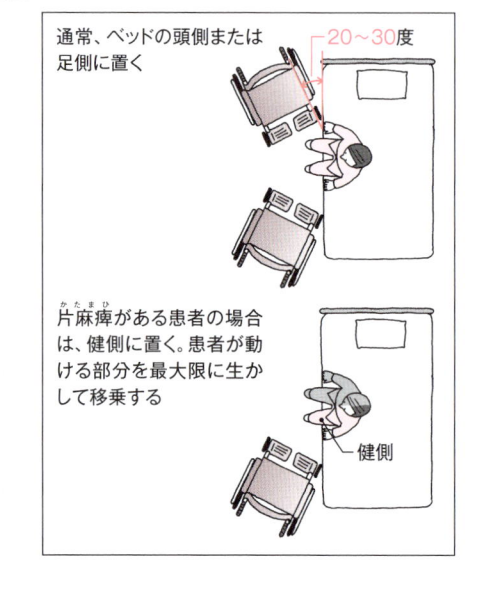

通常、ベッドの頭側または足側に置く

20〜30度

片麻痺（かたまひ）がある患者の場合は、健側に置く。患者が動ける部分を最大限に生かして移乗する

健側

図12 ストレッチャーでの移動

ストレッチャーでの移動も、国試ではよく出題される。以下のポイントをおさえておこう。

ポイント

● ストレッチャーの操作は必ず2人で行う。
● 平坦なところでは患者の足を先にする。
● 坂道では患者の頭が高くなるようにする。
● カーブやコーナーを曲がるときは、患者の頭を軸に回転する。

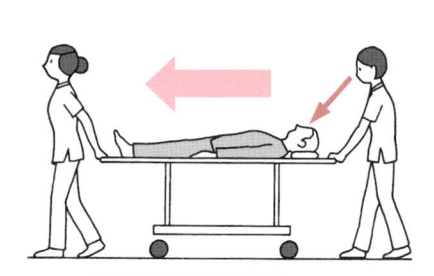

平坦なところでの移動
ストレッチャーの後方（患者の頭側）の看護師は、声かけや観察を行う

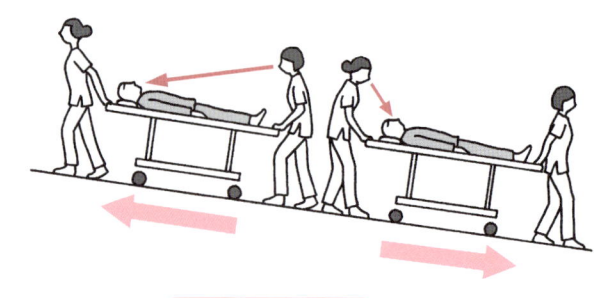

坂道での移動
上る場合も下る場合も患者の頭部が足部より低くならないように注意する

問題▶245

出題基準

Ⅳ-14-C／
廃用症候群の予防

過去問 成 P.422
過去問 114回 P.23

CHECK▶☐☐☐

解答 2

廃用症候群について正しいのはどれか。
disuse syndrome
1. 高齢者には起こりにくい。
2. 症状に起立性低血圧がある。
3. 心理的な症状はみられない。
4. 睡眠時間の減少が原因である。

解説 安静を長期にわたって続けることにより、心身の機能が低下することを廃用症候群という。
1. × 身体活動量の低下が原因であり、高齢者に起こりやすい。
2. ○ 症状に起立性低血圧や心肺機能の低下がある。
3. × うつ傾向など心理的な症状がみられることがある。
4. × 睡眠時間の減少が原因ではない。

図13 廃用症候群によるおもな症状

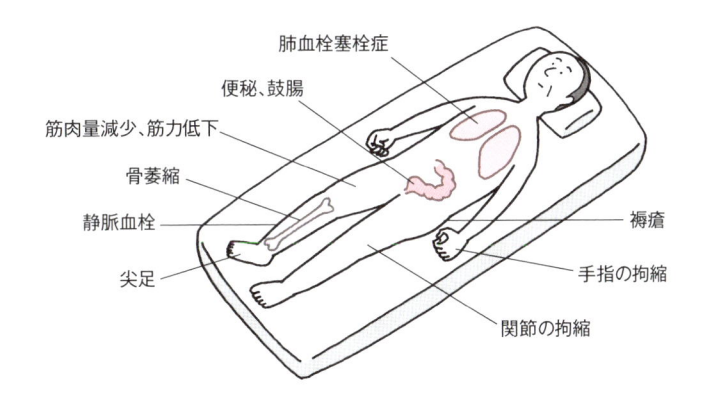

肺血栓塞栓症
便秘、鼓腸
筋肉量減少、筋力低下
骨萎縮
静脈血栓
尖足
褥瘡
手指の拘縮
関節の拘縮

問題▶246

出題基準

Ⅳ-14-C／
睡眠

過去問 老 P.764

CHECK▶☐☐☐

解答 4

高齢者の睡眠の特徴はどれか。
1. 睡眠が深くなる。
2. 中途覚醒が少なくなる。
3. 熟眠感を得られやすい。
4. 早朝覚醒が起こりやすくなる。

解説 1.3. × 睡眠は浅くなり熟眠感が得られなくなる。
2. × 物音や尿意などの刺激で目を覚ます中途覚醒が起こりやすい。
4. ○ 正しい。特に夜に早く眠くなり、朝早く目が覚めることを睡眠相前進症候群という。

MORE!

●体質や生活環境によって違いはあるが、1回のレム睡眠とノンレム睡眠からなる一般的な1睡眠周期は約90分である。レム睡眠は90分のうちの一部である。
●レム睡眠は「体の眠り」といわれ、脳は起きており、脳波も覚醒時と同じである。よって、夢を見るのはこの時期である。レムはREM、rapid eye movementの略で、水平眼振がある。
●ノンレム睡眠は「脳の眠り」といわれ、体を統合している脳が眠っている状態のため、呼吸や心拍数など、バイタルサインはレム睡眠に比べ安定している。また、入眠期はノンレム睡眠で徐々に眠りが深くなる。

新規
項目

出題基準
Ⅳ-14-D／
入浴、シャワー浴
過去問 基 P.341

CHECK ▸ □□□

解答 3

入浴と比較したシャワー浴の特徴はどれか。

1. 温熱効果が高い。
2. 静水圧作用が大きい。
3. 心臓への負荷が少ない。
4. エネルギー消費量が大きい。

解説 1. ×　一般に浴槽につかる入浴のほうが温熱効果は高い。したがって、シャワー浴のあとは保温に注意が必要である。

2. ×　静水圧作用は入浴の特徴である。

3. ○　シャワー浴は、静水圧作用がごく小さい、一般にかかる時間が短い、血液循環に及ぼす影響が小さいなどの理由から、心臓への負荷は入浴に比べ少ない。

4. ×　一般にエネルギー消費量はシャワー浴のほうが小さい。

出題基準
Ⅳ-14-D／
清拭
過去問 基 P.342

CHECK ▸ □□□

解答 3

全身清拭のために洗面器に準備する湯の温度で適切なのはどれか。

1. 30〜35℃
2. 40〜45℃
3. 50〜55℃
4. 60〜65℃

解説 全身清拭で皮膚に触れるタオルの温度は40〜45℃（体温より少し高い温度）にする必要があるので、冷めることを考えると2の40〜45℃では低すぎる。3の50〜55℃で用意し（3. ○）、手袋をしてタオルを絞り、必ずタオルの温度を看護者の皮膚で確認してから使用する。準備した湯が高すぎる温度だと、絞ったあとにタオルの温度を下げる時間が必要になってしまうので注意する。

問題 ▸ 249

出題基準
Ⅳ-14-D／
口腔ケア
過去問 基 P.347

CHECK ▸ □□□

ローリング法における歯ブラシの回転方法で正しいのはどれか。

1. 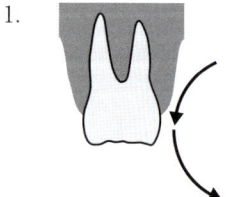　　2.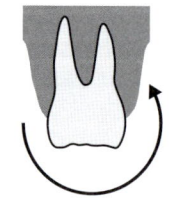

3. 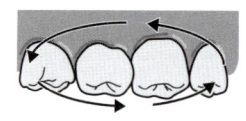　　4.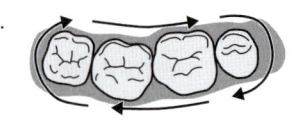

解答 1

解説 ローリング法は歯肉から歯へと歯ブラシを回転させるため、1が該当する（1. ○）。

- 口腔ケアの効果には、プラーク(歯垢)の除去、唾液分泌の促進、口腔内のpHの中性化、バイオフィルム形成の防止などがある。
- 肺炎予防のためにも口腔ケアが重要である。歯肉出血がある、含嗽ができない、経口摂取をしていない患者にも、口腔ケアは必要である。
- 総義歯の場合も、義歯を外し、ブラッシングをする。

図14　ブラッシングの方法

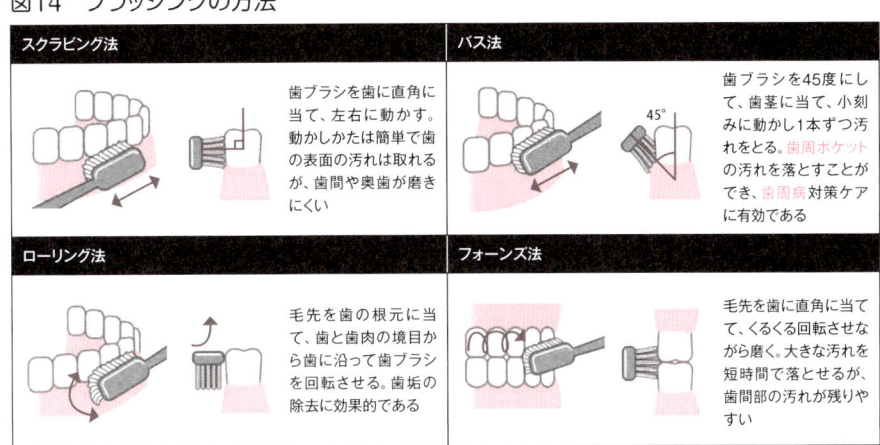

スクラビング法		バス法	
	歯ブラシを歯に直角に当て、左右に動かす。動かしかたは簡単で歯の表面の汚れは取れるが、歯間や奥歯が磨きにくい		歯ブラシを45度にして、歯茎に当て、小刻みに動かし1本ずつ汚れをとる。歯周ポケットの汚れを落とすことができ、歯周病対策ケアに有効である
ローリング法		フォーンズ法	
	毛先を歯の根元に当て、歯と歯肉の境目から歯に沿って歯ブラシを回転させる。歯垢の除去に効果的である		毛先を歯に直角に当てて、くるくる回転させながら磨く。大きな汚れを短時間で落とせるが、歯間部の汚れが残りやすい

問題▶250

出題基準

Ⅳ-14-D／洗髪

過去問 基 P.343

CHECK▶ □□□

解答 2

成人患者の洗髪に用いる湯の温度で適切なのはどれか。

1. 36℃
2. 40℃
3. 44℃
4. 48℃

解説 洗髪に用いる湯は38〜41℃とし、室温も22〜24℃となるように留意する。選択肢のなかでは2が適切である。

MORE!

表10　清潔ケアの種類と湯の温度

種類	湯の温度	備考
清拭	50〜55℃	
入浴	38〜40℃	● 清拭で皮膚に直接当たるタオルの温度は40〜45℃がよい ● 入浴は、シャワー浴や清拭に比べると酸素消費量が増大し疲労度が増す ● 国・地域・習慣・健康レベルにより湯の温度や所要時間を調整する ● 室温は22〜24℃がよい
シャワー浴		
洗髪	38〜41℃	
足浴	38〜40℃	
手浴	38〜41℃	
陰部洗浄	38〜40℃	

問題▶251

新規項目

出題基準
IV-14-D／
手浴、足浴

過去問 基 P.344

CHECK ▶ ☐☐☐

解答 4

足浴の効果で正しいのはどれか。
1. 筋緊張の促進
2. 精神の高揚
3. 食欲の増進
4. 筋肉疲労の軽減

解説 足浴による効果には、入浴のような爽快感（そうかいかん）、清潔保持、リラックス（2は反対なので×）、筋肉疲労の回復（4. ○）、関節強直（きょうちょく）の減少（1の筋緊張は減少するため×）、鎮静（ちんせい）や入眠の促進、血液循環の促進、冷えの解消がある。血液循環の促進は、温めることやマッサージの効果による。湯の温度は38～40℃が適切である。3の食欲の増進には直接の関連はない（3. ×）。

問題▶252

出題基準
IV-14-D／
陰部洗浄

過去問 基 P.345

CHECK ▶ ☐☐☐

解答 4

陰部洗浄について正しいのはどれか。
1. 肛門周囲は最初に洗う。
2. 洗浄後は水分を自然乾燥させる。
3. 滅菌手袋をして行う。
4. 体温よりも少し高い温度の湯で洗浄する。

解説 1. × 肛門周囲は最後に洗う。
2. × 洗浄後は乾いたタオルやガーゼなどで優しく水分を拭き取る。
3. × 粘膜に触れるため、手袋をしてスタンダードプリコーションを守るが、滅菌手袋である必要はない。
4. ○ 体温よりも少し高い温度の湯（38～40℃）で洗浄する。

MORE!

図15 陰部洗浄

ポイント
● 感染防止の面から手袋をする。
● 寝衣やリネンの汚染や濡れを防止する。
● 恥骨部にタオルで防波堤をつくる。
● 尿路感染を防止するため陰部は上から下へ洗う。
● 男性の場合、包皮をずらして洗う。陰嚢の裏側を忘れずに洗う。
● プライバシーを保護して行う。
● 湯の温度は38～40℃とする。

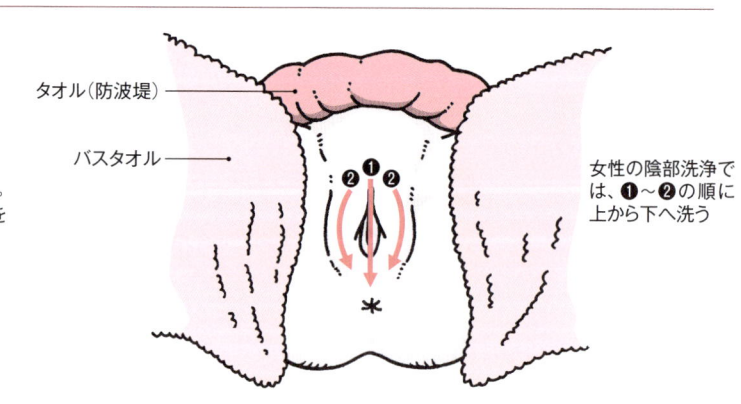

タオル（防波堤）
バスタオル
女性の陰部洗浄では、❶～❷の順に上から下へ洗う

問題▶253

出題基準

Ⅳ-14-D／
整容

CHECK▶□□□

解答 3

かみそりを使った男性のひげそりで最も適切なのはどれか。
1．ひげや皮膚は乾いた状態で始める。
2．下から上へかみそりを動かすと皮膚への負担が少ない。
3．かみそりは軽く当てて動かす。
4．そり終えたあとの保湿剤は避ける。

解説 ひげそり前は、蒸しタオルで顔を蒸して湿潤させると、ひげがやわらかくなるのでそりやすくなる（1．×）。かみそりを動かす方向は基本的に顔の上から下の順ぞりが皮膚への負担が小さいが、顎や口の周りなど同じ方向に動かすのみではそりにくい場所では方向を変えてもよい（2．×）。かみそりは強く押し当てず軽く当てて動かし（3．○）、シェービング剤を使うことが望ましい。そり終えたあとは蒸しタオルで顔面を清拭し保湿を行う（4．×）。

- -

問題▶254

頻出

出題基準

Ⅳ-14-D／
寝衣交換

過去問 基 P.348
過去問 114回 P.44

CHECK▶□□□

解答 2

片麻痺患者の寝衣交換で正しいのはどれか。
1．健側から脱がせ、健側から着せる。
2．健側から脱がせ、患側から着せる。
3．患側から脱がせ、患側から着せる。
4．患側から脱がせ、健側から着せる。

解説 脱がせるときは身体の可動性が十分な健側から、着せるときは可動性が少ない患側からである（2．○）。

MORE!

図16 寝衣交換のチェックポイント

①前打合せが右前（左身頃が上）になっているか
※左前や右前とは先にどちらを肌に密着させるかという意味である。
②腰紐をきつくしばりすぎていないか
③腰紐は縦結びになっていないか
④背中や腰にしわがよっていないか
⑤裾は足を動かせる余裕があるか

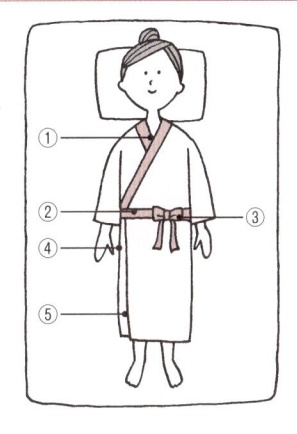

- -

問題▶255

頻出

昼間の病室に必要な照度はどれか。
1．100〜　200ルクス
2．300〜　400ルクス
3．500〜　600ルクス
4．750〜1,500ルクス

出題基準

Ⅳ-15-A／
病室環境

過去問 基 P.315

CHECK ▶ ☐ ☐ ☐

解答 1

解説 昼間の病室は100〜200ルクス必要である（1. ◯）。ただし、病室での読書には300ルクスあるのが望ましい。処置室やナースステーションでは300〜750ルクス、手術室では750〜1,500ルクスの照度が求められる（基準はJIS［日本産業規格］の照度基準からきている）。

図17 病室環境

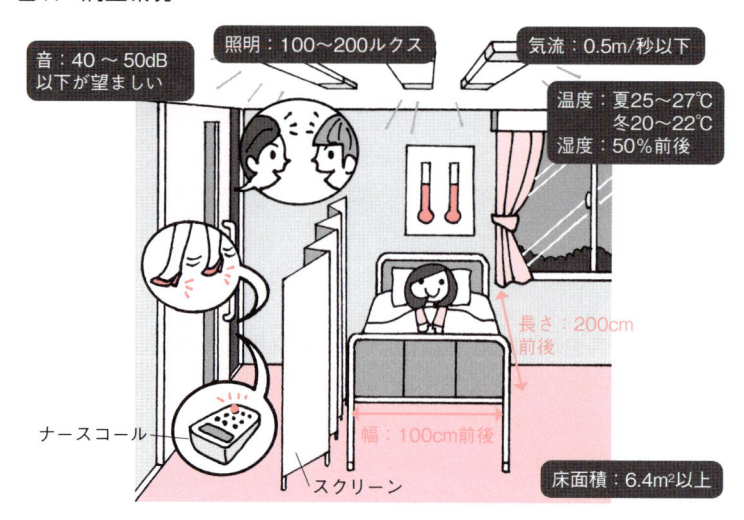

MORE!

表11 病院・診療所・おもな高齢者関連施設の比較

※人員配置は、いずれも入院・入所者数に対する比率。なお、診療所の一般病床には特段の定めなし

			病院・診療所			介護老人保健施設	特別養護老人ホーム
			一般病床	療養病床			
				医療保険	介護保険		
おもな人員配置※		医師	16:1	（病院）48:1 （診療所）1以上		常勤1以上 100:1以上	必要数（非常勤可）
		看護師	3:1	医療法施行規則本則上は4:1 診療報酬では療養病棟入院基本料2として25:1（医療法方式では5:1に相当）まで評価*	指定介護療養型医療施設の人員、設備および運営に関する基準で6:1と規定	3:1 うち、看護が2/7以上	看護・介護職員が3:1以上 うち、看護が以下のとおり。 0〜30（入所者数。以下、同じ）:1以上 31〜50:2以上 51〜130:3以上 131以上:3+50:1
		看護補助・介護	–	同上	同上		
		OT、PT	–	（病院）適当数 （診療所）–	（病院）適当数 （診療所）–	PTまたはOTが100:1以上	–
		機能訓練指導員	–	–	–	–	1以上
		生活（支援）相談員	–	–	–	100:1以上	常勤1以上 100:1以上
		介護支援専門員	–	–	常勤1以上 100:1以上	常勤1以上 100:1以上	常勤1以上 100:1以上
	居室面積		（病院）6.4m²/床※	6.4m²以上	6.4m²以上	8m²以上	10.65m²以上

※診療所と平成13年3月1日時点ですでに開設の許可を受けている病院の場合は、以下のとおり。
　患者1人を入院させる病室：6.3m²/床以上
　患者2人以上を入院させる病室：4.3m²/床以上
＊平成30年の診療報酬改定で、療養病棟入院基本料1（20:1）と2（25:1）は、20:1の要件で1本化された。

問題 ▶ 256

出題基準
Ⅳ-15-A／
共有スペース

CHECK ▶ □□□

解答 2

病院内の共有スペースについて正しいのはどれか。
1. 共有スペースの占める割合はわずかである。
2. プライバシーが守られにくい。
3. 手すり、段差の解消は必要ない。
4. 患者専用のスペースである。

解説 1. × 病院においては、外来の廊下や待合いスペース、ロビー、会計のためのスペース、トイレ、売店のほか、病棟の廊下や食事室、面会スペースなど多くの共有スペースがある。
2. ○ 共有スペースは多くの人が使用するため、プライバシーが守られにくい。
3. × 手すり、段差の解消など、障害のある人や車椅子が入れる構造にするのが望ましい。
4. × 共有スペースは患者以外も使用する。

問題 ▶ 257

出題基準
Ⅳ-15-A／
居住スペース

過去問 基 P.316

CHECK ▶ □□□

解答 3

医療法施行規則による病院の一般病床の床面積で正しいのはどれか。
1. 内法で患者1人につき4.4 m^2
2. 内法で患者1人につき5.4 m^2
3. 内法で患者1人につき6.4 m^2
4. 内法で患者1人につき7.4 m^2

解説 （経過措置としての特例などを除き）病院の一般病床にかかる構造設備基準は次のとおり（表11も参照のこと）。
①病室の床面積は、内法で患者1人につき6.4m^{2}以上とすること（3. ○）。
②病室に面する廊下の幅は、内法で、片側居室の場合1.8m以上、両側居室の場合2.1m以上とすること。
※内法とは柱や建具を含まない壁の内側の部分の面積のこと。

問題 ▶ 258

 頻出

出題基準
Ⅳ-15-B／
転倒・転落の防止

過去問 基 P.301
過去問 114回 P.6

CHECK ▶ □□□

解答 2

転倒・転落の危険性が高い入院患者への指導で正しいのはどれか。
1. 寝衣の裾を長めにする。
2. 臥床するときはベッド柵を上げる。
3. 履き物はスリッパにする。
4. 点滴台や床頭台を支えにして立ち上がる。

解説 1. × 寝衣やパジャマの裾は長くしない。膝関節の動きを妨げない長さにする。
2. ○ 臥床するときはベッド柵を上げるよう指導するのは正しい。
3. × スリッパは転倒しやすいため、履き慣れたかかとのある靴を履く。
4. × 点滴台、床頭台などのキャスターのついたものを支えにしない。

目標 Ⅳ

問題▶259

内服薬を患者に渡すときの入院患者確認の方法で最も適切なのはどれか。

1. ベッドネーム
2. ネームバンド
3. 呼名への返事
4. 病室のベッドの位置

解説 1. ✕ ベッドボードにかけてあるネーム札をベッドネームというが、ベッドネームの置き間違いや患者が間違ったベッドにいる可能性が完全に否定できないため、最も適切とはいえない。

2. ◯ 患者の身体に付いているネームバンドを確認するのが最も正確である。

3. ✕ 呼名への返事では患者の確認はできない。聞こえなかった場合に「はい？」と言ったり、聴力に問題があっても返事をするなどが考えられるためである。

4. ✕ 選択肢1の解説と同様に病室のベッドの位置でも患者の確認はできない。

MORE!

●誤薬を防止するために薬剤準備時と与薬直前の6R（**表12**）の確認やダブルチェック（あるいはトリプルチェック）が提言されている。

表12 6R

①正しい患者	②正しい薬剤	③正しい用量	④正しい時間	⑤正しい方法	⑥正しい目的
right patient	right drug	right dose	right time	right route	right purpose

---

問題▶260

手術室におけるタイムアウトで必ず確認しなければならないのはどれか。

1. 患者の身長
2. 患者の氏名と術式
3. 患者の診断名
4. 患者の病室番号

解説 タイムアウトとは、手術室で医療スタッフ全員が手を止めて必要事項を確認することである。麻酔導入前や皮膚切開前、閉創後など行うタイミングは医療施設によって異なるが、最も重要なのは患者を誤認することの防止であり、患者氏名と術式は必ず確認すべき内容である（2. ◯）。

MORE!

表13 医療安全対策のポイント（一部）

転倒・転落	●入院直後、術後の高齢者、小児に多い ●患者の行動範囲内の環境整備（障害物の除去・床の水の拭き取りなど） ●廊下や浴室・トイレに手すりをつける
誤薬	●与薬は医師の指示により行われる。与薬方法・量・回数を指示箋で確認する ●薬を準備する際には、薬を取る前、取り出したとき、容器を破棄または元に戻す前の3回、ラベルを確認する ●誤薬防止の6つのR（表12参照）
患者誤認	●可能な限り、術前訪問を行う ●患者を受け渡す際には、複数の病棟看護師と手術室看護師で、患者氏名・術式・主治医について確認する

問題▶261

出題基準
Ⅳ-15-B／
誤嚥・窒息の防止

CHECK ▶ □□□

解答 3

嚥下障害のある患者の食事を開始するにあたり、適しているのはどれか。

1. ジュース
2. キノコ類
3. プリン
4. せんべい

解説 嚥下障害のある患者の食事を開始する際に適しているのはゼリー、卵豆腐、ババロア、プリン（3. ○）などである。サラサラした液体（1. ×）、硬いもの・口腔内でまとまりにくいもの・パサパサしたもの（2. 4. ×）は誤嚥しやすい。液体にはとろみをつける、固形物はゼラチン寄せにするなどして段階的に変化させていく。

問題▶262

新規項目

出題基準
Ⅳ-15-B／
コミュニケーションエラーの防止

過去問 基 P.303

CHECK ▶ □□□

解答 2

医療現場における情報伝達に関するエラーを防ぐのに有効なのはどれか。

1. 口頭で指示をする。
2. 指示を受けた側が復唱する。
3. 情報伝達にかかわる人を多くする。
4. 医療機関独自の略語を使用する。

解説 1. × 口頭での指示出し・指示受けは記録が残らず、聞き間違い発生の可能性があるため、なるべく行わない。

2. ○ 指示を受けた側が復唱することで、指示を出した側が確認する機会ができる。

3. × 情報伝達にかかわる人を多くしてもエラーは防げず、かえって伝達に関する間違いが発生しやすくなる。

4. × 医療機関独自の略語や用語は解釈のしかたによってエラーの原因となる。

問題▶263

頻出

出題基準
Ⅳ-15-C／
標準予防策〈スタンダードプリコーション〉

過去問 基 P.288

CHECK ▶ □□□

解答 1

スタンダードプリコーションについて正しいのはどれか。

1. すべての患者に対して実施する。
2. 抵抗力の増強が含まれる。
3. 病原体を感染経路別に分類して行う。
4. 汗は感染性の体液である。

解説 1. ○／4. × すべての患者に対して実施し、汗を除く体液、血液、分泌物、排泄物、粘膜、損傷した皮膚には感染の可能性があるとみなす。

2. × 抵抗力の増強は含まれない。

3. × 感染経路別の予防策はスタンダードプリコーションに追加して実施する。

目標Ⅳ

表14 スタンダードプリコーション

概念	すべての血液、体液（汗を除く）等（湿性生体物質）は、未知の、未検査の病原体が含まれていることを前提として取り扱う
対象	①血液・体液（精液、腟分泌液、脳脊髄液など） ②喀痰、尿、便、膿（湿性生体物質） ③粘膜　④傷のある皮膚
基本原則	①手洗い ②血液および体液への接触を予防するための手段 ③針刺し・切創事故を減らすための技術および器具の使用
具体策	①手洗い（湿性生体物質に触れた後、患者ケアの前と後、手袋を外した後） ②手袋（湿性生体物質やそれらに汚染された物品・器具に触るとき、粘膜や傷に触るとき） ③マスク・ゴーグル（飛沫感染のおそれがあるとき） ④エプロン・ガウン（湿性生体物質で衣類が汚染されるおそれがあるとき） ⑤環境管理（日常的な清掃、汚染時の清掃、環境を汚染させるおそれのある患者は個室にする） ⑥リネン（汚染されたリネンの操作・移送・処理） ⑦針刺し事故対策 ●専用廃棄容器の使用（原則的にはリキャップを行わない） ●やむを得ずリキャップが必要な場合は、片手法（すくい上げ法）、またはリキャップ台の使用

問題▶264

新規項目

出題基準

Ⅳ-15-C／
感染経路別予防策

過去問 疾 P.114, 115
過去問 基 P.289, 291

CHECK▶☐☐☐

解答 4

感染経路別予防策で空気予防策が必要なのはどれか。

1. 疥癬 scabies
2. 風疹 rubella
3. 百日咳 pertussis
4. 麻疹 measles

解説 感染経路別予防策は標準予防策（スタンダードプリコーション）に加えて行う。空気予防策、飛沫予防策、接触予防策の3つがあり、空気予防策の適応は結核、麻疹（4. ○）、水痘（水痘は接触予防策も必要とされる）である。
1. × 疥癬は接触予防策を行う。
2. 3. × 風疹、百日咳は飛沫予防策を行う。

問題▶265

新規項目

出題基準

Ⅳ-15-C／
手指衛生

過去問 基 P.292

CHECK▶☐☐☐

解答 4

手洗いのラビング法について正しいのはどれか。

1. ブラシを使う。
2. ペーパータオルを使い捨てにする。
3. 汚れの除去に適している。
4. スクラブ法と併用できる。

解説 1. × ブラシを使うのはヒュールブリンゲル法である。
2. × 擦式（速乾性）アルコール消毒薬を使う方法なのでペーパータオルは使わない。
3. × 流水を使わないので汚れの除去には適さない。
4. ○ 従来、抗菌性スクラブ製剤でブラシによる10分程度の手洗いが手術時手洗いとして行われてきたが、手荒れや皮膚の損傷が生じやすく、感染のリスクが増すという研究があり、抗菌性スクラブ製剤による手洗い（ブラシは爪周辺にのみ使用する場合や柔らかいディスポーザブルブラシを使用する）とラビング法を併用する医療施設が多くなっている。

図18 手洗いの方法

流水による手洗い：スクラブ法

①手を濡らし石けんを泡立てる。

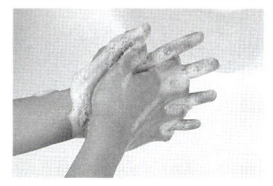
②手掌をよくこする。

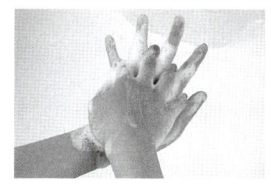
③手背を反対の手掌で洗う。

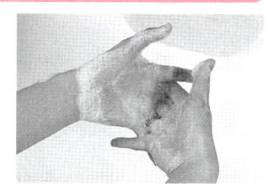
④両手掌を合わせ、指の間をよくこする。

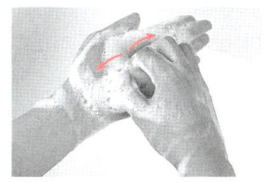
⑤手掌で指先をこする。

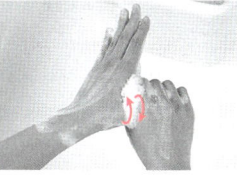
⑥母指周囲を反対の手掌で巻くようにして洗う。

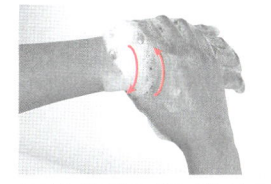
⑦手首を反対の手掌で巻くようにして洗う。

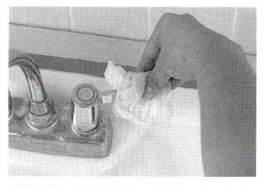
⑧指先から手首の順で石けんを洗い流し、ペーパータオルで拭く。ペーパータオルで蛇口を閉める。

擦式アルコール消毒薬による手洗い：ラビング法

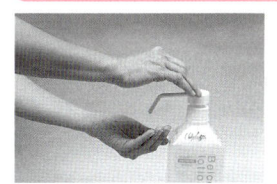
①消毒薬を規定量、手掌にとる。

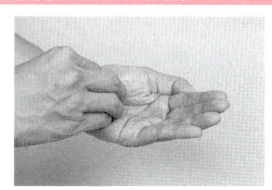
②はじめに両手の指先に消毒液を擦り込む。

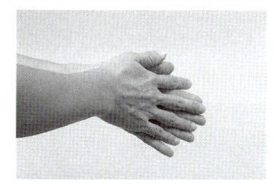
③手掌によく擦り込む。

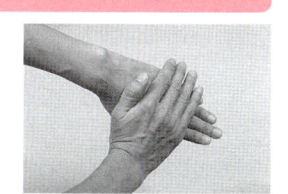
④手の甲にも擦り込む。反対も同様に行う。

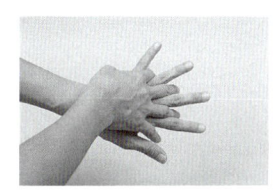
⑤指の間にも擦り込む。

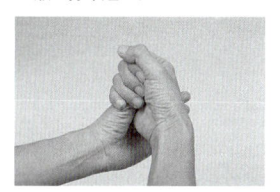
⑥親指にも擦り込む。

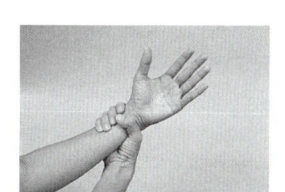
⑦手首にも擦り込む。乾燥するまでよく擦り込むこと。

目標
Ⅳ

問題▶266

新規項目

出題基準
IV-15-C／
必要な防護用具（手袋、マスク、ガウン、ゴーグル）の選択・着脱

CHECK▶ □□□

解答 **1**

感染症の徴候がない患者へのケアで、感染予防のために手袋の装着が最も必要なのはどれか。
1. 筋肉内注射を行う。
2. 酸素ボンベを交換する。
3. 心電図モニターの電極を胸部に装着する。
4. 胃瘻カテーテルに注入栄養剤を接続する。

解説 血液や体液に最も曝露される可能性の高い行為を考えるとよい。
1. ○　注射では患者の血液に触れる可能性があるが手袋で防御できる。
2. 3. ×　酸素ボンベを交換する、心電図モニターの端子を胸部に装着する際に手袋で感染防御をする意義は低い。
4. ×　注入栄養剤は摂取するものなので衛生的に扱う必要はあるが、手洗いを適切にしていれば胃瘻カテーテルに注入栄養剤を接続する際に手袋で感染防御をする意義は低い。

問題▶267

新規項目

出題基準
IV-15-C／
必要な防護用具（手袋、マスク、ガウン、ゴーグル）の選択・着脱

CHECK▶ □□□

解答 **2**

看護師が個人防護具としてマスクを使用する際に正しいのはどれか。
1. 使用中のマスクは顎にずらしてもよい。
2. マスクを外すときはゴムや紐をもって行う。
3. 顔にフィットさせなくてもよい。
4. マスクをいったん外す際は腕にかける。

解説 着用時はサージカルマスクを顔にできるだけフィットさせる必要がある（3. ×）。使用中のマスクは顎にずらすと顎についた病原体がマスクの内側に付着するおそれがあるため不適切である（1. ×）。マスクを外すときはゴムや紐をもって行い、マスクの本体には触れないようにする（2. ○）。使用したマスクを腕にかけると汚染を広げてしまうおそれがあるため、すみやかに廃棄する（4. ×）。

問題▶268

出題基準
IV-15-C／
無菌操作

過去問 基 P.296, 297, 331

CHECK▶ □□□

解答 **4**

実施中に無菌操作を必要とするのはどれか。
1. 鼻腔内の分泌物の吸引
2. 人工肛門のパウチの交換
3. 術前の剃毛・除毛
4. 膀胱留置カテーテルの挿入

解説 無菌操作とは使用物品や処置をする人体の部位の滅菌状態を維持したまま医療行為等を行うことである。外科手術、注射や採血などの感染のおそれのある手技、無菌の体腔内にカテーテル等を挿入するなどの場合に無菌操作が必要となる。
1. ×　気管内吸引は無菌操作が必要であるが、鼻腔内の分泌物の吸引では必要ない。
2. ×　人工肛門のパウチの交換に無菌操作は必要ない。
3. ×　術前の剃毛や除毛に無菌操作は必要ないが、物品に血液が付着するおそれがあるので、使用後に滅菌が必要な場合がある。
4. ○　膀胱留置カテーテルの挿入時には無菌操作が必要である。

表15　無菌操作の原則

① 有効期限を確かめる
② 清潔・汚染の接触を避ける。清潔・汚染間の液体の往復を避ける
③ 滅菌物の出戻りは厳禁
④ おしゃべりをしない
⑤ 接触を避けるための空間を確保する
⑥ 境界域をおかさない
⑦ 滅菌物は直前に出す。外界にさらす時間を最短にする
⑧ 汚染物を、滅菌物の上を通過させない
⑨ 汚染したらすぐ排除・区別する
⑩ 滅菌物から意識をそらさない

図19　鉗子の取り扱い

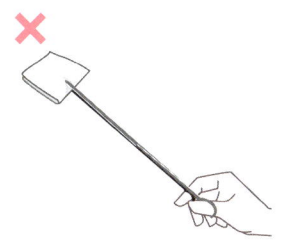
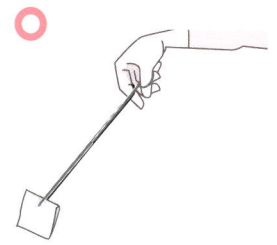

鉗子・鑷子の先端を水平位より上に向けてはいけない。

鉗子・鑷子の先端を水平位より下に向ける。

そのほか、滅菌物の受け渡しは清潔区域外で行い、渡す側の鑷子が上に、受け取って処理する側に鑷子が下になるように取り扱う。

図20　滅菌物の取り出し方

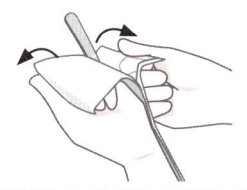

①滅菌バッグの開封する側を上にして、両手で外側にめくりながら左右に開く。バッグの内側には触れないように注意する。

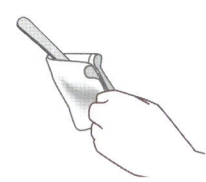

②袋を折り返して、利き手とは反対の手で持つ。すでにめくった部分は開いた状態を維持する。

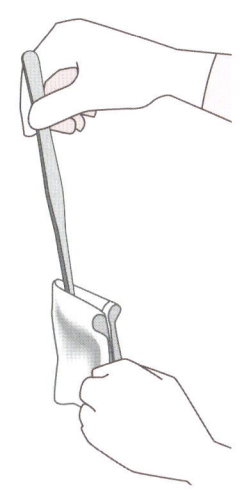

③利き手で鑷子をつかむ。鑷子の先端は閉じたままで引き出す。

図21　鑷子で消毒液に浸した綿球を渡すとき

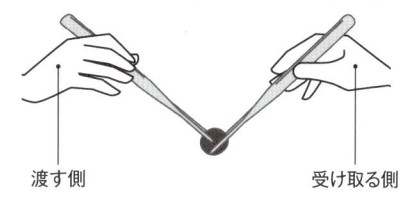

渡す側　　　　　　　　受け取る側

渡す側が滅菌物の上側を鑷子で把持し、受け取る側が滅菌物の下側を把持して、鑷子の先端どうしが触れないようにする。

図22　滅菌手袋の着用のしかた

①包装紙を展開する。
● 四隅を外向きに折り目をつけて折り、包装紙を広げる。

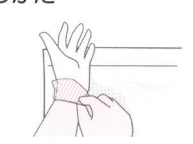

②一方を着ける。
● 折り返しの外側（不潔部）部分を持ち、指先まで十分入れる。
▨ 不潔部

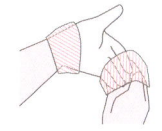

③他方を着ける。
● 手袋を着けた指を折り返しの内側（滅菌部）に差し入れ、装着を助ける。

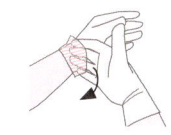

④折り返し部分を伸ばす。
● 折り返しの内側（滅菌部）に4本の指を入れ、手首部分を伸ばす。この図での右手の母指が汚染しないように注意する。

目標Ⅳ

頻出

出題基準

IV-15-C／
滅菌と消毒

過去問 基 P.295

CHECK ▶ ☐☐☐

解答 2

問題 ▶ 269

オートクレーブによる滅菌温度で正しいのはどれか。

1. 81〜100℃
2. 121〜134℃
3. 141〜164℃
4. 171〜190℃

解説 オートクレーブによる高圧蒸気滅菌では、2の121〜134℃の温度が一般的である（2. ○）。134℃の場合には3分以上、121℃の場合には15分以上の滅菌時間が必要（実際の工程では乾燥時間などがあるためこれよりも時間がかかる）で、さらにプリオンを死滅させるには適切な洗浄剤による充分な洗浄のうえ、プリバキューム式高圧蒸気滅菌法で134℃ 18分の滅菌が必要であるとされる。

MORE!

表16 おもな滅菌法の特徴と適応

	高圧蒸気滅菌	ガス滅菌法（EOG）
滅菌時間	短い、3〜15分	長い、2〜24時間
滅菌温度	高温、121〜134℃	低温、40〜60℃
器材の耐久性	損傷されやすい	長い
毒性	なし	あり、滅菌後の排ガスが必要
環境汚染	なし	あり
滅菌処理量	大	中
適応	金属手術器材、リネン類、ガーゼ、綿球、ガラス製品、手洗いブラシ、電動式手術器材、121℃なら特殊プラスチックや麻酔回路も可	縫合糸、縫合針、電気メス、ホルダー、コード、内視鏡、手術用器材、神経刺激電極、注射筒、人工血管、麻酔回路、プラスチック製品

池西静江, 石束佳子, 阿形奈津子 編：看護学生スタディガイド2026. 照林社, 東京, 2025：295. より一部改変して引用

出題基準

IV-15-C／
針刺し・切創の防止

過去問 基 P.300

CHECK ▶ ☐☐☐

解答 3

問題 ▶ 270

使用後の注射針を取り扱うときの原則で正しいのはどれか。

1. 針はリキャップしてから捨てる。
2. 使用済の注射針はまとめて専用の廃棄容器に捨てる。
3. 注射針の片づけをしている人に話しかけない。
4. 注射筒から針を外して捨てる。

解説 1. × 針はリキャップしない。やむを得ずリキャップが必要なときは、キャップをテーブルに置き、片手ですくい上げるようにして行う。

2. × 注射針はまとめて捨てるのではなく、使用後すぐに使用者が責任をもって廃棄容器に捨てる。

3. ○ 注射針を取り扱っている人には、できるだけ話しかけない。注意や集中が途切れるのを防ぐためである。

4. × やむを得ない場合を除き、注射筒から針を外すことはしない。

出題基準

Ⅳ-15-C／
感染性廃棄物の取り扱い

過去問 基 P.298

CHECK ▶ ☐☐☐

解答 1

赤色のバイオハザードマークが表示された感染性廃棄物の廃棄容器に入れるのはどれか。

1. 切除した組織片
2. 使用済み手袋
3. 使用済み注射針
4. ガラス製の空アンプル

解説 1. ○ 切除した組織片、血液や体液などの液状・泥状の感染性廃棄物は赤色のバイオハザードマークが表示された廃棄容器に入れる。

2. × 使用済み手袋といった血液・体液が付着したディスポーザブル製品（シリンジ、手袋、ガーゼ等）などは橙色のバイオハザードマークが表示された廃棄容器に入れる。

3. 4. × 使用済み注射針やガラス製の空アンプルなどの鋭利なものは黄色のバイオハザードマークが表示された廃棄容器に入れる。「（き）凶器になりうるものは（き）黄色」と覚えよう。

MORE!

図23 バイオハザードマーク

● 感染性医療廃棄物の廃棄容器に表示するマーク（バイオハザードマーク）が第97、103、104、108、111、113回に出題されている。

赤色	液状のもの、または泥状のもの（血液など）
橙色	固形状のもの（血液が付着したガーゼなど）
黄色	鋭利なもの（注射針、ガラス管など）

出題基準

Ⅳ-15-C／
感染性廃棄物の取り扱い

過去問 基 P.299

CHECK ▶ ☐☐☐

解答 4

感染性廃棄物を含む特別管理廃棄物を規定した法律はどれか。

1. 医療法
2. 感染症法
3. 環境基本法
4. 廃棄物処理及び清掃に関する法律〈廃棄物処理法〉

解説 1. 2. × 医療法や感染症法は特別管理廃棄物に触れていない。

3. × 環境基本法は環境の保全についての基本理念を定めており、具体的な指定などはしていない。

4. ○ 廃棄物処理及び清掃に関する法律〈廃棄物処理法〉のなかで、「特別管理産業廃棄物」とは、産業廃棄物のうち、爆発性、毒性、感染性その他の人の健康または生活環境に係る被害を生ずるおそれがある性状を有するものとして政令で定めるものをいう、と規定されている。さらに同法施行令や施行規則、環境省によるマニュアルなどで詳細が定められている。

目標
Ⅳ

表17 廃棄物処理法に基づく感染性廃棄物の判断基準

感染性廃棄物の具体的な判断に当たっては、①②又は③によるものとする。
①形状の観点
  (1)血液、血清、血漿及び体液(精液を含む。)(以下「血液等」という。)
  (2)手術等に伴って発生する病理廃棄物(摘出又は切除された臓器、組織、郭清に伴う皮膚等)
  (3)血液等が付着した鋭利なもの
  (4)病原体に関連した試験、検査等に用いられたもの
②排出場所の観点
  感染症病床、結核病床、手術室、緊急外来室、集中治療室及び検査室(以下「感染症病床等」という。)において治療、検査等に使用された後、排出されたもの
③感染症の種類の観点
  (1)感染症法の一類、二類、三類感染症、新型インフルエンザ等感染症、指定感染症及び新感染症の治療、検査等に使用された後、排出されたもの
  (2)感染症法の四類及び五類感染症の治療、検査等に使用された後、排出された医療機材、ディスポーザブル製品、衛生材料等(ただし、紙おむつについては、特定の感染症に係るもの等に限る。)

環境省 環境再生・資源循環局:廃棄物処理法に基づく感染性廃棄物処理マニュアル. 令和5年5月:3. より引用
https://www.env.go.jp/content/900534354.pdf(2024/6/5閲覧)

問題▶273

頻出

出題基準
Ⅳ-16-A／
経管・経腸栄養法
過去問 基 P.323

CHECK▶ ☐ ☐ ☐

解答 3

鼻からの経管栄養法を行っている患者。
栄養注入中のギャッチアップで予防できるのはどれか。

1. 便　秘
2. 下　痢
3. 嘔　吐
4. 皮膚障害

解説 1.　×　便秘は脱水や活動量の低下、食物繊維不足で起こる。

2.　×　下痢は栄養剤の温度が低い、注入速度が速い、栄養剤の成分が合わないなどで起こる。

3.　○　栄養剤注入中はギャッチアップして上半身を挙上し、注入後も30分〜1時間は上体を起こしておくのは、嘔吐や逆流を防ぐためである。

4.　×　鼻腔や顔面にチューブを固定することで生じる皮膚障害は、固定方法の工夫や変更で対応する。

MORE!

● 経皮内視鏡的胃瘻造設術(PEG:percutaneous endoscopic gastrostomy)は、胃と体表をつなぐ瘻孔(胃瘻)を手術によって造設するものである。

● PEGの適応基準には、①必要な栄養を自発的に摂取できない、②正常な消化管機能を有している、③4週間以上の生命予後が見込まれるなどがある。摂食嚥下障害、繰り返す誤嚥性肺炎、長期経腸栄養を必要とする炎症性腸炎(クローン病など)、減圧治療などで適応される。

● 胃瘻カテーテルは、内部バンパー(胃内固定板)と外部ストッパー(体外固定板)の組み合わせによって4種類に分けられる。

図24 胃管挿入のポイント

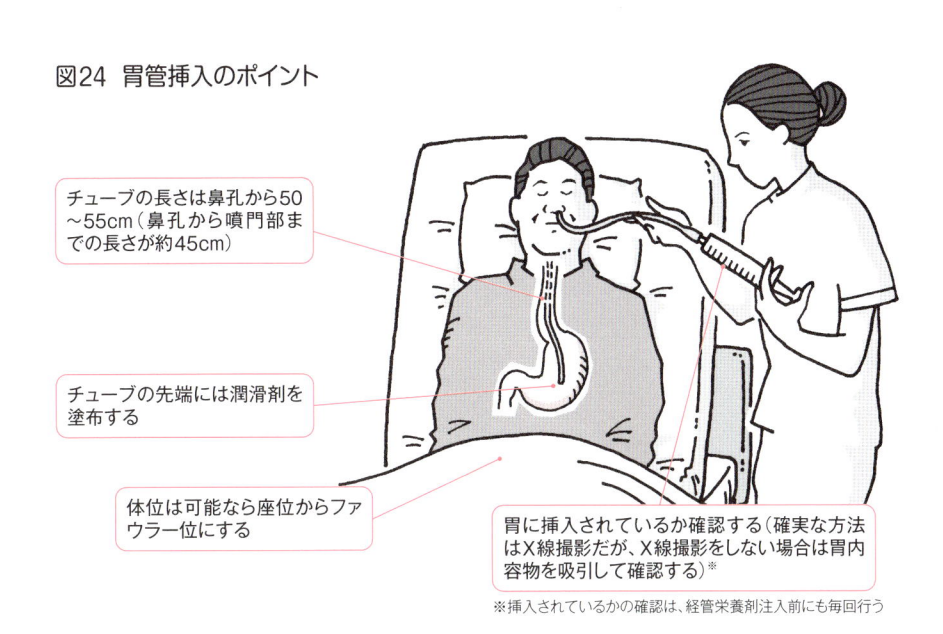

チューブの長さは鼻孔から50〜55cm（鼻孔から噴門部までの長さが約45cm）

チューブの先端には潤滑剤を塗布する

体位は可能なら座位からファウラー位にする

胃に挿入されているか確認する（確実な方法はX線撮影だが、X線撮影をしない場合は胃内容物を吸引して確認する）※

※挿入されているかの確認は、経管栄養剤注入前にも毎回行う

問題 ▶ 274

頻出

出題基準
IV-16-A／経静脈栄養法
過去問 基 P.326
CHECK ▶ □□□
解答 4

中心静脈栄養法により高カロリー輸液を投与している際に脂質が不足して生じるのはどれか。

1. 低血糖
2. 胆石症
3. 認知障害
4. 皮膚症状

解説 中心静脈栄養法により、水分・電解質・エネルギー源（糖質、脂質など）・各種アミノ酸・各種ビタミン・必須脂肪酸・亜鉛をはじめとする微量元素類を補充することができる。高カロリー輸液製剤には脂質は含まれていないため、脂質の補充がないと必須脂肪酸欠乏症となり、皮膚症状や脱毛などが生じる（4. ○）。補充には脂肪乳剤（イントラリポス）を用いる。このとき、人工脂肪粒子の大きさに合わせた脂肪乳剤に適応したフィルターが使われているか確認する。

なお、ビタミンB_1が十分でない場合にはビタミンB_1の欠乏による乳酸が原因の代謝性アシドーシスを生じることがある。高カロリー輸液療法施行中は、必要量（1日3mg以上をめやすとする）のビタミンB_1を補充する必要がある。また、必要量のビタミンB_1を補充していても、高齢者や、感染症、腎不全などがある患者では、代謝性アシドーシスを発症することがあるので注意する。

MORE!

図25 中心静脈栄養管理のポイント

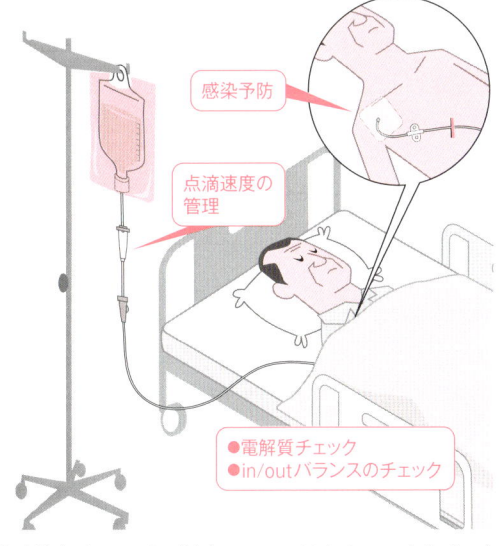

感染予防

点滴速度の管理

● 電解質チェック
● in/outバランスのチェック

問題 ▶ 275

頻出

出題基準
Ⅳ-16-B／
与薬方法

過去問 基 P.365

CHECK ▶ ☐☐☐

解答 3

図は薬物の吸収速度と血中濃度を示している。
矢印のついたグラフの与薬方法はどれか。

1. 内　服
2. 皮下注射
3. 筋肉内注射
4. 静脈内注射

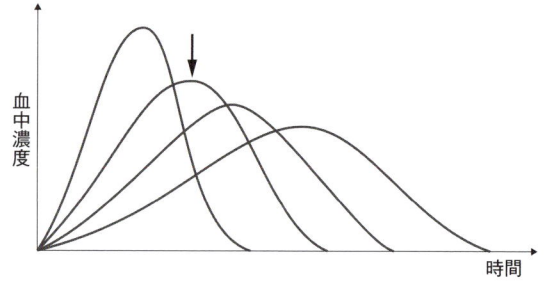

解説 それぞれの与薬方法の吸収速度と血中濃度は右グラフのとおりである。

筋肉内注射は選択肢のなかでは2番目に血中濃度のピークを迎える（3.○）。

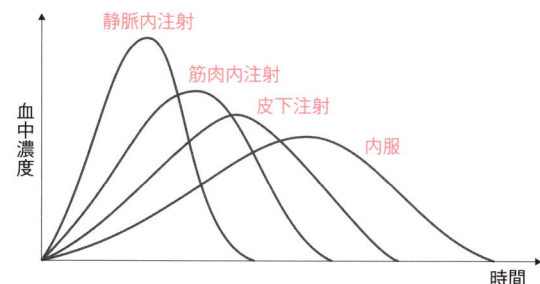

問題 ▶ 276

出題基準
Ⅳ-16-B／
薬効・副作用（有害事象）の観察

過去問 疾 P.121

CHECK ▶ ☐☐☐

解答 2

適切な血中濃度を保つのが難しい薬剤はどれか。

1. 制吐薬
2. 気管支拡張薬
3. 抗ウイルス薬
4. 抗アレルギー薬

解説 有効量と中毒量の範囲が狭く、適切な血中濃度を保つのが難しい薬物について問うている。管理のために、薬物血中濃度測定（TDM）を行う。抗てんかん薬（代表：フェニトインなど）、強心薬のジゴキシン、抗不整脈薬のリドカイン塩酸塩、抗躁薬の炭酸リチウム、抗血栓薬のワルファリンカリウム、気管支拡張薬のテオフィリン（2.○）などが該当する。

問題 ▶ 277

視覚

出題基準
Ⅳ-16-C／
刺入部位の観察

過去問 基 P.371

CHECK ▶ ☐☐☐

解答 2

上肢における点滴静脈内注射中の患者の写真を示す（視覚素材No.2）。
□で囲んだ部分の観察について適切なのはどれか。

1. 留置針が挿入されている部分は3〜4日に1回観察する。
2. 透明ドレッシング材の上から刺入部位に触れて観察する。
3. 刺入部位に疼痛があるのは正常である。
4. 逆血が生じるかどうか確認するのは禁忌である。

解説 刺入部の皮膚は、発赤や腫脹・硬結の有無のほか（触れないとわからないため2は○）、静脈に沿った索状の異常はないか、疼痛はないかを毎日観察する（1.3.×）。異常がある場合、滴下状態は悪くないか、意図的に陰圧をかけて血液の逆流（逆血）を見ることができるかを確認する。とくに、輸液ポンプ類を使用している場合には、血管外に薬液が漏れていても機械的に薬液が体内へ押し込まれている状態となることに注意する。

4についてはルート内に逆血が生じるかどうか確認するのは禁忌ではなく、ルート内に陽圧ではなく陰圧をつくり出す必要がある（4. ×）。ルートを折り曲げたり、つぶしたりといったルートへの圧がコントロールしにくい方法よりも、ルートの構造的に可能であれば、シリンジを使って適切な圧で吸引するか、薬液のボトルを刺入部位よりも下げてサイフォニング現象を起こして逆血させるほうがよい。

問題▶278

頻出

出題基準

Ⅳ-16-C／
点滴静脈内注射

過去問 基 P.370

CHECK ▶ □ □ □

解答 3

成人患者に点滴静脈内注射3,000mL/日を行うために1分間の滴下数を求めるとXとなった。計算の過程で、（　）に入る数値の組み合わせで正しいのはどれか。

$$3,000 \div 24 \div 60 = 2.083 \fallingdotseq 2.1$$
$$2.1 \times (\quad) = X$$

1. 10
2. 15
3. 20
4. 24

解説 成人用の輸液セットの滴下数を問うているので20滴/mLから3の20を入れて計算する（3. ○）。

3,000（1日の輸液量）÷24（時間）÷60（分）＝2.083≒2.1（1分間あたりの滴下量）
2.1（1分間あたりの滴下量）×（20）＝42滴（1分間あたりの滴下数）となる。

目標Ⅳ

問題▶279

出題基準

Ⅳ-16-C／
輸血

過去問 基 P.372
過去問 114回 P.14

CHECK ▶ □ □ □

解答 3

輸血について正しいのはどれか。
1. 注射針はなるべく細いものとする。
2. 原則として全血輸血が推奨されている。
3. 血液製剤は血液型によりラベルの色が異なる。
4. 輸血を実施する前の患者の同意書は不要である。

解説 1. ×　注射針は溶血を防ぐためになるべく太いものとする。サーフロー針では16〜22G、血管確保は18Gがよい。

2. ×　全血輸血は大量輸血時等に使用されることもあるが、成分製剤の使用が主流となり、現在ではほとんど行われていない。全血輸血には希釈性の凝固障害や輸血後移植片対宿主病〈PT-GVHD〉などの副作用のリスクがある。

3. ○　血液製剤は血液型の取り違いを防止するために血液型によりラベルの色が異なる。

4. ×　輸血を実施する前の患者の同意書は必要である。輸血が必要な理由、使用する血液製剤の種類と量や効果、輸血の副作用やその対策、輸血を希望しない場合の代替療法の有無、輸血を拒否する権利の説明などが必要である。

問題▶280

出題基準

Ⅳ-16-D／
刺入部位

過去問 基 P.381

CHECK▶ □□□

解答 4

成人の採血で最も用いられる静脈はどれか。

1. 上腕静脈
2. 外頸静脈
3. 大伏在静脈
4. 肘正中皮静脈

解説 採血は肘関節付近の静脈から行われることが多く、最も用いられるのは肘正中皮静脈である（4. ○）。図26のとおり、橈側皮静脈や尺側皮静脈も使われる。肘正中皮静脈や尺側皮静脈の場合は正中神経、橈側皮静脈の場合は橈骨神経の損傷のリスクがある。そのため、刺入時にはしびれや電撃痛の有無を確認する。

MORE!

図26 採血のポイント

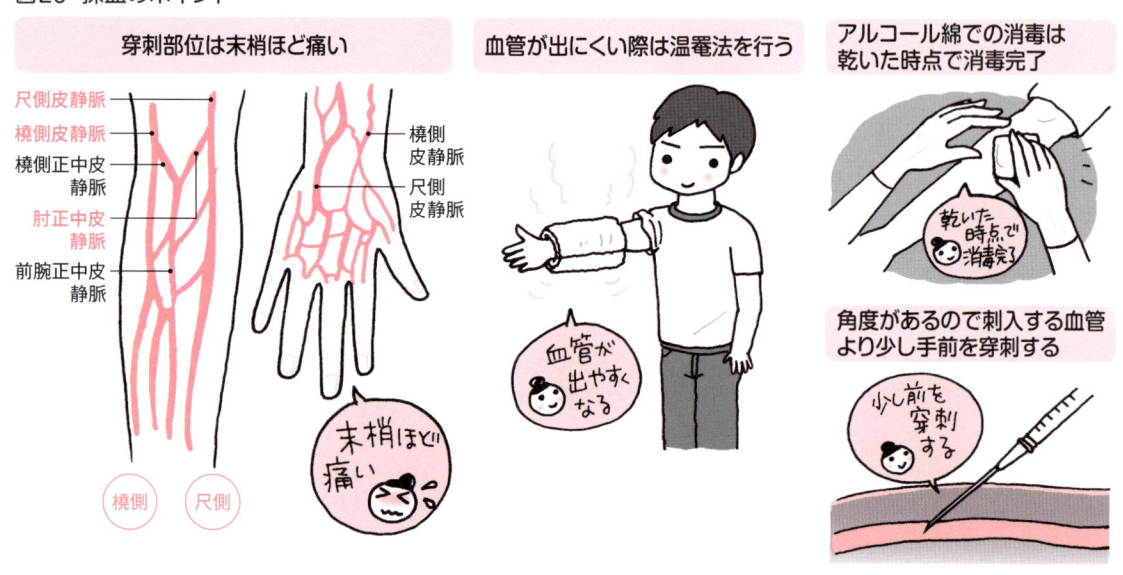

問題▶281

頻出 **視覚**

出題基準
Ⅳ-16-D／
採血方法

過去問 基 P.380

CHECK▶ □□□

解答 1

視覚素材No.3に示す器具を皮膚に刺入するときの角度で適切なのはどれか。

1. 15〜20度
2. 35〜40度
3. 55〜60度
4. 75〜80度

解説 写真は、採血や静脈内注射（長い時間でなければ静脈内点滴にも使用できる）に使用する翼状針である。静脈内に刺入するため、角度は1の15〜20度と最も平行に近い角度で行う（1. ○）。針が短く、翼があるため、血管に刺入しやすい。使用するときは針のプロテクターを真っすぐ抜き、2つの翼状の部分を重ねてつまんで穿刺する。針先が静脈内に入ると細いチューブ方向に血液が逆流していることがわかるのが翼状針の特徴の1つである。針先を静脈内に留置している間は翼状の部分は開いた状態で動かないように皮膚に固定する。

注意点は、使用後に針に再びプロテクターをはめるのは危険であるためしない・廃棄時に長いチューブがあるため反動で針先が動きやすいことであるが、写真のように使用後すぐ針を収納できる安全装置（針刺し防止カバー）付きであれば比較的安全に使用できる。

MORE!

図27 翼状針の刺入

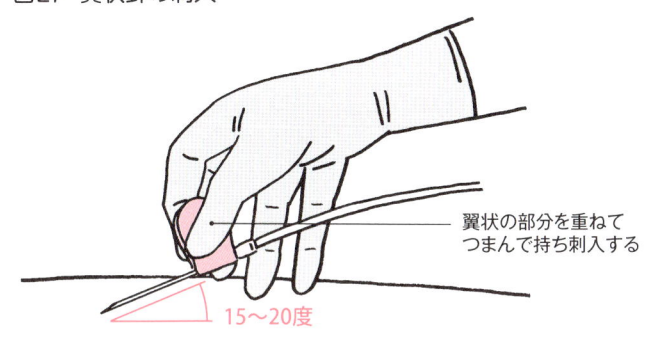

翼状の部分を重ねて
つまんで持ち刺入する

15〜20度

問題▶282

**新規
項目**

出題基準
Ⅳ-16-D／
採血後の観察内容、採血に関連する有害事象

CHECK▶ □□□

解答 4

過去に採血によって失神したことのある人の採血時の対応で正しいのはどれか。

1. 目を閉じてもらう。
2. 翼状針を使う。
3. 穿刺部位を心臓の高さにする。
4. 臥床して行う。

解説 採血や注射などで意識消失（失神）、冷汗、血圧低下などが起こるのは、血管迷走神経反射である。この既往のある人は、昏倒の危険をなくすため臥床して採血を受けるとよい（4. ○）。4以外の対応は血管迷走神経反射への対応にはならない。

問題 ▶ 283

出題基準
Ⅳ-16-E／
酸素療法の原則
過去問 基 P.351

CHECK ▶ ☐ ☐ ☐

解答 1

酸素吸入中に使用しては*ならない*のはどれか。

1. 灯油ストーブ
2. IH調理器
3. エアコン
4. 磁気ネックレス

解説 酸素は支燃性のガスであり、燃えるものをさらに燃えやすく、燃えにくいものを燃えやすくする性質をもっている。在宅用の酸素を使用する場合の火気についての原則は、次のとおりである。

①酸素吸入中はたばこを吸わない。喫煙中の人に近寄らない。

②酸素吸入中は火を扱わない(灯油ストーブ、ガス調理器、ライター、ろうそく、マッチ、線香など。1. ×)。

③火気に近づく必要があるときは、必ず酸素吸入を止める。

④酸素濃縮装置や液化酸素装置・酸素ボンベは火気から2m以上離し、液化酸素装置から携帯容器への充填の際は火気を5m以上離す。

問題 ▶ 284

出題基準
Ⅳ-16-E／
酸素ボンベ
過去問 基 P.352

CHECK ▶ ☐ ☐ ☐

解答 4

看護師が医療用酸素ボンベを交換するときに最後に行うのはどれか。

1. 使用済み酸素ボンベのバルブを閉じる。
2. 酸素流量計・圧力計のボルトをスパナで緩める。
3. 圧力計の目盛りが0になっていることを確認する。
4. 酸素流量計を開け、酸素の噴き出し口に手を当て酸素の流れを確認する。

解説 酸素ボンベ交換の際に最初にすることは使用済み酸素ボンベのバルブを閉じる(1. ×)ことである。使用済み酸素ボンベのバルブを閉じたら圧力計の目盛りが0になっていることを確認する。これは酸素流量計とボンベの接続部分に酸素が残留していると噴出するので、0になっていれば残留はないためである(3. ×)。次に酸素流量計・圧力計のボルトをスパナで緩める(2. ×)。続いて、酸素流量計・圧

MORE！

図28　酸素ボンベのしくみ

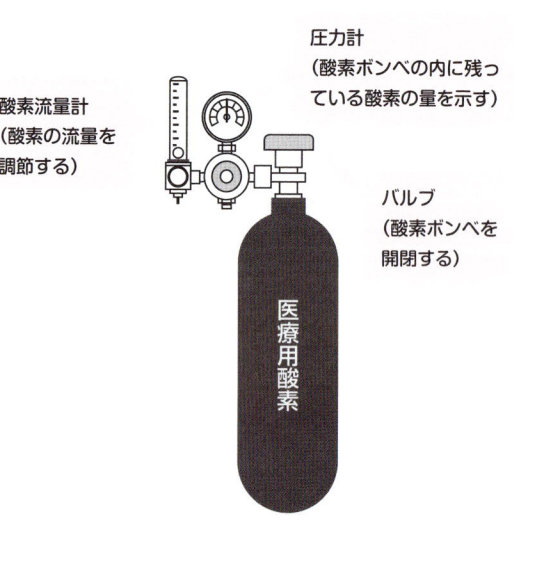

力計を外す。酸素流量計のゴムパッキンの劣化状態、口金付近の塵埃の有無を確認して、新しい酸素ボンベに酸素流量計・圧力計を接続するためにボルトを締める。新しい酸素ボンベのバルブを開き、圧力計で残量を確認する。酸素流量計を開けて酸素の噴き出し口に手を当て酸素の流れを確認する(4. ○)。

問題 ▶ 285

出題基準

Ⅳ-16-E／
酸素流量計

過去問 基 P.353

CHECK ▶ □□□

解答 2

残量が500Lの酸素ボンベを毎分3Lの酸素吸入で使用する場合、予想できる使用可能時間はどれか。

1. 1時間47分
2. 2時間47分
3. 3時間47分
4. 4時間47分

解説 酸素残量÷1分間の酸素流量（L／分）の式にあてはめると

$500 ÷ 3 = 約167（分）$

となるので、時間で表すと3の2時間47分となる（2. ○）。使用可能時間が予測できても、酸素残量は余裕をもたせて準備する。

MORE!

- 酸素ボンベの色：高圧ガス保安法により黒に統一。
- 酸素ボンベは、40℃以上になると、ボンベの内圧が高まり、危険である。直射日光を避け、できるだけ涼しいところに保管する。
- 保管している酸素ボンベの2m以内に、火気や引火性・発火性のあるものを置かない。
- 酸素ボンベ使用中は、加湿器を使用し、加湿器の水が一定以下にならないようにする。
- 酸素ボンベ内の酸素量・使用可能時間を求める数式

> 酸素残量(L)＝ボンベの容量(L)×圧力計の指針(MPa)÷充填圧(MPa)
> 使用可能時間(分)＝酸素残量(L)÷1分間の酸素流量(L/分)

目標Ⅳ

問題 ▶ 286

鼻腔カニューラの使用で適切でないのはどれか。

1. 会話をする。
2. 鼻孔に潤滑ゼリーを塗る。
3. 片側の鼻孔でカニューラを使用する。
4. 火気のない浴室でシャワーを浴びる。

解説 1. ○ 会話や食事をすることは可能である（表18）。

2. ○／3. × 鼻腔カニューラは両側鼻孔で使用するものであるため、片側の鼻孔でカニューラを使用するのは不適切である。鼻粘膜浮腫、ポリープなどにより完全に鼻閉している場合には使用できない。鼻粘膜乾燥や圧迫による皮膚損傷の発生を予防するには必要に応じて次のように対応する。

- 鼻腔・鼻孔に潤滑ゼリーを塗布する。
- 圧のかかる部位にガーゼを当てる。
- 指先で顔面をマッサージする。

4. ○ 火気のない浴室でシャワーを浴びることは可能である。

表18 酸素吸入の特徴

投与方法	酸素マスク	特徴
カテーテル法	鼻腔カニューラ	● 安価で装着しやすい ● 身体の移動、会話、食事の障害とならない ● 4L/分以上では、粘膜の乾燥が起こる ● 酸素濃度は約40％が限界である
マスク法	フェイスマスク	● 酸素濃度は約40～60％ ● 鼻口腔の乾燥を起こさない ● 密閉による皮膚の刺激あり ● 食事、会話の障害となる
マスク法	ベンチュリーマスク	● 酸素濃度は50％が限界 ● 密閉による皮膚の刺激あり ● 食事、会話の障害となる
マスク法	リザーバー付きマスク	● リザーバー内で酸素をためてから吸入することで高濃度の酸素吸入が可能 ● 正確な酸素濃度の規定ができない

問題▶287

出題基準

Ⅳ-16-E／
酸素マスク

過去問 基 P.350

CHECK ▶ ☐☐☐

解答 4

ベンチュリーマスクについて正しいのはどれか。

1. 低流量システムである。
2. リザーバーが必須である。
3. 装着したまま飲食できる。
4. ダイリューターを寝具などで覆わない。

解説 ベンチュリーマスクは、ダイリューター部で小さな穴に通すことで高圧の酸素によるジェット流をつくり、周囲を陰圧にして空気を引き込み、酸素と空気を混合して酸素を供給する方法である。

1. × ベンチュリーマスクとリザーバー付きマスクは高流量システムである。

2. × リザーバー付きマスクにリザーバーは必須であるが、ベンチュリーマスクにリザーバーはない。

3. × ベンチュリーマスクを装着したまま、飲食はできない。

4. ○ 過去の必修問題の視覚素材（**図28**）で出題されているが、ベンチュリーマスクでは酸素濃度と流量に合わせたダイリューター（コネクタ、コマ、アダプターなどともいう）が必要で、ここで外気を利用してベンチュリー効果がつくり出されているので寝具や布で覆わないようにする。

図29 第105回午前問題24で出題されたベンチュリーマスクの写真

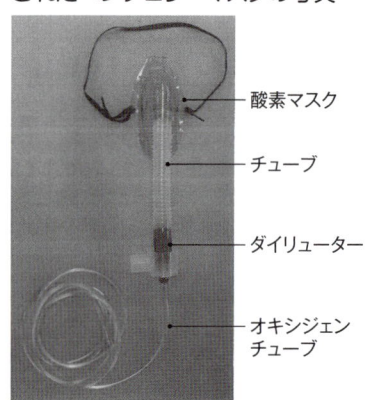

酸素マスク

チューブ

ダイリューター

オキシジェンチューブ

問題▶288

出題基準
Ⅳ-16-E／
ネブライザー

CHECK▶ □□□

解答 3

ネブライザーによる吸入を受ける患者への指導で適切なのはどれか。

1. 呼吸は速くする。
2. 終了後にうがいはしない。
3. 気分不快があれば中止する。
4. 口腔内にたまった唾液は飲み込む。

解説 1. ✕ 呼吸は深くゆっくりする。

2. ✕ 終了後にうがいをしてもネブライザーによる粒子は吸入できている。特に、ステロイドを含む薬剤ではうがいが必要である。

3. ○ 薬液を吸入していることもあるので気分不快があれば中止する。特に、喘息発作時に吸入している場合には体調の変化に注意する。

4. ✕ 口腔内にたまった唾液は膿盆やティッシュペーパーに吐き出す。

MORE!

図30 ネブライザーの特徴

ネブライザーの種類	特徴（原理）
ジェットネブライザー（コンプレッサー型、中央配管式）	●ベルヌイの原理（毛細管現象）を応用し、エアコンプレッサーとガラス製、プラスチック製の嘴管をつなぎ、ジェット気流を起こしエアロゾルを発生させる（粒子：1〜15μm） ●気管支拡張薬や去痰薬の吸入に適している
超音波ネブライザー	●細かい均一な粒子を多量に発生できる（1〜5μm） ●加湿目的に適している

※その他、人工呼吸器回路に組み込まれたネブライザーなどがある。

粒子の大きさと気道への沈着部位

粒子の大きさにより気道への沈着部位は異なる。5μm以下でないと気管支以下まで届かない。

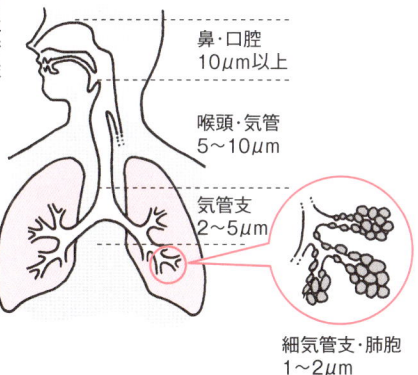

鼻・口腔 10μm以上

喉頭・気管 5〜10μm

気管支 2〜5μm

細気管支・肺胞 1〜2μm

援助のポイント

●吸気時に深く吸う。
●分泌物や唾液は膿盆へ。

●終了後は含嗽する（不快であり、味覚にも悪影響がある）。

問題▶289

頻出

出題基準
Ⅳ-16-E／
口腔内・鼻腔内吸引

CHECK▶ □□□

解答 3

成人患者の口腔内の一時的吸引における吸引圧で最も適切なのはどれか。

1. − 50mmHg
2. −100mmHg
3. −200mmHg
4. −500mmHg

解説 成人に対する気管内吸引では−150〜−200mmHg以下、口腔内吸引では−150〜−400mmHg、鼻腔内吸引では−150〜−200mmHg以下で行う。よって、口腔内吸引では選択肢のなかでは3が最も適切である（3. ○）。

目標Ⅳ

問題 ▶ 290

頻出

出題基準

Ⅳ-16-E／
気管内吸引

過去問 基 P.353, 354

CHECK ▶ □□□

解答 3

気管内吸引で正しいのはどれか。

1. 吸引圧は最大300mmHgとする。
2. 吸引後に体位ドレナージを行う。
3. 無菌操作で実施する。
4. 長時間の吸引により高炭素ガス血症になる。

解説 1. × 吸引圧は最大200mmHgとし、気道を損傷しないよう吸引時間は1回あたり10秒以内にする。
2. × 体位ドレナージ後に吸引するのが正しい。
3. ○ 声門より先の気管内の吸引は無菌操作とする。挿管されている場合は、カフより下は無菌操作が必要である。
4. × 長時間の吸引により低酸素血症となる。

問題 ▶ 291

出題基準

Ⅳ-16-E／
体位ドレナージ

過去問 基 P.355

CHECK ▶ □□□

解答 3

下葉の基底部を体位ドレナージするときに最も適した体位はどれか。

1.

2.

3.

4.

解説 図31のとおり、1は上葉の前胸部、2は下葉の側部、3は下葉の基底部（3. ○）、4は上葉の肺尖部である。

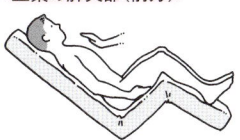

図31 体位ドレナージ

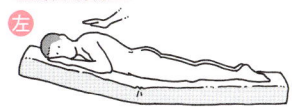

上葉の肺尖部（前方）　　　　上葉の肺尖部（後方）　　　　上葉の前胸部

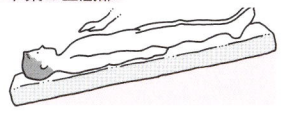

上葉の背部
左　　　　　　　　　　　　　　右

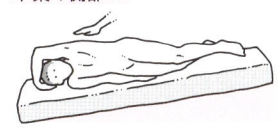

下葉の基底部

下葉の側部

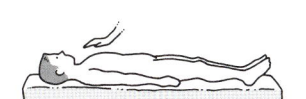

●体位ドレナージは重力を利用した排痰法で、分泌物が貯留した肺区域を上にした体位をとる。

問題▶292

頻出

出題基準
Ⅳ-16-F／気道の確保

CHECK▶ ☐ ☐ ☐

解答 **4**

舌根沈下が起こる可能性が高いのはどれか。

1. 過換気
2. チョークサイン
3. 食道穿孔
4. 意識消失

解説 ショックや意識レベルの低下で舌根沈下が起こる。舌根沈下による気道閉塞には、**図32**のような気道確保、気管内挿管、酸素吸入などで対応する（4. ○）。舌根沈下が生じるおそれのあるときには、側臥位や回復体位（シムス位）にする。

1. × 過換気によって舌根沈下は生じない。
2. × チョークサインは窒息した人が頸部を親指と人差し指でつかむしぐさである。
3. × 食道穿孔と舌根沈下に直接の関連はない。

図32 気道確保の方法

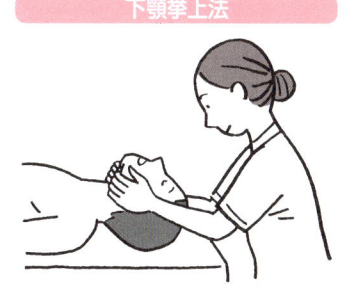

頭部後屈頸先挙上法　　　　下顎挙上法

●気道確保の方法としては頭部後屈頸先挙上法が推奨されているが、頸椎損傷が疑われる場合には下顎挙上法を用いる。

問題 ▶ 293

出題基準

IV-16-F／
人工呼吸

CHECK ▶ □ □ □

解答 1

呼気吹き込み法で成人に人工呼吸を行う場合の吹き込みにかける時間はどれか。

1. 1秒
2. 5秒
3. 10秒
4. 15秒

解説 呼気吹き込み法は傷病者の鼻をつまみ、大きく口を開けて傷病者の口を完全に覆い、胸が軽く上がる程度で1秒かけて吹き込む（1. ○）。2秒以上の2〜4は長すぎて不適切である。2回吹き込んでも胸が上がらない場合は、胸骨圧迫のみに切り換える。

MORE!

図33 バッグバルブマスク法

● バッグバルブマスクは用手的に人工呼吸を行うための器具で、一方向弁のついたバッグである。
● 患者の頭側に位置し、片方の手でバッグをつかむ。
● 血液循環の妨げとなるため、過換気にならないように注意する。

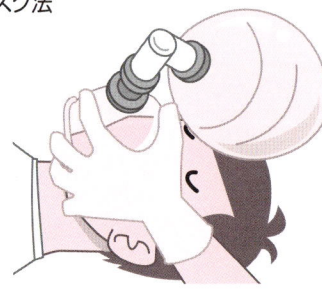

非使用時にも膨らんでいる（酸素チューブが接続できるタイプがある）

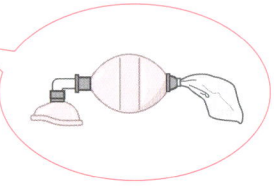

問題 ▶ 294

頻出

出題基準

IV-16-F／
胸骨圧迫

過去問 基 P.375

CHECK ▶ □ □ □

解答 3

成人に対する胸骨圧迫の回数で最も適切なのはどれか。

1. 60回／分
2. 80回／分
3. 100回／分
4. 140回／分

解説 成人では、胸骨の下半分を約5cm（ただし6cmを超えない）の深さで圧迫し、毎分100〜120回の速度で中断を最小限にして胸骨圧迫を行う（3. ○）。小児・乳児・新生児の場合には、毎分100〜120回の速度で胸骨下半分（新生児は胸骨下1/3）を胸郭前後径（胸の厚さ）の約1/3の深さで行う。

MORE!

図34 胸骨圧迫の位置

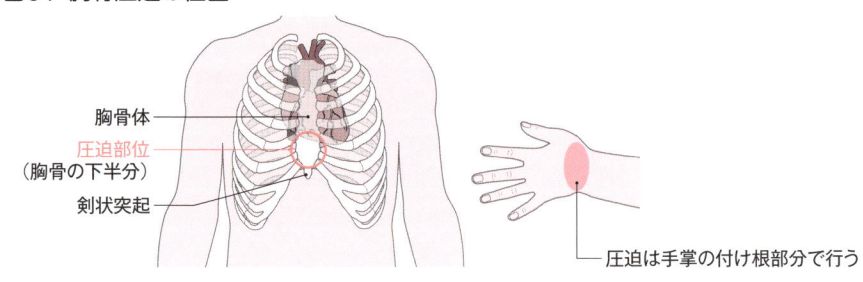

胸骨体
圧迫部位
（胸骨の下半分）
剣状突起

圧迫は手掌の付け根部分で行う

出題基準
Ⅳ-16-F／
直流除細動器

過去問 基 P.377

CHECK ▶ □□□

解答 4

写真（**視覚素材No.4**）の医療機器の操作で使用する単位はどれか。
1. V（ボルト）
2. dB（デシベル）
3. L/kg（リットル／キログラム）
4. J（ジュール）

解説 写真は直流除細動器である。写真の外用パドルで使う場合、出力方法によって設定は異なるが単位は4のJ（ジュール）である。JはW・秒で表すこともできる。二相性波形で120～200J、単相性波形で360Jである。

出題基準
Ⅳ-16-F／自動体外式
除細動器〈AED〉

過去問 基 P.375, 376

CHECK ▶ □□□

解答 2

自動体外式除細動器〈AED〉について正しいのはどれか。
1. 患者に貼るパッドは3枚である。
2. 患者の身体が濡れている場合は使用できない。
3. 心電図を解析する機能は非搭載である。
4. 使用時には電源コードをコンセントに刺す。

解説 1. ✕ 患者に貼るパッドは右前胸部と左側胸部で心臓をはさむように貼るため2枚である。
2. ○ 正しい。水分、汗、油分などはよく拭き取ってからパッドを貼る。
3. 4. ✕ AEDはバッテリーを搭載しており、持ち運びができる。使用時にコンセントにつなぐ必要はない。定期的にバッテリーのチェックを行う（AEDは心電図を解析して電気ショックが必要と判断すると回路内で充電を行い通電に備える。この充電はいわゆるバッテリーへの充電とは異なるものである）。

出題基準
Ⅳ-16-F／
止血法

過去問 基 P.377, 378

CHECK ▶ □□□

解答 3

膝窩部で出血しているときの間接圧迫止血の部位はどれか。
1. 腋窩動脈
2. 足背動脈
3. 大腿動脈
4. 橈骨動脈

解説 出血部位を、ガーゼなどを添えた手で直接圧迫する方法は直接圧迫止血法、出血部位の中枢側の動脈を圧迫して止血する方法を間接圧迫止血法という。膝窩、つまり膝の後ろなので下肢に血液を供給している動脈の中枢側を圧迫すればよい。3の大腿動脈が正しい（3. ○）。

頻出

出題基準
Ⅳ-16-F／
トリアージ

過去問 統 P.1212

CHECK ▶ □□□

解答 **4**

トリアージタッグの写真（**視覚素材No.5**）である。
下の部分は4つの色分けがされている。上から2つ目のアの色はどれか。

1. 黄　色
2. 緑　色
3. 黒　色
4. 赤　色

解説 トリアージタッグの下部分は切り取れるようになっており、トリアージ区分に合わせてその区分を残して切り取る。上から黒色（カテゴリー0、不搬送・不処置群＝死亡群）―赤色（カテゴリーⅠ、最優先治療群）―黄色（カテゴリーⅡ、待機的治療群）―緑色（カテゴリーⅢ、保留群）となる。上から2つ目のアは赤色である（4.　○）（**P.238図7参照**）。

出題基準
Ⅳ-16-G／
創傷管理

過去問 基 P.356

CHECK ▶ □□□

解答 **2**

汚染している感染のない創傷の洗浄液で適切なのはどれか。

1. エタノール希釈液
2. 36℃の生理食塩水
3. ポビドンヨード液
4. 薬用石けん液

解説 創傷の洗浄はできれば体温程度に温めた水道水、生理食塩水でよい（2.　○）。消毒薬には細胞傷害性をもつものが多いため、特別な目的がある場合以外は使用しない。

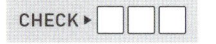

MORE!

表19　ドレッシング材の機能と種類

創面保護	ポリウレタンフィルム
創面閉鎖と湿潤環境	ハイドロコロイド
乾燥した創の湿潤	ハイドロジェル
高い滲出液吸収性	ポリウレタンフォーム、ハイドロファイバー™など
疼痛緩和	ハイドロコロイド、ポリウレタンフォームなど

日本褥瘡学会編：褥瘡ガイドブック 第2版. 照林社, 東京, 2015：36.より抜粋して引用

図35　創傷の治癒過程

	①出血・凝固期	②炎症期	③増殖期	④成熟期
創の状態	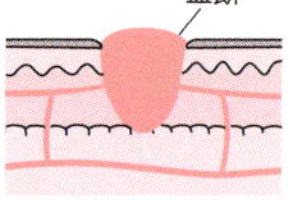 血餅	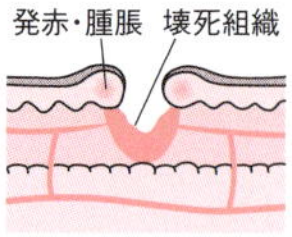 発赤・腫脹　壊死組織	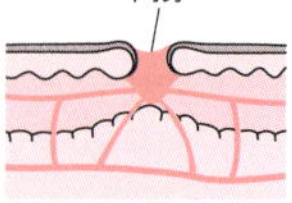 肉芽	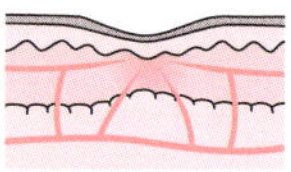
期間	受傷直後～数時間	受傷直後～約3日間	炎症期後半～数週間	増殖期後半 ～1年以上
特徴	● 血液の凝固・止血	● 炎症細胞の浸潤 ● 細菌や壊死組織の貪食 ● 創の清浄化	● 肉芽形成と上皮化 ● 肉芽全体の収縮による創収縮	● 炎症細胞の消失 ● 瘢痕形成 ● 瘢痕の成熟（硬い瘢痕組織となる）

中橋苗代著, 角濱春美, 梶谷佳子編著：看護実践のための根拠がわかる 基礎看護技術 第3版. メヂカルフレンド社, 東京, 2020：442.より改変して転載

問題▶300

頻出

出題基準
Ⅳ-16-G／
褥瘡の予防・処置

過去問 基 P.359

CHECK▶ ☐ ☐ ☐

解答 2

ベッド上での仰臥位を維持するとき、褥瘡予防の観点から上半身を挙上する最大角度はどれか。

1. 15度
2. 30度
3. 45度
4. 60度

解説 図36のとおり、ベッド上仰臥位とする場合、上半身の挙上は「ずれ」防止のため30度以下とする「30度ルール」がある（2. ○）。30度のヘッドアップを行う場合、下肢を先に挙上する。ずれを予防するクッションなどで姿勢を安定させる。背中の皮膚や衣類などにかかる圧を抜く（背抜き）やしわを除去するなども必要である。

MORE!

図36 90度ルール

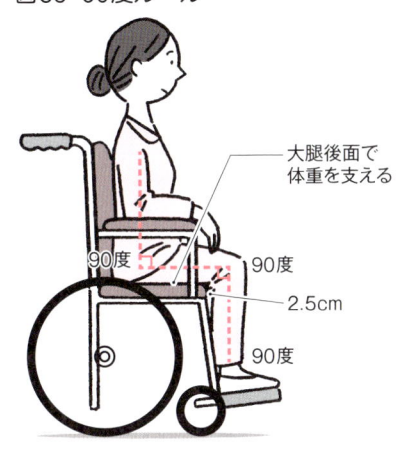

大腿後面で体重を支える

90度
90度
2.5cm
90度

図37 30度ルール

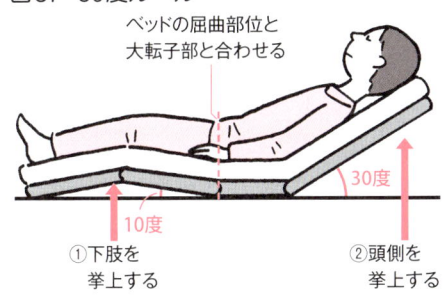

ベッドの屈曲部位と大転子部と合わせる

①下肢を挙上する 10度

②頭側を挙上する 30度

ベッドにかかる圧が一番少ない。ただし、下肢から先に挙げないとずれて仙骨を圧迫してしまうので注意する。

表20 褥瘡の予防

臥位	●体圧分散寝具の使用 ●体位変換（2時間ごと） ●踵部除圧 ●ずれ力の予防（図36参照、背抜き、足抜き）
座位	●体圧分散クッションの使用 ●体位変換（15分ごとのプッシュアップなど） ●基本座位姿勢の保持（90度ルール：図35参照）

表21 ブレーデンスケール（簡易表）

●褥瘡の発生リスクを評価するスケール

項目	1	2	3	4
知覚の認知	全く知覚なし	重度の障害あり	軽度の障害あり	障害なし
湿潤	常に湿っている	たいてい湿っている	時々湿っている	めったに湿っていない
活動性	臥床	座位可能	時々歩行可能	歩行可能
可動性	全く体動なし	非常に限られる	やや限られる	自由に体動する
栄養状態	不良	やや不良	良好	非常に良好
摩擦とずれ	問題あり	潜在的に問題あり	問題なし	

＊合計23点満点。点数が低いほど褥瘡発生のリスクが高い
©Braden and Bergstrom. 1988
訳：真田弘美（東京大学大学院医学系研究科）／大岡みち子（North West Community Hospital.IL.U.S.A.）

目標Ⅳ

資料
日本人の食事摂取基準
（1人1日当たり）

エネルギー・栄養素別		1～2	3～5	6～7	8～9	10～11	12～14	15～17	18～29	30～49	50～64	65～74	75以上
推定エネルギー必要量*1（kcal/日）	男性	950	1,300	1,550	1,850	2,250	2,600	2,850	2,600	2,750	2,650	2,350	2,250
	女性	900	1,250	1,450	1,700	2,100	2,400	2,300	1,950	2,050	1,950	1,850	1,750
タンパク質推奨量（g/日）	男性	20	25	30	40	45	60	65	65	65	65	60	60
	女性	20	25	30	40	50	55	55	50	50	50	50	50
ビタミンB₁推奨量（mg/日）	男性	0.4	0.5	0.7	0.8	0.9	1.1	1.2	1.1	1.2	1.1	1.0	1.0
	女性	0.4	0.5	0.6	0.7	0.9	1.0	1.0	0.8	0.9	0.8	0.8	0.7
ビタミンB₂推奨量（mg/日）	男性	0.6	0.8	0.9	1.1	1.4	1.6	1.7	1.6	1.7	1.6	1.4	1.4
	女性	0.5	0.8	0.9	1.0	1.3	1.4	1.4	1.2	1.2	1.2	1.1	1.1
ビタミンB₆推奨量（mg/日）	男性	0.5	0.6	0.7	0.9	1.0	1.4	1.5	1.5	1.5	1.5	1.4	1.4
	女性	0.5	0.6	0.7	0.9	1.2	1.3	1.3	1.2	1.2	1.2	1.2	1.2
ビタミンB₁₂目安量（µg/日）	男性	1.5	1.5	2.0	2.5	3.0	4.0	4.0	4.0	4.0	4.0	4.0	4.0
	女性	1.5	1.5	2.0	2.5	3.0	4.0	4.0	4.0	4.0	4.0	4.0	4.0
ビタミンC推奨量（mg/日）	男性	35	40	50	60	70	90	100	100	100	100	100	100
	女性	35	40	50	60	70	90	100	100	100	100	100	100
ビタミンA推奨量（µgRAE/日）	男性	400	500	500	500	600	800	900	850	900	900	850	800
	女性	350	500	500	500	600	700	650	650	700	700	700	650
カルシウム推奨量（mg/日）	男性	450	600	600	650	700	1,000	800	800	750	750	750	750
	女性	400	550	550	750	750	800	650	650	650	650	750	600
リン目安量（mg/日）	男性	600	700	900	1,000	1,100	1,200	1,200	1,000	1,000	1,000	1,000	1,000
	女性	500	700	800	900	1,000	1,100	1,000	800	800	800	800	800
鉄推奨量*2（mg/日）	男性	4.0	5.0	6.0	7.5	9.5	9.0	9.0	7.0	7.5	7.0	7.0	6.5
	女性	4.0	5.0	6.0	8.0	12.5	12.5	11.0	10.0	10.5	10.5	6.0	5.5
ナトリウム目標量（食塩相当量[g/日]）	男性	3.0未満	3.5未満	4.5未満	5.0未満	6.0未満	7.0未満	7.5未満	7.5未満	7.5未満	7.5未満	7.5未満	7.5未満
	女性	2.5未満	3.5未満	4.5未満	5.0未満	6.0未満	6.5未満	6.5未満	6.5未満	6.5未満	6.5未満	6.5未満	6.5未満
カリウム目安量（mg/日）	男性	—	1,100	1,300	1,600	1,900	2,400	2,800	2,500	2,500	2,500	2,500	2,500
	女性	—	1,000	1,200	1,400	1,800	2,200	2,000	2,000	2,000	2,000	2,000	2,000

資料　厚生労働省「日本人の食事摂取基準（2025年版）」

*1　身体活動レベル「ふつう」の場合
*2　女性の10～64歳の数値は「月経あり」の場合

別冊付録

必修模試
解答・解説

別冊付録「必修模試50問×5セット」の解答・解説です。
本体とは違う問題です。
間違った問題は本文の同じ項目の問題に戻って
復習すれば知識が確実に!

CONTENTS

必修模試① 解答・解説

▶関連問題4(P.3)

出題基準
I-1-B／年齢別人口

過去問 社 P.141
過去問 114回 P.6

[解答] 2

[解説] 令和5(2023)年の年少人口(0〜14歳)は11.4％(2. ○)、生産年齢人口(15〜64歳)は59.5％、老年人口(65歳以上)は29.1％であった(P.4表1参照)。

▶関連問題12(P.9)

出題基準
I-1-B／平均寿命、平均寿命、健康寿命

過去問 社 P.201
過去問 114回 P.6

[解答] 3

[解説] その時点での死亡傾向が続くと仮定した場合、各年齢の人が平均であと何年生きられるかという期待値を表す指標を、その年齢の平均余命と呼び、0歳の平均余命を平均寿命という。令和5(2023)年の0歳男児の平均余命は81.09年(3. ○)、0歳女児の平均余命は87.14年であった(図1)。

図1　平均余命の推移

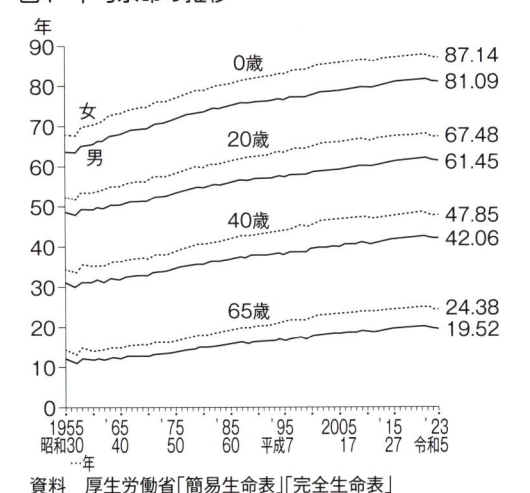

資料　厚生労働省「簡易生命表」「完全生命表」

▶関連問題14・15・17(P.11-12)

出題基準
I-1-C／
有病率、罹患率、受療率

過去問 社 P.203
過去問 114回 P.40

[解答] 4

[解説] 令和5(2023)年の日本の女性における外来受療率(人口10万対)が最も高い年齢階級は80〜84歳で12,144(4. ○)、最も低いのは15〜19歳の2,650であった。男性では80〜84歳の11,823が最も高く、20〜24歳の1,783が最も低い。

▶関連問題18〜(P.13〜)

出題基準
I-2-A／
生活行動・習慣(中項目)

過去問 社 P.218

[解答] 2

[解説] 1. ×　平均寿命の延伸ではなく、健康寿命の延伸が基本的方向に含まれる。

2. ○　健康格差の縮小は健康寿命の延伸とともに基本的な方向に含まれる。そのほか、個人の行動と健康状態の改善、社会環境の質の向上、ライフコースアプローチを踏まえた健康づくりがある。

3. ×　国民医療費の減少は、健康日本21(第三次)の基本的な方向に含まれない。

4. ×　学童期・思春期から成人期に向けた保健対策は健やか親子21(第2次)の基盤課題の1つである。

▶関連問題14・15(P.11)

出題基準
I-1-C／有病率、罹患率、受療率

[解答] 3

[解説] 1. ×　罹患率は一定期間(通常は1年間)に新たに発生した患者の割合を表す。

2. ×　有病率はある時点での疾病を有している者の割合を表す。平均有病期間がおおよそ一定であるときには、有病率＝罹患率×平均有病期間の式が成り立つ。

3. ○　有訴者率は病気やけがなどで自覚症状のある者の割合である。令和4(2022)年は人口千対で276.5だった。

4. ×　通院者率は傷病で通院している者の割合である。

▶関連問題18-20（P.13-14）

| 問題 6 | 出題基準 I-2-A／食事と栄養 |

過去問 成 P.400

［解答］2
［解説］**表1**のとおり、普通体重の範囲はBMIが18.5以上25未満である（2. ○）。世界保健機関（WHO）による肥満の国際分類（2004年）においても正常範囲とされる数値は同じであるが、やせ過ぎ・やせ・やせ気味があるなど正常範囲以外はやや異なる。

表1 日本肥満学会の判定基準

BMI	判定
18.5未満	低体重（やせ）
18.5～25未満	普通体重
25～30未満	肥満（1度）
30～35未満	肥満（2度）
35～40未満	肥満（3度）
40以上	肥満（4度）

▶関連問題31（P.20）

| 問題 7 | 出題基準 I-2-B／食品衛生 |

［解答］1
［解説］HACCPは「ハサップ」と読み、食品衛生の管理を目的としている。令和3（2021）年6月よりHACCP導入と運用が完全義務化され、すべての食品等事業者は「一般的な衛生管理」と「HACCPに沿った衛生管理」を実施しなくてはならない（1. ○）。コーデックス委員会（FAO/WHO合同の国際食品規格を策定する機関）が策定したHACCP7原則に基づき、食品等事業者は使用する原材料や製造方法等について計画を作成し、管理を行う。

2、3、4はHACCPの目的ではない。

▶関連問題33（P.21）

| 問題 8 | 出題基準 I-2-C／職業と健康障害 |

過去問 社 P.235, 402

［解答］3
［解説］白ろう病（白蝋病）は、チェーンソーやグラインダーなどを使用することによる振動が局所に伝わって起こる末梢循環障害・末梢神経障害・運動器障害のことである（3. ○）。白ろうとは「白いろうそく」のことで、レイノー現象が起こっている指の状態から名づけられた。レイノー現象では、寒冷にさらされたときなどに手指の血管のれん縮により、手指が発作的に蒼白となる。

表2 職業性疾病の種類

物理的要因によるもの	高気圧障害、職業性難聴、振動障害など
化学的要因によるもの	じん肺、有毒ガス中毒、有機溶剤中毒、重金属中毒など
作業条件によるもの	頸肩腕障害、腰痛、視力障害など

▶関連問題35（P.23）

| 問題 9 | 出題基準 I-2-C／労働環境 |

過去問 社 P.155

［解答］4
［解説］1. × 労働基準法による産前休暇は妊婦本人の請求によるものである。

2. × 労働基準法による育児時間は生後1年に達しない児を育てている女性の請求によるものである。

3. × 育児・介護休業法による育児のための休業は希望する本人が請求するものである。

4. ○ 労働基準法による妊婦の危険有害業務の制限、産後休業（ただし本人が希望し、医師が認める場合には産後6週以後は就業できる）は事業主の義務である。禁止されているのは、坑内労働、重量物取扱業務、有害ガス等を発散する場所における業務である。産後1年を経過しない産婦についてもほぼ同様に就業が制限される。

▶関連問題45（P.30）

| 問題 10 | 出題基準 I-3-B／被保険者 |

過去問 在 P.1129
過去問 114回 P.60

［解答］1
［解説］介護保険法施行令により、第2号被保険者が要介護認定を受けるための特定疾病に指定されている疾病数は16である（1. ○）。

覚えるときに注意すべきなのは「がん（回復の見込みがない状態に至ったと判断したもの）」「骨折を伴う骨粗鬆症」「初老期における認知症」「糖尿病性神経障害、糖尿病性腎症および糖尿病性網膜症」などである（P.31表27参照）。

▶関連問題61(P.40)

問題 11　出題基準　I-4-C／倫理的配慮

[解答]4

[解説]医療機関における倫理委員会は、医療機関内で行われる医学的研究や医療行為について、倫理的側面、医学的側面、社会的観点から倫理上の妥当性を審査・審議し、助言を行う（4. ○）。1のチーム医療の推進や3の医療事故に対する対応は行わない（1. 3. ×）。2の麻薬取扱者に対し、麻薬施用者免許や麻薬管理者免許を出すのは都道府県知事である（2. ×）。

▶関連問題57(P.38)

問題 12　出題基準　I-4-B／公正、正義

過去問 基 P.263

[解答]2

[解説]1. ×　**善行**は患者個人が望む最善の利益をもたらす医療を提供することが含まれる。

2. ○　**正義**は患者を差別せずに公平に資源を分配することが含まれる。

3. ×　**無危害**は患者への危害を避けることが含まれる。

4. ×　**自律尊重**は患者の自律的な意思決定を尊重することが含まれる。

▶関連問題60(P.39)

問題 13　出題基準　I-4-C／説明責任〈アカウンタビリティ〉

[解答]4

[解説]1. ×　**アドボケーター**は患者の権利を擁護し代弁する者のことである。

2. ×　**エンパワメント**は対象がもっている力を生かし、自らが決定し、問題を解決できるように支援することを指す。

3. ×　**倫理的ジレンマ**とは、同程度の満足あるいは不満足な結果が予測されるいくつかの選択肢のなかで選択をせざるを得ない、または満足できる解決策がないと考えられるような困難な問題に直面している状況をいう。

4. ○　**アカウンタビリティ**は医療従事者が行う治療やケアの内容について患者や家族に説明する責任、すなわち説明責任を指す。

▶関連問題64(P.41)

問題 14　出題基準　I-5-A／保健師・助産師・看護師の定義

過去問 社 P.240

[解答]2

[解説]1の助産師、3の看護師、4の准看護師は業務独占・名称独占の両方であるが、2の保健師は名称独占である（2. ○）。**業務独占**の資格は、有資格者以外が携わることを禁じられている業務を独占的に行うことができる。**名称独占**の資格は、有資格者以外はその名称を名乗ることを認められていない。

▶関連問題67(P.42)

問題 15　出題基準　I-5-A／養成制度

[解答]3

[解説]高校卒業後に准看護師の資格を取得した場合、看護師の資格のための全日制・定時制の学校であれば実務経験がない状態で進学できるが、通信制の学校に進学する場合には中学卒業後の場合と同様に**7年以上**の実務経験が必要となる（中学卒業後に准看護師の資格を取得した場合には全日制・定時制の学校であれば実務経験**3年以上**、通信制の学校は実務経験**7年以上**）（3. ○）。なお、保健師助産師看護師養成所指定規則の一部が改正され、令和8（2026）年4月から通信制の学校に進学する場合には実務経験**5年以上**に短縮される予定である。

▶関連問題70(P.45)

問題 16　出題基準　II-6-A／基本的欲求

過去問 基 P.258
過去問 114回 P.7

[解答]1

[解説]1. ○　生命維持に関するニードはAの最も低次の生理的欲求である。

2. ×　危険の回避といった安全の欲求は下から2番目の欲求である。

3. ×　自分の可能性の追求は最も高次の自己実現の欲求である（**P.46図1**参照）。

4. ×　社会集団への所属の欲求は下から3番目の所属と愛の欲求である。

5. ×　他人からの承認は上から2番目の承認（自尊感情）の欲求である。

問題 17

出題基準 Ⅱ-7-A／形態的発達と異常　ほか

▶関連問題76(P.48)

過去問 母 P.958

[解答] 2

[解説] 胎盤は絨毛膜・子宮基底脱落膜由来の組織で、2の妊娠15〜16週末ころに完成する（2.〇）。胎盤は、ガス交換を行う呼吸器としての機能、胎児へ栄養分を送り胎児が排出する代謝物質を受け取る機能、ホルモンを分泌する内分泌器としての機能、有害な物質から胎児を守るフィルターとしての機能などをもつ。胎盤は妊娠期間が進むにつれて大きくなり、分娩時には450〜500gくらいになる。

問題 18

出題基準 Ⅱ-7-B／身体の発育

▶関連問題78(P.50)

過去問 母 P.985

[解答] 2

[解説] 新生児では摂取できる水分がまだ少なく、不感蒸泄による水分の喪失、排泄などにより、生後2〜5日ころに一過性に体重が減少する。この生理的体重減少は出生時体重の5〜10%であるとされ、上限は2の10%となる（2.〇）。

問題 19

出題基準 Ⅲ-10-A／栄養と代謝系

▶関連問題131(P.83)

過去問 成 P.396

[解答] 2

[解説] 基礎代謝量とは、早朝の空腹な状態で、快適な室内等における安静時の代謝をいう。基準代謝基準値と参照体重から基礎代謝量を求めることができる（P.61表15参照）。体重が53kgであると基準代謝基準値（21.9）から53×21.9＝1,160.7となり、最も近いのは2の1,200 kcal/日となる（2.〇）。

　なお、体重70kgの30〜49歳男性では基準代謝基準値（22.5）から70×22.5＝1,575 kcal/日となる。基礎代謝量は生命を維持するために必要な最低限のエネルギーを知るのに重要なので、おおよその値を知っておきたい。

問題 20

出題基準 Ⅱ-7-G／身体的機能の変化

▶関連問題97(P.61)

過去問 老 P.760

[解答] 2

[解説] 1.✕　フリードらが基準を発表した。これを踏まえて、わが国には日本版CHS基準（J-CHS基準）がある。

2.〇／3.✕　自立と要介護状態の中間で、適切に介入することによって機能の向上や維持ができる状態である。したがって、加齢による「可逆的」な変化である。

4.✕　体重減少・主観的疲労感・日常生活における活動量の減少・歩行速度の減弱・筋力（握力）の低下といった、おもに身体的な脆弱化を中心に着目して判定するが、フレイルには身体的フレイル、心理的フレイル、社会的フレイルがある。

問題 21

出題基準 Ⅱ-9-A／介護保険施設

▶関連問題109・110(P.68-69)

過去問 老 P.790

[解答] 2

[解説] 介護保険の施設サービス（介護保険施設）である2の介護療養型医療施設は令和6（2024）年3月末に完全廃止となった（2.〇）。この廃止により、医療の必要な要介護高齢者の長期療養・生活施設として平成30（2018）年に創設されたのが介護医療院である。

問題 22

出題基準 Ⅲ-10-A／神経系

▶関連問題123(P.78)

[解答] 2

[解説] 中枢神経から出ている末梢神経は、体性神経と自律神経に分けられる。体性神経は運動と感覚に関与する（図2）。

1.✕　体性神経は末梢神経なので中枢神経ではない。

2.〇　骨格筋の運動に関与する。

3.✕　交感神経と副交感神経があるのは自律神経である。

4.✕　皮膚の感覚を伝える神経が含まれる。

必修模試①

図2 脳・神経系

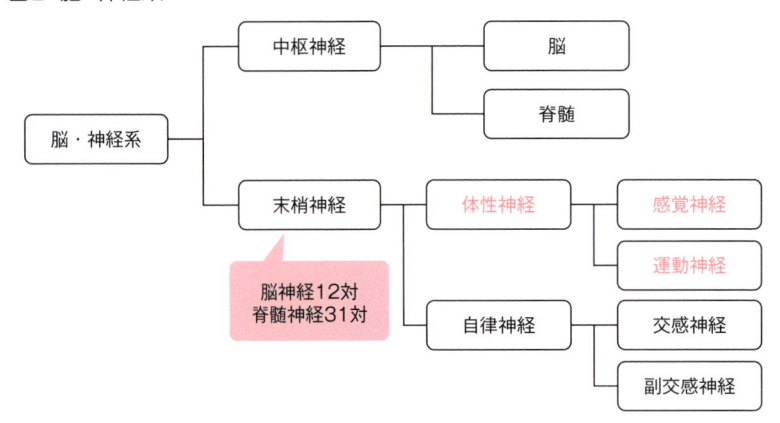

▶ 関連問題123(P.78)

問題 23

出題基準

Ⅲ-10-A／神経系

過去問 人 P.13

［解答］2

［解説］脳幹は1の橋、3の中脳、4の延髄からなる。それに間脳（視床、視床下部）を含む場合もある。したがって、2の小脳は脳幹に含まれない（2．×）。小脳は橋と延髄の背側にあり、運動系の統合的な調節を担っている（P.78図2参照）。

▶ 関連問題126(P.80)

問題 24

出題基準

Ⅲ-10-A／循環器系

過去問 人 P.42

［解答］2

［解説］頭部からの内頸静脈と上肢からの鎖骨下静脈が合流して腕頭静脈になり、左右の腕頭静脈が合流して上大静脈となる（2．○、4．×）。上大静脈はこれらのほかに肋間静脈や食道の静脈、右側にしかない奇静脈が合流する（1．3．×）。

▶ 関連問題122(P.77)

問題 25

出題基準

Ⅲ-10-A／
内部環境の恒常性　ほか

過去問 人 P.567

［解答］2

［解説］嘔吐が続いたり、長期にわたる胃液の吸引により胃液中の胃酸を喪失するため、酸性物質が減少してアルカローシスとなる。原因に呼吸は関係していないので代謝性アルカローシスである（2．○）。一方、下痢が続く、長期にわたる胆汁や膵液の喪失ではアルカリ性物質が失われて、代謝性アシドーシス

となりやすい。

▶ 関連問題131(P.83)

問題 26

出題基準

Ⅲ-10-A／栄養と代謝系　ほか

［解答］1

［解説］解糖系でグルコースからつくられたピルビン酸は酸素があるとミトコンドリア内のクエン酸（TCA）回路に入りアセチルCoAになり、電子伝達系も経てCO_2と水、ATP（アデノシン三リン酸）を産生する。酸素がない場合にはミトコンドリア内に入らず乳酸となり2分子のATP（アデノシン三リン酸）を産生するが、酸素がある場合と比べATPを産生する量は少ない（1．○、4．×）。嫌気的解糖が亢進すると乳酸が蓄積して代謝性アシドーシスとなる可能性がある。この条件下で2の尿素、3のケトン体、4のアデノシン二リン酸は生じない。

▶ 関連問題125(P.80)

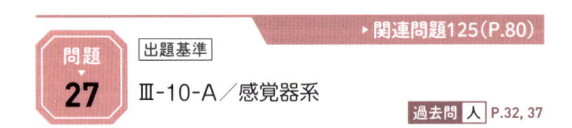

問題 27

出題基準

Ⅲ-10-A／感覚器系

過去問 人 P.32, 37

［解答］2

［解説］特殊感覚とは、頭部にある特殊な感覚器を介して受容される感覚のことで、2の味覚のほか、視覚、聴覚、平衡覚、嗅覚が該当する（2．○）。1の触覚、3の痛覚、4の温度感覚は全身の皮膚と筋肉で受容される体性感覚である（1．3．4．×）。

[解答]4

[解説]1の心室細動、2の心房細動、3の心室性頻拍は頻脈性不整脈に分類される（1〜3．×）。

　徐脈性不整脈のうち、房室結節または房室結節より心室側の伝導が途切れた状態が房室ブロックである。4の完全房室ブロックはⅢ度房室ブロックともいい、P波とQRS波が無関係に出現する（4．○）。

[解答]1

[解説]認知症には、記憶障害、見当識障害、失語・失行・失認、実行機能障害などからなる認知機能障害（中核症状）（2〜4．×）と、行動・心理症状（BPSD）がある。行動・心理症状には、精神症状（幻覚、妄想、不安など）と行動障害（徘徊、不潔行為など）がある（1．○）。P.117図24も参照。

[解答]2

[解説]アンジオテンシン変換酵素阻害薬はACE阻害薬とも呼ばれ、レニン-アンジオテンシン-アルドステロン系のシステムのうち、アンジオテンシンIがアンジオテンシンⅡになるのを阻害する。アンジオテンシンⅡは昇圧作用があるため、それにより血圧を下げる（2．○）。

[解答]4

[解説]ベンゾジアゼピン系抗不安薬には、ジアゼパムやエチゾラムなどがある（表3）。眠気、注意力や集中力等の低下、長期連用による依存が副作用である。薬物によっては抗コリン作用が出現する。

1．×　副作用に脱毛はない。
2．×　副作用に多尿はない。
3．×　副作用に骨粗鬆症はない。
4．○　筋弛緩作用をもつため、重症筋無力症の患者には禁忌である。

[解答]4

[解説]グリセリン浣腸では50%グリセリン液を使用することが多い（4．○）。また製品としては50%よりも多くのグリセリンを含むものもある。グリセリンは直腸内への注入によって腸管壁の水分を吸収して刺激し、腸管の蠕動を亢進させる。また、浸透作用により糞便を軟化、膨潤化させる作用がある。注意点としては挿入時、直腸の損傷を起こし、出血させた場合、グリセリンが血液中に入り、溶血や腎機能の低下を招くおそれがある。

[解答]1

表3　おもなベンゾジアゼピン系の抗不安薬

作用型	一般名	主な商品名	主な副作用
短時間型 （半減期が3〜6時間程度）	エチゾラム	デパス	①眠気・ふらつき・健忘・脱力感・倦怠感、②緑内障・重症筋無力症・低呼吸機能患者に禁忌、③アルコールの併用は中枢抑制、④母乳分泌があるので注意、⑤肝機能障害
	クロチアゼパム	リーゼ	
中間型 （半減期が12〜20時間程度）	ロラゼパム	ワイパックス	
	アルプラゾラム	ソラナックス	
長時間型 （半減期が20〜100時間程度）	ジアゼパム	ホリゾン セルシン	
	クロキサゾラム	セパゾン	
超長時間型 （半減期が100時間以上）	ロフラゼプ酸エチル	メイラックス	

池西静江,石束佳子,阿形奈津子 編：看護学生スタディガイド2026. 照林社. 東京. 2025:1289. より引用

[解説]平地を歩行する場合と階段を下りる場合はT字杖を出し、麻痺側の脚を出してから健側の脚を出す（1.○）。階段を昇る場合にはT字杖を出し、健側の脚を出してから麻痺側の脚を出す。介助をする人は麻痺側に立つようにする。

▶ 関連問題275(P.164)

問題 34　[出題基準] Ⅳ-16-B／与薬方法　ほか

[解答]1
[解説]アの針管には触れてはいけない（1.○）。イの針基、ウのシリンジ（外筒）、エの内筒頭には触れてよい（図3）。なお、選択肢にはないが内筒には触れないようにするのが厳密な無菌操作である。

図3　注射器の構造

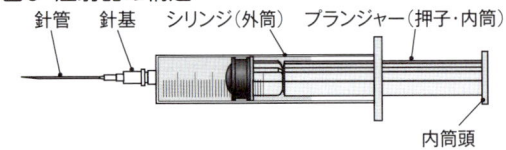

針管　針基　シリンジ（外筒）　プランジャー（押子・内筒）

内筒頭

▶ 関連問題266・267(P.158)

問題 35　[出題基準] Ⅳ-15-C／必要な防護用具（手袋、マスク、ガウン、ゴーグル）の選択・着脱　過去問 基 P.288

[解答]3
[解説]個人防護具を脱ぐときには、手袋→フェイスシールド→ガウン→サージカルマスクの順*とし、一番最後にサージカルマスクを外す（3.○）。最も汚染されていると思われる手袋は最初に外す。また、外すのは汚染区域を出るとき、あるいは汚染区域の前室とし、脱衣中に手が汚染したと感じたときはすぐに手指衛生を行う。
*手袋→ガウン→フェイスシールド→サージカルマスクの順の場合もある。

▶ 関連問題127(P.81)

問題 36　[出題基準] Ⅲ-10-A／血液、体液　過去問 人 P.54

[解答]2
[解説]1.×　球状ではなく、円盤状の細胞である。
2.○　脾臓で破壊される。このことを知らなくても消去法で正答にたどりついてほしい。
3.×　血小板の寿命は約8〜10日とされる。約120

日は赤血球の寿命である。
4.×　血小板は平均直径2〜5μmで、血球のなかでは最も小さい。赤血球は直径7〜8μm、白血球は最も小さいリンパ球が6〜10μm、大きい単球が15〜20μmである。

▶ 関連問題130(P.83)

問題 37　[出題基準] Ⅲ-10-A／消化器系　過去問 人 P.77

[解答]2
[解説]膵臓にはアミラーゼやリパーゼなどの消化酵素を含む膵液を分泌する外分泌機能と、グルカゴンやインスリンなどのホルモンを血液中に分泌する内分泌機能がある。膵液にはアミラーゼ（2.○）、トリプシン、キモトリプシン、リパーゼなどの消化酵素と電解質が含まれる。電解質は十二指腸で胃酸を中和する炭酸水素イオン（重炭酸イオン）のほか、ナトリウムイオン、カリウムイオンなどがある。
1.3.×　グルカゴンとインスリンはホルモンなので膵液には含まれない。
4.×　ビリルビンは胆汁に含まれる色素である。

図4　上肢・下肢の骨、寛骨

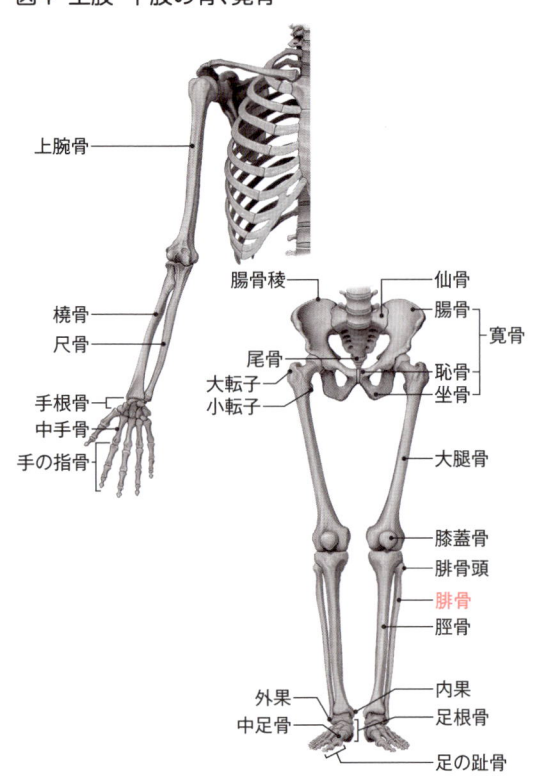

上腕骨
腸骨稜
仙骨
腸骨
寛骨
橈骨
尺骨
尾骨
大転子
小転子
恥骨
坐骨
手根骨
中手骨
手の指骨
大腿骨
膝蓋骨
腓骨頭
腓骨
脛骨
外果
中足骨
内果
足根骨
足の趾骨

▶ 関連問題124(P.79)

<table>
<tr><td>問題
▼
38</td><td>出題基準
Ⅲ-10-A／運動系</td></tr>
</table>

過去問 人 P.23

［解答］3

［解説］1．× 尺骨は前腕の小指側の骨である。下腿の骨ではない。

2．× 脛骨は下腿の内側にある（イラストのもう一方の）太い骨である。下端は内果として突き出す。

3．○ 腓骨である。下腿の外側にあり、脛骨よりも細い。下端は外果となる。

4．× 寛骨は仙骨と尾骨とともに骨盤を形成する。下腿の骨ではない。

▶ 関連問題129(P.82)

<table>
<tr><td>問題
▼
39</td><td>出題基準
Ⅲ-10-A／呼吸器系</td></tr>
</table>

［解答］2

［解説］1．× 残気量は約1Lである。

2．○ 肺活量は3の予備呼気量、4の予備吸気量、5の1回換気量を合わせたもので約3.5Lと最も多い（図5）。

3．× 予備呼気量は約1Lである。

4．× 予備吸気量は約2Lである。

5．× 1回換気量は約0.5Lである。なお、1回換気量については一度出題されているが採点除外となっている。

▶ 関連問題181～(P.112～)

<table>
<tr><td>問題
▼
40</td><td>出題基準
Ⅲ-11-B／感染症</td></tr>
</table>

［解答］4

［解説］結核の潜伏期間は長く、一般には6か月～2年とされる（4．○）。それより長いこともあり、感染後数週間から生涯にわたり発症の可能性がある。飛沫核感染（空気感染）によるものである。結核の症状は咳、喀痰、微熱が典型的とされているが、初期には無症状のことも多い。感染した結核菌と結核菌に対する生体の免疫反応によって病巣が形成される。

▶ 関連問題192-194(P.117-118)

<table>
<tr><td>問題
▼
41</td><td>出題基準
Ⅲ-11-B／高齢者の疾患</td></tr>
</table>

［解答］3

［解説］糖尿病網膜症では、高血糖により傷害を受けて網膜の毛細血管が変化していく（3．○）。単純糖尿病網膜症（非増殖性）、前増殖糖尿病網膜症、増殖糖尿病網膜症の順に進行していく。

1．× 糖尿病網膜症が進行すると眼圧の上昇をきたすことがあるが、発症に最も関係しているとはいえない。

2．× 水晶体の混濁は白内障の発症に関係する。

4．× 毛様体筋の萎縮は糖尿病網膜症の発症と関連がない。

▶ 関連問題172～(P.108～)

<table>
<tr><td>問題
▼
42</td><td>出題基準
Ⅲ-11-B／生活習慣病</td></tr>
</table>

［解答］3

［解説］1．× トリグリセライド〈中性脂肪〉は空腹時150mg/dL以上、随時採血で175mg/dL以上が異常である。

2．× LDLコレステロールは140mg/dL以上が異常である。

3．○ HDLコレステロールは40mg/dL未満で低HDLコレステロール血症とされ、異常である。

4．× non-HDLコレステロールは総コレステロールからHDLコレステロールを引いたもので、170mg/dL以上が異常である。

図5 肺気量分画

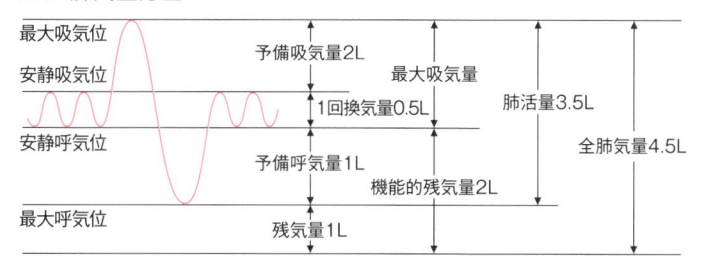

肺活量は個人差が大きいけど、女性2～3L、男性3～4Lが標準だよ

<table>
<tr><td>

▶ 関連問題127(P.81)

問題 43 [出題基準] Ⅲ-10-A／血液、体液

過去問 人 P.58

[解答]2

[解説]血液は体重の約8％*を占め、体重が60kgの人であれば約4.8kgが血液となる（2.○）。その内訳は、血球（細胞成分）が45％、血漿（液体成分）が55％である。血漿の91％は水分である。血液の比重は、男性 1.052～1.060、女性 1.049～1.056程度である。
*体重の13分の1と言われることもある（体重60kgで約4.6kg）。

</td><td>

2.○ 中耳には鼓膜のほか、耳小骨、鼓室、耳管と、内耳に連なる前庭窓・蝸牛窓がある。耳小骨は3つあり、鼓膜の振動を前庭窓に伝える。鼓室は耳管によって咽頭とつながっている。中耳より外側の外耳は耳介と外耳道からなる（P.80図4参照）。

▶ 関連問題123(P.78)

問題 47 [出題基準] Ⅲ-10-A／神経系

[解答]4

[解説]1.× 副神経は胸鎖乳突筋と僧帽筋などを支配する。腹腔内までは分布しない。

2.× 舌咽神経は咽頭の運動と感覚、舌後の感覚、唾液腺の分泌を支配する。腹腔内までは分布しない。

3.× 滑車神経は外眼筋を支配する。腹腔内までは分布しない。

4.○ 迷走神経は、咽頭と喉頭の運動と感覚のほか、胸腹部にある内臓の副交感性線維で、骨盤内の臓器以外に広く分布する。

</td></tr>
</table>

▶ 関連問題144(P.92)

問題 44 [出題基準] Ⅲ-11-A／意識障害

過去問 基 P.278

[解答]3

[解説]1.4.× 身体を揺さぶると開眼する、離握手（グーパーの動き）など簡単な命令に従えばJCS Ⅱ-20と判断される。最初に行うことではない。

2.× 意識レベルの確認のために対光反射をみることはしない。

3.○ 意識レベルの評価では、何も刺激がなくても開眼していて覚醒していればⅠ桁となる。設問では目を閉じているので呼びかけて開眼するかどうかが最初に行うことである（開眼すればⅡ-10）。

▶ 関連問題292～(P.173～)

問題 48 [出題基準] Ⅳ-16-F／救命救急処置（中項目）

過去問 114回 P.15

[解答]1

[解説]1.○ 嘔吐に備え窒息を回避するために回復体位にする（図6）。

2.× 呼吸は正常であるため、下顎を挙上して気道を確保することへの優先度は低い。また、気道の確保方法としては頭部後屈顎先挙上法が推奨されており、下顎挙上法は頸椎損傷が疑われる場合の方法であり、設問では頸椎損傷はないため、用いない。

3.× 呼びかけに反応はないが、意識レベルの確認のために行う以外に反応するまで痛み刺激を与えるのは適切ではない。

4.× 自動体外式除細動器〈AED〉を装着するのは意識がなく、正常な呼吸をしていない場合で、医療従事者や熟練した救助者の場合には脈拍が触れないことも確認する。

▶ 関連問題77(P.49)

問題 45 [出題基準] Ⅱ-7-B／発達の原則

過去問 小 P.847

[解答]1

[解説]生後すぐに出現し、月齢を重ねるにつれて次第に消える反射を原始反射という。

1.○ 原始反射には自動歩行反射のほか、モロー反射、吸啜反射、緊張性頸反射、手掌把握反射などがある。

2.3.4.× パラシュート反射、ランドー反射、視性立ち直り反射、ホッピング反応などは成長発達に従って現れ、原始反射ではない。

▶ 関連問題125(P.80)

問題 46 [出題基準] Ⅲ-10-A／感覚器系

過去問 人 P.34

[解答]2

[解説]1.3.4.× 蝸牛、前庭、半規管は内耳にある。

図6 回復体位

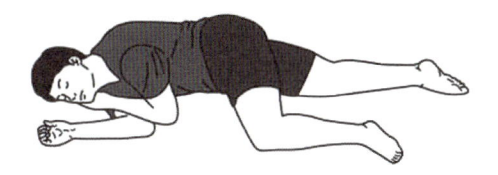

▶関連問題277-279（P.164-165）

問題▼49 出題基準 Ⅳ-16-C／輸液・輸血管理

[解答]2
[解説]三方活栓は輸液、輸血、採血、採液、その製品が耐えられる圧力がかかる造影剤の注入などを行うためのルートに接続し、液体の流れをコントロールする器具である。

三方の矢印の方向に液体が流れるので、図ではB液側と患者側が有効になっているため、患者にはB液のみが流れる（2.〇）。三方活栓にはいくつかのタイプがあり、OFFの向きがわかりやすいタイプもある（**図7**）。

▶関連問題299（P.176）

問題▼50 出題基準 Ⅳ-16-G／創傷管理

過去問 基 P.357

[解答]1
[解説]創傷の治癒過程は1の出血・凝固期→3の炎症期→4の増殖期→2の成熟期の順である（**P.176図35**参照）。

1.〇 出血・凝固期は受傷直後から数時間の間であり、最も短い。

2.× 成熟期は21日ころ以降を指す。コラーゲンが再合成され、瘢痕が形成される。

3.× 炎症期は出血・凝固期のあとの4日ころまでを指す。好中球やマクロファージなどによる異物の除去が生じる。

4.× 増殖期は受傷4～21日ころまでを指す。血管が新生され、肉芽組織が形成される。

必修模試❶

図7　三方活栓の使用方法

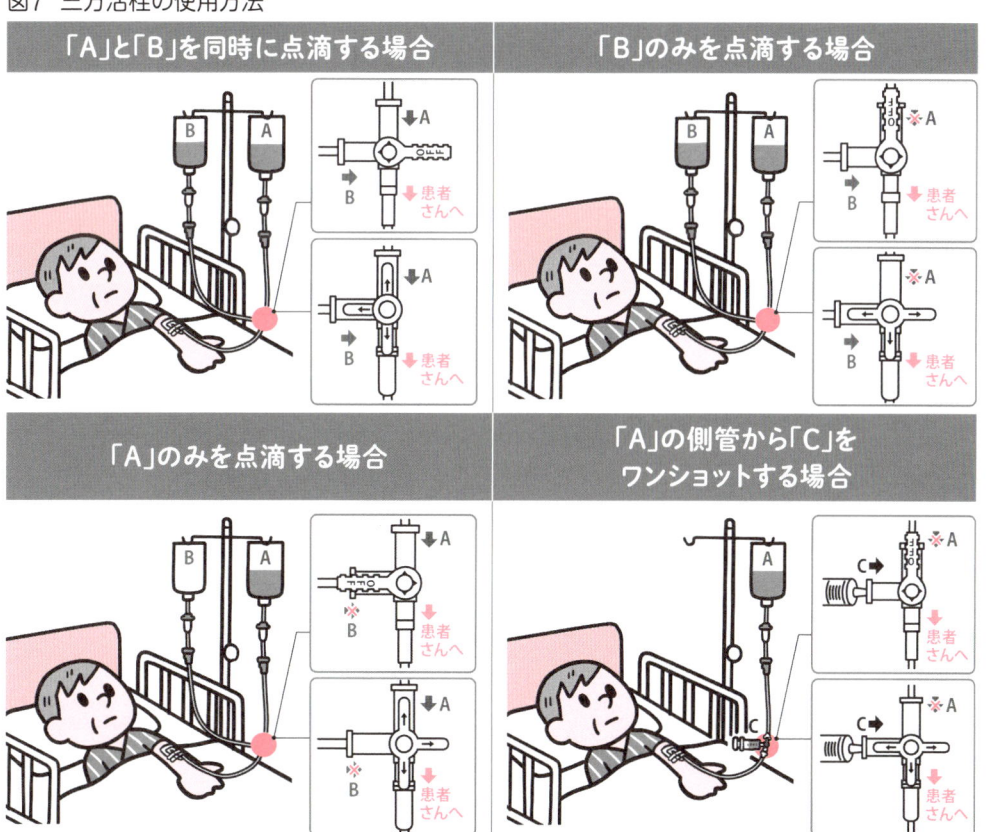

「A」と「B」を同時に点滴する場合 ／ 「B」のみを点滴する場合 ／ 「A」のみを点滴する場合 ／ 「A」の側管から「C」をワンショットする場合

中村充浩,北島泰子:わかるできる看護技術vol.2　根拠からわかる！　実習で実践できる！　臨床看護技術.照林社.東京.2022:138.より引用

必修模試② 解答・解説

▶関連問題9・10(P.7-8)

問題 1

出題基準 I-1-B／出生と死亡の動向

過去問 社 P.193

[解答] 4

[解説] 令和5（2023）年の死亡数は157万6,016人であった（4. ○）。出生数は72万7,288人であったので出生数の2倍以上の死亡数があることになる。死亡率（人口千対）は13.0であった。出生数とセットで覚えておきたい。

▶関連問題4(P.3)

問題 2

出題基準 I-1-B／年齢別人口

過去問 社 P.141

[解答] 2

[解説] 高齢化率については1回出題されている。盲点となりやすいため注意する。高齢化率とは、65歳以上の人が総人口に占める割合で、令和5（2023）年は29.1％であった（2. ○）。なお、老年化指数という統計もあり、老年人口÷年少人口×100で求める。令和5（2023）年は255.6であった。

▶関連問題7(P.6)

問題 3

出題基準 I-1-B／世帯数ほか

過去問 社 P.147

[解答] 2

[解説] 令和5（2023）年における65歳以上の者のいる世帯が全世帯に占める割合は49.5％であった（2. ○）。65歳以上の者のいる世帯の世帯構造別で多いのは夫婦のみの世帯32.0％、単独世帯31.7％と僅差であることに注意する。

▶関連問題9・10(P.7-8)

問題 4

出題基準 I-1-B／出生と死亡の動向

過去問 社 P.000

[解答] 2

[解説] 人口動態統計による令和5（2023）年における自殺による死亡数は2万1,037人で、男性1万4,388人、女性6,649人であった（2. ○）。平成10〜21年はほぼ3万人を超えていたが、徐々に減少し平成28年以降は2万人から2万2,000人の間で推移している。自殺に関係するトピックでは小中高生の自殺者数は近年増加傾向が続き、近年は毎年500人を上回っている。

▶関連問題172-176(P.108-110)

問題 5

出題基準 Ⅲ-11-B／生活習慣病ほか

過去問 社 P.219

[解答] 2

[解説] ①健康寿命の延伸と健康格差の縮小、②個人の行動と健康状態の改善、③社会環境の質の向上、④ライフコースアプローチ（胎児期から高齢期に至るまでの人の生涯を経時的に捉えた健康づくり）を踏まえた健康づくりの4つの基本的な方向をもとに、健康日本21（第三次）が令和6（2024）年度から開始された。期間は令和17（2035）年度までの12年間である。

　過去に2度、健康日本21（第二次）における1日の塩分摂取量の目標値が問われている（正答は8g）が、第三次では目標値が7gとなったことに注意する（2. ○）。「日本人の食事摂取基準」（2025年版）における食塩摂取の目標量の成人男性7.5g未満、成人女性6.5g未満と区別して覚える必要がある。

▶関連問題130(P.83)

問題 6

出題基準 Ⅲ-10-A／消化器系ほか

過去問 人 P.84

[解答] 4

[解説] 腹腔の臓器の多くは漿膜に覆われており、この漿膜を腹膜という。腹膜に包まれているのは胃、空腸、回腸、肝臓が該当し、後腹膜器官は十二指腸、膵臓、上行結腸、下行結腸、腎臓、副腎などである（4. ○）（図1）。

▶関連問題124(P.79)

問題 7

出題基準 Ⅲ-10-A／運動系

過去問 人 P.25

[解答] 2

図1　後腹膜器官

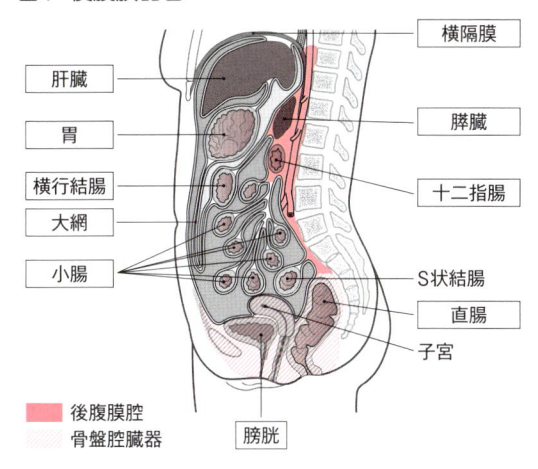

[解説]1. ×　鞍関節は二軸性である。母指の手根中手関節が該当する。

2. ○　球関節は多軸性であらゆる方向に運動できる。股関節、肩関節が該当する。

3. ×　蝶番関節は一軸性である。肘関節の腕尺関節などが該当する。

4. ×　車軸関節は一軸性である。上・下橈尺関節が該当する。

問題 **8**　出題基準
I-5-A／保健師助産師看護師法（中項目）
▶関連問題63〜（P.40〜）
過去問 社 P.240

[解答]4

[解説]看護師免許付与時の欠格事由には4の罰金以上の刑に処せられた者のほか（4.○）、保健師・助産師・看護師・准看護師の業務に関し犯罪または不正の行為があった者、心身の障害により保健師・助産師・看護師・准看護師の業務を適正に行うことができない者として厚生労働省令で定めるもの、麻薬、大麻、あへんの中毒者である。1〜3は該当しない（1〜3.×）。

　なお、前述の心身の障害の詳細については、視覚・聴覚・音声機能・言語機能・精神の機能の障害により保健師・助産師・看護師・准看護師の業務を適正に行うにあたり必要な認知、判断および意思疎通を適切に行うことができない者であると定められている。

問題 **9**　出題基準
II-9-A／退院調整
▶関連問題118(P.74)
過去問 114 回 P.55

[解答]2

[解説]患者と家族が退院後の療養生活に向けて必要な情報を得て、退院後の療養場所や方法などを自己決定し、可能な限り自立して安心した生活を送れることが目的である。

1. ×　入院中・退院後の医療費を抑制することが目的ではない。

2. ○　退院後の療養生活について自己決定するためには、必要な情報提供や支援を受けられることが必要である。

3. ×　入院中と同じ医療スタッフが継続したサービス提供を行うことが目的ではない。

4. ×　退院後の療養生活の満足度が高いと入院生活を肯定的に受け止めることに影響を及ぼす可能性はあるが、それが目的ではない。

問題 **10**　出題基準
III-10-A／循環器系
▶関連問題126(P.80)
過去問 成 P.479

[解答]1

[解説]1. ○　心電図上のP波は心房の収縮を表す（P.192図2）。

2. 3. ×　QRS波が心室の収縮を表す。Q波は下向きの波、R波は上向きの波、Sは下向きの波であり、QRS波として心室全体に興奮が広がっていくことを示している。

4. ×　T波は心室の興奮からの回復を表す。心室筋の再分極といいかえることもできる。分極とは細胞内にマイナスの電気が生じている状態である。一方、脱分極（＝分極状態を脱する）では細胞内にプラスの電気が生じ興奮が伝わる。

問題 **11**　出題基準
III-10-A／運動系ほか
▶関連問題124(P.79)
過去問 成 P.634

[解答]3

[解説]手根管とは手首の掌側、横手根靭帯の深部にあるトンネル状の部位のことで、手指を曲げる屈筋腱と正中神経が通っている（3.○）。正中神経が圧迫されることにより痛みやしびれ、運動障害が生じる（P.192図3）。手根管症候群の原因は不明であるが、妊娠・出産期や更年期の女性、手首を酷使する職業の人がなりやすい。

図2 心電図の基本波形

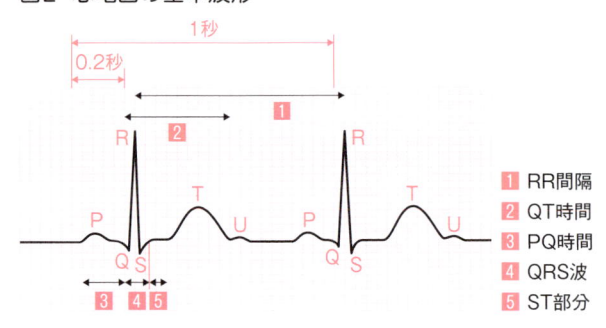

1 RR間隔
2 QT時間
3 PQ時間
4 QRS波
5 ST部分

波形	意味
P波	心房筋の興奮（脱分極）過程を表す波形
QRS波	心室の興奮（脱分極）によって生じる波形
T波	心室筋の興奮（脱分極）から回復（再分極）過程を表す波形
U波	T波に続いてみられることがあるが成因は不明
PQ時間	P波の始まりからQRS波の始まりまでの部分（心房筋の興奮開始から心室筋の興奮開始までの時間）
QT時間	QRS波の始まりからT波の終わりまでの部分（心室筋の興奮開始から回復完了までの時間）
ST部分	QRS波の終わりからT波の始まりまでの部分（心室の興奮完了から回復開始までの部分）
RR間隔	QRS波とQRS波との間隔

図3 正中神経の圧迫による知覚障害

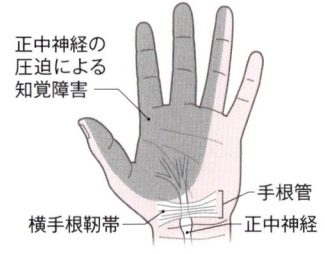
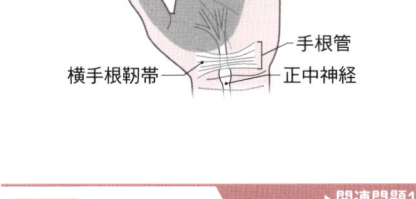

問題 12

出題基準
Ⅲ-10-A／消化器系

▶関連問題130(P.83)

過去問 人 P.79

［解答］2
［解説］1．× 直腸は下行結腸ではなく、S状結腸と連続している。
2．○ 肛門には骨格筋が存在する。内肛門括約筋は平滑筋であるが、外肛門括約筋は骨格筋である。
3．× 直腸は内容物がない空っぽな時間が長い。糞便が直腸に送られて直腸壁が伸展すると便意が生じる。
4．× 直腸には直腸膨大部という内腔の広い部分がある。

問題 13

出題基準
Ⅲ-10-A／内部環境の恒常性ほか

▶関連問題122(P.77)

過去問 成 P.417
過去問 114回 P.16, 58

［解答］2
［解説］1．× ロイは4つの人間の適応過程を適応様式に分けた適応システムをまとめた。
2．○ ムーアは手術直後から回復までの期間を4段階に分類した。傷害期（異化期）－転換期－同化期（筋力回復期）－脂肪蓄積期である。
3．× アギュララは問題解決型危機モデルを論じた。
4．× ハインリッヒは1件の重大事故の背後には29件の軽微な事故と300件のヒヤリハットが存在するという、ハインリッヒの法則を提唱した。

問題 14

出題基準
Ⅲ-11-B／高齢者の疾患

▶関連問題192〜(P.117〜)

過去問 成 P.652

［解答］4
［解説］パーキンソン病およびパーキンソン病症状を呈する疾患を総称してパーキンソン症候群という。中脳の黒質からのドパミンの分泌量減少により発症する。
1．× パーキンソン症候群では多動ではなく寡動・無動が生じる。

2. × パーキンソン症候群の症状に肝機能低下はない。

3. × 筋肉の弛緩ではなく、筋固縮が生じる。

4. ○ 安静時の振戦が起こる。動作時には振戦が止まる。

問題 15 [出題基準] Ⅲ-12-A／麻薬

▶ 関連問題215(P.128)

過去問 疾 P.134

[解答]2

[解説]フェンタニルクエン酸塩(一般名：フェンタニル)は合成オピオイド(合成麻薬)で、モルヒネよりも強い鎮痛作用をもつ(2. ○)。全身麻酔を使用した手術時の鎮痛やがん性疼痛などの激しい痛みを軽減する。血圧を上げる、炎症を抑制する、血糖値を下げるといった作用はない(1. 3. 4. ×)。

問題 16 [出題基準] I-3-A／国民医療費

▶ 関連問題39・40(P.26)

過去問 社 P.160

[解答]3

[解説]令和3(2021)年の国民医療費の総額は45兆359億円であった(3. ○)。前年よりも4.8％増加した。「医療費によって予後(45)チョー(兆)よくなる」と覚えよう。

　財源別国民医療費の構成割合は、患者負担は11.6％で、残りは保険料50.0％、公費38.0％となっている。社会保障給付費全体は138.7兆円で医療費は30％以上を占める。

問題 17 [出題基準] Ⅳ-13-B／評価

▶ 関連問題227(P.133)

[解答]4

[解説]アセスメントを日本語に訳すと同じ「評価」になってしまうが、看護過程では情報を収集して検討を行い、患者の健康上の問題を明らかにするのがアセスメントである。問題から計画を立案し、それを実施したら、その結果を評価する。計画を修正、終了するのは評価の段階である(4. ○)。

問題 18 [出題基準] Ⅳ-13-C／呼吸状態の観察

▶ 関連問題230(P.135)

過去問 基 P.281

[解答]3

[解説]1. × 肺水腫では水泡音が聴かれる可能性が高い。

2. × 肺梗塞では水泡音や呼吸音が聴かれる可能性が高い。肺梗塞とは肺動脈もしくはその分枝、気管支動脈の閉塞により肺組織が壊死する病態である。

3. ○ 無気肺では呼吸音が消失する可能性が高い。一般的に無気肺は肺区域あるいは肺葉以上のレベルにおいて空気が失われている状態を指す。原因は手術後の麻酔・疼痛の影響、肺癌などである。

4. × 胸水貯留では呼吸音が減弱する、またはくぐもって聴こえる可能性が高い。

問題 19 [出題基準] Ⅳ-16-E／口腔内・鼻腔内吸引ほか

▶ 関連問題289(P.171)

[解答]3

[解説]1. × ゲージは注射針の太さの単位である。

2. × トールは圧力を表す単位である。$1mmHg = 1Torr$となる。

3. ○ フレンチはカテーテルや管の太さを表す単位である。$3Fr=1mm$となる。成人の吸引では$12～14$フレンチが使われることが多い。

4. × バイアルは単位ではなく、ガラスやプラスチックでできた瓶にゴムで栓をした容器である。任意のサイズが製造できるので決まった容量ではない。

問題 20 [出題基準] Ⅲ-11-C／血液生化学検査

▶ 関連問題196・197(P.119)

過去問 基 P.383

[解答]1

[解説]ヘモグロビンに糖または酸化糖が結合している糖化ヘモグロビンの割合を示すのがヘモグロビンA1cである。採血前過去1～2か月の血糖値の平均を反映している。空腹時の血糖値が126mg/dL以上、もしくは食後の血糖値が200mg/dL以上で、同時に測定したヘモグロビンA1cが6.5％以上なら糖尿病と診断される。基準値は4.6～6.4％である(1. ○)。ちなみに特定健康診査では、HbA1c(NGSP)5.6％以上で特定保健指導へと進む基準の1つである。

▶ 関連問題127（P.81）

問題 21

出題基準

Ⅲ-10-A／血液、体液ほか

過去問 人 P.58

[解答] 2

[解説] 電解質とは水に溶かすと陽イオンと陰イオンに分かれる物質のことである。陰イオン（原子がマイナスの電気を帯びており、右上にマイナス表記がある）は選択肢のなかでクロールイオン（Cl^-）である（2. ○）。

1のカリウムイオン（K^+）、3のナトリウムイオン（Na^+）、4のカルシウムイオン（Ca^{2+}）、5のマグネシウムイオン（Mg^{2+}）は陽イオンである。

▶ 関連問題299（P.176）

問題 22

出題基準

Ⅳ-16-G／創傷管理

過去問 基 P.361

[解答] 2

[解説] 1. × ステージⅠは表皮の発赤が生じ、押しても消退しない。組織欠損は真皮まで及ばない。

2. ○ ステージⅡは真皮に及ぶ潰瘍が生じている（表1）。このステージでは黄色壊死組織（スラフ）を伴わない。

3. × ステージⅢは皮下組織にまで達しており全層の皮膚組織が欠損している。皮下脂肪が肉眼で認められる。黄色壊死組織（スラフ）、ポケット、瘻孔があることもある。

4. × ステージⅣは骨、腱、筋肉の露出を伴う全層組織欠損である。黄色壊死組織（スラフ）、ポケット、瘻孔に加えて、エスカー（黒色壊死組織）が出現することもある。

▶ 関連問題3（P.3）

問題 23

出題基準

Ⅰ-1-B／総人口

過去問 社 P.140

[解答] 2

[解説] 令和5年の日本の人口ピラミッドは2度のベビーブームの子であった74～76歳と49～52歳付近が膨らむ形をしている。これらの膨らみのすぐ上にある減少（へこみ）は、77～78歳の第二次世界大戦終戦前後の出生減と57歳の出生年が「ひのえうま」であったことによる出生減である。したがって、2のピラミッド（つぼ型）が該当する（**P.3図1**参照）。

▶ 関連問題68（P.43）

問題 24

出題基準

Ⅰ-5-B／目的、基本方針

過去問 社 P.244

[解答] 3

[解説] 看護師等の人材確保の促進に関する法律には「病院等の開設者等は、病院等に勤務する看護師等が適切な処遇の下で、その専門知識と技能を向上させ、かつ、これを看護業務に十分に発揮できるよう、病院等に勤務する看護師等の処遇の改善、新たに業務に従事する看護師等に対する臨床研修その他の研修の実施、看護師等が自ら研修を受ける機会を確保できるようにするために必要な配慮その他の措置を講ずるよう努めなければならない」（第5条）と規定されている（3. ○）。

▶ 関連問題35（P.23）

問題 25

出題基準

Ⅰ-2-C／労働環境

[解答] 3

表1 褥瘡のNPUAP分類

ステージⅠ	ステージⅡ	ステージⅢ	ステージⅣ
通常骨突出部位に限局する消退しない発赤を伴う、損傷のない皮膚	スラフを伴わない、発赤または薄赤色の創底をもつ、浅い開放潰瘍として現れる真皮の部分欠損	全層組織欠損。皮下脂肪は視認できるが、骨、腱、筋肉は露出していない	骨、腱、筋肉の露出を伴う全層組織欠損
	真皮層まで及んだ潰瘍	皮下脂肪まで及んだ潰瘍	筋肉・骨まで及んだ潰瘍
表皮 真皮 皮下脂肪 腱 筋肉 骨 			

▶ 関連問題128（P.82）

[解説]1．4．× 介護休業、男性が取得する育児休業は、「育児休業、介護休業等育児又は家族介護を行う労働者の福祉に関する法律（育児・介護休業法）」で規定されている。

2．× 産前産後の休業は、「労働基準法」で規定されている。

3．○ 「雇用の分野における男女の均等な機会及び待遇の確保等に関する法律（男女雇用機会均等法）」では、性別による差別の禁止のほか、婚姻、妊娠、出産等を理由とする不利益取扱いの禁止、妊娠中と出産後の健康管理に関する措置などについて定めている。

▶ 関連問題128（P.82）

問題 26
出題基準 Ⅲ-10-A／免疫系ほか
過去問 小 P.851

[解答]3

[解説]1．× IgAは母乳に含まれるため、出生後に受け取ることができる。胎盤は通過できない。

2．× IgEはアレルギーを引き起こす。胎盤は通過できない。

3．○ IgGは分子量が小さく、胎盤を通過することができる。胎児期に母体由来のIgGを受け取り、新生児は母体由来のIgGを有する。母体由来のIgGは徐々に減少し、生後6か月ころに消失する。

4．× IgMは感染や抗原に反応して産生される最初の免疫グロブリンである。胎盤は通過できない。

▶ 関連問題153（P.98）

問題 27
出題基準 Ⅲ-11-A／チアノーゼ
過去問 成 P.449

[解答]3

[解説]血中の還元ヘモグロビン（脱酸素化ヘモグロビン）が5g/dL以上でチアノーゼが起こる。全身（中心性チアノーゼ）あるいは身体の一部（末梢性チアノーゼ）の毛細血管中の還元ヘモグロビンが増加すると、還元ヘモグロビンの色がチアノーゼとして現れ、口唇や爪床などの皮膚・粘膜が青紫色、暗青色になる（3．○）。

1．× 皮膚が白くなるのはレイノー現象の初期にみられる。

2．× 皮膚が黄色くなるのは黄疸などでみられる。

3．× 皮膚が赤くなるのは末梢血管の拡張、炎症などでみられる。

▶ 関連問題299（P.176）

問題 28
出題基準 Ⅳ-16-G／創傷管理ほか

[解答]1

[解説]アルブミンは血漿タンパクである。熱傷やネフローゼ症候群などによる低アルブミン血症（1．○）、肝臓におけるアルブミン合成低下による低アルブミン血症、出血性ショックの治療などに使用される。与薬方法は静脈内注射、あるいは点滴静脈内注射とする。

　2の脳炎、3の免疫機能の低下、4の急性アルコール中毒に対してアルブミン製剤は使用しない。

必修模試❷

生後3か月ころは母体由来と自己産生の免疫グロブリンの入れ替わりの時期で、免疫グロブリンが最も少ない時期だよ

図4 年齢別免疫グロブリンの変化

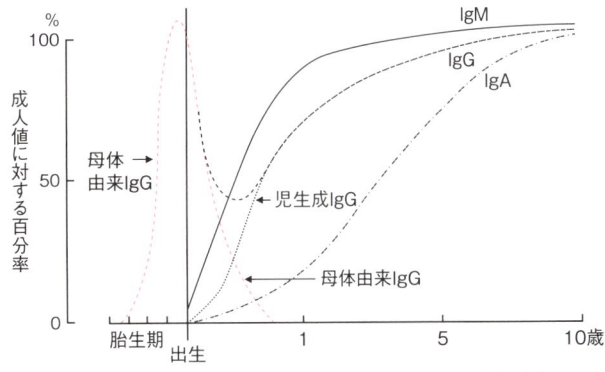

池西静江, 石束佳子, 阿形奈津子 編：看護学生スタディガイド2026. 照林社, 東京, 2025：1112. より引用

▶ 関連問題125(P.80)

問題 29　出題基準　Ⅲ-10-A／感覚器系

［解答］2
［解説］触覚、痛覚、温度覚などの皮膚や粘膜で感知される**表在感覚**（皮膚感覚）に対し（3．4．×）、筋肉、腱、骨膜、関節などにある受容器から生じる感覚は、**深部感覚**という（2．○）（**図5**）。深部感覚は身体の位置や動きを捉える。耳は深部感覚の受容器ではない（1．×）。

▶ 関連問題172〜（P.108〜）

問題 30　出題基準　Ⅲ-11-C／生活習慣病

過去問 成 P.478

［解答］2
［解説］**放散痛**（関連痛）は内臓や皮膚などの求心性神経が同じ脊髄節にあることで、ある部位の痛みが他の部位にも現れるものである（**表2**）。心筋梗塞の場合、**左肩、左腕、顎、左側の歯**などに生じる（2．○）。ほかには胆嚢の疾患で右上腹部から右肩への痛みが放散痛として現れることがある。

▶ 関連問題33(P.21)

問題 31　出題基準　Ⅰ-2-C／職業と健康障害

過去問 成 P.402

［解答］2
［解説］**情報機器作業**はかつてVDT作業と呼ばれていたが、情報技術等の発展や社会情勢の変化により情報機器作業に変更された。厚生労働省はVDTガイドラインを見直し、「**情報機器作業における労働衛生管理のためのガイドライン**」を策定した。
1．×　精神的な症状が含まれる。配置前健康診断と定期健康診断で眼疲労を主とする眼に関する症状、上肢・頸肩腕部や腰背部を主とする筋骨格系の症状、ストレスに関する症状を自覚していないか調査することとしている。
2．○　照明や採光を調整することで軽減できる。
3．×　ガイドラインでは「1日の作業時間が過度に長時間とならない」「一連続作業時間が**1時間を超えない**ようにし、次の連続作業までの間に10分〜15分の作業休止時間を設け、かつ、一連続作業時間内において1回〜2回程度の小休止を設けるよう指導する」としており、2時間では長い。

図5　感覚の分類

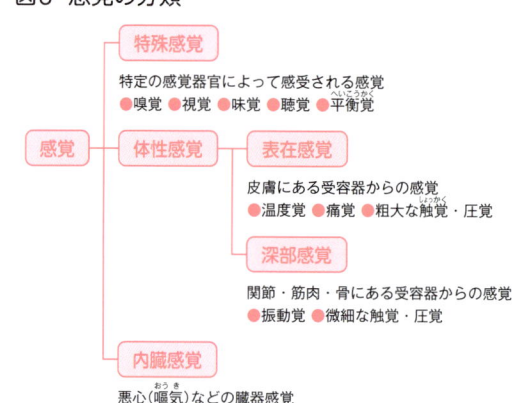

表2　疼痛の種類

種類	原因	疼痛の特徴
1. 体性痛	1）表在痛 皮膚、皮下組織、粘膜への刺激・損傷による	圧・温度にも反応 限局的
	2）深部痛 筋肉、腱、骨、漿膜などの炎症、浮腫、壊死などによる化学的刺激による	持続的、疼痛部位はわかりやすい、体動で増強
2. 内臓痛	管腔臓器のおもに平滑筋のけいれんや拡張刺激、実質臓器の牽引、腫脹、虚血などの皮膜伸展により起こる	非限局的、さまざまな痛みの訴えあり、周期的・間欠的
3. 関連痛	内臓痛が脊髄内で他の部位から入るニューロンと交錯し、疼痛が発生した部位と違う部位の痛みと感じられる。遠く離れた部位に疼痛を生じる場合は放散痛という	原因の部位と違うので注意、原因が解消しても残ることがある

4．×　椅子には深く腰かけ、背もたれはあったほうがよい。履き物の足裏全体が床に接していることもガイドラインでは提唱している。

▶ 関連問題100(P.63)

問題 32　出題基準　Ⅱ-8-A／家族関係

過去問 社 P.148

［解答］3
［解説］「同居の主な介護者」について、要介護者等からみた続柄をみると、配偶者が22.9％で最も多く、次に子が16.2％となっている（3．○）。同居の父母は0.1％、同居の子の配偶者は5.4％であった。同居・別居を合わせてみても、同居の配偶者、同居の子の順で多いのは同じである。

図6 「要介護者等」からみた「主な介護者」の続柄別構成割合

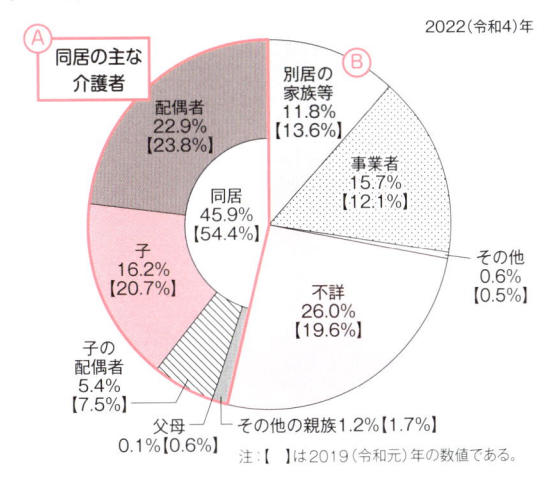

2022(令和4)年

注：【 】は2019（令和元）年の数値である。

図7 「主な介護者」の性・年齢階級別構成割合

2022(令和4)年

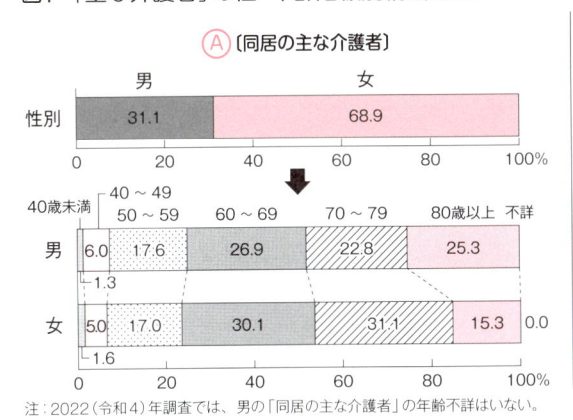

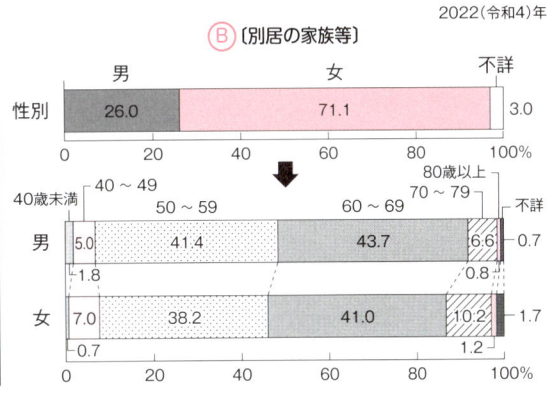

注：2022（令和4）年調査では、男の「同居の主な介護者」の年齢不詳はいない。

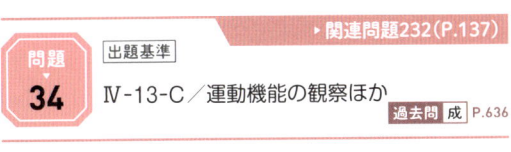

問題 33

出題基準
Ⅲ-11-B／精神疾患

▶関連問題186〜（P.114〜）

過去問 社 P.000

［解答］1

［解説］1. ○ 妄想、幻覚、発語や行動の統合不全などが統合失調症の症状である。

2. × 感情失禁は感情のコントロールを失い、小さな刺激で泣いたり、怒ったり、笑ったりする。脳の器質性疾患でみられる。

3. × 予期不安はまた発作や症状が起こったらどうしようと思うことで、パニック症などでみられる。

4. × 理由のない爽快感は躁状態でみられる。

問題 34

出題基準
Ⅳ-13-C／運動機能の観察ほか

▶関連問題232(P.137)

過去問 成 P.636

［解答］2

［解説］小脳の機能は姿勢反射の調節、随意運動の制御、身体の平衡の制御である。したがって、小脳失調では2の姿勢保持が困難になる（2. ○）。1の呼吸が困難になるのは延髄などの脳幹、3の眼球運動が障害されるのは中脳、四肢の麻痺は橋の出血などで生じ、小脳では考えにくい。

問題 35

出題基準
Ⅱ-7-A／形態的発達と異常

▶関連問題76(P.48)

過去問 小 P.958

［解答］2

［解説］在胎34〜36週ころ、肺の上皮細胞がサーファクタント（肺サーファクタント）を分泌して胎児の肺機能の成熟が完成する（2. ○）。サーファクタントは肺胞内側にある界面活性物質で、表面張力を緩和し、肺胞を広がりやすくする。サーファクタント産生が不十分な早産児などでは呼吸窮迫症候群を発症しやすい。

胎児や胎児付属物には1のグリコーゲン、3のプロスタグランジン、4のトロンボプラスチンなどが存在するが、肺機能の成熟に最も関係するのは2のサーファクタントである。

▶関連問題263〜（P.155〜）

問題 36　出題基準　Ⅳ-15-C／感染防止対策（中項目）

[解答]2

[解説]通常時からの感染予防、早期発見の体制整備、アウトブレイク（一定期間内に、同一病棟や同一医療機関といった一定の場所で発生した院内感染の集積が通常よりも高い状態）が生じた場合の早期対応のために医師、看護師、薬剤師、臨床検査技師から構成される感染制御チーム（ICT）がある。

1．×　アウトブレイク後に結成するのではなく、通常時から活動する。

2．○　感染症に関するサーベイランス（医療機関内における院内感染の発生動向の監視）、職員への教育や指導などを行う。

3．×　厚生労働省は、めやすとして300床以上の病院においては感染制御チームを設置し、医療機関内（病棟）のラウンドを可能な限り1週間に1度以上の頻度で行うことが望ましいとしている。

4．×　感染制御チーム（ICT）は、通常時から医療機関内の抗菌薬の使用を適正にするよう指導をする。増やす指導に限らない。

▶関連問題134（P.85）

問題 37　出題基準　Ⅲ-10-A／内分泌系　過去問 人 P.95

[解答]2

[解説]性腺刺激ホルモンである黄体形成ホルモン〈LH〉と卵胞刺激ホルモン〈FSH〉を分泌するのは2の下垂体前葉である。視床下部からの性腺刺激ホルモン放出ホルモンにより調節され、卵巣に対して黄体ホルモン（プロゲステロン）と卵胞ホルモン（エストロゲン）を分泌するようはたらきかける。

▶関連問題268（P.158）

問題 38　出題基準　Ⅳ-15-C／無菌操作　過去問 基 P.297

[解答]3

[解説]1．×　先端を小さくして汚染を防ぐため、鑷子の先端は閉じた状態で取り出す。

2．×　滅菌パックはハサミを用いず開封する側を上にして両手で外側にめくるように開く。

3．○　滅菌包みの内側は清潔であるため、布の外側の端を手でつまんで開く。

4．×　鉗子や鑷子の先端は水平より下に向けるようにする。

▶関連問題78（P.50）

問題 39　出題基準　Ⅱ-7-C／身体の発育　過去問 小 P.852

[解答]4

[解説]新生児と乳児期は腹式呼吸、幼児期からは4の胸腹式呼吸（4．○）、学童期ころから胸式呼吸となる。1回換気量が増えるため呼吸数も成長につれて減っていく。幼児期の呼吸数は20〜30回/分である。

▶関連問題271（P.161）

問題 40　出題基準　Ⅳ-15-C／感染性廃棄物の取り扱い　過去問 基 P.298

[解答]2

[解説]2の3色が答えである（2．○）。赤色は血液などの液状、泥状の廃棄物である。橙色は固形状のもので、具体的には血液が付着したガーゼ、紙くずなどが含まれる。黄色は感染性廃棄物のなかでも特に鋭利なものが該当し、注射器やガラス管などが含まれるため、貫通に強い丈夫な容器に入れる。

▶関連問題130（P.83）

問題 41　出題基準　Ⅲ-10-A／消化器系　過去問 人 P.76

[解答]4

[解説]胃では少量の水分とアルコールが吸収されるのみである（4．○）。栄養の吸収はほとんど小腸で行われ、大腸で吸収されるのは水分と電解質や一部のビタミンである。109回午後11で「大腸で吸収されるのはどれか」という問題があり、答えは水分であった。

▶関連問題230(P.135)

出題基準 Ⅳ-13-C／呼吸状態の観察

［解答］2

［解説］1回の呼吸運動の深さ、すなわち1回換気量が増加した状態を過呼吸という（2. ○）。成人の1回換気量は約500mLである。呼吸数が通常よりも増加するのは頻呼吸である（表3）。

努力呼吸は呼吸補助筋などを使い胸郭を大きく動かして行う呼吸で、呼気時にも胸腔内圧が陽圧となる。

▶関連問題34(P.22)

出題基準 Ⅰ-2-C／労働環境

過去問 社 P.154

［解答］1

［解説］使用者（労働者を雇用する人）は、原則として、1日に8時間（1. ○）、1週間に40時間を超えて労働させてはいけないとされている。また、使用者は、労働時間が6時間を超える場合は45分以上、8時間を超える場合は1時間以上の休憩を与えなければならない。休日については、使用者は少なくとも毎週1日の休日か、4週間を通じて4日以上の休日を与えなければならない。

労働者の過半数で組織する労働組合または労働者の過半数を代表する者との労使協定において、時間外・休日労働について定め、行政官庁に届け出れば法定の労働時間を超える時間外労働、法定の休日における休日労働が認められる。この労使協定を「時間外労働協定（36協定）」という。

▶関連問題78(P.50)

出題基準 Ⅱ-7-B／身体の発育

過去問 小 P.855

［解答］1

［解説］前頭骨と左右の頭頂骨の間が大泉門、左右の頭頂骨と後頭骨の間が小泉門である。大泉門は1歳半ごろまで、小泉門は生後3か月ごろまでに閉鎖する（1. ○）。頭蓋骨は縫合によって結合しているが、新生児では膜状の組織でつながれている。

表3 呼吸数と深さの異常

種類	呼吸数	呼吸の深さ	疾患などの例
頻呼吸	24回/分以上に増加	変化なし	●肺炎 ●呼吸不全
徐呼吸	12回/分以下に減少	変化なし	●頭蓋内圧亢進 ●睡眠薬投与時 ●麻酔時
多呼吸	増加	深い	●過換気症候群 ●肺塞栓
少呼吸	減少	浅い	●麻痺 ●危篤時
過呼吸	ほとんど変化なし	深い	●神経症
無呼吸	安静呼気位で呼吸が一時停止した状態		●睡眠時無呼吸症候群
奇異呼吸 （シーソー呼吸）	●正常では、吸気時、胸部と腹部が同時に膨隆し、呼気時には同時に沈む ●奇異呼吸では、胸部が膨隆したとき腹部が沈み、胸部が沈んだときに腹部が膨隆してシーソーのようになる。横隔膜がうまく機能していない状態		●気道閉塞 ●肋骨骨折 ●肺気腫
努力呼吸	●正常では、吸気時はおもに横隔膜が収縮し外肋間筋が使用され、呼気時は拡張した肺が元に戻る力で行われる ●努力呼吸では、吸気時には胸鎖乳突筋、斜角筋群が、呼気時には内肋間筋、腹直筋、内腹斜筋、外腹斜筋、腹横筋などの呼吸補助筋が使われる ●下顎呼吸、肩呼吸なども努力呼吸という		●重度の低酸素血症 ●喘息の呼吸困難時 ●危篤時
	下顎呼吸（あえぎ呼吸）	●下顎を下方に動かし吸気する	
	肩呼吸	●肩を上下させる呼吸	
	鼻翼呼吸	●吸気時、鼻翼（小鼻）が開く呼吸	
	陥没呼吸	●吸気時に胸骨の上や鎖骨の上が陥没する。さらに悪化すると肋骨の間が陥没する	

必修模試❷

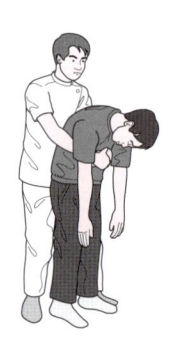

問題 45

▶関連問題126(P.80)

出題基準　Ⅲ-10-A／循環器系

過去問 人 P.44

［解答］4
［解説］刺激伝導系の各部位を中枢側から末梢側へ並べると、洞房結節（洞結節）─房室結節─His〈ヒス〉束─Purkinje〈プルキンエ〉線維となる（4. ○）。His〈ヒス〉束とPurkinje〈プルキンエ〉線維の間に右脚と左脚を入れることもできる（P.81図7参照）。

問題 46

▶関連問題228(P.134)

出題基準　Ⅳ-13-C／バイタルサインの観察

過去問 基 P.277

［解答］3
［解説］1. × 聴診器はマンシェット下にもぐりこませないようにする。
2. × マンシェットの幅は測定周囲長の40%とする。測定周囲長の80%とするのは長さである。
3. ○ マンシェットのゴム囊の中央を上腕動脈の上にすることが重要である。
4. × マンシェットの下縁が肘関節にかからないよう肘窩の2〜3cm上に巻く。

問題 47

▶関連問題230(P.135)

出題基準　Ⅳ-13-C／呼吸状態の観察

過去問 基 P.281

［解答］3
［解説］1. × いびきのような音〈類鼾音〉は低調性連続性副雑音である。
2. × ヒューヒューという高い音〈笛声音〉は高調性連続性副雑音である。
3. ○ 耳元で髪をねじるような音〈捻髪音〉は細かい断続性副雑音である。
4. × ギュッギュッというこすれる音〈胸膜摩擦音〉は断続性、連続性という区別はしない。
　P.220表8も参照。

問題 48

▶関連問題230(P.135)

出題基準　Ⅳ-13-C／バイタルサインの観察

過去問 基 P.282

［解答］2
［解説］やや難しいが、過去に「Ⅰ音がⅡ音より大きく

聴取されるのはどれか」という必修問題が出題され、同様のイラストが使用されている。左鎖骨中線上第5肋間は僧帽弁領域で（2. ○）、三尖弁領域（第4肋間胸骨左縁付近）と並んでⅠ音がⅡ音より大きく聴取される部位である。大動脈弁領域は第2肋間胸骨右縁付近、肺動脈弁領域は第2肋間胸骨左縁付近にある。

問題 49

▶関連問題292(P.173)

出題基準　Ⅳ-16-F／気道の確保

過去問 基 P.302

［解答］3
［解説］成人の気道の異物除去時に救助者の両手で腹部を圧迫する方法があり、ハイムリック法という（3. ○）。傷病者に意識がある場合には傷病者を立位あるいは座位とし、救助者は後方から抱き抱えるように支え、両手を握り傷病者の心窩部に当てて斜め上に数回突き上げる。

図8　ハイムリック法

問題 50

▶関連問題154(P.99)

出題基準　Ⅲ-11-A／呼吸困難ほか

過去問 成 P.451

［解答］4
［解説］動脈血中の酸素分圧が60mmHg未満となると呼吸不全である（4. ○）。動脈血二酸化炭素分圧の増加を伴わない場合（45mmHg以下）をⅠ型呼吸不全、動脈血二酸化炭素分圧が45mmHgを超える場合をⅡ型呼吸不全という。動脈血酸素分圧〈PaO_2〉60 Torr未満は室内空気下における成人の一般的な酸素療法の適応の基準でもある。

必修模試③ 解答・解説

問題 1

出題基準 I-1-B／世帯数

▶関連問題7(P.6)

過去問 社 P.145

[解答] 2

[解説] 1. × 単独世帯は34.0％であった。世帯構造別では最も多くを占める。

2. ○ 三世代世帯は3.8％であった。最も少ない。

3. × 夫婦のみの世帯は24.6％であった。

4. × 夫婦と未婚の子のみの世帯は24.8％であった。

5. × ひとり親と未婚の子のみの世帯は6.9％であった。

問題 2

出題基準 II-9-A／看護活動の場と機能・役割(中項目)ほか

▶関連問題105〜(P.66〜)

過去問 社 P.251

[解答] 4

[解説] 看護職員なので看護師と准看護師を合計した数となる。令和4(2022)年の衛生行政報告例によると就業看護師は131万1,687人で、令和2(2020)年よりも3万776人増加した。就業准看護師は25万4,329人で、令和2(2020)年よりも3万260人減少した。1,311,687 + 254,329 = 1,566,016となり、4の約157万人が正しい(4. ○)。

問題 3

出題基準 I-1-B／婚姻、家族形態

▶関連問題8(P.6)

過去問 社 P.149

[解答] 3

表1 夫婦の平均初婚年齢の年次推移

年	夫(歳)	妻(歳)
平成7(1995)	28.5	26.3
17(2005)	29.8	28.0
27(2015)	31.1	29.4
令和2(2020)	31.0	29.4
3(2021)	31.0	29.5
4(2022)	31.1	29.7
5(2023)	31.1	29.7

[解説] 令和5(2023)年における男性の平均初婚年齢は31.1歳(3. ○)であった。女性は29.7歳である。

問題 4

出題基準 I-1-B／死因の概要

▶関連問題11(P.9)

過去問 社 P.193

[解答] 3

[解説] 1. × 老衰は全死亡数の12.1％を占め、第3位であった。

2. × 脳血管疾患は全死亡数の6.6％を占め、第4位であった。

3. ○ 悪性新生物〈腫瘍〉が第1位で、全死亡数の24.3％を占めた。

4. × 不慮の事故は全死亡数の2.8％を占め、第7位であった。

問題 5

出題基準 I-1-B／死因の概要

▶関連問題11(P.9)

過去問 社 P.193

[解答] 2

[解説] わが国の令和5(2023)年の新型コロナウイルス感染症による死亡数は全死亡数の2.4％を占め、死因順位の第8位であった。死亡数は3万8,086人に上った(2. ○)。令和2(2020)年の死者数は3,466人、令和3(2021)年には1万6,766人、令和4(2022)年は4万7,638人であった。

問題 6

出題基準 II-7-A／形態的発達と異常

▶関連問題76(P.48)

過去問 人 P.51

[解答] 4

[解説] 1. × 卵円孔は心房中隔にある。

2. × 動脈管は肺動脈幹から下行大動脈の間にある。

3. × ミューラー管は女性の胎児の生殖器の原基(器官として分化・発達していない状態の細胞群)である。

4. ○ 胎盤から胎児へと酸素と栄養を送るのは臍静脈である。臍静脈は肝臓の下面でアランチウス管(静

脈管）を経て下大静脈につながる。胎児から胎盤へと静脈血を運ぶ血管＝臍動脈、酸素飽和度の最も高い血液、すなわち動脈血が流れている血管＝臍静脈を理解したら、卵円孔、動脈管、アランチウス管のしくみも知っておこう。

問題 7	出題基準	▶関連問題156・157（P.100）
	Ⅲ-11-A／不整脈	過去問 114回 P.10

［解答］3

［解説］心停止には心室細動、無脈性心室頻拍、無脈性電気活動、心静止の4つの状態がある。

1．×／3．○　無脈性電気活動、心静止はAEDの効果が期待できない。無脈性電気活動では心電図には波形があるにもかかわらず、心拍も脈拍も確認できない。心静止では心電図が平坦となっており、除細動ではなく心臓マッサージや薬物による治療を行う。

2．×　無脈性電気活動、心静止はアドレナリンの適応である。禁忌ではない。

4．×　心室細動、無脈性心室頻拍、無脈性電気活動、心静止の4つの状態のうち、心静止は最も重篤である。

問題 8	出題基準	▶関連問題134（P.85）
	Ⅲ-11-A／内分泌系	過去問 人 P.95

［解答］3

［解説］副腎髄質ホルモンはアドレナリン、ノルアドレナリン、ドパミンなどであり、血糖上昇、血圧上昇、気管支拡張などの作用をもつ（3．○）。

1．4．×　炎症抑制や中心性肥満を招く作用をもつのは副腎皮質ホルモンである。

2．×　乳汁産生はプロラクチンの作用である。

問題 9	出題基準	▶関連問題142（P.91）
	Ⅲ-10-B／脳死	過去問 疾 P.138

［解答］4

［解説］脳死の判定基準は深昏睡、瞳孔散大・固定、脳幹反射消失、平坦脳波（心電図も同時に確認し連続して30分以上記録する）、自発呼吸消失である。これらすべての条件が満たされてから少なくとも6時間（6歳未満の者では24時間）が経過しても変化がないことを確認しなくてはならない。

1．×　低体温であることは脳死の判定基準にはない。

2．×　脳幹反射が消失していることが脳死である。

3．×　脳波で徐波ではなく、平坦であることが脳死である。

4．○　心臓は停止していないが、自発呼吸が停止している状態が脳死である。

問題 10	出題基準	▶関連問題164（P.105）
	Ⅲ-11-A／乏尿、無尿、頻尿、多尿	過去問 成 P.702

［解答］4

［解説］1．×　100mL以下は無尿である。

2．×　400mL以下は乏尿である。無尿と乏尿の定義はしっかりと覚えるようにする。

3．×／4．○　正常範囲は1,000〜1,500 mLであるため、4は該当するが、3の800mLは該当しない。

問題 11	出題基準	▶関連問題127（P.81）
	Ⅲ-10-A／血液、体液	

［解答］4

［解説］血漿浸透圧の単位は4のmOsm/Lである（4．○）。mOsmはミリオスモルと読む。血漿浸透圧の基準値は275〜295mOsm/Lである。なお、血漿と等張なのは生理食塩水で0.9％、ブドウ糖溶液では5％である。2のmmHgは圧力や分圧を表す単位で、3のmg/Lは質量濃度を表す単位である。

問題 12	出題基準	▶関連問題172-176（P.108-110）
	Ⅲ-11-B／生活習慣病	

［解答］3

［解説］P.203表2のように高血圧であるのはⅠ度高血圧からなので、「収縮期血圧が140〜159かつ／または拡張期血圧が90〜99」の範囲がⅠ度高血圧の分類であることはおさえておきたい（3．○）。家庭で測定する場合は収縮期血圧が135〜144かつ／または拡張期血圧が85〜89と値が低めになる。令和5（2023）年の患者調査の結果によると高血圧性疾患は約1,617万人と、患者数が多い生活習慣病である。

表2 成人における血圧値の分類

分類	診察室血圧（mmHg）			家庭血圧（mmHg）		
	収縮期血圧		拡張期血圧	収縮期血圧		拡張期血圧
正常血圧	<120	かつ	<80	<115	かつ	<75
正常高値血圧	120-129	かつ	<80	115-124	かつ	<75
高値血圧	130-139	かつ／または	80-89	125-134	かつ／または	75-84
Ⅰ度高血圧	140-159	かつ／または	90-99	135-144	かつ／または	85-89
Ⅱ度高血圧	160-179	かつ／または	100-109	145-159	かつ／または	90-99
Ⅲ度高血圧	≧180	かつ／または	≧110	≧160	かつ／または	≧100
（孤立性）収縮期高血圧	≧140	かつ	<90	≧135	かつ	<85

日本高血圧学会高血圧治療ガイドライン作成委員会編：高血圧治療ガイドライン2019. ライフサイエンス出版，東京，2019：18. 表2-5より転載

問題 13 ▶関連問題146（P.93）

出題基準 Ⅲ-11-A／ショック

過去問 成 P.406

［解答］4

［解説］1.× 出血性ショックでは循環血液量が減少することから体温は低下しやすい。感染症が原因である敗血症性ショックの初期には体温が上昇する。

2.× 喉頭の浮腫はアナフィラキシーショックで生じる。

3.× 皮膚の紅潮は敗血症性ショックで生じる。

4.○ 出血性ショックでは循環血液量が減少するため、血圧が低下する。

問題 14 ▶関連問題169（P.107）

出題基準 Ⅲ-11-A／運動麻痺ほか

過去問 114回 P.8

［解答］1

［解説］1.○ 尺骨神経麻痺では鷲手や母指の内転制限が起こる。

2.× 正中神経麻痺では猿手が起こる。

3.× 橈骨神経麻痺では下垂手が起こる。

4.× 腓骨神経麻痺では下垂足が起こる。

表3 末梢神経の運動と障害

末梢神経	運動	障害
正中神経	母指～中指屈曲、前腕回内	猿手
尺骨神経	指の開閉、手根掌屈など	鷲手
橈骨神経	肘関節の伸展、手根背屈	下垂手
坐骨神経	膝関節の屈曲	しびれ、痛み
腓骨神経	足の背屈	下垂足

問題 15 ▶関連問題31（P.20）

出題基準 Ⅰ-2-B／食品衛生

過去問 社 P.214

［解答］2

［解説］2のボツリヌス菌は神経麻痺による呼吸困難による死亡例がある（2.○）。

1.× 腸炎ビブリオは魚介類などに付着しており、下痢・腹痛などがおもな症状である。

3.× 黄色ブドウ球菌はヒトや動物の常在菌であり、食中毒ではヒトの手指や創傷からの付着が多い。嘔気・嘔吐・下痢・腹痛などがおもな症状である。

4.× サルモネラ属菌は動物の糞便などに存在し、鶏卵や食肉が原因となることが多い。発熱・腹痛・下痢・嘔気などがおもな症状である。

問題 16 ▶関連問題39・40（P.26）

出題基準 Ⅰ-3-A／国民医療費

過去問 社 P.160

［解答］3

［解説］年齢階級別にみた国民医療費に占める割合では、65歳以上は60.6％であった（3.○）。75歳以上でみると38.3％となる。0～14歳は5.4％、15～44歳は11.9％、45～64歳は22.1％であった。

　人口1人当たりの国民医療費（医科診療医療費）では65歳未満が13万3,900円であるのに対し、65歳以上は56万4,700円と大きな差がある。

問題 17 ▶関連問題124（P.79）

出題基準 Ⅲ-10-A／運動系

過去問 人 P.30

［解答］2

［解説］1.× 三角筋は上腕の筋であり、膝関節とは

関係がない。

2. ○ 大腿二頭筋は膝関節を屈曲させるときに収縮する。

3. × 大腿四頭筋は膝関節を伸展させるときに収縮する。

4. × 下腿三頭筋は足関節を底屈させるときに収縮する。

▶関連問題134(P.85)

問題 18　出題基準　Ⅲ-10-A／内分泌系　過去問 人 P.95

[解答]3

[解説]3の松果体からはメラトニンが分泌される。メラトニン分泌は夜間に多く、日中少ないという日内リズムをもち、睡眠サイクルと関連があるとされる（3. ○）。なお、サーカディアンリズムの中枢は視床下部にある。

　1の腎臓、2の心臓、4の上皮小体（副甲状腺）は睡眠サイクルとの関連では松果体に劣る。

▶関連問題241(P.144)

問題 19　出題基準　Ⅳ-14-B／失禁のケア　過去問 基 P.333

[解答]2

[解説]1. × 尿路に異常があって残尿が多量となり膀胱から尿が溢れるのが溢流性尿失禁である。

2. ○ 腹圧がかかるくしゃみや咳などで尿が漏れるのが腹圧性尿失禁である。骨盤底筋群の弛緩などが関係している。

3. × 突然に強い尿意を感じ、我慢できずに尿が漏れてしまうのが切迫性尿失禁である。脳血管疾患などによる大脳皮質からの指令の障害のほか、加齢や前立腺肥大症、膀胱炎などが原因となる。

4. × 尿機能は正常であるが、運動障害や認知症が原因で生じるのが機能性尿失禁である。

▶関連問題221-223(P.131)

問題 20　出題基準　Ⅳ-13-A／コミュニケーション（中項目）

[解答]4

[解説]1. × どうして禁煙したいのかという方向付けを確認しているが、理解的であるとはいえない。

2. × 「意志を強くもって頑張りましょう」は励まし

ているが理解的であるとはいえない。

3. × 「禁煙が成功したときの自分へのごほうびを決めましょう」は、報酬・罰則・叱責といった外発的動機付けを促しているが理解的であるとはいえない。

4. ○ 「タバコの本数が減らなくて困っているのですね」と相手の言っていることを理解していることを伝えている。最も理解的な対応である。

▶関連問題214(P.127)

問題 21　出題基準　Ⅲ-12-A／中枢神経作用薬　過去問 疾 P.130

[解答]2

[解説]抗コリン薬は交感神経を優位にするため、眼圧を上昇させ、瞳孔を拡大（散瞳）させる（1. ×、2. ○）。このことから抗コリン作用により緑内障の悪化、急性緑内障発作の発症を生じうるのは閉塞隅角緑内障の場合である。開放隅角緑内障では抗コリン薬は禁忌とならないが、慎重投与である。

　抗コリン薬は水晶体の厚みや角膜反射には影響しない（3. 4. ×）。

▶関連問題131(P.83)

問題 22　出題基準　Ⅲ-10-A／栄養と代謝系ほか　過去問 成 P.541

[解答]2

[解説]1. × ビタミンAの不足は夜盲症、角膜乾燥などに関係する。

2. ○ ビタミンB_1の不足は膝蓋腱反射の低下（脚気）、乳酸が蓄積しやすくなることによる代謝性アシドーシスが生じる可能性がある（P.205表4）。

3. × ビタミンB_2の不足は口内炎や口角炎などに関係する。

4. × ビタミンKの不足は出血傾向に関係する。

▶関連問題177〜(P.110〜)

問題 23　出題基準　Ⅲ-11-B／がんほか　過去問 成 P.719

[解答]2

[解説]1. × 帯状疱疹は水痘-帯状疱疹ウイルスによるものである。体内に潜伏しているウイルスが再活性化して発症する。

2. ○ ヒトパピローマウイルスは子宮頸癌のほか、肛門癌、腟癌、尖圭コンジローマなどの発症にかかわ

表4 主なビタミンの作用と欠乏症

種類		作用	欠乏症
ビタミンA	脂溶性	明暗順応、成長促進	夜盲症
ビタミンB$_1$	水溶性	糖質代謝の補酵素に変換	脚気、代謝性アシドーシス、ウェルニッケ脳症
ビタミンB$_2$	水溶性	糖質代謝・脂質代謝の補酵素に変換	皮膚障害
ビタミンB$_6$	水溶性	アミノ酸代謝・脂質代謝の補酵素に変換	皮膚障害
ビタミンB$_{12}$	水溶性	アミノ酸代謝・脂質代謝の補酵素に変換	悪性貧血、巨赤芽球性貧血
ビタミンC	水溶性	抗酸化作用、鉄の吸収促進、抗凝固因子	壊血病
ビタミンD	脂溶性	骨形成、カルシウムの恒常性の維持	くる病
ビタミンE	脂溶性	抗酸化作用	神経・筋肉障害
ビタミンK	脂溶性	止血、血液凝固	出血傾向、新生児メレナ
葉酸	水溶性	アミノ酸代謝・核酸代謝の補酵素に変換	巨赤芽球性貧血

っている。

3. × 無菌性髄膜炎はウイルスによる髄膜炎のことであるが、ヒトパピローマウイルスによるものは考えにくい。

4. × 成人T細胞性白血病の発症にはヒトT細胞白血病ウイルス1型〈HTLV-1〉がかかわっている。

▶関連問題23(P.16)

問題 24 出題基準
I-2-A／休息と睡眠ほか

過去問 人 P.17

[解答]3
[解説]1. × レム睡眠では体は眠っており、脳が活動しているため、夢をみる周期である。

2. × 入眠時にみられることが多いのはノンレム睡眠である。

3. ○ 呼吸、体温などが変動しやすいのはレム睡眠である。眠っている体をあやつって脳の命令により夢をみたり、バイタルサインも変化させられるというイメージをもとう。

4. × 成人の睡眠のほとんどを占めるのは「脳の眠り」といわれるノンレム睡眠で、レム睡眠は約20%である。

▶関連問題123(P.78)

問題 25 出題基準
Ⅲ-10-A／神経系ほか

過去問 人 P.14

[解答]2
[解説]1. × 小脳は随意運動の制御や姿勢反射の調節を担当している。

2. ○ 瞳孔反射である対光反射の中枢は中脳にある。そのほか、姿勢反射の中枢でもある。

3. × 延髄には呼吸、循環、嚥下、嘔吐などの中枢がある。

4. × 視床下部には体温調節中枢や自律神経の最高中枢がある。

▶関連問題220(P.130)

問題 26 出題基準
Ⅲ-12-B／
薬理効果に影響する要因

[解答]3
[解説]血液中に入った薬物は薬物ごとに一定の割合で血液中のアルブミンと結合する(3. ○)。結合していない遊離型の分子が薬物の効果を発揮するとされる(遊離型薬物仮説)。高齢者は血液中のアルブミンが減少するため、薬物の効果が強く出ることがある。

1の鉄、2の赤血球、4のナトリウムイオンは該当しない(1. 2. 4. ×)。

▶関連問題134(P.85)

問題 27 出題基準
Ⅲ-10-A／内分泌系

過去問 人 P.96

[解答]2
[解説]2の精巣の精細管の壁にある精細胞から精子がつくられる。精細管の外側の間質には間質細胞(ライディッヒ細胞)がある。間質細胞が男性ホルモンを分泌する(2. ○)。

1. × 精嚢は膀胱の底部後方にあり、精管の末端に開口する。精液の液体成分の一部を分泌する。このアルカリ性の液は精子に運動性と栄養を与える。

3. × 精索は精管・神経・血管・リンパ管の束が筋肉の線維に囲まれ、被膜に覆われているものである。

4. × 前立腺は、射精管と尿道の始まりを取り囲ん

必修模試③

205

でいる。精液の約20%を占めるアルカリ性の液で精子を活性化する。

▶関連問題177〜（P.110〜）

問題 28 出題基準 Ⅲ-11-B／がん

過去問 成 P.458, 521

［解答］3

［解説］1．× 胃癌は腺癌が多い。

2．× 乳癌は腺癌が多い。

3．○ 食道癌は扁平上皮癌が多い。

4．× 大腸癌は腺癌が多い。

　上皮組織の種類と関連させて理解する。食道や肛門の上皮は重層扁平上皮であるが、胃から直腸までの粘膜は単層円柱上皮で、この上皮が胃の分泌腺などの腺となる。食道は扁平上皮癌が発生しやすく、胃・大腸の粘膜の円柱上皮から腺癌が発生しやすい。

▶関連問題294（P.174）

問題 29 出題基準 Ⅳ-16-F／胸骨圧迫

過去問 基 P.374
過去問 114回 P.49

［解答］3

［解説］胸骨圧迫の位置については胸骨の下半分という表現が多い。適切なのは3の胸骨の下端から2横指上である（3．○）。気をつけるポイントは胸骨の下端を圧迫すると剣状突起を骨折する危険があることである（1．×）。鎖骨中央部から2横指下では胸骨圧迫にならず適切ではない（2．×）。胸骨下端と臍の間の中点では胸骨から外れてしまい、胸骨圧迫の効果はなくなる（4．×）。

▶関連問題83（P.53）

問題 30 出題基準 Ⅱ-7-C／運動能力の発達

過去問 小 P.841

［解答］2

［解説］1．× 1歳ころにできるのはつかまり立ち、母指と示指の指先で物をつかむなどである。

2．○ 2歳ころにはボールを蹴るほか、走る、階段を上るなどができるようになる。

3．× 3歳ころには三輪車に乗る、丸をまねて描けるなどができるようになる。

4．× 4歳ころにはけんけん、四角をまねて描けるなどができるようになる。

　P.53表8を参照。

▶関連問題105（P.66）

問題 31 出題基準 Ⅱ-9-A／病院、診療所

過去問 社 P.249

［解答］4

［解説］1．× 内科、外科、歯科などの原則定められた16の診療科※（がん等の特定領域に特化した場合は別途、承認要件を設定）を有することが必要である。

2．× 特定機能病院は400床以上でなくてはならない。

3．× 厚生労働大臣の承認を得た施設である。都道府県知事の承認は地域医療支援病院である。

4．○ 高度の医療提供能力、高度の医療技術開発・評価能力、高度の医療に関する研修能力、高度な医療安全管理体制を有する施設である。

※内科、外科、精神科、小児科、皮膚科、泌尿器科、産科、婦人科、眼科、耳鼻咽喉科、放射線科、救急科、脳神経外科、整形外科、麻酔科、歯科

▶関連問題17（P.12）

問題 32 出題基準 Ⅰ-1-C／外来受診の状況

過去問 社 P.202

［解答］3

［解説］令和4（2022）年の国民生活基礎調査では、男女ともに高血圧症による通院者率が最も高い（3．○）。人口千対で男性は146.7、女性は135.7である。次いで男性は糖尿病、女性は脂質異常症となっている。全体の通院者率は417.3であった。

▶関連問題128（P.82）

問題 33 出題基準 Ⅲ-10-A／免疫系

過去問 人 P.62

［解答］2

［解説］細菌感染による急性炎症で早期に反応するのは2の好中球と単球である。ほとんどの細菌による感染では、その後も好中球優位で増加する（2．○）。ウイルス感染では4のリンパ球が有意に増加する。1の好酸球はアレルギーや寄生虫感染に関与している。3の好塩基球は顆粒球中の約1%ときわめて数は少ないがアレルギーや寄生虫感染に関与している。

合は受診するように伝える。

▶関連問題230(P.135)

問題 34
出題基準
Ⅳ-13-C／呼吸状態の観察

過去問 基 P.280

［解答］3
［解説］1．×　口すぼめ呼吸は慢性閉塞性肺疾患（COPD）などでみられる。
2．×　Biot〈ビオー〉呼吸は髄膜炎や延髄の疾患で起こる。
3．○　Kussmaul〈クスマウル〉呼吸は代謝性アシドーシスが原因で起こるため、ケトアシドーシス昏睡や尿毒症で生じる。
4．×　Cheyne-Stokes〈チェーン–ストークス〉呼吸は低酸素血症、心疾患、終末期などに起こる。

▶関連問題130(P.83)

問題 35
出題基準
Ⅲ-10-A／消化器系

過去問 人 P.77

［解答］1
［解説］肝臓からの右肝管と左肝管の2本の肝管は合流して総肝管となり、さらに胆嚢から出た胆嚢管と合流して総胆管となる。膵管には主膵管と副膵管があり、主膵管は総胆管と合流して十二指腸の大十二指腸乳頭〈ファーター乳頭〉に開口する（1．○）。この開口部にはオッディ括約筋がある。副膵管は小十二指腸乳頭に開口する。

▶関連問題172〜(P.108〜)

問題 36
出題基準
Ⅲ-11-B／生活習慣病ほか

［解答］3
［解説］シックデイとは、糖尿病の治療中に感染症、消化器疾患などで食事ができなくなったり、炎症やストレスによってインスリンの作用が低下することである。
1．×　水分の摂取を控えるのは適切ではなく、食事ができない場合には脱水に注意する。
2．×　食べ過ぎではなく、おもに食事量の減少によるものである。
3．○　すでに述べたような理由から血糖コントロールが乱れやすい。
4．×　インスリンや経口血糖降下薬の調整など、シックデイへの対応は自己判断で行わず、あらかじめ医師と患者が対応を共有しておく。共有できていない場

▶関連問題196・197(P.119)

問題 37
出題基準
Ⅲ-11-C／血液生化学検査

過去問 成 P.541

［解答］1
［解説］1のγGT（γGTPから名称が変更された）は飲酒状態を反映して変動することがわかっている。アルコール性肝障害のほか、脂肪肝、胆嚢の異常などで上昇する（1．○）。2の尿素窒素や3のクレアチニンは腎機能を反映し、アルコール性肝障害との関連は少ない。4のヘモグロビンもアルコール性肝障害との関連は少ない。

▶関連問題97(P.61)

問題 38
出題基準
Ⅱ-7-G／身体的機能の変化

過去問 老 P.776

［解答］4
［解説］1．×　高齢者では唾液分泌が低下する。この現象が脱水と関連があるとはいえない。
2．×　渇中枢の感受性は低下する。喉が渇いたことを感知しにくくなる。
3．×　尿濃縮能、つまり比重の高い（濃い）尿を排泄する能力が低下し、より多くの水分が必要となる。
4．○　加齢に伴い筋肉量が減少しやすい。筋肉には水分を保持する役割がある。
　表5に加齢に伴う変化をまとめた。

▶関連問題300(P.177)

問題 39
出題基準
Ⅳ-16-G／褥瘡の予防・処置

過去問 基 P.359

［解答］2
［解説］褥瘡好発部位の多くは骨突出部である。1日の大半を車椅子に座っている場合には、肘、踵骨、坐骨（2．○）、仙骨、尾骨などに褥瘡が発生しやすい。1の外果部、3の耳介部、4の肩峰突起部は側臥位での褥瘡好発部位である（**P.209図1**参照）。

▶関連問題192-194(P.117-118)

問題 40
出題基準
Ⅲ-11-B／高齢者の疾患ほか

過去問 母 P.953

［解答］2

表5 国試にでた加齢に伴う身体・認知機能の変化

神経系	⬇：神経伝達速度
運動器系	⬇：手指の巧緻性 ●骨塩量は加齢による変化の性差が大きい（女性＞男性）
感覚器系	●味覚閾値の上昇（塩味などの味覚が鈍感になる） ●嗅覚閾値の上昇 ●視野が狭くなる　●暗順応の低下 ●皮膚感覚の低下、痛覚の感受性の低下
循環器系	⬆：収縮期血圧、心臓重量 ⬇：拡張期血圧、心拍出量（運動時） ●左心室壁の肥厚 ●胸腺の重量の減少
血液・造血器系	⬆：血管抵抗 ⬇：造血機能（赤血球の減少）
免疫系	⬆：炎症性サイトカイン産生、自己抗体産生 ⬇：抗体産生、獲得免疫の反応性
呼吸器系	⬆：残気量 ⬇：肺活量、1秒率、気道クリアランス、肺の弾性、気道粘膜の線毛運動、咳嗽反射
消化器系	⬆：食後血糖値 ⬇：消化液の分泌、肝血流量、大腸の蠕動運動
腎・泌尿器系	⬆：残尿量の増加、尿素窒素 ⬇：膀胱容量、糸球体数
内分泌・代謝系	⬆：空腹時血糖値 ⬇：基礎代謝、皮下脂肪、体温調節機能、発汗能力
生殖器系	●卵巣は萎縮する ●腟壁は薄くなる ●精液量・精子量は減少する ●男性ではテストステロンが減少する
知能	●結晶性知能（これまでに獲得した知識を統合して物事に対処する能力）は保持されやすい
記憶力、判断力、計算力、遂行力	●体験そのものではなく体験の一部を忘れる ●動作性能力は早期に低下する ●記銘力、短期記憶が低下しやすい

上昇・増加するものは少ないので覚えておこう！

[解説] 骨粗鬆症では、骨吸収が骨形成を上回り、骨の組成や血清のカルシウムやリンに大きな変動はなく骨量だけが病的に減少する。

1. × パラソルモン（副甲状腺ホルモン）の過剰が骨粗鬆症に関連する。

2. ○ エストロゲンの欠乏が関連している。そのため、女性は閉経後に骨粗鬆症のリスクが増大する。

3. × 副腎皮質ホルモンの過剰が骨粗鬆症に関連する。ステロイド薬の副作用に骨粗鬆症があることを思い出そう。

4. × オキシトシンは骨粗鬆症の発症には関連しない。

▶関連問題209(P.124)

▶関連問題209(P.124)

問題 41　出題基準　Ⅲ-12-A／下剤、止瀉薬

[解答] 3

[解説] 止瀉薬は止瀉薬ともいい、下痢を止める薬物である。

1. × トロンビンは止血薬である。

2. 4. × ビサコジルや酸化マグネシウムは下剤である。そのほかの下剤にはセンノシドやヒマシ油がある。

3. ○ ロペラミド塩酸塩（一般名：ロペミン）は代表的な止瀉薬である。

図1 褥瘡の好発部位

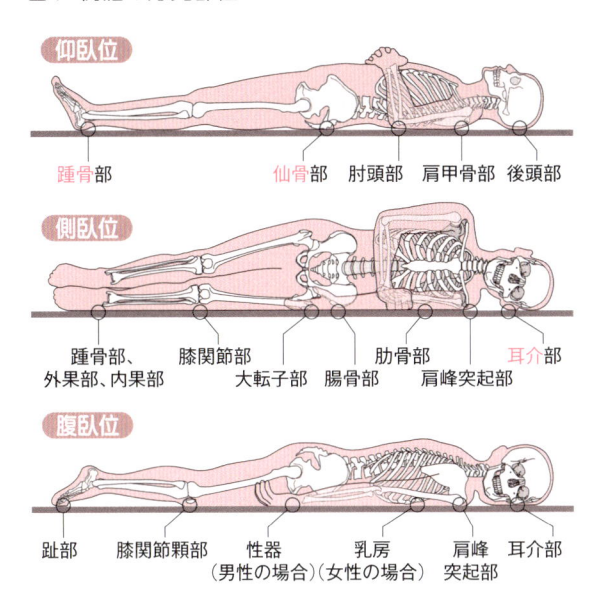
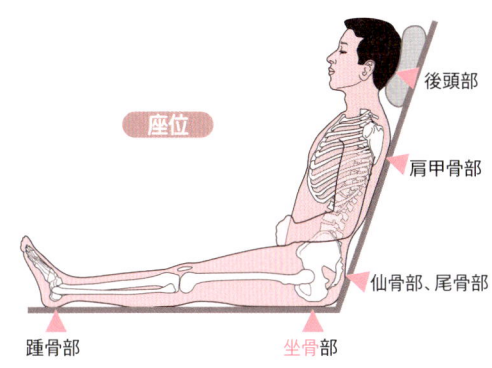

仰臥位
踵骨部　仙骨部　肘頭部　肩甲骨部　後頭部

側臥位
踵骨部、外果部、内果部　膝関節部　大転子部　腸骨部　肋骨部　肩峰突起部　耳介部

腹臥位
趾部　膝関節顆部　性器（男性の場合）　乳房（女性の場合）　肩峰突起部　耳介部

座位
後頭部　肩甲骨部　仙骨部、尾骨部　踵骨部　坐骨部

問題 42　出題基準
Ⅱ-7-G／心理社会的変化ほか

▶関連問題99(P.62)
過去問 基 P.257
過去問 老 P.733

［解答］2
［解説］1.× 経済力を確保し維持するのは、中年期の発達課題である。
2. ○ 身体的な力や健康の衰退に適応するのは、老年期の発達課題である。
3. 4.× 社会的責任を伴う行動を望んで成し遂げる、男性あるいは女性としての社会的役割を獲得するのは、青年期の発達課題である。

問題 43　出題基準
Ⅱ-6-B／健康や疾病に対する意識

▶関連問題74(P.47)
過去問 成 P.399
過去問 114回 P.41

［解答］3
［解説］1.× 一次予防には、生活習慣の改善や体力づくりなどが該当する。
2. 4.× 二次予防には、がん検診、定期的な受診、早期治療などが該当する。
3. ○ 三次予防には、社会復帰のためのリハビリテーション、重症化・合併症予防などが該当する。

問題 44　出題基準
Ⅰ-3-B／給付の内容

▶関連問題46(P.31)
過去問 老 P.792

［解答］5
［解説］5の認知症対応型共同生活介護（グループホーム）は「地域密着型サービス」であり（5. ○）、2～4は「施設サービス」、1は「居宅サービス」である。グループホームはそこで生活をするため、施設サービスと誤解しやすいので注意する。

問題 45　出題基準
Ⅱ-7-D／学童期（中項目）

▶関連問題87-89(P.55-56)
過去問 小 P.867

［解答］4
［解説］令和5（2023）年度の学校保健統計調査において学童期に最も被患率が高い異常は、裸眼視力1.0未満（37.79%）である（4. ○）。次に高いのは僅差でむし歯（う歯）（34.81%）である。裸眼視力1.0未満の者は中学校で約6割、高校で約7割を占める。

問題 46　出題基準
Ⅲ-10-A／内分泌系ほか

▶関連問題134(P.85)
過去問 人 P.98

［解答］4
［解説］1.× ガストリンは胃液やペプシノゲン分

必修模試❸

泌を促進する。

2. × セクレチンは膵液分泌を促進する。

3. × ソマトスタチンはさまざまなホルモンに対して抑制的にはたらく。

4. ○ コレシストキニンは胆嚢の収縮を促し、膵液分泌も促進する。

▶関連問題177〜（P.110〜）

問題
47
出題基準
Ⅲ-11-B／がん

過去問 成 P.435

[解答]2

[解説]1. × 入院、外来、在宅を問わずケアを行う。

2. ○ 患者本人に加え、家族はケアの対象である。患者と家族の苦痛を緩和する。

3. × 余命の延長よりもQOLの向上を目的としている。

4. × 緩和ケアは患者の疾患が診断された時点から開始し、治療と並行して行うことができる。

▶関連問題18(P.13)

問題
48
出題基準
Ⅰ-2-A／食事と栄養ほか

過去問 成 P.400

[解答]3

[解説]メタボリックシンドロームの診断基準には男性が85cm以上、女性が90cm以上であることが含まれる（3. ○）。この基準は内臓脂肪面積が100cm²以上に相当する。ウエスト周囲径は立位、軽呼気時、臍のレベルで測定する。さらに、高血圧、高血糖、脂質代謝異常のうち、2つ以上該当する状態が診断基準である。なお、すでに高トリグリセライド血症、低HDLコレステロール血症、高血圧、糖尿病に対する薬剤治療を受けている場合はその項目に該当することになる。

▶関連問題158(P.101)

問題
49
出題基準
Ⅲ-11-A／腹痛、腹部膨満 ほか

過去問 成 P.512

[解答]3

[解説]マックバーネー圧痛点は右下腹部（右上前腸骨棘と臍を結ぶ線を3等分し、臍から3分の2）に位置する圧痛点である。

1. × 急性膵炎では上腹部・心窩部・左季肋部などに痛みが生じる。

2. × 尿管結石症では、結石の部位である左右どちらかの背部の強い痛みや側腹部の痛みなどが生じる。

3. ○ 急性虫垂炎、盲腸憩室炎の場合にマックバーネー圧痛点に圧痛や腹膜刺激徴候をみとめる。

4. × 進行した子宮内膜症では子宮体部に相当する部位に圧痛を感じることがあるが、特定の圧痛点はない。

▶関連問題273(P.162)

問題
50
出題基準
Ⅳ-16-A／経管・経腸栄養法

過去問 在 P.1147

[解答]1

[解説]1. ○ 胃瘻カテーテルのボタン型バンパーで、外科手術で挿入したカテーテルを通じて栄養剤を注入する。

2. × 人工肛門も皮膚に造設されるが、図のようなカテーテルとバンパーはない。

3. × 中心静脈栄養ではカテーテルを鎖骨下静脈あるいは内頸静脈から挿入し、先端を上大静脈に留置して、輸液を滴下する。

4. × 脳室-腹腔シャントは脳室と腹腔を接続するチューブを皮下に通し、過剰な脳脊髄液を腹腔から排出する治療で、水頭症で行われる。

必修模試④ 解答・解説

問題 1 [出題基準] I-1-A／ウェルネスの概念 ▶関連問題2(P.2)

[解答]2

[解説]1946年に世界保健機関〈WHO〉憲章で示された健康の概念を、日本WHO協会は「健康とは、病気でないとか、弱っていないということではなく、肉体的にも、精神的にも、そして社会的にも、すべてが満たされた状態にあることをいう」と訳している。近年、健康の概念はさらに拡がり、ウェルネスという言葉がよく使われるようになった。
1. ×　ウェルネスの定義ではない。世界保健機関〈WHO〉憲章で示された健康の概念でも「病気や障害がないことだけではない」としている。
2. ○　ウェルネスを最初に定義したのがアメリカのハルバート・ダンで、「輝くように生き生きしている状態」とした。
3. ×　1と同じで、健康上の問題がないだけではない。
4. ×　ヘルスプロモーションの定義「人々が自らの健康をコントロールし、改善することができるようにするプロセス」がめざす状態である。

問題 2 [出題基準] I-1-B／世帯数 ▶関連問題7(P.6) [過去問][社] P.145

[解答]1

[解説]P.6表3を参照。
1. ○　単独世帯は34.0%で近年増加している。
2. ×　夫婦のみの世帯は24.6%で横ばいである。
3. ×　夫婦と未婚の子のみの世帯は24.8%で近年は減少傾向である。
4. ×　三世代世帯は3.8%で減少している。

問題 3 [出題基準] I-1-B／出生と死亡の動向 ▶関連問題9-10(P.7-8) [過去問][社] P.192

[解答]2

[解説]出生率の低下は大きな社会問題になっている。

出生数（令和5年約73万人）（2. ○）、出生率（令和5年6.0）、合計特殊出生率（令和5年1.20）、総再生産率（令和4年0.61）、第1子の母の平均年齢（令和4年30.9歳）などは覚えておきたい。

問題 4 [出題基準] I-1-B／死因の概要 ▶関連問題11(P.9) [過去問][社] P.193

[解答]3

[解説]高齢化の進展に伴い、老衰の死亡率は増加している。
1. ×　①は悪性新生物〈腫瘍〉である。
2. ×　②は心疾患である。
3. ○　③は老衰である。
4. ×　④は不慮の事故である。
　P.9図6を参照。

問題 5 [出題基準] I-1-B／平均余命、平均寿命、健康寿命 ▶関連問題12(P.9) [過去問][社] P.200

[解答]2

[解説]健康寿命は、健康上の問題によって日常生活が制限されることなく生活できる期間をいう。

健康日本21（第三次）においても、平均寿命の増加分を上回る健康寿命の増加をめざしており、平均寿命の増加分を上回る健康寿命の伸びがみられる。厚生労働省の発表によると、令和4(2022)年の健康寿命は男性72.57年、女性75.45年である（2. ○）。

問題 6 [出題基準] I-2-A／活動と運動、レクリエーション ▶関連問題22(P.15) [過去問][社] P.232 [過去問][114回] P.6

[解答]2

[解説]適切な運動は生活習慣病予防やメンタルヘルスにおいても重要で、適切な運動を継続することは健康維持に欠かせない。そのため、厚生労働省は健康日本21（第二次）のスタート時に「健康づくりのための身体活動基準2013」を策定した。併せて、国民健康・栄

養調査において、運動習慣のある者についてその数（割合）を把握している。運動習慣のある者とは、1日30分以上の運動を週2回以上実施し、1年以上持続している者をいう（2. ○）。

令和4（2022）年の調査では、運動習慣のある者の割合が高いのは男女ともに70歳以上であるが、男性は50.0%と半数を占め、女性は43.4%で半数に満たない。

▶関連問題25（P.17）

問題 7

出題基準

I-2-A／喫煙、嗜好品

[解答]4
[解説]飲酒はいくつかの健康障害との関連が指摘されている。特に過剰飲酒はさまざまな生活習慣病のリスクを高めるといわれ、具体的には肝臓疾患、がん、高血圧、脳出血、脂質異常症などがある。わが国の飲酒習慣のある者（厚生労働省は週3日以上で、清酒に換算し1日1合以上飲酒する者としている）は、近年減少傾向（令和4年男性35.9%、女性6.4%）ではあるものの、生活習慣病のリスクを高める量の飲酒（純アルコール摂取量で男性40g／日以上、女性20g／日以上）をしている者の割合は改善していない。純アルコール20gは清酒で約1合である。

1. × 10g／日以上ではない。
2. × 20g／日以上は女性のめやすである。
3. × 30g／日以上ではない。
4. ○ 男性の場合、40g／日以上で正しい。

▶関連問題35（P.23）

問題 8

出題基準

I-2-C／労働環境

過去問 社 P.236

[解答]1
[解説]労働衛生の3管理は、①作業環境管理（環境内の有害物質の除去や温度、騒音などの調整など）、②作業管理（作業の方法や姿勢などの管理）、③健康管理（一般健康診断と特殊健康診断に大別される）である。

1. ○ 作業姿勢の改善は作業管理である。
2. × 特殊健康診断の実施は、健康管理である。
3. 4. × 有害物質の作業環境測定と騒音の許容基準の遵守はいずれも作業環境管理である。

▶関連問題38（P.25）

問題 9

出題基準

I-3-A／医療保険の種類

過去問 社 P.163

[解答]3
[解説]社会保険制度は、①医療保険、②年金保険、③雇用保険、④労働者災害補償保険、⑤介護保険の大きく5つに分かれる（表1）。そのなかで、疾病、負傷、死亡、出産に伴い給付を受けるのが、医療保険である。医療保険には大きく分けて、地域保険（国民健康保険）、被用者保険（健康保険、共済組合保険、船員保険）、後期高齢者医療制度の3つがある。

1. × 医療保険ではなく、年金保険である。
2. × 医療保険のうち、地域保険である。
3. ○ 医療保険のうち、被用者保険である。
4. × 医療保険ではなく、失業給付などを行う雇用保険である。

表1 社会保険制度一覧

種類	種別・根拠法令	給付の内容
医療保険	①地域保険：国民健康保険法 ②職域保険（被用者保険）：健康保険法・船員保険法・各種共済組合法 ③後期高齢者医療制度：高齢者の医療の確保に関する法律	疾病、負傷、死亡、出産 ＊健康診断や正常分娩は保険診療の対象外となる 給付率7割（自己負担3割ただし、70歳以上と就学前の乳幼児は2割、70歳以上の現役並み所得者は3割） 後期高齢者医療制度の給付率は9割（自己負担1割ただし、一定以上所得者は2割、現役並み所得者は3割）
年金保険	①国民年金：国民年金法 ②厚生年金：厚生年金保険法	老齢・障害・死亡を主な事由として年金を受ける制度 ②の厚生年金に加入していない20歳〜60歳までの者は、①の国民年金に加入する。これを国民皆年金制度という
雇用保険	雇用保険法	失業給付・育児休業給付
労災保険	労働者災害補償保険法	業務上の事由や通勤による労働者の負傷、疾病、障害、死亡に対する保険給付
介護保険	介護保険法	被保険者の要介護状態または要支援状態に対する保険給付（要介護給付・要支援給付）

池西靜江, 石束佳子, 阿形奈津子 編：看護学生スタディガイド2026. 照林社, 東京, 2025：213. より一部改変して引用

▶ 関連問題48（P.34）

問題 10

出題基準
I-3-B／地域支援事業

過去問 社 P.170

［解答］2

［解説］介護保険法において、市町村は、「被保険者の要介護状態等となることの予防又は要介護状態等の軽減若しくは悪化の防止及び地域における自立した日常生活の支援のための施策を総合的かつ一体的に行うため、厚生労働省令で定める基準に従って、地域支援事業として」介護予防・日常生活支援総合事業を行うものとしている（第115条の45）。具体的な地域支援事業は表2を参照のこと。

1. × 訪問看護ステーション等の事業であり、介護給付における居宅サービスの訪問サービスである。

2. ○ 市町村が行う地域支援事業で介護予防・生活支援サービス事業の1つである。

3. × 介護給付における居宅サービスの訪問サービスである。

4. × 介護給付における居宅サービスの短期入所サービスである。

▶ 関連問題51（P.36）

問題 11

出題基準
I-4-A／
自己決定権と患者の意思

過去問 成 P.437

［解答］1

［解説］1. ○ そのとおり。略してACP、また別称で人生会議ともいう。

2. × 事前指示書といわれるもので、意思表示できない状況になる前に、自分に行われる治療の内容などについての自分の意向を提示しておくことである（意思決定の代理人を定めることも含む）。

3. × 尊厳ある死に向けて延命治療の打ち切りなどについて書面で表明するものである。

4. × Do Not Resuscitateの略で、心肺停止時に心肺蘇生を一切望まないことを意思表示することである。

▶ 関連問題53（P.36）

問題 12

出題基準
I-4-A／
ノーマライゼーション

過去問 基 P.262

［解答］4

［解説］ノーマライゼーションは、障害をもつ人も一般市民と同じ環境で、同じように、家庭や地域でともに暮らすことをめざすものである。決して特別視するのではなく、社会の障壁を除く（バリアフリー）など、社会的な環境を整えて、障害者の社会参加を促進し、自立とQOL向上をめざすものである。

1. × 保護という考え方ではなく、自立や社会参加をめざすものである。

2. × 障害の原因追求と治療の促進をめざすものではなく、社会的な障壁をなくすことをめざすものである。

3. × 収容施設の充実ではなく、一般市民とともに地域で家族とともに暮らすことをめざすものである。

4. ○ 心のバリアフリーにつながるように、市民の理解の促進を図る。

▶ 関連問題66（P.42）

問題 13

出題基準
I-5-A／保健師・助産師・看護師の義務（守秘義務、業務従事者届出の義務、臨床研修等を受ける努力義務）

過去問 社 P.238

［解答］3

表2 地域支援事業

地域支援事業	介護予防・日常生活支援総合事業	介護予防・生活支援サービス事業	訪問型サービス
			通所型サービス
			その他生活支援サービス
			介護予防ケアマネジメント
		一般介護予防事業	
	包括的支援事業	地域包括支援センターの運営	総合相談支援業務、権利擁護業務、包括的・継続的ケアマネジメント支援業務
		社会保障充実分	在宅医療・介護連携推進事業
			認知症総合支援事業
			生活支援体制整備事業
			地域ケア会議推進事業
	任意事業		

［解説］1．× 退職しても、業務上知り得た情報を漏らしてはいけない。

2．× 守秘義務違反には罰金、懲役などの罰則がある。

3．○ 助産師の守秘義務は刑法の規定による。

4．× 保健師、看護師、准看護師の規定がある。

▶関連問題69(P.44)

問題 **14** 出題基準 I-5-B／ナースセンター

過去問 社 P.244, 245

［解答］4

［解説］1．× 保健師・助産師・看護師の資質向上と医療・公衆衛生の普及向上を図ることを目的とする。

2．× 正式名称は「地域における医療及び介護の総合的な確保の促進に関する法律」であり、地域包括ケアシステムの推進に向け、医療・介護の連携強化をめざし整備された。

3．× 医療を受ける者の利益の保護と、良質かつ適切な医療を効率的に提供する体制の確保をめざすものである。

4．○ そのとおり。平成27（2015）年10月から施行されており、都道府県ナースセンターへ届け出ることが努力義務化されている。

▶関連問題75(P.47)

問題 **15** 出題基準 II-6-B／疾病・障害・死の受容

過去問 基 P.313
過去問 成 P.403

［解答］3

［解説］コーンの危機モデルを理解したい（表3）。

1．× 防衛は、できることもできなくなるなどの退行や逃避などの防衛反応を示す。

2．× 悲嘆は、回復できないと受け止めた後に、無力感から抑うつ状態や、ときには易怒的になる。

3．○ ショックは最初にみられる。適切な洞察力を

表3 コーンの危機モデル（障害受容モデル）

第1段階	ショック	自分の障害や予後に対して適切な洞察力を欠く
第2段階	回復への期待	不安を抱きながらも障害が元に戻ると固く信じる
第3段階	悲嘆	回復不可能と認識し、抑うつ状態か易怒状態に陥る
第4段階	防衛	心理的葛藤が強く、幼児的退行など防衛反応を示す
第5段階	適応	過去より未来を大切に思い、新しい人生を創造する

欠く状態である。

4．× 回復への期待は、不安を抱きながらも障害は治ると信じている状態である。

▶関連問題77(P.49)

問題 **16** 出題基準 II-7-B／発達の原則

過去問 小 P.836

［解答］2

［解説］原則として、成長・発達は連続的だが、速度は一定ではない。個人差もある。器官別の発育には違いがあることを示すのが、スキャモンの器官別発育曲線である（P.49図3参照）。

1．× ①はリンパ系型である。乳幼児期に著しく発育し、10〜12歳ころにピークに達して、その後、落ち着きをみせるのが特徴である。

2．○ ②は神経系型である。乳幼児期の早い時期から著しく発育する。

3．× ③は一般型と呼ばれ、筋・骨格、各臓器、血液量などの体幹の発育で、乳幼児期と思春期の2回急激に発育をして20歳くらいでピークになる。

4．× ④は生殖系型で、思春期以降に著しい発育を遂げる。

▶関連問題97(P.61)

問題 **17** 出題基準 II-7-G／身体的機能の変化

過去問 老 P.744-747

［解答］2

［解説］加齢に伴いさまざまな身体機能は低下する。

1．× 心臓の刺激伝導系の中心を担う洞房結節の細胞の減少や変性により心拍数は減少する。

2．○ 肺の弾性収縮力が低下し残気量は増加する。

3．× 尿細管の再吸収力が低下することで、尿の濃縮力が低下する。

4．× エクリン汗腺からの発汗機能は低下するため、発汗量は減少する。

▶関連問題100-102(P.63-64)

問題 **18** 出題基準 II-8-A. 家族の機能

［解答］3

［解説］フリードマンによると家族は絆を共有し、情緒的な親密さによって互いに結びついた、しかも、家族であると自覚している2人以上の成員をいう。さら

に家族の機能として、①情緒的機能、②社会化機能、③ヘルスケア機能、④生殖機能、⑤経済的機能の5つを挙げている。

1. × 情緒的機能とは安らぎ、癒しの場としての機能である。

2. × 社会化機能は、子どもを躾（しつけ）、社会のなかで生きられるようにする機能である。

3. ○ 病人の看病や高齢者を含む家族の健康管理をする機能である。

4. × 子どもを産むことで社会の構成員を補充する機能である。

▶関連問題105, 107（P.66-67）

問題 19 出題基準 Ⅱ-9-A／病院、診療所

過去問 社 P.249

[解答] 4

[解説] 医療法に基づく病院の種類として地域医療支援病院、特定機能病院、臨床研究中核病院がある。臨床研究の中核的役割を担う臨床研究中核病院には、厳しい要件が定められている（**表4**）。

1. × 病床数400床以上とされている。

2. × 厚生労働大臣の承認が必要である。

3. × 「高度の医療提供」は特定機能病院の要件である。

4. ○ 他の病院・診療所への情報提供や助言を行うなどの能力を有している必要がある。

▶関連問題108（P.68）

問題 20 出題基準 Ⅱ-9-A／訪問看護ステーション

過去問 在 P.1131
過去問 114回 P.48

[解答] 1

[解説] 訪問看護ステーションは介護保険法、健康保険法等に基づき、都道府県知事の指定を受けて、保健師・助産師・看護師が管理者となって運営する事業所である（介護保険のみの場合は助産師を除く）。訪問看護ステーションには人員に関する基準が定められている。

1. ○ 常勤換算で2.5名以上の看護職員が必要である。

2. × 常勤換算で2.5名以上の看護職員のうち、1名は常勤である必要がある。

3. × 管理者は保健師、看護師（介護保険法の指定事業者）とされ、健康保険法の指定事業者では助産師も管理者になれる。

表4 臨床研究中核病院

定義	●革新的医薬品・医療機器の開発などに必要となる、国際水準の臨床研究などで中心的役割を担う病院
能力	●特定臨床研究の新規実施件数、多施設共同研究の主導件数など
施設	●10以上の診療科と400以上の病床を有し、技術能力について外部評価を受けた臨床検査室を有する
人員	●医師・歯科医師　5人 ●薬剤師　5人 ●看護師　10人 ●臨床研究の実施支援者（臨床研究コーディネーターなど）専従24人 ●データマネジャー　専従3人 ●生物統計家　専任2人 ●薬事承認審査機関経験者　専従1人
承認	●厚生労働大臣が、社会保障審議会の意見を聴いたうえで承認するものである

4. × 実情に応じて、理学療法士、作業療法士、言語聴覚士も配置できる。

▶関連問題112-113, 116（P.70-71, 72）

問題 21 出題基準 Ⅱ-9-A／市町村、保健所

過去問 社 P.216

[解答] 2

[解説] 地域保健法が定める保健活動の場には、保健所と市町村がある。保健所は、都道府県、政令指定都市、中核都市などに設置され、より専門的・技術的・広域的な拠点としての機能をもつ。市町村は、地域住民の生活に密着した、身近で利用頻度の高い対人保健サービスを担う。

1. × 乳幼児健康診査は市町村の業務である。

2. ○ 保健所は、エイズ、結核、性病、伝染病その他の疾病予防にかかわる。

3. × 予防接種は市町村や委託医療機関で行う。

4. × 介護認定審査は市町村が行う。

市町村の保健師の業務はP.70表24、保健所の業務についてはP.71表25を参照。

▶関連問題114, 121（P.71, 76）

問題 22 出題基準 Ⅱ-9-A／学校

過去問 小 P.865

[解答] 3

[解説] 1. × 学校の保健管理・保健教育などに対して校長に指導・助言を行う医師である。

2. ×／3. ○ 主にかかりつけ医が感染症について

の診断を行い、その結果で校長が出席停止を命じる。

4. × 学校保健を推進する教諭で、中心になって学校保健計画を作成する。

▶関連問題126(P.80)

問題 23 出題基準 Ⅲ-10-A／循環器系

過去問 人 P.41

[解答]2

[解説]動脈は心臓から出る血液を運ぶ血管であり、静脈は心臓に戻る血液を運ぶ血管である。動脈血は酸素や栄養を多く含む血液、静脈血は二酸化炭素や老廃物を多く含む血液である。区別して理解しておきたい。

1. × 弁があるのは静脈の特徴である(**図1**)。

2. ○ 動脈壁は厚い。動脈壁は中膜が発達、弾性線維や平滑筋細胞が多く、伸縮性がある。

3. × 内腔は静脈のほうが広い。

4. × 動脈は、心臓から出る血液を運ぶ。

▶関連問題127(P.81)

問題 24 出題基準 Ⅲ-10-A／血液、体液

過去問 人 P.58

[解答]2

[解説]成人の血液量は、体重の約1/13(約8％)である。体重当たりで算出する場合のめやすは、男性80mL/kg、女性75mL/kgでも算出できる。

　60kg×0.08＝4.8Lのため、約5Lに相当する(2.○)。

▶関連問題130(P.83)

問題 25 出題基準 Ⅲ-10-A／消化器系

過去問 人 P.73

[解答]3

[解説]胃腺を構成する細胞には主細胞(ペプシノゲン分泌)、副細胞(粘液分泌)、壁細胞(胃酸分泌)の3つがある。

1. × 粘液を分泌するのは副細胞で、噴門腺、幽門腺は副細胞が主で、胃粘膜を保護する。

2. × 胃酸を分泌するのは壁細胞で、胃酸には、①殺菌作用、②主細胞から分泌されるペプシノゲンをペプシンに換える作用、③小腸での鉄の吸収がしやすくなるように食物中の鉄を2価鉄イオンにする作用などがある。

3. ○／4. × 主細胞から分泌されるのはペプシノゲンで、ペプシノゲンは胃酸の作用で蛋白質の消化酵素であるペプシンになる。

▶関連問題134(P.85)

問題 26 出題基準 Ⅲ-10-A／内分泌系

過去問 人 P.95

[解答]4

[解説]甲状腺ホルモンには、濾胞細胞から分泌されるサイロキシン(T_4)とトリヨードサイロニン(T_3)、傍濾胞細胞から分泌されるカルシトニンがある(4.○)。カルシトニンはカルシウム代謝にかかわり、血中のカルシウム濃度が上昇するとカルシトニン受容体を介して破骨細胞に抑制的に作用し、血中のカルシウム濃度を下げる。また、副甲状腺ホルモンのパラソルモンと拮抗作用をもつ。

図1 血管の構造

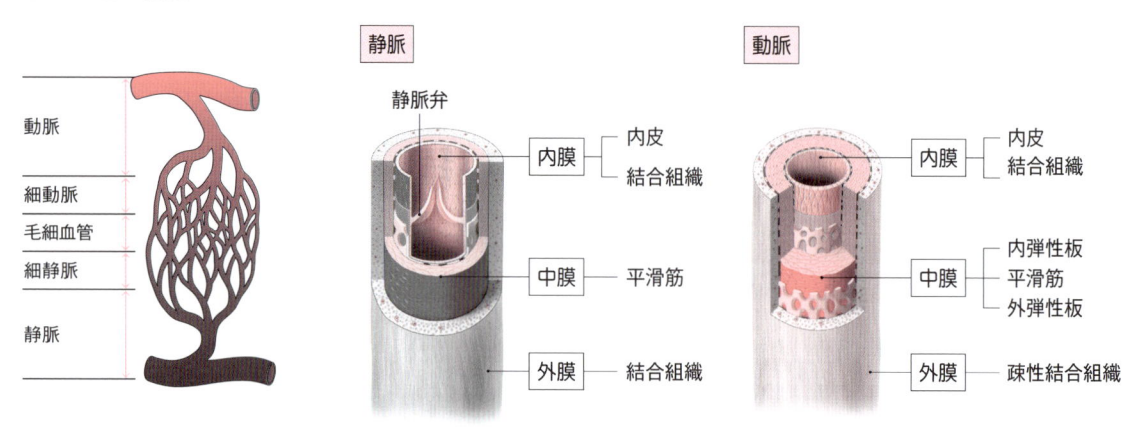

1. × 全身の臓器に作用し、エネルギー産生や代謝に影響を与える。

2. × サイロキシンと同様の作用をもつが、サイロキシンよりも強力な作用をもつ。

3. × 膵臓のランゲルハンス島のA（α）細胞から分泌され、血糖値を上昇させる。

問題 27	出題基準	▶関連問題145（P.92）

Ⅲ-11-A／言語障害

過去問 人 P.11

[解答] 1

[解説] 失語症は脳の障害により、読み書き、聞く、話すなどの言語機能が障害された状態を指す。構音障害は言語中枢の障害ではなく、発声器官などの障害であり、失語症とは区別される。

1. ○ 話し言葉は流暢でないが人の話は理解できるのは、ブローカ失語症（運動性失語症）である。

2. × ウェルニッケ失語症（感覚性失語症）は、言語は流暢だが、人の話の理解が困難である。

3. × 全失語症は、言語は流暢でなく、人の話の理解も困難である。

4. × 構音障害は、前述のとおり、失語症とは区別される。

問題 28	出題基準	▶関連問題148（P.94）

Ⅲ-11-A／脱水

過去問 成 P.564

[解答] 1

[解説] 細胞外液量の欠乏によって脱水が生じるが、細胞外液は水とナトリウムを多く含む。水とナトリウムのいずれを多く喪失するかで、水欠乏性脱水（高張性脱水）とナトリウム欠乏性脱水（低張性脱水）に大別

される（P.94表14・図16参照）。

1. ○ そのとおり。水欠乏性脱水では強い口渇を生じる。

2. × 循環血液量が減少するため、血圧上昇は起こらない。ナトリウム欠乏性脱水では血圧は低下する。

3. × ナトリウム欠乏性脱水の場合、細胞外液から内液への移動をみるため、頭痛が生じやすい。

4. × 水が欠乏することで血液は濃縮し血清ナトリウム濃度が上昇する。

問題 29	出題基準	▶関連問題151（P.97）

Ⅲ-11-A／咳嗽、喀痰

[解答] 2

[解説] 乾性咳嗽は喀痰の絡まない咳嗽で、咳受容体が直接刺激を受けて出る咳嗽である。湿性咳嗽は気道内にある喀痰（気道分泌物）を出そうとして起こる咳嗽である（表5）。

1. × 結核は、慢性の湿性咳嗽を主徴とする。

2. ○ 間質性肺炎は肺胞を取り囲む間質の炎症であり、喀痰はほとんど出ない。乾性咳嗽を主徴とする。

3. × 気管支拡張症は、膿性あるいは血性の多量の喀痰を主徴とするため、湿性咳嗽となる。

4. × 肺水腫は、肺毛細血管から血漿成分が血管外に漏出し貯留する病態で、ピンク色の泡沫状喀痰がみられる。湿性咳嗽を主徴とする。

問題 30	出題基準	▶関連問題156-157（P.100）

Ⅲ-11-A／不整脈

過去問 成 P.492

[解答] 1

[解説] 心房細動では、心房への電気刺激が不規則で

表5　咳・痰の分類とおもな原因疾患

咳	痰	痰の特徴	原因疾患
湿性咳嗽	漿液性	サラサラした水様（毛細血管の透過性亢進による）	気管支喘息発作時、肺癌
	粘液性	半透明で粘稠（透明〜白色）（健常者でもみられる）	慢性閉塞性肺疾患、気管支喘息発作後
	膿性	黄色ないし緑色（細菌感染により好中球などが混じる）	細菌性肺炎、肺結核、肺化膿症、気管支拡張症（血痰を伴う）など
	血性	血液が混じる（茶色・暗赤色）	肺癌、肺結核、肺炎、肺化膿症、気管支拡張症、肺血栓塞栓症、肺うっ血など
	泡沫性	泡状（ピンク色）（肺循環のうっ血による漏出液・血液が混入することもある）	肺水腫
乾性咳嗽	なし		間質性肺炎、自然気胸、縦隔腫瘍、大動脈瘤による気管支圧迫など

池西静江、石束佳子、阿形奈津子 編：看護学生スタディガイド2026. 照林社、東京、2025：506. より引用

心房が震えている状態を呈し、うまく収縮できないために血液の心室への移動ができず、心房内の血液が淀み血栓をつくりやすくなる。

1. ○　左心房でできた血栓は左心室から脳に運ばれて梗塞を起こす。

2. 4. ×　おもに下肢を動かさないことで深部静脈に血栓ができ、静脈の還流障害が起きた状態を深部静脈血栓症という。その血栓が心臓に戻り、肺に血栓ができると肺血栓塞栓症の発症につながる。心房細動により発症するものではない。

3. ×　下肢の動脈にアテローム硬化による狭窄が生じて、動脈の閉塞につながる病態である。心房細動によるものではない。

▶ 関連問題158(P.101)

問題 31　出題基準　Ⅲ-11-A／腹痛、腹部膨満　過去問 成 P.512

[解答]2

[解説]腹痛には、内臓痛、体性痛、関連痛がある。管腔臓器（消化管）や実質臓器（肝臓、膵臓など）の炎症や虚血に由来する腹痛は内臓痛である。内臓痛は、疼痛を自覚する部位から、疾病部位の推定ができる。心窩部であれば、胃、十二指腸などが考えられる。食事との関連で疼痛が増強・軽減する場合は上部消化管の疾病が考えられる。

1. ×　食道であれば、その部位から胸痛、胸やけなどの症状が考えられる。

2. ○　心窩部痛であれば胃か十二指腸が考えられる。そのうえで、食事摂取で軽減するのは十二指腸潰瘍、軽減しないのは胃潰瘍と推定できる。

3. ×　胆石症は、主として食後、右季肋部に急に出現する疼痛である。

4. ×　急性膵炎は、大量飲酒後に、持続的に激痛が生じ上腹部あるいは背部痛として自覚する。

▶ 関連問題164(P.105)

問題 32　出題基準　Ⅲ-11-A／乏尿、無尿、頻尿、多尿　過去問 成 P.702

[解答]1

[解説]乏尿とは1日の尿量が400mL以下になることをいう。乏尿に至る原因は、腎前性（循環不全による）、腎性（腎疾患）、腎後性（上部尿路の障害）に分けられる。なお、下部尿路の閉塞は、腎臓での尿生成段階の問題ではないので尿閉と呼び、乏尿とは区別さ

れることがある。

1. ○　脱水では、腎前性（循環不全）の乏尿をきたす。

2. ×　尿崩症では、尿量2,500mL／日以上となる多尿をきたす。抗利尿ホルモン（バソプレシン）の分泌障害で起こる。

3. ×　血糖のコントロールができていないと、尿細管内の浸透圧が上昇し、浸透圧利尿により尿量は増える。

4. ×　膀胱炎では、排尿回数が増加し頻尿をきたす。同時に排尿痛、尿混濁もみられる。

▶ 関連問題182(P.113)

問題 33　出題基準　Ⅲ-11-B／感染症　過去問 疾 P.115

[解答]3

[解説]感染経路は微生物が伝播する過程から垂直感染と水平感染に大別できる。垂直感染は母体から胎児や新生児に感染するもので母子感染ともいう。水平感染はヒトやモノからヒトへの感染で、経路別に飛沫感染、飛沫核（空気）感染、経口感染、接触感染、経皮感染などに分けられる。

　経皮感染を起こすのは、虫刺され、針刺し事故、動物の咬傷などがある。

1. ×　経口感染する。

2. ×　経気道感染する。

3. ○　針刺し事故により経皮感染することがある。

4. ×　経気道感染する。

▶ 関連問題179(P.112)

問題 34　出題基準　Ⅲ-11-B／がん　過去問 成 P.719

[解答]4

[解説]悪性腫瘍は生活習慣病の1つとされており、悪性腫瘍のリスク因子には、喫煙、運動習慣、飲酒、食事などの生活習慣が挙げられる。なかでも喫煙は、多くの悪性腫瘍のリスク因子として指摘されている。また、悪性腫瘍のなかには感染がリスク因子とされるものもある。

1. ×　胃癌はヘリコバクター・ピロリ菌がリスク因子で、ウイルスではない。生活習慣としては喫煙、食事などがリスク因子に挙げられる。

2. ×　大腸癌のリスク因子にウイルスとの明らかな関連は示されていない。生活習慣では、運動や肥満の関連が強く指摘されており、喫煙、飲酒、食事なども

リスク因子に挙げられる。

3．× 肺癌は大気汚染などがリスク因子に挙げられるが、ウイルスとの明らかな関連は示されていない。生活習慣では喫煙との関連が強く指摘されている。

4．○ 子宮頸癌は、ヒトパピローマ・ウイルスの感染が原因として強く指摘されている。生活習慣では喫煙がリスク因子に挙げられる。

▶関連問題189-191(P.115-116)

問題 35 出題基準 Ⅲ-11-B／小児の疾患

［解答］2

［解説］ロタウイルス感染症は乳幼児期に好発し、冬季～春季に流行する。一般には1週間程度で軽快するが、重症化すると脱水、急性脳症を起こし、後遺症を残すことがある。

1．× 経口感染・接触感染である。感染者の吐物や便に触った手からの感染が多い。

2．○ そのとおり。水様性便は白色になることがある。

3．× 頻度は少ないが急性脳症を合併することがある。

4．× 定期予防接種となっている。生ワクチンで接種方法は経口である。

▶関連問題196-197(P.119)

問題 36 出題基準 Ⅲ-11-C／血液生化学検査

過去問 成 P.553, 554

［解答］3

［解説］いずれも血液生化学検査で、脂質異常症の診断基準は、**表6**のとおりである。空腹時に採血する。

1．× 総コレステロールの基準値は120～220mg/dLで、正常範囲内である。脂質異常症の診断基準には入っていない。

2．× LDLコレステロール118mg/dLは正常範囲内である。

3．○ HDLコレステロール36mg/dLは正常範囲に達しておらず、低HDLコレステロール血症を呈す。

4．× トリグリセライド138mg/dLは、正常範囲内である。

表6 脂質異常症の診断基準

①LDLコレステロール：140mg/dL以上（高LDLコレステロール血症）、120～139mg/dL（境界域高LDLコレステロール血症）
②HDLコレステロール：40mg/dL未満（低HDLコレステロール血症）
③トリグリセライド：空腹時採血150mg/dL以上、随時採血175mg/dL以上（高トリグリセライド血症）
④non-HDLコレステロール：170mg/dL以上（高non-HDLコレステロール血症）、150～169mg/dL（境界域高non-HDLコレステロール血症）

▶関連問題215(P.128)

問題 37 出題基準 Ⅲ-12-A／麻薬

過去問 疾 P.134, 135

［解答］3

［解説］1．× 抗がん薬の一般的な副作用は、骨髄抑制、悪心・嘔吐、脱毛などである。呼吸抑制はみられない。

2．× 副腎皮質ステロイド薬のおもな副作用には、**P.126表38**のようなものがある。呼吸抑制はみられない。

3．○ 麻薬性鎮痛薬の副作用に呼吸抑制がある。ほかにも便秘、悪心・嘔吐、薬物依存がある。

4．× 硝酸薬は狭心症治療薬である。副作用には頭痛、動悸、めまい、血圧低下がある。呼吸抑制はみられない。

▶関連問題204(P.121)

問題 38 出題基準 Ⅲ-12-A／抗血栓薬

［解答］4

［解説］抗血栓薬には、血栓の進展や形成を防止する抗凝固薬、血小板の粘着・凝集能を阻害する抗血小板薬、血液凝固により生じた血栓を溶解する血栓溶解薬の3種があり、できた血栓を溶かす目的で使用するのは血栓溶解薬である。いずれも出血には注意が必要である。

1．× 抗血小板薬である。

2．3．× 抗凝固薬である。

4．○ 血栓溶解薬である。rt-PA製剤はできるだけ早期に投与しないと効果はなくなる。脳梗塞では4.5時間以内といわれている。

必修模試④

▶関連問題209（P.124）

問題 39

出題基準

Ⅲ-12-A／下剤、止痢薬

[解答] 1

[解説] 下痢（便の水分量が増加し、形状が無形、泥状、水様などになる）を止める薬物を止痢薬という。おもな止痢薬は、①腸管運動抑制薬、②腸収斂薬（炎症粘膜の分泌物と結合して膜をつくり、炎症や腸管運動を抑制する）、③吸着薬（ガスや粘膜などの有害物質を吸着して有害物質が腸管壁に吸収されるのを防ぐ）、④乳酸菌製剤（乳酸菌が腸内で増殖し、産生する乳酸によって腸内を酸性にして、病原性大腸菌などの増殖を阻止する）の4つに大別される（表7）。

1. ○　腸管運動抑制薬である。

2. ×　下剤で、塩類下剤である。

3. ×　下剤で、大腸刺激性下剤である。

4. ×　制吐薬である。抗セロトニン薬で抗がん薬の悪心・嘔吐に用いられる。

▶関連問題230（P.135）

問題 40

出題基準

Ⅳ-13-C／
呼吸状態の観察

過去問 基 P.281

[解答] 3

[解説] 副雑音（肺雑音）は、呼吸運動に伴って生じる異常呼吸音のことをいう。連続性副雑音は高調性と低調性に分けられ、高調性は気管支などの狭窄により生じる音で、低調性はおもに気管や主気管支などの中枢気道の部分狭窄により生じる（表8）。

表7　おもな止痢薬

分類	一般名（商品名）	特徴など
腸管運動抑制薬	ロペラミド塩酸塩（ロペミン） トリメブチンマレイン酸塩（セレキノン） ロートエキス（ロートエキス）	腸管においてアセチルコリンの遊離抑制
腸収斂薬	タンニン酸アルブミン（タンニン酸アルブミン） ベルベリン塩化物水和物配合（フェロベリン） ビスマス製剤（次硝酸ビスマス、次没食子酸ビスマス）	炎症粘膜の保護 鉄剤との併用禁忌
吸着薬	天然ケイ酸アルミニウム（アドソルビン） ジメチコン（ガスコン）	有害物質を吸着 透析患者には禁忌
乳酸菌製剤	ラクトミン製剤（ビオフェルミン） ビフィズス菌（ラックビー）	腸内で増殖して乳酸などを産生

池西静江,石束佳子,阿形奈津子 編：看護学生スタディガイド2026. 照林社,東京,2025：147. より一部改変して引用

1. ×　低調性連続性副雑音（いびき音）で、比較的太い気管支や気管などの部分狭窄で起こる。

2. ×　高調性連続性副雑音で、比較的細い気管支などの狭窄により起こる。気管支喘息などで聴取される。

3. ○　粗い断続性副雑音で、水泡音ともいう。痰の貯留など分泌物のなかを空気が通る場合に生じる。肺水腫や肺炎などで聴取される。

4. ×　胸膜が擦れ合う音で、胸膜摩擦音である。胸膜炎などで聴取される。

▶関連問題232（P.140）

問題 41

出題基準

Ⅳ-13-C／運動機能の観察

過去問 基 P.286
過去問 成 P.636

[解答] 3

[解説] 小脳機能を評価する方法には、①ロンベルグ試験、②マン試験（両足を前後に縦に並べて立ってふらつきをみる）、③片足立ち試験、④指鼻試験などがある。

1. ×　バレー徴候では運動麻痺をみる。上肢・下肢で観察する。上肢の場合は両腕を水平位にすると、麻痺のあるほうの上肢は回内しながら下がってくるため、麻痺と判断できる。

2. ×　リンネテストでは難聴を確認する。音叉を振動させて、耳の後ろの乳様突起部に当てて振動を感じる（骨伝導）。その後、振動を感じなくなったら耳元に

表8　副雑音の種類

種類		特徴	原因
連続性副雑音	いびき音 （類鼾音） （ronchi）	●低調性 ●「ウーウー、グーグー」といびきのような音	気管支狭窄、肺癌など（気管や主気管支の一部狭窄があるとき）
	笛声音 （wheeze）	●高調性 ●「ヒューヒュー、ピーピー」と口笛のような音	気管支喘息、気管支炎など（比較的細い気管支の狭窄があるとき）
断続性副雑音	捻髪音 （fine crackle）	●細かい音 ●「パリパリ、メリメリ」と髪の毛を耳の前で擦り合わせたような音	肺線維症、うっ血性心不全初期、肺炎初期、肺水腫初期など
	水泡音 （coarse crackle）	●粗い音 ●「ブクブク、ブツブツ」とお湯が沸騰しているような音	気管支拡張症、肺水腫、うっ血性心不全、肺炎など（痰の貯留など分泌物のなかを空気が通過して弾けるような音がする）
その他	胸膜摩擦音	●「ギュッギュッ」と擦れ合う音	胸膜炎、転移性がんなど（胸膜が擦れ合って音がする）

音叉を移動して振動音を聞く（気伝導）。

3．○　爪先をそろえて立ち、ふらつきをみる。平衡機能（小脳機能）をみる。

4．×　リンネテストと同様で、難聴の確認に用いる。音叉を振動させ頭頂部に置き、左右の聞き取りの差を確認する。

問題 42　出題基準　IV-15-B／転倒・転落の防止

▶関連問題258（P.153）

過去問 基 P.301

［解答］2
［解説］転倒・転落防止のための対応として、アセスメントスコアシートの活用や、離床センサーの設置、低床ベッドの導入などが挙げられる。

1．×　臥床患者で自らベッド昇降できない状態であれば4点ベッド柵の使用が考えられるが、4点ベッド柵は身体的拘束に該当する。認知症患者の場合、ベッド柵を乗り越えようとすることも考えられ、かえって危険になることがある。適切とはいえない。

2．○　認知症患者には、離床センサーを設置して、動きを看護師が把握して、対処することが大切である。

3．×　抑制は望ましくない。抑制は①切迫性、②非代替性、③一時性を判断して、必要時、行うことがあるが、それらの要件がそろわない場合は原則、行わない。

4．×　ベッドは低床ベッドにする。

問題 43　出題基準　IV-15-C／滅菌と消毒

▶関連問題269（P.160）

過去問 基 P.293, 294

［解答］2
［解説］消毒薬は目的の微生物に感受性のある適切なものを選び、正しい濃度・温度・時間で行う（**表9**）。

1．×　グルタラールは高水準消毒薬で、芽胞も殺滅する。器材の消毒に用いる。

2．○　次亜塩素酸ナトリウムは中水準消毒薬で、芽胞を除くすべての栄養型細菌、ウイルス、真菌に使用する。哺乳瓶に使用するのは濃度が大切で0.01％である。

3．×　エタノールは中水準消毒薬で、正常な皮膚などを消毒する。

4．×　ポビドンヨードは中水準消毒薬で、術野、創部、粘膜を消毒する。

表9　消毒薬の分類

分類	消毒薬	使用対象物	特徴・有効範囲
高水準消毒薬	グルタラール	内視鏡、ウイルスに汚染した器材など	適切な条件下で芽胞を殺滅する。すべての微生物を殺滅する。
	フラタール		
	過酢酸		
中水準消毒薬	次亜塩素酸ナトリウム	0.01％：ほ乳瓶など　1％：ウイルスに汚染した血液が付着したもの	結核菌、真菌、ウイルスなどすべての栄養型細菌（芽胞を除く）を死滅させる。
	エタノール	正常な皮膚、アンプルなど	
	ポビドンヨード	術野、創部、粘膜	
低水準消毒薬	クロルヘキシジングルコン酸塩	正常な皮膚、創部、器材	結核菌を除く栄養型細菌、一部の真菌、脂質膜をもたない一部のウイルス、脂質膜をもつウイルスを死滅させるが、芽胞は死滅できない。
	塩化ベンゼトニウム	0.02％：粘膜　0.1～0.2％：器材、環境	
	塩化ベンザルコニウム	0.02％：粘膜　0.1～0.2％：器材、環境	

池西靜江, 石束佳子, 阿形奈津子 編：看護学生スタディガイド2026. 照林社, 東京. 2025：294. より引用

問題 44　出題基準　IV-16-B／与薬方法

▶関連問題275（P.164）

過去問 基 P.367

［解答］1
［解説］注射法は穿刺部位によって刺入角度や注意点が異なる（**P.222表10**）。皮内注射は表皮と真皮の間に薬液を入れる注射法であり、刺入角度はほぼ水平である（1．○）。体内への吸入速度は注射法のなかで最も遅い。アレルギーの皮内反応やツベルクリン反応などで用いる。

問題 45　出題基準　IV-16-C／輸血

▶関連問題279（P.165）

過去問 基 P.372

［解答］2
［解説］輸血用の血液製剤はさまざまな温度で適切に保存し、間違いのないように投与しなければならない。新鮮凍結血漿は－20℃以下で凍結保存されている。37℃を超えた温度で融解すると凝固因子の活性が低下する。さらに高温、あるいは低温で融解すると蛋白変性が起こる。

1．×　－20℃以下で凍結保存する。

表10 注射の種類

	皮内注射	皮下注射	筋肉内注射	静脈内注射
注射針	26〜27G	23〜25G	21〜25G	21〜23G
刺入角度	ほぼ水平	10〜30度	45〜90度	10〜20度
1回薬液量	0.1mL程度	最大2.0mL	最大5.0mL	薬剤による
マッサージ	無	薬剤の特性で異なる		無
注射部位	前腕内側部	上腕伸側部 腹部	三角筋部、中殿筋 ●クラークの点 ●ホッホシュテッター部位 ●四分三分法による部位	橈側皮静脈 尺側皮静脈 肘正中皮静脈 など

＊静脈内注射では、塩化カリウム注射液など、必ず希釈して注入する薬液があるので注意する

池西靜江, 石束佳子, 阿形奈津子 編：看護学生スタディガイド2026. 照林社, 東京, 2025：358. より改変して引用

2. ○ そのとおりである。

3. × 融解後はすみやかに（24時間以内）投与する。

4. × 一度融解したものは再凍結してはいけない。

問題 46 出題基準 ▶関連問題280（P.166）

IV-16-D／刺入部位

過去問 基 P.381

[解答]3

[解説]1. × 太く、浅く、真っ直ぐで弾力性がある血管を選ぶ。

2. × 麻痺がある場合は健側で行う。

3. ○ そのとおりである。橈側皮静脈、肘正中皮静脈、尺側皮静脈は、太く、浅く、真っ直ぐで弾力性があり、採血に適している。

4. × 拍動があると動脈に近く、動脈を穿刺する危険性がある。

問題 47 出題基準 ▶関連問題284（P.168）

IV-16-E／酸素ボンベ

過去問 基 P.352

[解答]1

[解説]医療用酸素ボンベの容量は一般に500Lで、14.7Mpa（150kgf/cm²）の内圧で酸素が充填されている。したがって、圧力計をみて、充填圧（14.7Mpa）の減少度合いで、残量を計算する。

1. ○ アは圧力計であり、前述のとおりこれが正しい（図2）。

2. × イは今流れている酸素の量を表す流量計である。

3. × ウは加湿器（びん）である。滅菌蒸留水を入れることが多い。加湿の目的で使用し、加湿が必要な場合は加湿器の蒸留水の減り具合に注意する。

4. × エの酸素ボンベの重量は、ほとんどボンベ自体の重さで、残量測定には役立たない。

図2 酸素ボンベのしくみ

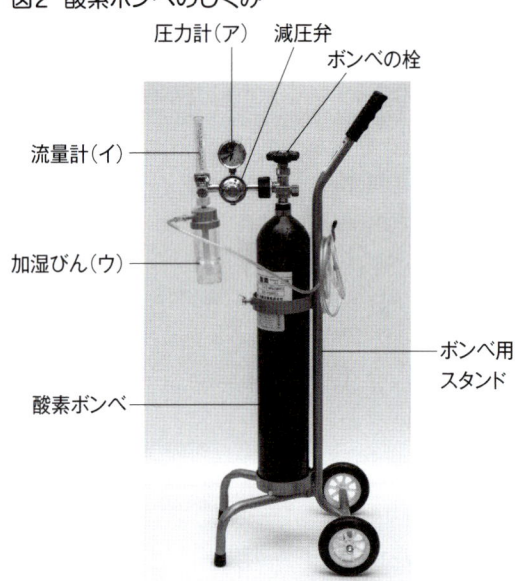

圧力計（ア）　減圧弁
ボンベの栓
流量計（イ）
加湿びん（ウ）
ボンベ用スタンド
酸素ボンベ

問題 48 出題基準 ▶関連問題289（P.171）

IV-16-E／
口腔内・鼻腔内吸引

過去問 114回 P.44

[解答]4

[解説]口腔・鼻腔内吸引は痰などの分泌物によって、鼻閉感や呼吸困難があり、加湿や体位ドレナージ等の侵襲の少ない援助を試みても排出できない場合に行う。

1. × カテーテルは15cm程度挿入する。

2. × 挿入時は母指でカテーテルを折り曲げて陰圧をかけないようにする。

3. × 吸引圧は気管内吸引と同様で150〜200mmHg以下で行う。

4. ○ そのとおりである。吸引圧をかけての吸引は

図3 点眼法

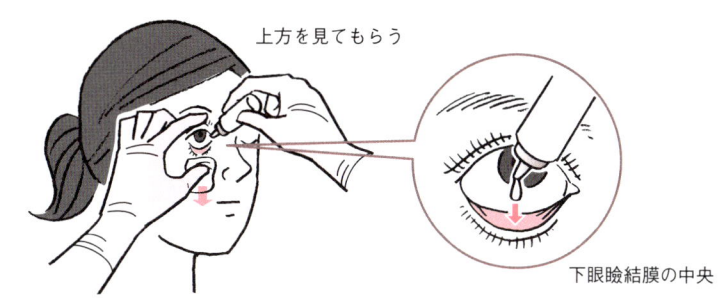

上方を見てもらう

下眼瞼結膜の中央

池西静江, 石束佳子, 阿形奈津子 編：看護学生スタディガイド2026. 照林社, 東京, 2025：358. より引用

10秒以内で行う。

　なお、気管内吸引の吸引圧についてはさまざまな議論があり、『気管吸引ガイドライン2023』では「200mmHg以下」が提唱されている。最新の看護テキストでは、「150mmHg、場合によっては200mmHg」等と記載されている。また、吸引時間については、カテーテル挿入開始から終了までの時間を15秒以内にすることが推奨されている。

問題 49	出題基準	▶関連問題275（P.164）
	Ⅳ-16-B／与薬方法	過去問 基 P.363

［解答］3
［解説］1．× 　複数の点眼薬の指示があれば、5分間隔で点眼する。
2．× 　眼軟膏ではなく、水溶性の薬剤を先に点眼する。

3．○ 　点眼は1滴でよく、そのとおりである。
4．× 　上眼瞼ではなく下眼瞼を軽く引き、眼球結膜に点眼する（図3）。

問題 50	出題基準	▶関連問題299（P.176）
	Ⅳ-16-G／創傷管理	過去問 基 P.357

［解答］2
［解説］創傷の治癒過程は、①出血・凝固期、②炎症期、③増殖期、④成熟期を経る（P.176図35参照）。
1．× 　出血・凝固の後に炎症期になり、発赤、腫脹などがみられる。
2．○ 　出血・凝固が最初である。
3．× 　肉芽形成は増殖期にみられる。炎症期の後である。
4．× 　瘢痕形成は成熟期にみられる。

必修模試❹

必修模試⑤ 解答・解説

▶関連問題4(P.3)

問題 1

出題基準
I-1-B／年齢別人口

過去問 社 P.140

[解答]2

[解説]日本の人口ピラミッドは、2つの膨らみをもつ、つぼ型で表される(**P.3図1**参照)。上から1つ目の膨らみは、74〜76歳の戦後の第1次ベビーブーム期である。上から2つ目の膨らみは、そのベビーブームに生まれた人が出産した第2次ベビーブーム期で、49〜52歳である(2.○)。第1次ベビーブームに生まれた人たちが後期高齢者になる2025年問題や減少を続ける生産年齢人口が、医療・福祉を中心とした国の施策にさまざまな影響を与えている背景を人口ピラミッドの形状から理解したい。

▶関連問題4(P.3)

問題 2

出題基準
I-1-B／年齢別人口

過去問 社 P.142
過去問 114回 P.6

[解答]1

[解説]日本の年齢3区分別人口では、老年人口(65歳以上)の割合が増加し、年少人口(0〜14歳)の割合は減少している。生産年齢人口(15〜64歳)の割合は微減である。

令和5(2023)年の年少人口割合は11.4%(1.○)、生産年齢人口割合は59.5%、老年人口割合は29.1%であった。

▶関連問題11(P.9)

問題 3

出題基準
I-1-B／死因の概要

過去問 社 P.194
過去問 114回 P.40

[解答]3

[解説]部位別悪性新生物〈腫瘍〉の死亡数の推移で、近年増加傾向にあるのは膵である(**P.225表1**)。
1. × 胃は減少している。
2. × 肝および肝内胆管はここ数年減少している。
3. ○ 前述のとおり、膵は近年増加傾向にある。
4. × 気管、気管支および肺はわずかに減少している。

▶関連問題14-15(P.11)

問題 4

出題基準
I-1-C／
有病率、罹患率、受療率

過去問 社 P.203
過去問 114回 P.40

[解答]4

[解説]受療率は患者調査によって求められる。患者調査は都道府県単位で無作為に抽出した医療機関に受診した患者を、医療機関の管理者が記入する方式で行う。入院および外来患者の調査は10月の3日間で行う静態調査である。性・年齢別受療率も算出される。以下は「健康状態に影響を及ぼす要因及び保健サービスの利用」を除いた順位である。

1. × 筋骨格系及び結合組織の疾患の外来の受療率は高く、循環器系の疾患に次いで3番目に多い。
2. × 精神及び行動の障害の入院の受療率は高く1位であるが、外来の受療率は上位ではない。
3. × 呼吸器系の疾患の外来の受療率は消化器系の疾患などに比べて高くない。
4. ○ 消化器系の疾患(う蝕や歯周疾患を含む)の外来の受療率は最も高い。
5. × 循環器系の疾患は、入院の受療率が精神及び行動の障害に次いで高く、外来の受療率も2位と高い。

▶関連問題29-30(P.19)

問題 5

出題基準
I-2-B／水質、大気、土壌

過去問 社 P.213
過去問 114回 P.40

[解答]1

[解説]環境基本法第16条に基づき、大気汚染、水質汚濁、土壌汚染、騒音に係る環境基準が定められている。大気汚染については、二酸化硫黄、一酸化炭素、浮遊粒子状物質(SPM)、微小粒子状物質(PM2.5)、二酸化窒素、光化学オキシダント、ベンゼン、トリクロロエチレン、テトラクロロエチレン、ジクロロメタンの10種が定められている。別途、ダイオキシン類対策特別措置法によりダイオキシン類に対しても基準が設けられている。
1. ○ 浮遊粒子状物質(SPM)は大気汚染に係る物質で、環境基準が設けられている。
2. 3. 4. × いずれも水質汚濁に係る物質である。

表1 性・部位別にみた悪性新生物〈腫瘍〉死亡数の推移

	平成2年 (1990)	12 (2000)	22 ('10)	令和2 ('20)	4 ('22)	5 ('23)
男						
悪性新生物〈腫瘍〉	130,395	179,140	211,435	220,989	223,291	221,360
胃	29,909	32,798	32,943	27,771	26,455	25,325
肝[1)	17,786	23,602	21,510	16,271	15,717	15,226
膵	7,317	10,380	14,569	18,880	19,608	19,859
肺[2)	26,872	39,053	50,395	53,247	53,750	52,908
大腸[3)	13,286	19,868	23,921	27,718	28,099	27,936
その他	35,225	53,439	68,097	77,102	79,662	80,106
女						
悪性新生物〈腫瘍〉	87,018	116,344	142,064	157,396	162,506	161,144
胃	17,562	17,852	17,193	14,548	14,256	13,446
肝[1)	6,447	10,379	11,255	8,568	7,903	7,682
膵	6,001	8,714	13,448	18,797	19,860	20,316
肺[2)	9,614	14,671	19,418	22,338	22,913	22,854
大腸[3)	11,346	16,080	20,317	24,070	24,989	25,195
乳房	5,848	9,171	12,455	14,650	15,912	15,629
子宮	4,600	5,202	5,930	6,808	7,157	7,137
その他	25,600	34,275	42,048	47,617	49,516	48,885

資料　厚生労働省「人口動態統計」
注　1）肝及び肝内胆管を示す。　2）気管、気管支及び肺を示す。
　　3）結腸と直腸S状結腸移行部及び直腸を示す。

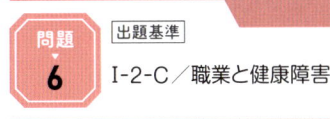

▶ 関連問題33（P.21）

問題 6　出題基準

I-2-C／職業と健康障害

［解答］3

［解説］令和4（2022）年の定期健康診断の実施結果は**図1**のとおりである。

　全体の有所見率は近年横ばい傾向にあり、令和4年は58.3%であった。

1. ×　血圧は18%くらいである。
2. ×　肝機能検査は16%くらいである。
3. ○　血中脂質は最も多く30%を超えている。
4. ×　血糖検査は13%程度である。

▶ 関連問題36（P.24）

問題 7　出題基準

I-2-C／
ワーク・ライフ・バランス

過去問 社 P.237

［解答］3

［解説］内閣府の示すワーク・ライフ・バランス憲章では「国民一人ひとりがやりがいや充実感を感じながら働き、仕事上の責任を果たすとともに、家庭や地域生活などにおいても、子育て期、中高年期といった人生の各段階に応じて多様な生き方が選択・実現できる

図1　有所見率の推移

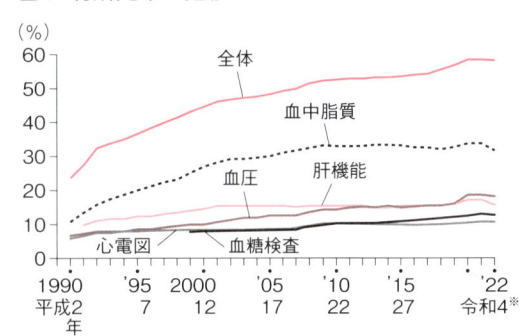

資料　厚生労働省「定期健康診断結果報告」
※　令和4年分については、令和4年10月の労働安全衛生規則の改正前後の有所見率を各期間で加重平均した推計値である。

社会」をめざすとしている。具体的には、
①就労による経済的自立が可能な社会
②健康で豊かな生活のための時間が確保できる社会
③多様な働き方・生き方が選択できる社会
を挙げている。

1. ×　一方を犠牲にする、という考え方ではなく「調和」をめざす。
2. ×　現在の問題として指摘されているのが働き方の二極化である。非正規労働者の増加、やりがいを見いだせず経済的自立困難な者の増加と、一方では、仕事の負担が正規労働者にかかり、長時間労働になるな

どの二極化が問題として指摘されている。その改善の
ためにもワーク・ライフ・バランスが提唱されるよう
になった。

3. ○　設問のとおり、多様な働き方・生き方が選
択できる社会をめざしている。

4. ×　男女の雇用機会均等も考慮し、女性だけが家
で子育てをすることを支援する考え方ではない。

▶ 関連問題42-43(P.29)

問題 8　出題基準　I-3-A／給付の内容

過去問 社 P.175

[解答]3

[解説]通勤途上の事故は労働者災害補償保険の適用
になる。

1. ×　医療保険は業務上の疾病や負傷を除いて、疾
病、負傷、死亡、出産に適用される。

2. ×　介護保険は第1号被保険者あるいは第2号被
保険者で要介護・要支援認定を受けた者に対する介
護・介護予防の給付を行うものであり、通勤途上の事
故の医療費の支給は適用外である。

3. ○　そのとおり。業務上の事由や通勤による負傷、
疾病、障害、死亡に対する保険給付に適用される。

4. ×　年金保険は老齢・障害・死亡を主な事由とし
て給付を受ける制度で、通勤途上の事故の医療費とは
関係しない。

▶ 関連問題41-42(P.27-29)

問題 9　出題基準　I-3-A／
高齢者医療制度

過去問 社 P.165

[解答]4

[解説]後期高齢者(75歳以上の者および65〜74歳で
一定の障害がある者)が、これまで加入していた医療
保険に代わって加入する。給付については、他の医療
保険と同様で、自己負担額は1割(ただし、世帯の所
得に応じて2割・3割となる)である。

1. ×　原則として75歳以上の者である。

2. ×　保険者は後期高齢者医療広域連合である。

3. ×　根拠法令は高齢者の医療の確保に関する法
律(高齢者医療確保法)である。

4. ○　前述のとおり、一定以上の所得者を除いた自
己負担割合は1割である。

▶ 関連問題46(P.31)

問題 10　出題基準　I-3-B／給付の内容

過去問 社 P.170
過去問 老 P.792

[解答]3

[解説]介護保険で利用できるサービスは、居宅サー
ビス、地域密着型サービス、施設サービスに分けら
れる。

1. 2. ×　居宅サービスである。

3. ○　P.227表2のとおり地域密着型サービスで
ある。

4. ×　地域密着型サービスではない。

▶ 関連問題55-59(P.37-39)

問題 11　出題基準　I-4-B／倫理原則

過去問 基 P.263

[解答]2

[解説]医療の倫理に基づく「自律尊重の原則」「善行の
原則」「公正・正義の原則」「無危害の原則」に、看護で
は「誠実・忠誠の原則」が加えられている。

1. ×　善行の原則はよきことを行う、ということで、
患者にとって何がよいかを考えて行動することである。

2. ○　公正・正義の原則は、活用可能な資源・サー
ビスを、平等に、公平に分けて提供するということ
で、災害時のトリアージはこれに該当する。

3. ×　誠実・忠誠の原則は嘘をつかない(誠実)、秘
密を守る、約束を守って行動(忠誠)することをいう。

4. ×　無危害の原則は、危害が及ばないようにする
ことであり、セーフティマネジメントなどを行うこと
である。

▶ 関連問題66(P.42)

問題 12　出題基準　I-5-A／
保健師・助産師・看護師の義務

過去問 社 P.241

[解答]4

[解説]業務従事者届は保健師助産師看護師法に定め
る義務の1つであり、義務違反には罰則規定がある。
保健師助産師看護師法第33条に「業務に従事する保健
師、助産師、看護師または准看護師は(中略)2年ごと
の年の12月31日現在における氏名、住所、その他厚
生労働省令で定める事項を、当該年の翌年1月15日
までに、その就業地の都道府県知事に届け出なけれ
ばならない」と規定されている(4. ○)。

表2 介護保険で利用できるおもなサービス

対象		介護給付	介護予防給付
		要介護1〜5認定者	要支援1・2認定者
居宅サービス	訪問	訪問介護 訪問看護 訪問入浴介護 訪問リハビリテーション 居宅療養管理指導	介護予防訪問看護 介護予防訪問入浴介護 介護予防訪問リハビリテーション 介護予防居宅療養管理指導
	通所	通所介護 通所リハビリテーション	介護予防通所リハビリテーション
	短期入所	短期入所療養介護 短期入所生活介護	介護予防短期入所療養介護 介護予防短期入所生活介護
	その他	特定施設入居者生活介護 福祉用具貸与 特定福祉用具販売（購入費の支給）	介護予防特定施設入居者生活介護 介護予防福祉用具貸与 特定介護予防福祉用具販売（購入費の支給）
地域密着型サービス		定期巡回・随時対応型訪問介護看護 夜間対応型訪問介護 認知症対応型通所介護 小規模多機能型居宅介護 看護小規模多機能型居宅介護 認知症対応型共同生活介護（グループホーム）　ほか	介護予防認知症対応型通所介護 介護予防小規模多機能型居宅介護 介護予防認知症対応型共同生活介護（グループホーム）
施設サービス		介護老人福祉施設 介護老人保健施設 介護医療院	

※なお、要介護・要支援ともに、自宅（介護保険被保険者証に記載する家）に住んでいる場合、「住宅改修費」が受けられる。

池西静江, 石束佳子, 阿形奈津子 編：看護学生スタディガイド2026. 照林社, 東京, 2025：404. より引用

▶関連問題77（P.49）

問題 13 出題基準

Ⅱ-7-B／発達の原則

過去問 小 P.846, 847

[解答] 1

[解説] 新生児は大脳の発達が未熟なため、身を守るために原始反射がみられる（**表3**）。大脳の発達とともに、原始反射はみられなくなり、代わりに中脳から大脳皮質レベルの反射（姿勢反射）がみられるようになる。

1．○　定頸ころに消失する原始反射である。

2．×　姿勢反射である。身体を傾けると顔が正中位になる反射で視性立ち直り反射ともいう。

3．×　姿勢反射である。この反射によって、転びそうになったら手をつくことができるようになる。

4．×　姿勢反射である。乳児の腹部を手で支え水平位に保ち、頭部を後屈すると脊柱と下肢が伸展する。

▶関連問題90（P.57）

問題 14 出題基準

Ⅱ-7-E／第二次性徴

過去問 小 P.867, 868

[解答] 2

[解説] 第二次性徴は性ホルモン（エストロゲン、アンドロゲン）の分泌により、女性らしい、あるいは男性らしい身体つきになり、生殖機能をもつようになることを指し、この時期を特に思春期という。第二次性徴は女児では8〜9歳ころから始まり、男児は少し遅く10歳ころから始まる。女児の第二次性徴の出現順序は、乳房の発育、陰毛の発生・身長の増加、初経、そして、骨端線の閉鎖がみられると、おおむね思春期は終わる。

1．×　乳房の発育がみられた後に陰毛が発生する。

2．○　乳房の発育から始まる。

3．×　陰毛の発生後で、12歳ころには約半数の女児に初経がみられる。

4．×　骨端線の閉鎖で身長の伸びは止まる。女児は16〜17歳で多くが閉鎖する。

▶関連問題95（P.60）

問題 15 出題基準

Ⅱ-7-F／生殖機能の成熟と衰退

過去問 母 P.953, 954

[解答] 3

[解説] 更年期にはエストロゲンの分泌低下に伴い、さまざまな症状が出現する。①エストロゲン欠乏による月経異常、そして、閉経する。②ホルモンのフィードバック機構で、視床下部が刺激を受けて、自律神

必修模試❺

227

表3 反射・反応の消失、出現時期のめやす

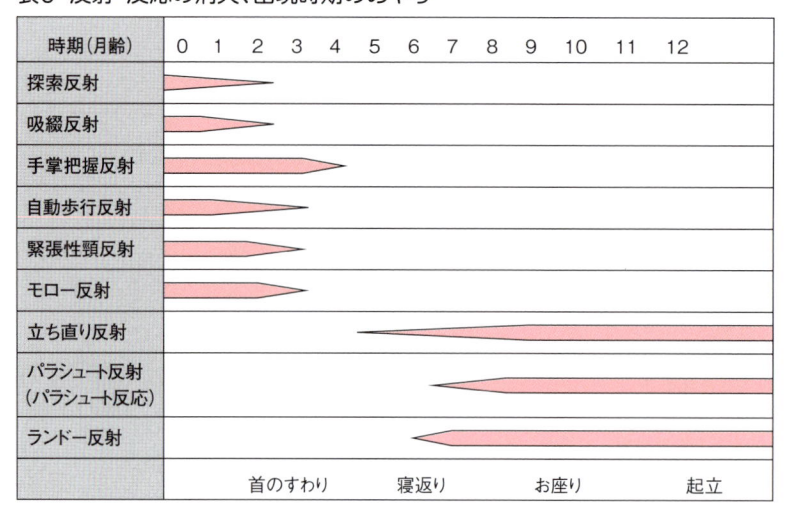

時期（月齢）	0	1	2	3	4	5	6	7	8	9	10	11	12
探索反射													
吸啜反射													
手掌把握反射													
自動歩行反射													
緊張性頸反射													
モロー反射													
立ち直り反射													
パラシュート反射 （パラシュート反応）													
ランドー反射													
				首のすわり			寝返り		お座り			起立	

経中枢に影響し自律神経症状（ほてり、発汗、動悸など）が現れる。③精神・神経症状（焦燥感、不安など）が現れる。④エストロゲンは骨吸収の抑制と骨形成を促進するため骨格系への影響としては骨粗鬆症が起こりやすくなる。⑤エストロゲンは脂質代謝に影響し、血管拡張などの作用があるため、心血管系にも影響を与え、動脈硬化や高血圧などが起こりやすくなる。そのほか、認知機能や女性生殖器の変化や泌尿器への影響もある。エストロゲンの分泌低下はこのようなさまざまな症状をもたらす。

1. ×　血圧は上昇することが多い。
2. ×　浮腫は特徴的な症状とはいえない。
3. ○　自律神経症状で特徴的である。
4. ×　不整脈は特徴的な症状とはいえない。

問題 **16**　出題基準　II-7-G／身体的機能の変化

▶関連問題97（P.61）

過去問 老 P.747

［解答］1
［解説］加齢により心臓の細胞等も減少、変性を起こし、それがさまざまな循環器の変化につながる。

1. ○　洞結節は刺激伝導系の中枢を担う。そのため洞結節の細胞の減少や変性が起こると心拍数が減少する。
2. ×　大動脈弁が石灰化し、それによって閉鎖不全などの病態をもたらす。
3. ×　大動脈の弾力性が低下すると収縮期血圧の上昇をみる。
4. ×　心筋細胞の減少は心拍出量の減少をきたす。

問題 **17**　出題基準　II-9-A／助産所

▶関連問題107（P.67）

［解答］4
［解説］医療法に規定される医療提供施設には、病院、診療所、助産所、介護老人保健施設、介護医療院、調剤薬局などがあり、入院患者数や入所者数が規定されている。病院には、地域医療支援病院や特定機能病院などとして承認されるものがある（P.66表20、表21参照）。

1. ×　地域医療支援病院は都道府県知事が承認する。200人以上である。
2. ×　病院は20人以上である。
3. ×　診療所は19人以下である。
4. ○　助産所は9人以下であり、管理者は助産師で、入所できるのは妊婦・産婦・褥婦である。助産所の開設者は嘱託する産科・産婦人科の医師と病院・診療所を定めなくてはならない。

問題 **18**　出題基準　II-9-A／企業

▶関連問題115（P.72）

過去問 社 P.235

［解答］2
［解説］労働安全衛生法で、事業者は常時雇用する労働者に対して一般健康診断を行うよう規定されている。一般健康診断には雇入時の健康診断、定期健康診断などが含まれる。

1. ×　労働基準法では、労働者が人たるに値する生活を営むために必要な労働条件が定められている。

2. ○　前述のとおり、労働安全衛生法において雇入時の健康診断について定められている。

3. ×　健康保険法では、労働者の勤務外の事由による疾病・負傷・死亡・出産、または被扶養者の疾病・負傷・死亡・出産に対する保険給付について定められている。

4. ×　労働者災害補償保険法では、業務上の事由による疾病・負傷・死亡に対する保険給付について定められている。

▶関連問題118(P.74)

問題 19　出題基準　Ⅱ-9-A／退院調整

過去問 114回 P.55

[解答]4
[解説]退院調整は、社会資源などを利用し、地域に戻り、患者・家族が望む療養生活を継続できるように調整することといえる。

1. ×　退院して地域で生活できるように調整をするが、1日でも早くするという役割ではない。

2. ×　退院調整は他職種との協働で行うもので、施設を探すには介護支援専門員などの力を借り、決定するのは本人・家族である。

3. ×　自宅訪問は必要なこともあるが、むしろ、退院前カンファレンスなどを開催して、訪問看護師などから情報提供を受け、ともに考えることが効果的である。必要な物品を準備するのは本人・家族で、そのために活用できる社会資源を紹介することは必要と考えられる。

4. ○　そのとおりである。

▶関連問題126(P.80)

問題 20　出題基準　Ⅲ-10-A／循環器系

過去問 人 P.49

[解答]2
[解説]血圧とは、血管の中の血液が血管壁を押す圧力をいう。一般に動脈圧を指す。血圧が高くなると、心臓から血液を拍出するのに心筋を強く収縮する必要が生じるため心臓に負荷がかかる。一方、血圧が低いと、心臓から拍出した血液が全身を循環するのに支障が出る。つまり、うまく血液が体内を循環し、再び心臓に戻ってくるのに必要となるのが、心臓から出る血液の量(心拍出量)と血管を押す圧力(血圧)である。したがって、血圧＝心拍出量×総末梢血管抵抗で表すことができる(2. ○)。

1. ×　心拍出量は1分間に心臓から拍出される血液量のことで、1回拍出量×心拍数で表される。血圧は心拍出量に影響を受ける。

3. ×　右心房に戻ってくるのが、静脈還流量であるが、肺循環を経て心拍出量になる。

4. ×　血液の粘稠度などは、総末梢血管抵抗に影響を与える因子となりうるが、式のアにはあてはまらない。

▶関連問題143(P.92)

問題 21　出題基準　Ⅲ-11-A／嚥下障害

過去問 人 P.72

[解答]4
[解説]摂食嚥下は5期モデルを活用して理解するとよい。①先行期(視覚などで食べ物を認識する)、②口腔準備期(咀嚼し食塊をつくる)、③口腔送り込み期(食塊を舌で口腔から咽頭に送る)、④咽頭期(咽頭に入った食塊を嚥下反射で食道へ送る)、⑤食道期(食塊が食道から胃に送られる)である。

1. ×　滑車神経は眼球の運動を行う。

2. ×　三叉神経は咀嚼運動にかかわる。おもに口腔準備期ではたらく。

3. ×　顔面神経は表情筋の運動にかかわる。先行期や口腔準備期ではたらく。

4. ○　舌下神経は舌の運動で食塊を咽頭に送り込む。

▶関連問題125(P.80)

問題 22　出題基準　Ⅲ-10-A／感覚器系

過去問 人 P.33

[解答]3
[解説]眼房水は血管のない角膜、水晶体に栄養を供給するもので、毛様体で産生された眼房水は、後眼房、前眼房と循環し、多くは強膜静脈洞(シュレム管)で吸収される。

1. ×　角膜は光の透過や屈折に関与し、感覚神経(三叉神経)が分布し、異物に痛みを感じ、刺激で角膜反射を生じる。

2. ×　網膜には視細胞があり光を感受する機能をもつ。

3. ○　毛様体は水晶体の厚みを調節(遠近調節)するとともに眼房水を産生する。

4. ×　シュレム管は角膜と強膜の移行部にあり、眼房水を静脈に流出させる。

表4 脳神経の種類とはたらき

神経名称		種類	はたらき	核
I	嗅神経	感覚神経	嗅覚	なし
II	視神経	感覚神経	視覚	間脳 中脳
III	動眼神経	運動神経	眼球運動（内・上・下・斜上）と開眼（眼瞼挙筋）（輻輳反射）	中脳
		自律神経	縮瞳（対光反射）	
IV	滑車神経	運動神経	眼球運動（斜下）	中脳
V	三叉神経	感覚神経	顔面・鼻口腔粘膜・角膜の触覚と温痛覚（瞬目反射・角膜反射）	橋 中脳
		運動神経	咀嚼	
VI	外転神経	運動神経	眼球運動（外）	橋
VII	顔面神経	運動神経 感覚神経 自律神経	表情筋の運動 舌前2／3の味覚 唾液（舌下腺・顎下腺）分泌と涙の分泌	橋
VIII	内耳神経	感覚神経	聴覚（蝸牛神経） 平衡・加速度感覚（前庭神経）	橋
IX	舌咽神経	感覚神経	咽喉頭・中耳道の知覚、舌後1／3の味覚	延髄
		運動神経	咽喉頭の運動（嚥下）、発声	
		自律神経	唾液の分泌（耳下腺）	
X	迷走神経	自律神経 運動神経	内臓支配 咽喉頭の運動（嚥下）、発声（声帯の運動）	延髄
		感覚神経	外耳道の知覚、内臓の知覚	
XI	副神経	運動神経	首の運動（胸鎖乳突筋・僧帽筋）・肩の挙上（僧帽筋）	延髄
XII	舌下神経	運動神経	舌の運動	延髄

池西靜江, 石束佳子, 阿形奈津子 編：看護学生スタディガイド2026. 照林社, 東京, 2025：698. より引用

図2 眼球の構造

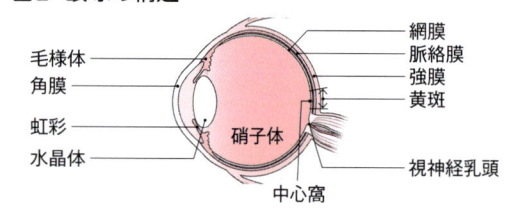

成熟する。そのうち白血球はさらに、①顆粒球（好中球・好塩基球・好酸球）、②単球、③リンパ球（Tリンパ球、Bリンパ球）に分化する。P.231図3のように血管外に出て、組織に入るとマクロファージになるのは単球である（3. ○）。

▶関連問題134(P.85)

問題 24 ｜出題基準｜ III-10-A／内分泌系　｜過去問 人｜P.96　｜過去問 成｜P.587

［解答］4
［解説］ホルモンの作用を知っておきたい（P.85表5参照）。
1. ×　脳下垂体後葉から分泌されるホルモンで、おもに腎の集合管で水の再吸収を促進する。
2. ×　甲状腺から分泌される甲状腺ホルモンで、熱量産生、基礎代謝を亢進する。
3. ×　膵島のA（a）細胞から分泌されるホルモンで、血糖値を上昇させるが、抗炎症作用はない。
4. ○　副腎皮質ホルモンは、多様な作用をもち、血糖値の上昇、抗炎症作用を併せもつ。代表的なのは糖質コルチコイド（コルチゾール）である。

▶関連問題130(P.83)

問題 25 ｜出題基準｜ III-10-A／消化器系　｜過去問 人｜P.77, 98

［解答］2
［解説］消化器系のはたらきを調節する消化管ホルモンである（P.232表5）。
1. ×　ガストリンは胃酸・ペプシノゲンの分泌を促進する。
2. ○　セクレチンは膵液の分泌を促進する。
3. ×　カルシトニンは甲状腺ホルモンで、血中カルシウム濃度を調節する。消化管ホルモンではない。
4. ×　ソマトスタチンはガストリン、セクレチンなどの消化管ホルモンの分泌を抑制する。

▶関連問題155(P.99)

問題 26 ｜出題基準｜ III-11-A／胸痛　｜過去問 成｜P.463

［解答］1
［解説］突然の発症、胸痛と呼吸困難という症状から推論する。胸痛から推測すると胸腔内の器官であると考えられる。ただし、肺実質には感覚神経はない。感覚神経があり傷害による疼痛を感じるのは、①胸壁

▶関連問題127(P.81)

問題 23 ｜出題基準｜ III-10-A／血液、体液　｜過去問 人｜P.55

［解答］3
［解説］血液の細胞成分は大きく分けて、赤血球、白血球、血小板の3つであるが、いずれも骨髄で分化・

図3 血液の分化と成熟

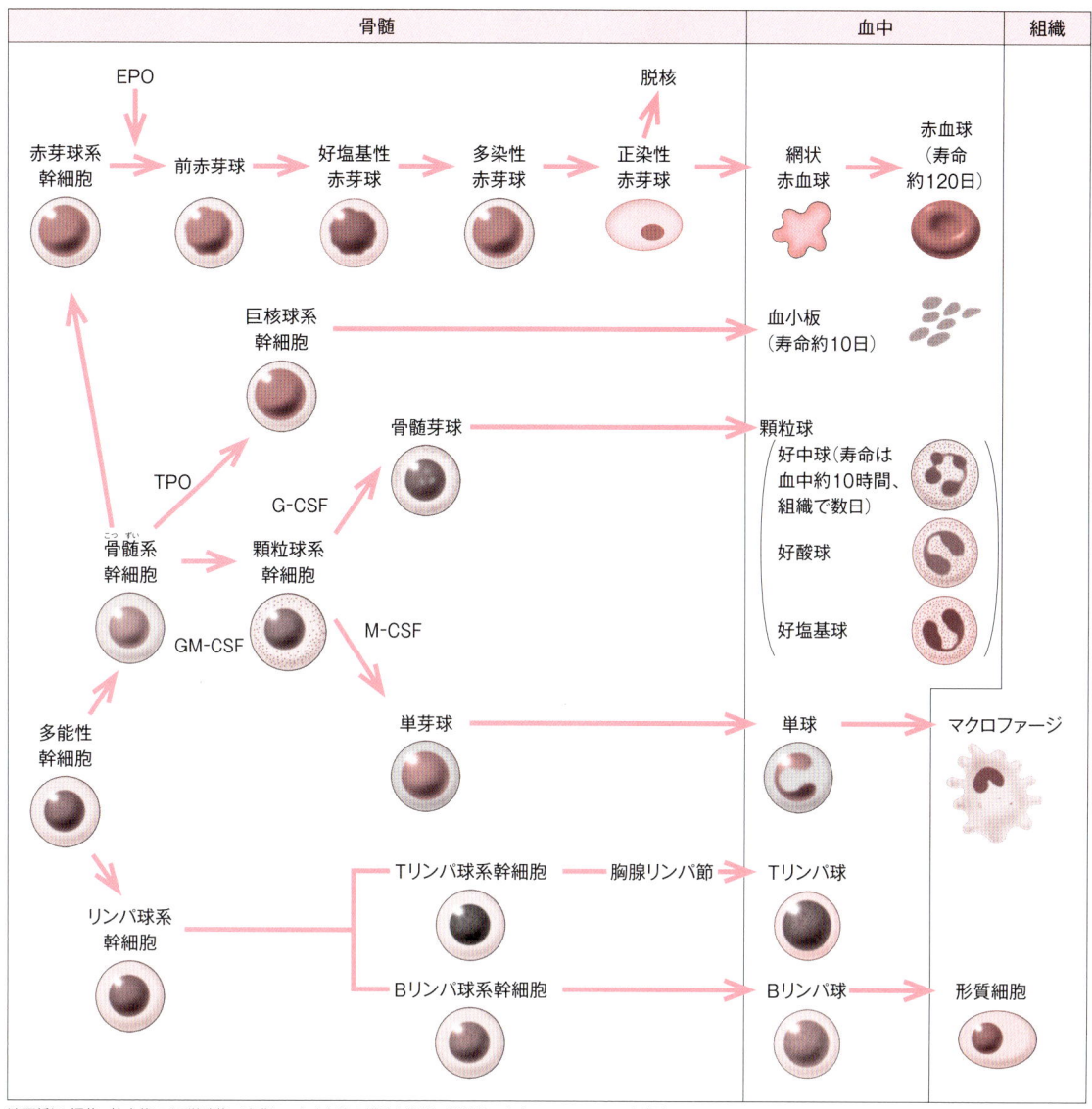

池西静江 編著, 竹内修二 医学監修:看護につなぐ人体の構造と機能. 照林社, 東京, 2024:10. より引用

構成器官（骨、筋膜など）、②横隔膜、胸膜など、③縦隔器官（心臓、食道など）であることも知っておきたい。

1. ○　自然気胸は何らかの要因で肺胞が破れ、胸腔（胸膜内腔）内に空気が流れ出て、肺を圧迫する病態である。胸腔内に流れ出た空気で胸膜を刺激するため胸痛が起こる。同時に胸痛により呼吸運動が制限され、胸腔の空気により肺が圧迫されて呼吸困難が生じる。突然の胸痛と呼吸困難に該当する。

2. ×　食道静脈瘤それ自体は、自覚症状はあまりない。破裂によって出血が起こるので、注意が必要である。

3. ×　肺気腫は肺胞が気腫病変をきたすが、肺胞自体には感覚神経がないため、胸痛を生じることはない。

呼吸困難は生じるが、最初は労作時の呼吸困難、咳・痰が主症状である。

4. ×　肺癌の浸潤により胸膜炎を起こすことは多く、胸痛や呼吸困難がみられる。ただし、肺癌の浸潤による症状がみられており、「突然」の胸痛や呼吸困難ということは考えにくい。

▶関連問題164（P.105）

問題 27　出題基準 Ⅲ-11-A／乏尿、無尿、頻尿、多尿　過去問 成 P.702

［解答］3

［解説］多尿は尿量の異常である。健康な成人の尿量は1,000〜1,500mL／日程度である。多尿は2,500mL／

表5 消化管ホルモン

分泌ホルモン	分泌要因（刺激）	分泌部位	主な作用
ガストリン （酸性化）	食物による拡張 幽門部pH上昇	胃・十二指腸G細胞	**胃酸・ペプシノゲン分泌の促進** 胃壁細胞の増殖 下部食道括約筋収縮、幽門括約筋・オッディ括約筋の弛緩
セクレチン （アルカリ化）	十二指腸のpH低下	十二指腸S細胞	**膵液分泌の促進** 胃酸分泌の抑制 幽門括約筋の収縮 胆汁産生の促進
コレシストキニン （CCK）	消化管へのアミノ酸・脂肪酸刺激	十二指腸・空腸のI細胞	**胆嚢の収縮** 膵液（酵素）分泌の促進 オッディ括約筋の弛緩
ソマトスタチン	ガストリン・セクレチン・CCK刺激	胃・十二指腸・膵島のD細胞	ガストリン・セクレチン等、消化管ホルモンの全体抑制
モチリン	空腹	小腸M細胞	消化管運動促進
グレリン		胃底腺の内分泌細胞	食欲促進

池西静江, 石束佳子, 阿形奈津子 編：看護学生スタディガイド2026. 照林社, 東京, 2025：614. より引用

日以上の場合をいう。

1．× 糸球体腎炎などによる糸球体の障害により、糸球体濾過量の減少が起こる。その場合は尿細管の機能が正常であれば、尿量は減少する。

2．× バソプレシンは腎臓の集合管で水の再吸収を促進する。したがって、バソプレシンの分泌が過剰になると、尿量は減少する。

3．○ 高血糖が持続する状態（糖尿病など）になると、尿の浸透圧が高くなり、浸透圧利尿が起こり、多尿が生じる。

4．× 水欠乏性脱水は、脱水で細胞外液の水分量が減少するため、循環血液量の減少により、尿量も減少する。

▶関連問題165（P.105）

問題 28 ［出題基準］Ⅲ-11-A／浮腫

過去問 疾 P.107

［解答］1

［解説］浮腫とはさまざまな原因で体液量のバランスが崩れ、間質液が過剰に増加し、それが組織や体腔に貯留した状態をいう。

1．○ 皮膚の上から指で圧迫すると圧痕を残す（図4）。浮腫の特徴的な状態である。ただし、例外的に甲状腺機能低下症による浮腫はムコ多糖類の沈着などで圧痕を残さない場合があるが、これは特に硬性浮腫と呼ぶ。

2．× 間質液の増加で、体重は増加する。

3．× 血圧については浮腫が起こる原疾患によるが、浮腫のある患者に特徴的に観察されるものではない。

4．× 間質液が組織に貯留すると、一般に尿量は減少する。

図4 浮腫の触診方法

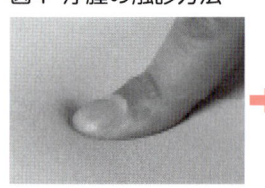 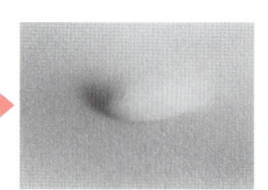

● 浮腫のある部位を確認し、浮腫の程度を観察するため、母指または示指で5秒程度圧迫する

● 圧迫を解除し、圧痕の深さと元の皮膚の状態に戻るまでの時間を計測する

▶関連問題173-176（P.109-110）

問題 29 ［出題基準］Ⅲ-11-B／生活習慣病

過去問 成 P.401

［解答］1

［解説］生活習慣病とは「食習慣、運動習慣、休養、喫煙、飲酒などの生活習慣がその発症、進行に関与する疾患群」をいう。

1．○ 生活習慣病には、高血圧症、脂質異常症、肥満とやせ、脳血管疾患、心疾患などがある。

2．× 百日咳菌による飛沫感染によって発症する感染症である。

3．× 1型糖尿病は、膵臓のB（β）細胞の破壊に伴う絶対的インスリン欠乏によって起こる。B（β）細胞破壊の原因は、自己免疫関与によるものと特発性のものがある。生活習慣病とはいえない。生活習慣が関与しているのは2型糖尿病である。

4．× 関節リウマチは膠原病（こうげんびょう）の1つで、炎症性自己免

疫疾患である。生活習慣がその発症要因とはいえない。

▶関連問題181-185(P.112-114)

問題 30 出題基準 Ⅲ-11-B／感染症

過去問 基 P.293
過去問 老 P.773

[解答]4

[解説]ウイルス性下痢症の代表的なものはロタウイルス、ノロウイルスによるものがある。食中毒の原因物質としてその数が多いのはノロウイルス感染症である。

1. × ノロウイルス感染症は秋から冬が多い。

2. × カキなどの2枚貝の生食によること、患者の下痢便や嘔吐物などからの経口感染が多い。

3. × ノロウイルスに対する免疫は感染しても短期間しか持続せず、何度も感染する。ワクチンが開発されているのはロタウイルスである。

4. ○ ノロウイルスには次亜塩素酸ナトリウムが有効で、アルコールや逆性石けんなどは効果がない。

▶関連問題192-194(P.117-118)

問題 31 出題基準 Ⅲ-11-B／高齢者の疾患

過去問 老 P.782

[解答]1

[解説]1. ○ 発症のしかたは、認知症は緩徐で漸進的であるが、せん妄は急激に出現する。

2. × 経過は、せん妄は可逆的であるが、認知症は不可逆的である。

3. × せん妄ではしばしば幻覚が出現することがあるが、認知症では一部の病型を除いて幻覚の出現は少ない。

4. × 認知症では見当識障害は重症になってから出現する。

▶関連問題196-197(P.119)

問題 32 出題基準 Ⅲ-11-C／血液生化学検査

過去問 成 P.565

[解答]3

[解説]腎臓の機能は、①物質代謝の分解産物や体内の有害物質を排泄する役割と同時に、②血漿中の過剰な酸・塩基、水などを尿として排泄し、体内の水や電解質を調節する役割がある。したがって、腎臓の機能が低下すると、不要な老廃物の排泄や水・電解質の調節が難しくなる。

1. × アルブミンは血漿蛋白の約6割を占めるもの

で、おもに肝臓で合成される。したがって、血清アルブミン値の低下は肝臓の機能低下や低栄養でみられる。

2. × 血清カルシウム値の増加は、おもに副甲状腺ホルモン（パラソルモン）の分泌過多によるものが多い。腎臓ではカルシウムの再吸収を行うため、慢性的な腎機能低下は、低カルシウム血症をきたすことがある。

3. ○ クレアチニンは、クレアチンの最終代謝産物である。クレアチンは筋肉に存在し、筋肉の収縮に必要な物質である。筋肉の収縮により産生されたクレアチニンは腎臓で濾過された後、再吸収されないので、糸球体濾過量の指標となり、糸球体濾過量が減少することで血清クレアチニン値が増加する。

4. × ビリルビンは肝臓で代謝を受けて直接ビリルビンになるが、血清ビリルビン値の上昇は黄疸の指標であり、肝臓の機能低下などで増加する。

▶関連問題199(P.120)

問題 33 出題基準 Ⅲ-11-C／尿検査

過去問 114 回 P.24

[解答]1

[解説]1. ○ 水分の過剰摂取では尿量が多くなるとともに、尿比重は低下する。

2. × 糖尿病は高浸透圧利尿で多尿になるが、尿糖陽性になり、尿比重は低下しない。

3. × 発汗多量は尿量が減少することで、尿比重は上昇する。

4. × 蛋白尿により尿比重は上昇する。

▶関連問題211(P.125)

問題 34 出題基準 Ⅲ-12-A／免疫療法薬

過去問 成 P.619, 620

[解答]1

[解説]免疫療法薬には、免疫機能を高める免疫増強薬と免疫反応を抑える免疫抑制薬がある。免疫増強薬は、受動免疫で一時的に免疫を増強するもので、①ヒト免疫グロブリン製剤、②インターフェロン製剤がある。免疫抑制薬は、体内で起こる異常な免疫反応や炎症反応を抑えるもので自己免疫疾患などの治療に用いられる。

1. ○ 免疫増強薬である。インターフェロン製剤は癌細胞を破壊するナチュラルキラー（NK）細胞などの免疫細胞を活性化させるため、がん治療にも使われる。

必修模試⑤

2．× 免疫抑制薬である。マクロファージの機能を低下させ、T細胞やB細胞の増殖を防ぐことで免疫機能を抑制する。

3．× 免疫抑制薬である。臓器移植時の拒絶反応を抑制する。

4．× 抗ウイルス薬である。商品名はタミフルでインフルエンザ治療薬である。

▶ 関連問題203(P.121)

問題 35
出題基準
Ⅲ-12-A／狭心症治療薬
過去問 疾 P.128

［解答］3

［解説］ニトログリセリンは硝酸薬であり、体内で一酸化窒素を放出し、血管平滑筋を弛緩させる作用がある。そのため、冠動脈の拡張により狭心症の症状を改善することが期待できる。

1．× 血管拡張作用により、血圧の低下がみられる。

2．× 舌下錠は舌の下に入れて唾液で溶解し、粘膜から吸収する。経口薬のように消化管を経由し、肝臓での代謝（初回通過効果）は受けない。

3．○ 血管拡張作用により、起立性低血圧やめまいが生じるため、仰臥位または座位で服用する。

4．× 噛まずに、舌下で溶解するのを待つ。飲み込まない。

▶ 関連問題213(P.126)

問題 36
出題基準
Ⅲ-12-A／糖尿病治療薬

［解答］1

［解説］一般に注射薬では「mL」を単位として表記されることが多いが、インスリンは、さらに少ない量で使用される。そのため、量を間違えないように1単位を0.01mLと定めている。つまり、10単位が0.1mL（1.○）、100単位が1mLである。

▶ 関連問題204(P.121)

問題 37
出題基準
Ⅲ-12-A／抗血栓薬

［解答］1

［解説］抗血栓薬の副作用には出血傾向があり、投与を控えるか、投与しなければならないときには細心の注意が必要である。抗血栓薬のなかには、血栓溶解薬（血液凝固でできた血栓を溶かす薬）、抗血小板薬（血小板の粘着、凝集能を阻害する薬）、抗凝固薬（血栓の進展を防止する薬）の3つがある。いずれも副反応に出血傾向がある。

1．○ アスピリンは酸性抗炎症薬であるが、抗血小板薬の作用もある。副反応に出血傾向がある。

2．× アトロピンは抗コリン作用薬である。抗コリン作用により眼圧上昇や排尿困難のおそれがあり、緑内障や前立腺肥大時には投与してはならない（禁忌）。

3．× イソニアジドは抗結核薬である。副反応では末梢神経炎や肝機能障害に注意が必要である。

4．× フロセミドはループ利尿薬である。副反応では低カリウム血症に注意が必要である。

▶ 関連問題224-227(P.132-133)

問題 38
出題基準
Ⅳ-13-B／看護過程
過去問 基 P.274, 275
過去問 114回 P.43

［解答］4

［解説］看護記録の方式は、PONR（問題志向型看護記録）とフォーカスチャーティングの2つがよく用いられる。PONR（問題志向型看護記録）は患者の健康上の問題に焦点をあてて、問題解決状況を追い、問題解決をめざす記録方式である。フォーカスチャーティングはその日の患者の状態に応じて、記録者がフォーカス（焦点化）した内容について書く方式である（P.235表6）。

1．× PONRの説明である。

2．× 医療者が共有できる記録方式である。

3．× PONRの説明である。

4．○ フォーカスチャーティングの説明であり、正しい。

▶ 関連問題228(P.134)

問題 39
出題基準
Ⅳ-13-C／
バイタルサインの観察
過去問 基 P.276, 277

［解答］1

［解説］1．○ 成人の脈拍の基準値は60～90/分である。頻脈は100/分以上である。

2．× 25/分以上は、頻呼吸である。

3．× 腋窩温で平熱は36.0～37.0℃である。

4．× 収縮期血圧140～159mmHgかつ/または拡張期血圧90～99mmHgでⅠ度の高血圧である。

表6 記録の種類と特徴

	特徴	記述方法
PONR （問題志向型看護記録）	対象の問題に焦点を合わせ、科学的・分析的に記録し、問題解決をめざす記録方式	S：Subjective data、主観的情報 O：Objective data、客観的情報 A：Assessment、アセスメント P：Plan、計画
フォーカス チャーティング	記録者が注目しているものを記録し、対象がもつ問題や目標などにフォーカス（焦点）を当てる記録方式	D：Data、情報 A：Action、行為 R：Response、反応
経時的経過記録	バイタルサイン、体重、処置などの看護記録を経時的にまとめた記録用紙	バイタルサインはグラフとして記す。観察項目、処置などは項目ごとに記す

池西靜江, 石束佳子, 阿形奈津子 編：看護学生スタディガイド2026. 照林社, 東京, 2025：260. より引用

問題 40 ［出題基準］ Ⅳ-13-C／意識レベルの評価
▶関連問題229（P.135）
過去問 基 P.278

［解答］2

［解説］ジャパン・コーマ・スケール（JCS）は急性期の患者の意識状態を評価するのに用いられる。刺激に対する覚醒状況を評価する（**P.135表2**参照）。

1. × 10は呼びかけで容易に開眼するである。痛み刺激で払いのける動作をするのは100である。
2. ○ Rは不穏状態を表している。
3. × 尿失禁はIで表す。
4. × 自発性喪失はAで表す。

問題 41 ［出題基準］ Ⅳ-14-B／摘便
▶関連問題240（P.143）

［解答］3

［解説］摘便は苦痛を伴う処置であり、他の方法（腹部マッサージや水分摂取、下剤、浣腸など）を試みても排便がない場合（3. ○）、直腸に長く便が止まり宿便になっている場合に実施する。

1. × 摘便によって急激に頭蓋内圧が低下することがある。注意が必要であり、実施する際は医師に相談する必要がある。
2. × 1と同様、医師に相談する必要がある。痔核を傷つけるおそれがある。他の方法を含めて慎重な判断が必要である。
4. × 1・2と同様で医師に相談する必要がある。出血する可能性があり、他の方法を含めて慎重な判断が必要である。

問題 42 ［出題基準］ Ⅳ-14-C／睡眠
▶関連問題246（P.147）
過去問 人 P.17

［解答］2

［解説］睡眠は大脳を休ませ、身体を休ませ、回復を図るために必要である。睡眠は、脳波により、レム睡眠（身体の眠り）とノンレム睡眠（脳の眠り）の2種類に大別できる。レムとは、急速眼球運動（rapid eye movement：REM）を指し、夢をみている状態で、呼吸も不規則で、骨格筋は弛緩しているが、顔や指先がピクピク動くことがある。一方、ノンレム睡眠は、身体のみならず脳も眠る深い眠りである。睡眠時間の前半に多くみられる（**P.16表13**参照）。

1. × 前述のとおり、眼球運動はレム睡眠の特徴である。
2. ○ ノンレム睡眠は脳の眠りで、深いノンレム睡眠の間に下垂体前葉から成長ホルモンが分泌される。
3. × 睡眠中は尿意を感じずに長い時間寝ることができる。これは抗利尿ホルモンの分泌による。したがって、抗利尿ホルモンの分泌が低下することはない。
4. × ノンレム睡眠では呼吸は規則的になる。

問題 43 ［出題基準］ Ⅳ-16-G／褥瘡の予防・処置
▶関連問題300（P.177）
過去問 基 P.359, 360

［解答］1

［解説］1. ○ 知覚の認知、湿潤、活動性、可動性、栄養状態、摩擦とずれの6項目について評価し、病院では14点、在宅・施設では17点以下を褥瘡発生のリスクが高いと判断する。予測スケールである。
2. × 褥瘡重症度分類である。Dは深さ、Eは滲出液、Sは大きさ、Iは炎症/感染の有無、Gは肉芽組織、Nは壊死組織であり、これにP（ポケット）を加えて深さ

を除外した6項目の合計点で、重症度を判定する。

3. × 肝硬変の重症度分類である。肝性脳症、腹水、血清アルブミン値、プロトロンビン（PT）時間、血清総ビリルビン値の5項目を評価する。

4. × 進行性大腸癌の注腸造影でみられる、りんごの芯様にみえる像をアップルコアサインという。

▶関連問題269(P.160)

 問題 44 出題基準 Ⅳ-15-C／滅菌と消毒

過去問 基 P.293

[解答]1
[解説]消毒には化学的消毒法と物理的消毒法がある。消毒薬は化学的消毒法である。消毒は病原微生物を死滅または除去することをいう。消毒は正しい濃度・温度・時間で行うことが大切である。消毒薬には3つの水準がある（P.221表9）。

1. ○ 高水準消毒薬である。

2. × 中水準消毒薬である。

3. × 中水準消毒薬である。

4. × 低水準消毒薬である

▶関連問題264(P.156)

問題 45 出題基準 Ⅳ-15-C／感染経路別予防策

過去問 基 P.289, 291

[解答]4
[解説]飛沫は直径5μmより大きく、マスクはサージカルマスクで効果がある。同時に飛沫が飛ぶ範囲はおおむね1mであり、距離をとることが有効である。

1. × 原則個室管理が望ましい。病室の都合で多床室になった場合は、ベッド間隔を1m以上あけて、カーテンで仕切るようにするとよい。

2. × 原則必要時以外は室外に出ないのが望ましい。必要な用件で室外に出るときは、飛沫の大きさからサージカルマスクの着用が有効である。

3. × 咳エチケットにはマスクの着用のほか、「ティッシュ・ハンカチなどで口や鼻を覆う」「上着の内側や袖で口や鼻を覆う」などがあり、患者には心がけてもらう必要がある。

4. ○ 前述のとおり、サージカルマスクでよい。

▶関連問題275(P.164)

 問題 46 出題基準 Ⅳ-16-B／与薬方法

過去問 基 P.369

[解答]1
[解説]15%塩化カリウム注射液は点滴静脈内注射のみで使用する（1. ○、2. 3. 4. ×）。

塩化カリウム注射液は急速に血中濃度が高くなると、心臓伝導障害が起こり、心停止も起こりうる重大な副作用がある。したがって、用法・用量を厳守して、医療事故を防ぐ必要がある。

用法・用量は、必ず、5%ブドウ糖液や生理食塩水などの希釈液で希釈して使用し、1分間に8mLを超えない速度で投与する、といった細かい注意が必要である。また、腎障害による乏尿の患者や高カリウム血症の患者には使用禁忌のため注意する。

▶関連問題275(P.164)

問題 47 出題基準 Ⅳ-16-B／与薬方法

過去問 基 P.363

[解答]3
[解説]1. × 舌下錠は、舌を挙上してもらい、舌下の中央部に置く。ニトログリセリンは舌下錠で、すみやかに吸収させる目的で使用する。

2. × トローチは、舌の上に置く。できるだけ噛まずに口腔内でゆっくり溶解させる。

3. ○ そのとおり。バッカル錠は、臼歯と頬の間に挿入し、唾液で溶解しながらゆっくり吸収させる。舌下錠とは反対にゆっくり溶解・吸収させる目的で使用する。

4. × チュアブル錠は、小児や高齢者用に、口腔内で溶解しても、噛んでもよく、水なしで飲めるように開発された。

▶関連問題282(P.167)

 問題 48 出題基準 Ⅳ-16-D／採血後の観察内容、採血に関連する有害事象

[解答]1
[解説]採血に関連する有害事象には、神経損傷、血管迷走神経反応、感染症、皮下血腫・止血困難、そして、アレルギー過敏症などがある。

1. ○ 穿刺部の周りの神経を損傷する有害事象を確認している。深い位置の静脈穿刺をできるだけ避け、刺入角度も30度を超えないなどの対応が必要である。

図5 包帯の巻き方

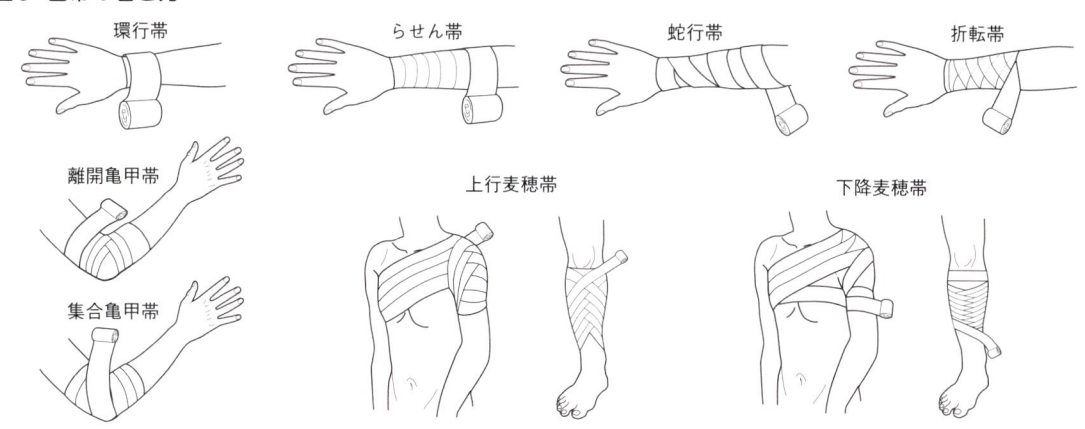

環行帯　　らせん帯　　蛇行帯　　折転帯

離開亀甲帯　　上行麦穂帯　　下降麦穂帯

集合亀甲帯

強い痛みや手のしびれがあれば神経損傷を疑い、抜針する必要がある。

2．×　血管迷走神経反応〈VVR〉は、採血時の有害事象として最も多い。採血中や採血後に不安や緊張などにより迷走神経が興奮して起こるさまざまな症状の総称である。血圧低下、徐脈、悪心などがみられる。重症の場合には、意識消失、けいれんに至ることもある。リラックスできる環境づくりを行うが、症状がみられたら採血を中止して、バイタルサインが安定するのを待つ必要がある。

3．×　採血に関連した有害事象に、穿刺による感染がある。局所の発赤、腫脹、熱感などがみられる。予防が重要で、①皮膚消毒を確実に行う、②採血時の手袋着用、③清潔な器具の使用などで防ぐことができる。

4．×　皮下血腫は、止血が不十分なために起こる。通常5分間の圧迫止血で止血する。必要に応じて止血ベルトを着用することもある。抗凝固薬を使用している患者は止血時間が長引くので注意が必要である。

問題 49　出題基準　▶関連問題299（P.176）

Ⅳ-16-G／創傷管理

［解答］3

［解説］包帯法は目的と部位に応じて用いる。目的には固定、保護、整復、止血、静脈血栓予防などがある。部位には太さに変化がある部位、太さの変化が少ない部位、肘や膝のように屈曲部などによって、巻き方が違う。

1．×　下腿部は太さに変化がある部位で麦穂帯が適切である。

2．×　手首は太さがあまり変わらない部位で環行帯

が適切である。

3．○　肘は屈曲部で亀甲帯が適切である。

4．×　前腕部は太さに変化がある部位で折転帯などが適切である。

問題 50　出題基準　▶関連問題298（P.176）

Ⅳ-16-F／トリアージ

過去問 続 P.1212, 1213

［解答］4

［解説］スタート法で最初に確認するのは歩行可能か否かである（図6、4．○）。選択肢を評価する順番で並べると、4．歩行→2．呼吸→3．橈骨動脈触知→1．簡単な指示に応じるか、となる。

図6　START法を用いた1次トリアージ

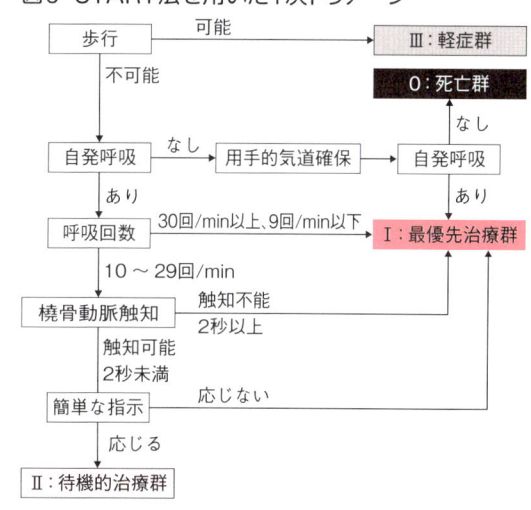

図7 トリアージタッグ（例）とトリアージ区分

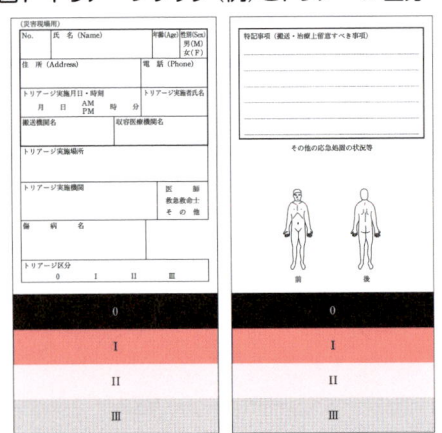

0	黒	**救命不能群**	生命徴候のないもの、その状況では明らかに救命の可能性がない状態
Ⅰ	赤	**緊急（最優先）治療群**	生命の危険が迫っており、すぐに処置が必要な状態
Ⅱ	黄	**準緊急（待機）治療群**	2〜3時間処置を遅らせても救命可能な状態
Ⅲ	緑	**保留（軽症）治療群**	軽症外傷（通院が可能な程度）

トリアージタッグは第113回午前問題23で実践的な問題が出題されているので、しっかり理解しておこう!

別冊付録　必修模試　解答一覧

模試①

問題	1	2	3	4	5	6	7	8	9	10	11	12	13	14	15	16	17	18	19	20	21	22	23	24	25
解答	2	3	4	2	3	2	1	3	4	1	4	2	4	2	3	1	2	2	2	2	2	2	2	2	2

問題	26	27	28	29	30	31	32	33	34	35	36	37	38	39	40	41	42	43	44	45	46	47	48	49	50
解答	1	2	4	1	2	4	4	1	1	3	2	2	3	2	4	3	3	2	3	1	2	4	1	2	1

模試②

問題	1	2	3	4	5	6	7	8	9	10	11	12	13	14	15	16	17	18	19	20	21	22	23	24	25
解答	4	2	2	2	2	4	2	4	2	1	3	2	2	4	2	3	4	3	3	1	2	2	2	3	3

問題	26	27	28	29	30	31	32	33	34	35	36	37	38	39	40	41	42	43	44	45	46	47	48	49	50
解答	3	3	1	2	2	2	3	1	2	2	2	2	3	4	2	4	2	1	1	4	3	3	2	3	4

模試③

問題	1	2	3	4	5	6	7	8	9	10	11	12	13	14	15	16	17	18	19	20	21	22	23	24	25
解答	2	4	3	3	2	4	3	3	4	4	4	3	4	1	2	3	2	3	2	4	2	2	2	3	2

問題	26	27	28	29	30	31	32	33	34	35	36	37	38	39	40	41	42	43	44	45	46	47	48	49	50
解答	3	2	3	3	2	4	3	2	1	3	1	4	2	2	3	2	3	2	5	4	4	2	3	3	1

模試④

問題	1	2	3	4	5	6	7	8	9	10	11	12	13	14	15	16	17	18	19	20	21	22	23	24	25
解答	2	1	2	3	2	2	4	1	3	2	1	4	3	4	3	2	2	3	4	1	2	3	2	2	3

問題	26	27	28	29	30	31	32	33	34	35	36	37	38	39	40	41	42	43	44	45	46	47	48	49	50
解答	4	1	1	2	1	2	1	3	4	2	3	3	4	1	3	2	2	1	2	3	1	4	3	2	2

模試⑤

問題	1	2	3	4	5	6	7	8	9	10	11	12	13	14	15	16	17	18	19	20	21	22	23	24	25
解答	2	1	3	4	1	3	3	3	4	3	2	4	1	2	3	1	4	2	4	2	4	3	3	4	2

問題	26	27	28	29	30	31	32	33	34	35	36	37	38	39	40	41	42	43	44	45	46	47	48	49	50
解答	1	3	1	1	4	1	3	1	1	3	1	1	4	1	2	3	2	1	1	4	1	3	1	3	4

資料　国試にでる
薬物の作用・副作用

抗感染症薬	● アシクロビルは抗ウイルス薬である。 ● バンコマイシン塩酸塩はMRSAに有効な薬である。 ● ペニシリンは抗菌薬である。 ● インターフェロンはC型慢性肝炎に使用する。 ● 耐性菌の出現が問題である。
抗癌薬	● 抗癌薬の有害な作用：骨髄抑制、嘔吐など。 ● 抗癌薬による骨髄機能抑制症状：歯肉出血など出血傾向（血小板減少）、易感染（白血球減少）、貧血（赤血球減少）。
強心薬、抗不整脈薬	● ジギタリス（ジゴキシン）の副作用：悪心などの消化器症状、ジギタリス中毒による不整脈。
狭心症治療薬	● 狭心症発作時のニトログリセリンの適切な使用法：舌下、スプレー。 ● ニトログリセリンは狭心症発作時に舌下投与する。 ● ニトログリセリンの作用：血管拡張。 ● ニトログリセリンの副作用：血圧の低下による転倒など。
抗血栓薬	● 出血傾向を考慮し手術前に投与の中止を検討するもの：抗血小板薬、ワルファリン。
降圧薬、昇圧薬	● アドレナリンの作用：昇圧作用。 ● 降圧薬は転倒・転落のリスクを高める。
消化性潰瘍治療薬	● ヒスタミンH_2受容体拮抗薬（H_2ブロッカー）は消化性潰瘍治療薬である。 ● プロトン※ポンプ阻害薬は強い胃酸分泌抑制作用をもつ。 ● 抗コリン薬のなかには、胃酸分泌抑制作用をもつものがある。
下剤	● 酸化マグネシウムは塩類下剤である。 ● 刺激性下剤は習慣性がつきやすく、長期間使うと耐性が生じやすい。 ● センノシド（センナ）、ヒマシ油は下剤である。
止痢薬	● 止痢薬は腸管運動の抑制や腸管粘膜からの分泌の抑制によって下痢を止める作用をもつ。 ● 腸管運動抑制薬のほか、腸管粘膜の表面に被膜をつくる収斂薬、腸内の有害物質を吸着する吸着薬などがある。
抗アレルギー薬	● 抗ヒスタミン薬の副作用：強い眠気、口渇。
副腎皮質ステロイド薬	● 副腎皮質ステロイドの作用：炎症の抑制。 ● 副腎皮質ステロイド薬（プレドニゾロン）の長期投与による有害作用：骨粗鬆症、満月様顔貌（ムーンフェイス）。
糖尿病治療薬	● インスリン自己注射の投与経路：皮下。 ● インスリン製剤の投与量を表す単位：単位（U）。 ● インスリンの副作用（有害事象）：低血糖症状。
中枢神経作用薬	● 目的とする効果が安定して発現するまでに時間がかかる薬：抗うつ薬。
麻薬	● 麻薬性鎮痛薬（モルヒネ）の副作用：呼吸抑制、腸蠕動抑制、便秘。 ● フェンタニルは貼付剤タイプがある。
消炎鎮痛薬	● アスピリンの作用：抗血小板作用、抗炎症作用。
利尿薬	● ループ利尿薬の特徴：作用発現が速い。 ● ループ利尿薬の副作用は低カリウム血症。
免疫療法薬	● がん治療や造血器疾患治療などに使われる。 ● 分子標的薬の1つである免疫チェックポイント阻害薬は、がん細胞がT細胞表面のタンパク質と結合して、免疫反応を抑制する動きを阻害する。 ● インターフェロンはサイトカインの一種で、免疫増強薬に区分される。細胞増殖を抑え、免疫系の細胞を活性化させるため、おもにがん治療に用いられる。

※プロトンとは水素のことをいう。

資料 国試にでる
先天異常

疾患名	原因	特徴的な症状
ダウン症候群 （21トリソミー）	● 常染色体異常 ● 21番目が3本	● 目がつり上がった顔貌、小さい鼻・耳、巨舌 ● 筋緊張低下 ● 発達遅滞 ● 先天性心疾患、白血病など
18トリソミー	● 常染色体異常 ● 18番目が3本	● 手指の屈曲拘縮 ● 揺り椅子状の足 ● 先天性心疾患、食道閉鎖など
13トリソミー	● 常染色体異常 ● 13番目が3本	● 小頭症 ● 口唇口蓋裂 ● 先天性心疾患など
5p−症候群	● 常染色体異常 ● 5番目の部分欠損	● 小頭症、円形顔貌 ● ネコ様の泣き声 ● 発達遅滞
ターナー症候群	● 性染色体異常 ● X染色体が1つ欠損	● 低身長 ● 無月経 ● 翼状頸 ● 外反肘
クラインフェルター症候群	● 性染色体異常 ● X染色体の過剰	● 高身長 ● 女性化乳房 ● 無精子症 ● 軽度の発達遅滞
ピエール・ロバン症候群	● 常染色体潜性 （劣性）遺伝	● 小頭症 ● 舌根沈下 ● 吸気性喘鳴、呼吸障害 ● 口蓋裂
マルファン症候群	● 常染色体顕性 （優性）遺伝	● 高身長 ● 側彎、漏斗胸、長指 ● 大動脈瘤・大動脈解離 ● 水晶体亜脱臼（視力障害） ● 自然気胸
軟骨無形成症	● 常染色体顕性 （優性）遺伝	● 四肢短縮型の低身長 ● 頭部が大きい ● 水頭症

資料
国試にでる統計一覧

【総人口 [人口推計 (2023年 (令和5年) 10月1日現在)]】

総人口	男性	女性
1億2,435万2,000人	6,049万2,000人	6,385万9,000人

【年齢別人口 [人口推計 (2023年 (令和5年) 10月1日現在)]】

	年少人口 (0〜14歳)	生産年齢人口 (15〜64歳)	老年人口 (65歳以上)
人口(千人)	14,173	73,952	36,227
構成割合(%)	11.4	59.5	29.1

【労働人口 [労働力調査 (令和5年平均)]】

労働力人口			完全失業率
総数	男性	女性	
6,925万人	3,801万人	3,124万人	2.6%

【世帯構造別にみた世帯数 (令和5年国民生活基礎調査)】

総数	単独世帯	夫婦のみの世帯	夫婦と未婚の子のみの世帯	ひとり親と未婚の子のみの世帯	三世代世帯
5,445万2,000 世帯 (100%)	1,849万5,000 世帯 (34.0%)	1,339万5,000 世帯 (24.6%)	1,351万6,000 世帯 (24.8%)	373万1,000 世帯 (6.9%)	205万 世帯 (3.8%)

【65歳以上の者のいる世帯の世帯構造 (令和5年国民生活基礎調査)】

65歳以上の者の いる世帯	全世帯に占める割合	単独世帯	夫婦のみの世帯	親と未婚の子のみの世帯	三世代世帯
2,695万1,000 世帯	49.5%	855万3,000世帯 (31.7%)	863万5,000世帯 (32.0%)	543万2,000世帯 (20.2%)	189万8,000世帯 (7.0%)

【婚姻・離婚 (令和5年人口動態統計)】

婚姻件数	婚姻率	離婚件数	離婚率	平均初婚年齢
47万4,741組	3.9(人口千対)	18万3,814組	1.52(人口千対)	夫31.1歳 妻29.7歳

【出生の動向 (令和5年人口動態統計)】

出生数	出生率(人口千対)	合計特殊出生率
72万7,288人	6.0	1.20

【母の年齢（5歳階級）別　出生数（令和5年人口動態統計）】

総数	14歳以下	15〜19歳	20〜24歳	25〜29歳
72万7,288人	27人	4,325人	4万7,195人	18万9,338人
30〜34歳	35〜39歳	40〜44歳	45〜49歳	50歳以上
26万5,109人	17万3,523人	4万6,020人	1,645人	100人

【合計特殊出生率・母の年齢（5歳階級）別　出生率（令和5年人口動態統計）】

総数	15〜19歳	20〜24歳	25〜29歳
1.20	0.0082	0.0834	0.3246
30〜34歳	35〜39歳	40〜44歳	45〜49歳
0.4544	0.2651	0.0635	0.0021

【死亡の動向（令和5年人口動態統計）】

死亡数	乳児死亡数	新生児死亡数	自然増減
157万6,016人	1,326人	600人	△84万8,728人
自然死産数	人工死産数	周産期死亡数	
7,152胎	8,382胎	2,404胎	

【粗死亡率・年齢調整死亡率（令和5年人口動態統計）】

粗死亡率（人口千対）			年齢調整死亡率（人口千対）	
総数	男	女	男	女
13.0	13.6	12.4	14.1	7.8

【死因順位（令和5年人口動態統計）】

順位	死因	死亡数（人）	死亡総数に占める割合（％）
1位	悪性新生物〈腫瘍〉	382,504	24.3
2位	心疾患	231,148	14.7
3位	老衰	189,919	12.1
4位	脳血管疾患	104,533	6.6
5位	肺炎	75,753	4.8
6位	誤嚥性肺炎	60,190	3.8
7位	不慮の事故	44,440	2.8
8位	新型コロナウイルス感染症	38,086	2.4
9位	腎不全	30,208	1.9
10位	アルツハイマー病	25,453	1.6
	全死因	1,576,016	100.0

【平均寿命・健康寿命】

平均寿命（令和5年簡易生命表）		健康寿命（厚生労働省「健康寿命の令和4年値について」令和6年12月24日）	
男	女	男	女
81.09年	87.14年	72.57年	75.45年

【有訴者・通院者（令和4年国民生活基礎調査）】

	有訴者		通院者	
有訴者率／通院者率	276.5（人口千対）		417.3（人口千対）	
性別	男	女	男	女
有訴者率／通院者率	246.7（人口千対）	304.2（人口千対）	401.9（人口千対）	431.6（人口千対）
主な症状・傷病	①腰痛 ②肩こり	①腰痛 ②肩こり	①高血圧症 ②糖尿病	①高血圧症 ②脂質異常症

【受療率（令和5年患者調査）】

	入院（人口10万対）		外来（人口10万対）	
率（総数）	945		5,850	
高い傷病	①精神及び行動の障害 ②循環器系の疾患		①消化器系の疾患 ②健康状態に影響を及ぼす要因及び保健サービスの利用	
性別	男	女	男	女
率	893	995	5,118	6,544
高い年齢階級	90歳以上	90歳以上	80～84歳	80～84歳
低い年齢階級	10～14歳	5～9歳	20～24歳	15～19歳

【健康に関する割合（令和4年国民健康・栄養調査）】

●肥満者とやせの者の割合

	肥満者（BMI≧25kg/m²）			やせの者（BMI＜18.5kg/m²）		
	総数	高い年齢階級	低い年齢階級	総数	高い年齢階級	低い年齢階級
男	31.7%	50～59歳	20～29歳	4.3%	15～19歳	50～59歳
女	21.0%	70歳以上	20～29歳	11.3%	15～19歳	50～59歳

●運動習慣のある者の割合（20歳以上）

	総数	高い年齢階級	低い年齢階級
男	35.5%	70歳以上	20～29歳
女	31.5%	70歳以上	20～29歳

【病床区分別 平均在院日数（令和5・4年病院報告）】

	全病床	精神病床	感染症病床	結核病床
令和5年	26.3日	263.2日	13.3日	42.1日
令和4年	27.3日	276.7日	10.5日	44.5日
	療養病床	一般病床	介護療養病床	介護療養病床を除く全病床
令和5年	119.6日	15.7日	295.7日	26.2日
令和4年	126.5日	16.2日	307.8日	27.2日

【国民医療費（令和3年度）】

	総数	65歳未満	65歳以上	70歳以上（再掲）	75歳以上（再掲）
国民医療費（億円）	450,359	177,323	273,036	233,696	172,435
人口1人当たり（千円）	358.8	198.6	754.0	824.5	923.4

【就業している看護師の就業場所別割合（令和4年衛生行政報告例、実人員）】

就業場所	病院	診療所	訪問看護ステーション	介護保険施設等	社会福祉施設
看護師	67.8%	13.7%	5.4%	7.7%	1.7%
准看護師	34.3%	32.8%	2.1%	24.7%	4.0%

【児童・生徒の疾病・異常被患率（令和5年度学校保健統計調査）】

	1位（一番高い疾病）	2位（二番目に高い疾病）
幼稚園	裸眼視力1.0未満 22.92%	むし歯（う歯） 22.55%
小学校	裸眼視力1.0未満 37.79%	むし歯（う歯） 34.81%
中学校	裸眼視力1.0未満 60.93%	むし歯（う歯） 27.95%
高等学校	裸眼視力1.0未満 67.80%	むし歯（う歯） 36.38%

【業務上疾病発生件数・総数に対する割合（令和4年業務上疾病発生状況等調査）】

総数	負傷に起因する疾病		病原体による疾病※
9,506人	74.5%	うち災害性腰痛 62.7%	1.7%
物理的因子による疾病	**作業態様に起因する疾病**	**化学物質による疾病**	**じん肺症およびじん肺合併症**
11.7%	5.7%	2.7%	1.3%

※「病原体による疾病」のうち、「新型コロナウイルス感染症り患によるもの」155,989件を除く。含める場合、「病原体による疾病」が総数の94.4%を占める

【原因・動機別にみた自殺者数・構成割合】

		自殺者数（人）		構成割合（%）	
		令和5年 （2023）	4年 （2022）	令和5年 （2023）	4年 （2022）
総数		21,837	21,881	100.0	100.0
原因・動機特定者数		19,449	19,164	89.1 （100.0）	87.6 （100.0）
原因・動機特定者	家庭問題	4,708	4,775	（24.2）	（24.9）
	健康問題	12,403	12,774	（63.8）	（66.7）
	経済・生活問題	5,181	4,697	（26.6）	（24.5）
	勤務問題	2,875	2,968	（14.8）	（15.5）
	交際問題	877	828	（4.5）	（4.3）
	学校問題	524	579	（2.7）	（3.0）
	その他	1,776	1,734	（9.1）	（9.0）
原因動機不特定者		2,388	2,717	10.9	12.4

資料　警察庁「令和5年中における自殺の状況」
注　　自殺の原因・動機は、遺書等の生前の言動を裏付ける資料がある場合に加え、家族等の証言から考えうる場合も含め、自殺者一人につき4つまで計上可能である。そのため、原因・動機特定者数と原因・動機の件数の和は一致するとは限らない。
　　　なお、警察庁でまとめた自殺の概要と、厚生労働省の人口動態統計の自殺死亡数の差異は、調査対象や調査時点、心中事件に関する死亡原因のとり方、事務手続き上（訂正報告）の違いによるものである。

おつかれさまーー!!
しっかり見直してみてね!

索　引

かん ご し こくし
看護師国試 2026

ひっ しゅう もん だい かん ぜん よ そう もん
必修問題 完全予想550問

2009年11月4日	第1版第1刷発行
2010年7月14日	第2版第1刷発行
2011年7月13日	第3版第1刷発行
2012年7月4日	第4版第1刷発行
2013年10月5日	第5版第1刷発行
2014年7月23日	第6版第1刷発行
2015年7月22日	第7版第1刷発行
2016年8月3日	第8版第1刷発行
2017年7月25日	第9版第1刷発行
2018年7月15日	第10版第1刷発行
2019年7月24日	第11版第1刷発行
2020年7月15日	第12版第1刷発行
2021年7月20日	第13版第1刷発行
2022年7月25日	第14版第1刷発行
2023年7月24日	第15版第1刷発行
2024年7月22日	第16版第1刷発行
2025年7月21日	第17版第1刷発行

かん ご し こっ か し けんたいさく
編　集　看護師国家試験対策プロジェクト
発行者　森山　慶子
発行所　株式会社照林社
　　　　〒112-0002
　　　　東京都文京区小石川2丁目3-23
　　　　電　話　03-3815-4921（編集）
　　　　　　　　03-5689-7377（営業）
　　　　https://www.shorinsha.co.jp/
印刷所　株式会社DNP出版プロダクツ

目指せ

合格！